COLLECTION
FOLIO CLASSIQUE

Blaise Pascal

Les Provinciales

ou

Les Lettres écrites
par
Louis de Montalte
à un provincial de ses amis
et aux RR. PP. Jésuites
sur le sujet de la morale
et de la politique de ces Pères

*Édition présentée,
établie et annotée
par Michel Le Guern*
Professeur à l'Université Lyon II

Gallimard

PRÉFACE

Les Provinciales *sont d'abord une œuvre de circonstance. Roger du Plessis, marquis de Liancourt, duc de La Rocheguyon et pair de France, grand ami de Port-Royal, se confessait habituellement à un vicaire de Saint-Sulpice, Charles Picoté. Le curé de Saint-Sulpice était Jean-Jacques Olier, violemment hostile au jansénisme. Le 1ᵉʳ février 1655, le vicaire demande au duc de rompre ses relations avec les gens de Port-Royal ; le duc n'accepte pas, et se voit refuser l'absolution. Antoine Arnauld réagit en publiant, datée du 24 février 1655, la* Lettre d'un docteur de Sorbonne à une personne de condition sur ce qui est arrivé depuis peu dans une paroisse de Paris à un seigneur de la cour, *où il défend les jansénistes de l'accusation d'hérésie. Le P. Annat, jésuite et confesseur du roi, y réplique par un violent réquisitoire,* Réponse à quelques demandes dont l'éclaircissement est nécessaire au temps présent. La réponse d'Arnauld, intitulée* Seconde Lettre à un duc et pair, *est datée du 10 juillet 1655, et adressée au duc de Luynes, lui aussi grand ami de Port-Royal. C'est un volume de 254 pages in-4°. Arnauld y condamne la conduite du vicaire de Saint-Sulpice, réfute l'accusation d'hérésie portée contre Port-Royal, et prend la défense des idées augustiniennes : les adversaires, à travers Jansénius, visent saint Augustin et sa théologie de la grâce.*

Mais les adversaires ne sont pas désarmés par la vigueur de la réponse : ils entreprennent de faire condamner la Seconde Lettre *par la Faculté de théologie de Paris. Le 4 novembre 1655, la procédure est engagée en Sorbonne, par la désignation d'une commission chargée d'examiner le livre d'Arnauld. Très vite, grâce au jeu des intrigues et sous les pressions du pouvoir politique, la censure apparaît comme inévitable. Le seul espoir d'empêcher la machination d'atteindre son but est le recours à l'opinion publique. Mais le style majestueux, abondant et parfois lourd d'Antoine Arnauld ne convient pas à une telle entreprise : c'est un bon technicien de la controverse théologique, non un pamphlétaire ; celui de Pierre Nicole est plus élégant, mais il n'a pas le mordant du polémiste. L'homme de la situation, c'est Pascal.*

La bataille est perdue du côté des professionnels de la théologie, même si les apologies et les justifications continuent de s'accumuler. Il faut maintenant gagner les gens du monde, l'élite cultivée qui fait l'opinion publique. Pascal connaît bien ces milieux, il les a beaucoup fréquentés à l'époque toute récente où il était un savant à la mode. Depuis le 23 novembre 1654, la nuit du Mémorial, il s'est rapproché de Port-Royal, où sa sœur Jacqueline est religieuse. La nécessité se faisant pressante, il met sa connaissance des usages mondains et son zèle de nouveau converti au service de la cause janséniste.

En a-t-il pris lui-même l'initiative, ou répond-il à une invitation d'Arnauld ? La première hypothèse serait la bonne, si l'on en croyait la Préface de Nicole alias Wendrock à la traduction latine des Provinciales *:*

Un jour que Montalte s'entretenait avec quelques amis particuliers, on parla par hasard de la peine que ces personnes avaient de ce qu'on imposait ainsi à ceux qui n'étaient pas capables de juger de ces disputes, et qui les auraient méprisées s'ils en avaient pu juger. Tous ceux de la compagnie trouvèrent que la chose méritait en effet qu'on y fît attention, et qu'il eût été à souhaiter qu'on eût pu désabuser le monde. Sur cela un d'eux dit que le meilleur moyen pour y réussir était de répandre dans le public une espèce de factum, où l'on fît voir que dans ces disputes il ne s'agissait de rien d'important et de sérieux ; mais seulement d'une question de mots, et d'une pure chicane, qui ne roulait que sur des termes équivoques, qu'on ne voulait point expliquer. Tous approuvèrent ce dessein, mais personne ne s'offrait pour l'exécuter. Alors Montalte, qui n'avait encore presque rien écrit, et qui ne connaissait pas combien il était capable de réussir dans ces sortes d'ouvrages, dit qu'il concevait à la vérité comment on pourrait faire ce factum, mais que tout ce qu'il pouvait promettre était d'en ébaucher un projet, en attendant qu'il se trouvât quelqu'un pour le polir, et le mettre en état de paraître.

Mais, en 1658, date de la traduction de Wendrock, la prudence impose de minimiser le rôle d'Arnauld, et les adversaires ne savent pas encore qui se cache sous le pseudonyme de Louis de Montalte ; Pascal n'a donc rien à craindre, et lui attribuer le premier rôle, en lui gardant l'incognito, ne porte pas à conséquence. En 1699, une note à la traduction française de la préface de Wendrock par Mlle de Joncoux apporte une précision intéressante :

Ce fut M. Arnauld lui-même qui dit que la chose ne méritait pas d'être traitée sérieusement aux yeux du public. Il ajouta qu'il n'y avait que M. Pascal qui fût capable d'en faire le sujet d'un agréable badinage.

Cette note se présente comme une information non pas contradictoire, mais complémentaire. En 1699, la prudence n'impose plus de la dissimuler. Arnauld est mort, et tout le monde sait que Montalte est Pascal. L'initiative revient bien à Arnauld.

En janvier 1656, Pascal, sur l'invitation d'Arnauld, entre dans la polémique. La première Lettre écrite à un provincial par un de ses amis sur le sujet des disputes présentes de la Sorbonne *est datée du 23 janvier, et annonce une suite. La* Seconde Lettre *est datée du 29 janvier, le jour même du vote de la censure par la Sorbonne. La* Troisième Lettre, *du 9 février, a pour objet de répondre à la censure et de réfuter son argumentation. On aurait pu en rester là, et Pascal y a pensé. Il termine en écrivant : « Laissons donc là leurs différends. Ce sont des disputes de théologiens, et non pas de théologie.* » *Les* Provinciales, *réduites aux trois lettres sur les disputes de Sorbonne et la censure, seraient restées une œuvre de circonstance.*

La bataille de la censure est perdue, mais la lutte continue. Après la défense d'Arnauld, c'est l'attaque, contre les jésuites. La Quatrième Lettre, *du 25 février, oppose leur théologie de la grâce à la tradition augustinienne ; en conclusion, elle annonce une nouvelle orientation :* « Ne savez-vous donc pas encore que leurs excès sont beaucoup plus grands dans la morale que dans la doctrine ? » *L'exposé de la morale des jésuites, de leur casuistique, fournit la matière de six lettres, de la* Cinquième (20 mars 1656) *à la* Dixième (2 août).

Les dix premières lettres, contrairement aux suivantes, font une place à la fiction. Elles se rattachent au genre littéraire du dialogue, dans la mesure où elles présentent des propos fictivement énoncés par des locuteurs fictifs, mais prenant leur valeur de vérité sur l'univers réel. Le narrateur est fictif, puisqu'il se donne pour neutre, naïf et peu informé. Ses interlocuteurs sont eux aussi des personnages fictifs, même s'ils citent des textes réels. Les premiers sont tout juste esquissés, jusqu'au jésuite mondain de la Quatrième Lettre. Mais, à partir de la Cinquième, Pascal fait de son interlocuteur un véritable personnage de comédie : c'est un brave casuiste de collège, bienveillant, bavard, plutôt sympathique et un tantinet ridicule. Le destinataire des dix premières lettres est lui aussi fictif, et les tentatives faites pour donner au « provincial » l'identité d'une personne réelle n'ont aucune justification. Il s'agit bien d'un jeu, d'une « badinerie », suivant le mot attribué à Arnauld.

Mais, à y regarder de près, on voit s'atténuer progressivement le caractère de fiction : la neutralité du narrateur glisse vers l'indignation, et sa grande tirade de la fin de la Dixième Lettre exprime sans la moindre transposition les sentiments de Pascal lui-même.

À partir de la Onzième Lettre, on sort totalement de la fiction : Montalte coïncide totalement avec Pascal, les lettres sont adressées à des destinataires bien réels, « aux Révérends Pères Jésuites », puis, pour les deux dernières, au P. Annat, le *confesseur du roi, l'adversaire acharné de Port-Royal. Aux dialogues fictifs succède un dialogue bien réel lui aussi, dont le texte des* Provinciales *ne manifeste qu'une des voix. L'autre voix est constituée par les réponses des jésuites, qui seront regroupées en 1657 sous le titre* Réponses aux Lettres provinciales publiées par le Secrétaire du Port-Royal, contre les Pères de la Compagnie de Jésus, sur le sujet de la morale des dits Pères. *Ces textes n'ont guère d'intérêt par eux-mêmes, mais il est essentiel de s'y reporter si l'on veut comprendre aisément celles des* Provinciales *qui y font réponse. Et le contraste met encore mieux en valeur le talent de Pascal.*

Le style des Provinciales *a recueilli tous les éloges. Les adversaires eux-mêmes n'arrivent pas à cacher leur admiration pour « cette manière d'écrire pleine de rencontres ingénieuses » ; ils reconnaissent les qualités d'expression du « secrétaire de Port-Royal » :*

Il faut bien avouer qu'il sait mieux qu'homme du monde l'art du ridicule, et qu'il s'en sert avec toute la perfection qu'on peut souhaiter. Se peut-il rien dire de plus délicat que *le pouvoir prochain* de sa première Lettre, de plus surprenant que le Mohatra de la huitième, de plus falot (= comique) que le conte de Jean d'Alba, de plus nouveau que la simplicité de ce bon Père Jésuite, qu'il sait si bien entretenir qu'il lui fait croire qu'il ne rit pas, lorsqu'il fait rire tout le monde à ses dépens ? (*Seconde Réponse aux Lettres des jansénistes*, p. LVII du recueil de 1657.)

Le premier objectif de Pascal, c'est de faire comprendre en peu de pages des problèmes difficiles à un public de non-initiés. Les dimensions de chaque lettre sont imposées par une contrainte matérielle : Pascal ne dispose que d'une feuille, c'est-à-dire huit pages in-quarto. Il n'y aura que deux exceptions, la Seizième Lettre, dont le post-scriptum précise : « Je n'ai fait celle-ci plus longue que parce que je n'ai pas eu le loisir de la faire plus courte », et la Dix-Huitième. *La comparaison avec les sources permet de décrire de nombreuses pages des* Provinciales *comme la réécriture concise et claire d'écrits beaucoup plus longs et parfois fort compliqués.*

Il ne suffit pas de faire comprendre; il faut encore éviter d'ennuyer le lecteur. Le contraste des Provinciales *avec les autres pièces de la controverse montre à quel degré Pascal y a réussi. Les côtés comiques et plaisants des dix premières* Lettres *ont déjà été évoqués, par l'aveu même des adversaires. Il convient d'y ajouter la narrativisation, c'est-à-dire la présentation d'un débat d'idées sous la forme d'une succession de démarches, d'entretiens et de rencontres, et surtout la dramatisation, en ce sens que les opinions opposées sont mises en scène par la création de véritables personnages de théâtre. À mesure que la polémique s'avance, et que la distance entre Pascal et le narrateur s'atténue, le comique et la plaisanterie font place à l'indignation. Le changement de ton se manifeste dans le réquisitoire qui marque la rupture des entretiens entre le narrateur et le casuiste, à la fin de la Dixième Lettre. Exception faite de la Onzième Lettre, dont le sujet, la raillerie, exige une expression plaisante, le reste des* Provinciales *ne quitte pas le ton grave; pour certaines pages, comme la fin de la Douzième Lettre, il ne serait pas déplacé de parler de lyrisme, ou, suivant les catégories de la rhétorique de l'époque, de « style sublime ».*

Et pourtant, parler de l'art des Provinciales, *c'est en fausser la perspective. Ce texte ne vise qu'à persuader, il ne cherche pas à plaire; plus exactement, il ne cherche à plaire qu'autant que cela est nécessaire pour persuader. On peut dire de lui qu'il est purement rhétorique, sans la moindre concession à la poétique. Il échappe à la littérature, si l'on veut bien admettre que la littérature est, dans notre culture, le lieu où rhétorique et poétique sont indissociablement mêlées. Pour Pascal, il s'agit de mener un combat, et la recherche de la plus totale efficacité exige que soit banni du texte tout ce qui ne sert pas directement à ce combat. Si on garde à l'esprit la perspective choisie par Pascal, on ne peut évaluer les* Provinciales *qu'en termes de stratégie et de tactique. Le recours au comique et à la raillerie n'a nullement pour objet le divertissement du lecteur ou la mise en valeur de la virtuosité de l'auteur; il ne vise qu'à disqualifier l'adversaire, à empêcher*

*qu'on le prenne au sérieux. L'explication des éléments du débat
sert à imposer un point de vue. Quant à l'expression de
l'indignation, elle n'a d'autre objet que de la faire partager.*

D'une certaine manière, les Provinciales *sont une œuvre
collective. Sans doute l'élocution, si l'on veut bien reprendre les
catégories de la rhétorique traditionnelle, est-elle entièrement
imputable à Pascal, à part peut-être quelques pages de la*
Troisième Lettre *et de la* Seizième, *où l'on ne reconnaît pas son
style. Les indications fournies par l'abbé Goujet dans la* Vie de
M. Nicole *pourraient suggérer que la mise en forme des* Lettres
est aussi le fruit d'un travail en commun :

La première et la 2ᵉ de ces Lettres furent faites au mois de
janvier de cette année 1656, et M. Nicole les revit avec
M. Arnauld, et corrigea seul la seconde. Il donna les mêmes
soins à la sixième, à la septième et à la huitième... Il revit
aussi et corrigea la treizième et la quatorzième dans la maison
de M. Hamelin (Luxembourg, 1732, T. I, p. 61).

*Revoir et corriger, ce n'est, semble-t-il, pas autre chose que
préparer le manuscrit pour l'imprimeur et corriger les épreuves,
sans apporter à la rédaction des modifications substantielles. Les
retouches qui seront apportées en vue de l'édition de 1659 sont
certainement moins discrètes ; mais ces ultimes révisions auxquelles Pascal n'a pas eu de part affaiblissent et défigurent
parfois son texte.*

*Quant à la disposition, Nicole y a eu sa part ; d'après Goujet,
il a donné le plan de la* Neuvième Lettre, *de la* Onzième *et de
la* Douzième. *Arnauld aussi sans doute. Mais c'est surtout
l'invention qui est collective : Arnauld, Nicole et d'autres
collaborateurs ont fourni à Pascal l'essentiel de sa documentation,
en lui remettant des écrits déjà composés, souvent même publiés,
ou en lui fournissant des mémoires spécialement destinés à
compléter son information sur des points abordés par les* Provinciales. *J'ai moi-même découvert en 1965, dans un recueil de
pièces de la* Bibliothèque Nationale, *un mémoire préparé par
Arnauld en vue de la* Huitième Lettre.

On ne saurait pourtant assimiler le rôle de Pascal à celui d'un simple rédacteur, et l'appellation de « secrétaire de Port-Royal » que lui donnent les jésuites dans leurs réponses est doublement inexacte. L'importance de la documentation fournie par Arnauld, Nicole et les Messieurs de Port-Royal n'implique pas nécessairement leur initiative. Dans certaines occasions, comme pour le commentaire de la censure dans la Troisième Lettre, l'argumentation est en quelque sorte imposée à Pascal par ses collaborateurs. Mais, le plus souvent, la documentation semble répondre à une demande de Pascal lui-même, et sa liberté de choix parmi les matériaux disponibles reste entière. C'est de sa propre initiative qu'il donne à Escobar une place si considérable. Cet obscur casuiste espagnol n'a rien de particulièrement laxiste, et il se montre souvent très critique à l'égard des décisions relâchées de ses confrères. Mais l'application systématique du principe de la probabilité fait que la citation d'une opinion laxiste, même accompagnée des réserves les plus précises, suffit pour l'autoriser. Et Escobar fournit sous un volume réduit une telle masse d'informations sur la casuistique que Pascal s'en est servi comme d'un répertoire très commode. Il trouve là un accès direct à la casuistique jésuite, ce qui le rend plus autonome par rapport aux spécialistes de Port-Royal. L'attitude de ceux-ci relève moins de la directivité que de la disponibilité. Ainsi, Pascal a eu accès, dès janvier 1656, au manuscrit du livre d'Arnauld, De la nécessité de la foi en Jésus-Christ pour être sauvé, rédigé sans doute dès 1643, qui ne sera publié qu'en 1701 ; c'est là qu'il a trouvé l'adaptation de la parabole du bon Samaritain au problème de la grâce.

Mais, de tous ces matériaux qui lui sont fournis, Pascal construit une œuvre personnelle et originale. Il garde sa faculté d'appréciation, et son indépendance. C'est ce qui lui permet d'affirmer, dans la Seizième Lettre, qu'il n'est pas de Port-Royal. En défendant Port-Royal, il garde son indépendance ; il n'engage pas Port-Royal, il n'engage que lui-même. Et son combat dépasse la seule défense de Port-Royal. Il continuera sa lutte contre la morale des casuistes dans les Écrits des Curés de Paris, où il parle au nom d'un groupe qui ne se limite pas aux milieux jansénistes.

Les Provinciales *ont deux objectifs : défendre les jansénistes, attaquer les jésuites. La querelle des jansénistes et des jésuites n'a plus aujourd'hui qu'un intérêt historique. Mais les thèmes autour desquels s'organise le débat n'ont pas perdu leur actualité.*

Les quatre premières Lettres *et les deux dernières portent sur la question de la grâce et de la liberté; contre les innovations molinistes, qui exaltent la liberté de l'homme et lui donnent en quelque sorte le pouvoir de décider lui-même de son salut, Pascal défend les positions traditionnelles de l'augustinisme, durcies et radicalisées par le jansénisme : depuis le péché originel, l'homme ne peut rien pour lui-même, et son salut ne dépend que de la miséricorde de Dieu; le libre arbitre est reconnu, mais réduit à bien peu de chose, puisqu'il ne peut que suivre soit les concupiscences, soit la grâce divine si elle se fait plus forte. C'est toute la question du déterminisme et de la liberté qui est posée là, et le débat n'est pas encore clos.*

Les autres Lettres *portent sur la morale, ou plus exactement sur la casuistique. En fait, Pascal semble confondre les deux, en toute bonne foi, et cette confusion n'est sans doute pas étrangère à la vigueur de son indignation. La morale est cette science du bien et du mal, commune à l'ensemble des hommes, qui conduit leurs actions. La casuistique s'occupe des cas de conscience, dans ce qu'ils ont de plus particulier; c'est l'activité par laquelle un confesseur porte un jugement sur des actes déjà accomplis. On pourrait dire que la casuistique est à la miséricorde ce que la morale est à la justice. Dieu veut la mort du péché, non la mort du pécheur. La rigueur de la morale n'exclut pas la mansuétude de la casuistique. L'équilibre est sans doute difficile à tenir, mais il est dans la droite ligne de l'Évangile : Jésus déclare (Matthieu, V, 28) : « Quiconque regarde une femme pour la désirer a déjà commis, dans son cœur, l'adultère avec elle »; mais, quand une femme adultère prise en flagrant délit est menacée de la lapidation selon la loi de Moïse, il la libère, et lui dit (Jean, VIII, 11) : « Je ne te condamne pas. » Cela peut paraître incohérent, comme semble incohérent à beaucoup de nos contemporains le fait que l'Église condamne le divorce et accueille les divorcés, qu'elle condamne la contraception alors qu'elle approuve l'action de*

Mère Teresa dans les quartiers les plus misérables de Calcutta. À moins que l'on ne voie là la dialectique de la justice et de la miséricorde ; et la miséricorde de Dieu n'est pas moins infinie que sa justice.

Mais, si Pascal semble confondre morale et casuistique, c'est que les casuistes qu'il combat ont fait parfois cette confusion. L'erreur a été de faire de la casuistique une science. La préoccupation d'établir des règles d'une certaine généralité dans l'appréciation des cas particuliers a conduit à interpréter la mansuétude pour le pécheur en tolérance pour le péché, et à introduire le laxisme dans les principes mêmes de la morale. On en est arrivé à des excès condamnables, ceux-là mêmes que dénonce Pascal, et qui seront condamnés officiellement par les papes, par Alexandre VII en 1665 et 1666, et par Innocent XI en 1679.

L'attaque aura porté ses fruits. La défense sera moins heureuse : tous les efforts de Pascal n'empêcheront pas les condamnations successives du jansénisme, et la destruction de Port-Royal. Le débat théologique se situe dans un contexte politique : depuis Richelieu, les milieux proches de Port-Royal sont aussi des lieux de contestation du pouvoir ; les oppositions sont conduites naturellement à s'y durcir, et l'intransigeance appelle les représailles et les condamnations.

L'engagement de Pascal dans la polémique ne s'arrête pas avec la Dix-huitième Lettre. *On a conservé les fragments d'une dix-neuvième* Lettre, *adressée au P. Annat, qui ne seront publiés qu'en 1779, par l'abbé Bossut. Pascal a sans doute collaboré avec Antoine Le Maître à la rédaction de la* Lettre d'un avocat au parlement à un de ses amis, *touchant l'Inquisition qu'on veut établir en France. Sa contribution aux* Écrits des Curés de Paris, *de janvier à juillet 1658, est une certitude : les deux premiers* Écrits *et le cinquième sont de sa main ; le sixième aussi, au moins en partie. On a là quelques-unes des plus belles pages de Pascal, où il se plaint de la morale relâchée des casuistes, non plus au nom du courant janséniste, mais au nom de l'Église.*

De par leur nature — elles sont tour à tour réquisitoire et plaidoyer —, les Provinciales *demandent à être jugées. Pascal*

lui-même les a jugées, sur son lit de mort. Le P. Beurrier, curé de
Saint-Étienne-du-Mont, a reçu les dernières confidences de
Pascal ; son témoignage a été contesté, non parce qu'il n'était pas
véridique, mais parce qu'il gênait ceux des proches de Pascal qui
restaient étroitement liés à la cause janséniste. On peut faire
confiance à Beurrier ; c'est bien le jugement ultime de Pascal sur
les Provinciales *que nous rapportent ses* Mémoires :

Il me mit ensuite sur les matières du temps, qui faisaient
tant de bruit entre les doctes catholiques sur la doctrine de la
grâce, de la puissance et autorité du pape, sur les cas de
conscience, et la morale chrétienne ; et me dit qu'il gémissait
avec douleur de voir cette division entre les fidèles, qui
s'échauffaient si fort dans leurs disputes, soit de vive voix,
soit par écrit, qu'ils se décriaient mutuellement les uns des
autres avec tant de chaleur que cela préjudiciait à l'union et à
la charité, qui les devait porter plutôt à joindre leurs armes
spirituelles contre les véritables infidèles et hérétiques, que
de se battre ainsi les uns les autres, m'ajoutant qu'on l'avait
voulu engager dans ces disputes, mais que depuis deux ans
il s'en était retiré prudemment, vu la grande difficulté
de ces questions si difficiles de la grâce et de la prédestination...

Et, pour la question de l'autorité du pape, il l'estimait aussi
de conséquence, et très difficile à vouloir connaître ses
bornes ; et qu'ainsi n'ayant point étudié la scolastique, et
n'ayant point eu d'autre maître, tant dans les humanités que
dans la philosophie et dans la théologie, que son père qui
l'avait instruit et dirigé dans la lecture de la Bible, des
conciles, des saints Pères et de l'histoire ecclésiastique, il
avait jugé qu'il se devait retirer de ces disputes et contesta-
tions, qu'il croyait préjudiciables et dangereuses, car il aurait
pu errer en disant trop ou trop peu, et ainsi qu'il se tenait au
sentiment de l'Église touchant ces grandes questions et qu'il
voulait avoir une parfaite soumission au vicaire de Jésus-
Christ, qui est le Souverain Pontife...

Il ajouta que, pour ce qui est de la morale nouvelle et

relâchée, qu'elle n'était point conforme à l'Évangile, aux canons des conciles, et aux sentiments des Pères de l'Église et qu'il la fallait assurément condamner ; qu'elle était très dangereuse, parce qu'elle favorisait la lâcheté, le vice, le libertinage et la corruption des mœurs, qu'elle était très préjudiciable à l'Église et qu'il en avait une très grande horreur (Pascal, *Œuvres complètes*, éd. Mesnard, t. I, pp. 868-869).

Pascal trouvait stérile le débat sur la grâce et la prédestination. C'est la partie des Provinciales *qui nous touche le moins aujourd'hui ; mais il expose les questions compliquées avec une telle clarté, il réussit tellement à fixer l'intérêt du lecteur, que même là il entraîne l'admiration. La lutte contre les casuistes relâchés nous touche beaucoup plus, parce que Pascal y construit le réquisitoire contre toutes les compromissions, d'hier et d'aujourd'hui. La lucidité avec laquelle il arrive à démonter les mécanismes de disciplines hautement techniques qui n'appartenaient pas préalablement à sa compétence, jointe à l'art le plus achevé de faire partager ses convictions au lecteur, fait de lui, incontestablement, le premier des grands journalistes.*

Michel Le Guern.

NOTICE

1. LES ÉDITIONS ET LE CHOIX DU TEXTE

Suivant un usage établi, l'éditeur d'une œuvre classique imprimée plusieurs fois du vivant de son auteur a le choix entre le texte de l'édition originale et celui de la dernière édition précédant la mort de l'auteur, ou plus exactement le dernier texte revu par l'auteur lui-même. Dans le cas des *Provinciales*, la situation n'est pas si simple : la détermination du texte original ne va pas de soi, et la question de savoir quel est le dernier état du texte revu par Pascal n'est pas totalement résolue.

La publication des *Provinciales* s'est échelonnée sur quinze mois, de janvier 1656 à mai 1657, la diffusion de la *Dix-huitième Lettre* ayant été différée d'un mois et demi après son achèvement. On pourrait penser que l'édition originale est constituée du recueil des dix-huit *Lettres* publiées séparément, dans le format in-4°, chaque *Lettre* couvrant huit pages, à l'exception de la *Seizième* et de la *Dix-huitième*, qui en comptent douze. Mais les recueils ainsi constitués ne sont pas identiques, et rien ne permet pour le moment d'en privilégier un au détriment des autres, en le considérant comme le seul témoin du texte original. Chaque *Lettre*, en effet, a connu des tirages multiples, parfois simultanés. Il y a à cela deux raisons au moins. D'abord, le nombre d'exemplaires, extrêmement élevé pour l'époque — une lettre de

Saint-Gilles à Périer, le beau-frère de Pascal, mentionne pour la *Dix-septième* plus de dix mille exemplaires —, aurait exigé d'un imprimeur unique plus de temps que la rapidité de l'échange polémique ne le permettait. Surtout, les conséquences d'une éventuelle saisie — les *Provinciales* sont de la littérature clandestine — étaient d'autant plus divisées que des imprimeurs plus nombreux se partageaient le travail. Dans ces conditions peu favorables, les fautes d'impression étaient inévitables ; elles varient, bien entendu, d'un imprimeur à l'autre. Seule une comparaison très minutieuse de tous les exemplaires conservés pour chacune des *Lettres* permettrait d'établir, par tout un jeu complexe de déductions et de conjectures, le texte original de Pascal. Encore s'agirait-il d'un texte partiellement conjectural.

Les dix-huit *Lettres*, regroupées en un seul volume sous le titre *Les Provinciales ou les lettres écrites par Louis de Montalte, à un provincial de ses amis et aux RR. PP. Jésuites*, connaîtront trois publications du vivant de Pascal :

— Dans les premiers mois de 1657 est mis en vente un volume in-4°, qu'on ne peut pas considérer à proprement parler comme une édition distincte ; il s'agit d'un recueil factice des tirages séparés des *Lettres*, que l'on a fait précéder d'une page de titre — c'est le texte original du titre qui sera conservé dans les éditions suivantes —, et d'un « Avertissement sur les XVII Lettres, où sont expliqués les sujets qui sont traités dans chacune ». Cet « Avertissement » a été composé par Nicole en février ou mars 1657, à un moment où on ne savait pas encore s'il y aurait une dix-huitième *Lettre* ; la date du 5 mai 1657, qu'il porte dans l'édition de 1659, ne concerne que sa forme remaniée, portant sur les dix-huit Lettres. L' « Avertissement » est suivi d'un *Rondeau aux RR. PP. Jésuites sur leur morale accommodante* ; Louis Cognet a proposé l'hypothèse qu'il serait d'Isaac Lemaître de Sacy.

— En juin ou juillet 1657 paraît la première édition in-12, « À Cologne, chez Pierre de la Vallée », en réalité à Amsterdam, chez Daniel Elzevier ; l'examen de la typographie ne laisse là-dessus aucun doute. Il s'agit de la réimpression d'un des recueils factices précédés de l' « Avertissement » et du *Rondeau ;* de nombreuses fautes d'impression ont été corrigées.

— À la fin de 1657 paraît une seconde édition in-12, qui diffère essentiellement de la précédente par le fait que le texte des trois premières Lettres a subi divers remaniements, le plus important portant sur le sixième paragraphe de la Seconde Lettre[1].

— En 1659, toujours chez Elzevier, mais avec la mention « À Cologne, chez Nicolas Schoute », paraît une édition in-8°, où le texte des *Provinciales* est suivi de *La Théologie morale desdits Pères et nouveaux casuistes : représentée par leur pratique, et par leurs livres,* qui contient de nombreux documents concernant la lutte contre les casuistes laxistes, et en particulier les *Écrits des Curés de Paris.*

Au printemps de 1658, Pierre Nicole, sous le pseudonyme de Guillaume Wendrock, publie chez Elzevier, avec la mention de Nicolas Schoute, à Cologne, la traduction latine des *Provinciales,* accompagnée de notes importantes, qui seront traduites en français par Mlle de Joncoux pour l'édition de 1699. La préface de Nicole précise que le texte latin a été soumis à l'approbation de Montalte lui-même, qui y aurait apporté des corrections.

Le texte que l'édition de 1659 donne des *Provinciales* est très sensiblement différent de celui que donnaient les éditions précédentes. Les corrections débarrassent le texte des marques les plus sensibles de la violence polémique, les faits d'ironie sont systématiquement effacés, on retrouve si peu le comique et le pittoresque que la Onzième Lettre, écrite pour justifier le recours au comique dans une polémique religieuse, perd en grande partie sa raison d'être.

Comme l'a montré Léon Parcé (« Un correcteur inattendu des *Lettres provinciales* », *Écrits sur Pascal,* Paris, éd. du Luxembourg, 1959, pp. 21-59), le texte de 1659 est le résultat d'une double révision, la première pouvant être

---

1. Voir aussi la note 2 à l'Avertissement.

attribuée sans le moindre doute à Saint-Amour, la seconde très vraisemblablement à Pierre Nicole. Louis Gorin de Saint-Amour (1619-1687) était un de ces docteurs de Sorbonne qui avaient été privés de leurs droits et privilèges en 1656 pour avoir refusé de souscrire à la censure d'Arnauld ; il est vrai que seul un docteur de Sorbonne pouvait ne pas comprendre l'expression « ce mot barbare de Sorbonne » à la fin de la première Lettre, et proposer à la place une correction qui n'a guère de sens. Léon Parcé a démontré que Pascal n'avait aucune part aux modifications apportées en 1659, et que ce texte affaibli, dénaturé, ne pouvait pas servir de base à une édition. Sans doute pourrait-on nuancer : Louis Cognet, dont l'édition des *Provinciales* me paraît la meilleure par l'annotation et l'introduction, a choisi le texte de 1659. C'est sans doute l'état définitif des *Provinciales*, et c'est le texte qui s'impose si l'on choisit d'y voir une œuvre collective de Port-Royal, Pascal n'étant qu'un collaborateur parmi d'autres. Mais choisir le texte de 1659, c'est s'interdire de faire figurer le nom de Pascal sur la page de titre ; le texte de 1659 n'est pas de Pascal.

Si la révision de 1659 ne doit rien à Pascal, on n'a en revanche aucune certitude sur l'établissement du texte de la seconde édition de 1657. Aucun document, aucun témoignage, ne confirme ni n'infirme que Pascal y ait participé. Tout au plus peut-on estimer que si Pascal, au début de 1658, prend soin de revoir et de corriger la traduction latine de Nicole, *a fortiori* la préparation de l'édition française de la fin de 1657 pouvait l'intéresser ; on n'en est pas encore au moment où d'autres préoccupations allaient éloigner Pascal de la polémique. La critique interne irait plutôt dans le sens d'une participation de Pascal : en effet, les caractéristiques de son style y sont plutôt renforcées, au contraire de ce que l'on constate pour le texte de 1659. Mais rien n'est totalement déterminant. Et c'est à titre d'hypothèse qu'on peut considérer le texte de la seconde édition de 1657 comme le dernier état du texte qui aurait été soumis à Pascal. C'est le texte qui sert de base à la présente édition.

Et, si les spécialistes de Pascal contestaient le bien-fondé de mon hypothèse, à tout le moins devraient-ils me savoir gré de mettre à leur disposition un état du texte des *Provinciales* qui était devenu fort difficile d'accès, puisque aucun éditeur ne l'a repris depuis 1657. Félix Gazier, pour la collection des Grands Écrivains de la France, avait choisi un des états des in-4° de 1656-1657, proche de la première édition de 1657 ; Louis Cognet (Garnier, 1965) donne le texte de 1659 ; la présente édition aura au moins le mérite de compléter les états du texte disponibles.

2. LA PRÉSENTATION DU TEXTE

Suivant l'usage, le texte sera présenté dans l'orthographe actuelle, les modifications apportées au texte de base étant limitées aux faits de graphie ; les faits morphologiques sont conservés.

La question de la ponctuation est plus délicate. Il faut bien reconnaître que les changements apportés à la ponctuation pour la plupart des éditions récentes transforment complètement le rythme ; le style coupé, alerte et vif, tend vers un style uniformément périodique et raisonnable ; le tempo de lecture en est assez ralenti pour que certaines pages deviennent ennuyeuses. Si l'on veut que le lecteur puisse « entendre » Pascal en le lisant, le maintien de la ponctuation du texte de base s'impose, dans tous les cas où il n'y a pas vraiment incompatibilité avec les usages actuels.

Pour la présentation des dialogues, ma première intention était de signaler le changement de locuteur par l'alinéa et le tiret ; le gain en lisibilité se révèle à l'expérience si minime que ce bouleversement de la présentation du texte de base ne s'impose pas ; il a l'inconvénient de détruire une organisation en paragraphes qui contribue à manifester l'organisation du texte.

3. L'ANNOTATION

La langue des *Provinciales* est limpide et singulièrement moderne, ce qui a permis de réduire au minimum les notes de vocabulaire. En revanche, la profusion des allusions aux faits et aux écrits, la technicité du débat théologique et l'accumulation des noms propres justifieraient une annotation qui doublerait aisément le volume. Il a donc fallu se limiter. On n'a pas donné d'indications sur la plupart des auteurs que Pascal ne connaît que par des citations, et les explications théologiques ont été limitées au strict nécessaire.

L'annotation doit surtout présenter au lecteur les faits d'intertextualité qui sont indispensables à l'interprétation. Une grande partie des *Provinciales* relève de la réécriture : Pascal donne une forme nouvelle à des textes d'Arnauld, de Lalane, de Desmares, de Nicole, d'Hermant, d'autres encore, déjà employés dans la polémique. La comparaison est toujours instructive, mais les passages utilisés par Pascal sont toujours beaucoup plus étendus que ce qu'il en fait ; il a donc fallu se limiter à de très courts extraits. Plusieurs Lettres sont des réponses à des textes précis : la Troisième répond à la censure de la Sorbonne et, à partir de la Douzième, Pascal entreprend de réfuter systématiquement les « Impostures » du P. Nouet. On ne peut pas comprendre les réponses si on ne connaît pas les objections ; il a donc fallu les citer abondamment[1]. Enfin, les *Pensées* ont conservé le premier état d'un certain nombre de passages des *Provinciales* ; je les cite d'après mon édition, parue dans la même collection en 1977.

Le rôle de l'annotation n'est pas de porter un jugement, mais d'expliquer, à partir du point de vue de l'auteur. Les

---

1. Voir les notes 6, 12 et 18 de la Douzième Lettre, les notes 3, 8, 12 et 13 de la Treizième Lettre, les notes 8, 10, 11 et 13 de la Quatorzième Lettre, etc.

Provinciales, parce qu'elles se situent dans un débat, appellent un jugement ; mais ce n'est pas à l'éditeur de juger, c'est
au lecteur ; l'éditeur se doit seulement de lui en apporter les
moyens.

Les Provinciales

AVERTISSEMENT
SUR LES XVII LETTRES[1],
où sont expliqués les sujets
qui sont traités dans chacune

L'avantage que toute l'Église a reçu de ces Lettres qui ont paru sous le nom de l'Ami du Provincial m'a fait juger qu'il serait utile de les ramasser en un corps pour les rendre plus durables et même plus fortes par cette union, parce qu'il est sans doute qu'elles se confirment et se soutiennent l'une l'autre. C'est ce qui m'a porté à en faire imprimer ce recueil, où j'ai joint aussi quelques autres pièces qui y ont du rapport[2]. Et afin que ceux qui voudront les voir soient avertis d'abord des sujets qui y sont traités, j'ai cru à propos d'en donner ici l'éclaircissement en peu de paroles.

Les premières Lettres furent faites au commencement de l'année dernière, 1656, au temps où la seconde Lettre de Monsieur Arnauld était examinée en Sorbonne dans ces assemblées où il se passait des choses si extraordinaires que tout le monde avait envie et même intérêt d'entendre le sujet dont il s'agissait en ces disputes. Mais comme l'obscurité des termes scolastiques dont on les couvrait à dessein n'en laissait l'intelligence qu'aux docteurs et aux théologiens, les autres personnes en étant exclues demeuraient dans une curiosité inutile et dans l'étonnement de voir tant de préparations qui paraissaient à tout le monde, pour des questions qui ne paraissaient à personne. Ce fut alors que ces Lettres furent publiées, et qu'on eut la satisfaction d'y voir l'éclaircissement de toutes ces difficultés. On apprit par là qu'on examinait deux questions : l'une qui n'était que de fait, et par conséquent facile à résoudre ; l'autre de foi, où consistait toute la difficulté. Cette question de foi était de savoir si on devait approuver ou

*condamner une proposition de Monsieur Arnauld qu'il avait prise
de deux Pères de l'Église, saint Augustin et saint Chrysostome.
Tous les docteurs de part et d'autre demeuraient d'accord qu'elle
était catholique dans les écrits de ces Pères, mais les adversaires de
Monsieur Arnauld prétendaient qu'il l'avait altérée en la rapportant, en sorte qu'il l'avait rendue hérétique. Il s'agissait donc de
montrer cette différence, que ses adversaires essayaient de faire
voir, mais ses défenseurs détruisaient si puissamment cette
prétendue diversité, que les Molinistes furent obligés de leur ôter la
liberté de répondre en restreignant leurs avis à une demi-heure que
l'on réglait par un sable. Ce fut ce manque de liberté qui les
obligea de quitter leur assemblée, et de protester de nullité de tout
ce qui s'y ferait.*

*Cependant les adversaires de Monsieur Arnauld, étant restés
seuls en Sorbonne, dirent sans contradiction tout ce qu'ils
voulurent, et s'étendirent particulièrement sur trois points touchant
la grâce, qui sont expliqués dans ces Lettres.*

Le premier, qui fut sur ce qu'ils appellent pouvoir prochain,
est expliqué dans la première.

Le second, qui est sur la grâce suffisante, *est traité dans la
seconde.*

Le dernier, qui est sur ce qu'ils nomment grâce actuelle, *est
éclairci dans la quatrième.*

*Et la troisième, qui fut faite incontinent après la censure, fait
voir la parfaite conformité de la proposition de Monsieur Arnauld
avec celle de ces saints Pères, qui est telle que les docteurs qui l'ont
censurée n'y ont pu marquer aucune différence. Ainsi ces quatre
Lettres expliquèrent toute cette matière par le récit de quelques
conférences que l'auteur rapporte qu'il a eues avec divers docteurs.*

*Il y représente une personne peu instruite de ces différends,
comme le sont ordinairement les gens du monde dans l'état
desquels il entre, et se fait éclaircir de ces questions insensiblement
par ces docteurs qu'il consulte, en leur proposant ses doutes et
recevant leurs réponses, avec tant de clarté et de naïveté que les
moins intelligents entendirent ce qui semblait n'être réservé qu'aux
plus habiles.*

Les six Lettres suivantes, qui sont les 5ᵉ, 6ᵉ, 7ᵉ, 8ᵉ, 9ᵉ, 10ᵉ, expliquent toute la morale des Jésuites par le récit de quelques entretiens d'un de leurs casuistes avec l'auteur, qui représente encore une personne du monde qui se fait instruire et qui, apprenant des maximes tout à fait étranges, s'en étonne, et n'osant pas néanmoins faire paraître l'horreur qu'il en conçoit, les écoute avec toute la modération qu'on peut garder. Sur quoi ce Père, le jugeant susceptible de ses principes, les lui découvre naïvement. Ce n'est pas qu'il ne le voie souvent surpris ; mais comme il croit que cet étonnement ne vient que de ce que ces maximes lui sont nouvelles, il ne laisse pas de continuer, et ne se met en peine que de le rassurer par les meilleures raisons dont leurs plus grands auteurs les ont appuyées.

Par ce moyen la vraisemblance qu'il est nécessaire de garder dans les dialogues est ici toujours observée. Car ce Père est un bon homme, comme ils en ont plusieurs parmi eux, qui haïrait la malice de sa Compagnie, s'il en avait la connaissance, mais qui ne pense pas seulement à s'en défier, tant il est rempli de respect pour ses auteurs, dont il reçoit toutes les opinions comme saintes ; aussi il s'attache exactement à ne rien dire qui ne soit pris de leurs ouvrages, dont il cite toujours les propres termes pour confirmer tout ce qu'il avance ; mais aussi se croyant assez fort quand il les a pour garants, il ne craint point de publier ce qu'ils ont enseigné. Sur cette assurance il expose toute leur morale comme la meilleure chose du monde et la plus facile pour sauver un grand nombre d'âmes, sans s'apercevoir que ce qu'ils ont donné comme une conduite chrétienne et prudente pour soutenir la faiblesse des fidèles n'est autre chose qu'un relâchement politique et flatteur pour s'accommoder aux passions déréglées des hommes. Voilà le caractère de ce Père, et l'auteur, qui ne veut ni le choquer ni consentir à sa doctrine, la reçoit avec une raillerie ambiguë qui découvrirait assez son esprit à une personne moins prévenue que ce casuiste qui, étant pleinement persuadé que cette morale est véritablement celle de l'Église, parce que c'est celle de sa Société, s'imagine aisément qu'un autre le croit de même.

Ce style est continué jusqu'à de certains points essentiels, où l'auteur a peine à retenir l'indignation qu'excite une profanation si insupportable qu'ils ont faite de la religion ; il se retient

néanmoins pour apprendre tout, mais enfin le Père venant à
déclarer leurs derniers excès, par lesquels ils ont retranché de la
morale chrétienne la nécessité d'aimer Dieu, en établissant qu'il
suffit qu'on ne le haïsse pas, l'auteur s'emporte là-dessus, et
rompant avec ce jésuite, finit cette sorte d'entretien avec la
dixième Lettre.

On voit assez par là combien il est avantageux que cette matière
soit traitée par dialogues ; puisque cela a donné lieu à l'auteur de
nous apprendre non seulement les maximes des Jésuites, mais
encore la manière fine et adroite dont ils l'insinuent dans le
monde : ce qui paraît par les palliations que ce Père rapporte de
leurs auteurs les plus célèbres, au travers desquelles on ne voit que
trop à découvert les desseins qu'ils ont eus dans l'établissement de
leur morale.

On y connaît que l'objet principal des Jésuites n'est pas
proprement de corrompre les mœurs des chrétiens, ni aussi de les
réformer ; mais de s'attirer tout le monde par une conduite
accommodante. Qu'ainsi comme il y a des personnes de toutes
sortes d'humeurs, ils ont été obligés d'avoir des maximes de toute
façon pour les satisfaire ; et parce qu'ils ont été par là engagés
d'avoir des opinions contraires pour contenter tant d'humeurs
contraires, il a fallu qu'ils aient changé la véritable règle des
mœurs, qui est l'Évangile et la tradition, parce qu'elle conserve
partout un même esprit, et qu'ils y en aient substitué une autre qui
fût souple, diverse, maniable à tout sens, et capable de toutes
sortes de formes, et c'est ce qu'ils appellent la doctrine de la
probabilité.

Cette doctrine consiste en ce point, qu'une opinion peut être
suivie en sûreté de conscience, lorsqu'elle est soutenue par quatre
docteurs graves, ou par trois, ou par deux, ou même par un seul, et
qu'un docteur, étant consulté, peut donner un conseil tenu pour
probable par d'autres, encore qu'il croie certainement qu'il soit
faux, *quamvis ipse doctor ejusmodi sententiam speculative
falsam esse certo sibi persuadeat, comme dit Layman, jésuite,
et qu'ainsi pouvant conseiller les deux opinions opposées, il agira
prudemment de donner celle qui sera la plus agréable à celui qui le
consulte :* Si haec illi favorabilior seu exoptatior sit.

Cette corruption, qui est le fondement de toutes les autres, est expliquée dans les Cinquième et Sixième, et aussi dans la Treizième, où l'on voit manifestement que c'est de cette source que sont sortis tous leurs égarements, et qu'elle en peut produire une infinité d'autres, puisque l'esprit de l'homme est capable de former une infinité d'opinions nouvelles et monstrueuses, et que selon cette pernicieuse règle la fantaisie de ces docteurs qui les inventent suffit pour les rendre sûres en conscience. Aussi c'est de là que sont procédées les incroyables licences qu'ils ont données aux personnes de toutes sortes de conditions, prêtres, religieux, bénéficiers, gentilshommes, domestiques, gens d'affaires et de commerce, magistrats, riches, pauvres, usuriers, banqueroutiers, larrons, femmes perdues, et même jusqu'aux sorciers, comme il se voit dans ces six Lettres : car on trouve leurs relâchements sur l'aumône, la simonie et les larcins domestiques dans la Sixième ; leurs permissions de tuer pour toutes sortes d'offenses contre la vie, l'honneur et le bien dans la Septième.

Leurs dispenses de restitutions dans la Huitième.

Leurs facilités de se sauver sans peine, et parmi les douceurs et les commodités de la vie, dans la Neuvième.

Et enfin la Dixième, qui finit comme j'ai déjà dit par la dispense de l'amour de Dieu, explique dès l'entrée les adoucissements qu'ils ont apportés à la confession, qui sont tels que les péchés qu'ils n'ont pu excuser sont si aisés à effacer par leurs nouvelles méthodes que, comme ils le disent eux-mêmes : les crimes s'expient aujourd'hui plus allégrement qu'ils ne se commettent.

Les Jésuites, voyant le tort que ces Lettres leur faisaient de tous côtés, et que leur silence l'augmentait, se crurent obligés d'y répondre ; mais c'est à quoi ils se trouvèrent infiniment embarrassés. Car il n'y a que deux questions à faire sur ce sujet. L'une, savoir si leurs casuistes ont enseigné ces opinions, et c'est une vérité de fait qui ne peut être désavouée ; l'autre, savoir si ces opinions ne sont pas impies et insoutenables, et c'est ce qui ne peut être révoqué en doute, tant ces égarements sont grossiers. Ainsi ils travaillèrent sans fruit, et avec si peu de succès qu'ils ont laissé toutes leurs entreprises imparfaites. Car ils firent d'abord un écrit

qu'ils appelèrent Première Réponse, mais il n'y en eut point de
seconde. Ils produisirent de même la Première et la Seconde
Lettre à Philarque, sans que la troisième ait suivi. Ils commen-
cèrent depuis un plus long ouvrage, qu'ils appelèrent Impostures, dont ils promirent quatre parties, mais après en avoir
produit la première et quelque chose de la seconde, ils en sont
demeurés là ; et enfin le Père Annat, étant venu le dernier au
secours de ses Pères, a fait paraître son dernier livre qu'il appelle
La Bonne Foi des Jansénistes, qui n'est qu'une redite, et qui
est sans doute la plus faible de toutes leurs productions : de sorte
qu'il a été bien facile à l'auteur de s'en défendre, et c'est ce qu'il
fait dans les Lettres dont il me reste à parler.

   Il répond dans l'Onzième au reproche qu'ils lui font d'avoir
usé de quelques railleries dans ses Lettres : ce qui est le plus
injuste du monde, car ce sont leurs propres passages qui en sont
la matière, et qui sont en effet le plus souvent si ridicules et si
extravagants qu'ils ne doivent se prendre qu'à eux-mêmes de la
risée qu'ils excitent. On en jugera en les voyant ; outre que
l'auteur ne pouvait prendre une meilleure voie pour continuer
cette conversation et témoigner en même temps l'éloignement qu'il
en avait, qu'en tournant en raillerie ce qu'il y avait de ridicule
dans ces maximes, et en remettant à un autre temps d'en
confondre sérieusement l'impiété ; en sorte néanmoins qu'il mar-
quait assez dès lors à ceux qui ont un peu d'intelligence
l'aversion qu'il en avait, et qu'il devait faire paraître en son
lieu. C'était donc sans doute la manière la plus naturelle, et dont
il a usé selon toutes les règles des saints Pères qu'il rapporte pour
ne blesser ni la religion ni la charité par les railleries. Il vient
ensuite dans les 12e, 13e, 14e aux reproches qu'ils lui ont voulu
faire de n'avoir pas fidèlement rapporté les passages de leurs
auteurs. Sur quoi il donne premièrement les preuves de sa
sincérité, et prenant de là occasion de traiter de nouveau les
matières sur lesquelles ils l'avaient accusé d'imposture, il leur
reproche leur opiniâtreté à les soutenir, et opposant les maximes
de l'Église à leurs égarements sur la simonie, sur l'aumône, sur
l'homicide et le reste, et particulièrement sur ce qui regarde la
doctrine de la probabilité, il les confond si puissamment que, s'ils

s'étaient plaints de sa raillerie, ils ont eu bien plus de sujet de se plaindre de son sérieux.

Mais après avoir montré leur mauvaise foi dans ces calomnies particulières dont ils avaient voulu le noircir, il en découvre la source et le principe général dans la Quinzième, où il produit la maxime la plus surprenante de toute leur politique, qui est que selon leur théologie ils pensent pouvoir sans crime calomnier ceux dont ils se croient injustement attaqués, et leur imputer des crimes qu'ils savent être faux, afin de leur ôter toute croyance : ce qu'on aurait peine à s'imaginer si l'on n'en avait vu les preuves dans cette Lettre par le grand nombre de leurs auteurs, et même de leurs universités entières, qui le confirment si puissamment que c'est aujourd'hui le plus autorisé et le plus ferme de leurs principes ; ce qui a fait dire à Caramuel l'un de leurs meilleurs amis : Que cette opinion est soutenue par tant de casuistes que, si elle n'était probable et sûre en conscience, à peine y en aurait-il aucune qui le fût en toute leur théologie. *Aussi dans la réponse qu'ils ont faite à la Quinzième qui ne leur reproche presque que ce seul point, ils n'ont osé le désavouer non plus qu'aucune des citations que l'auteur avait rapportées pour prouver qu'ils le soutiennent. Il est vrai qu'il l'avait montré d'une manière qui leur ôtait tout moyen de s'en défendre. Car il fait voir non seulement qu'ils l'enseignent publiquement dans leurs livres, mais encore qu'ils le pratiquent ouvertement dans leur conduite. Il en rapporte plusieurs exemples insignes dans cette Quinzième, et c'est ce qu'il continue dans toute la Seizième, à laquelle ils n'ont point du tout reparti*[3].

J'estime qu'après avoir vu cette maxime si constamment établie on ne trouvera pas étrange qu'ils l'aient mise en usage contre l'auteur des Lettres, puisqu'il leur importait si fort de rendre sa fidélité suspecte, et que leur conscience, qui pouvait seule les en retenir, s'accorde si doucement avec la calomnie par cette doctrine qui l'exempte de tout crime. Mais autant qu'il leur a été facile par ce principe de le calomnier sans scrupule, autant il a été facile à l'auteur, par la force de la vérité, de se laver de ces vains reproches d'imposture et de cette autre accusation continuelle d'hérésie qu'ils lui font tous dans leurs écrits, et entre autres le

P. Annat dans sa Bonne Foi. *À quoi l'auteur répond par la Dix-septième, où il fait voir non seulement qu'il n'est pas hérétique, mais que même il n'y a point d'hérétiques dans l'Église, et que le différend que les Jésuites ont avec leurs adversaires sur le sujet des cinq propositions condamnées par le Pape Innocent X, qui sert de prétexte à toutes leurs accusations, n'est autre chose qu'une question de fait touchant le sens de Jansénius, qui ne peut en aucune sorte être matière d'hérésie. C'est ce qu'il démêle si nettement et qu'il prouve si fortement que tous ceux qui voudront s'en instruire y apprendront tout l'état de cette dispute qui fait aujourd'hui tant de bruit, et que les Jésuites déguisent si fort, qu'on sera surpris de voir combien on est éloigné de l'entendre quand on ne la sait que par leurs entretiens, leurs livres ou leurs sermons*[4].

Voilà les principales matières qui sont traitées dans ces Lettres, qui ont été appelées Provinciales, *parce que l'auteur ayant adressé les premières sans aucun nom à un de ses amis de la campagne, l'imprimeur les publia sous ce titre,* Lettre écrite à un provincial par un de ses amis[5].

Je voudrais bien pouvoir dire maintenant quelque chose de l'auteur, mais le peu de connaissance qu'on en a m'en ôte le moyen. Car on ne sait de lui que ce qu'il a voulu dire. Il s'est fait connaître depuis peu par le nom de Louis de Montalte. Tout ce qu'on sait de lui est ce qu'il a déclaré plusieurs fois, qu'il n'est ni prêtre ni docteur. Les Jésuites ont amplifié cette déclaration, car ils font comme s'il avait dit qu'il n'est pas théologien, ce que je n'ai trouvé en aucun endroit de ses Lettres. Mais il ne faut que les voir pour juger de ce qu'il sait en la véritable théologie, et pour connaître en même temps, par la manière ferme et généreuse dont il combat les erreurs d'un corps aussi puissant qu'est la Compagnie des Jésuites, quel est son zèle pour la pureté de la foi. Enfin sa fidélité paraîtra de même à tout le monde quand on voudra vérifier sur les casuistes la vérité de ses citations. Il me semble que rien ne montre mieux sa sincérité que ce qu'il a ajouté à la fin de la Seizième Lettre pour rétracter un mot qu'il avait mis dans la Quinzième touchant une personne qu'il avait accusée, sur un bruit commun et sans le nommer, d'être auteur de quelques réponses

qu'on avait faites à ses Lettres. Cette peine qu'il témoigne de
ressentir pour une faute si légère et qui l'a porté à en faire un
désaveu public fait assez voir combien il serait incapable de
supporter le reproche de sa conscience s'il avait imputé faussement
à des religieux des impiétés si étranges, et combien il serait prêt à
les reconnaître sincèrement. Aussi il en est tellement éloigné qu'il
n'a pas même rapporté contre eux tout ce qu'il aurait pu faire. Car
il les a épargnés en des points si essentiels et si importants que tous
ceux qui ont l'entière connaissance de leurs maximes ont estimé et
aimé sa retenue ; et il a cité si exactement tous les passages qu'il
allègue qu'il paraît bien qu'il ne désire autre chose sinon qu'on les
aille chercher dans les originaux. Ceux qui en voudront prendre la
peine y trouveront plus que dans les Lettres, comme ont fait les
Curés de Paris et de Rouen. Car aussitôt que ces Lettres parurent,
ceux de Rouen voulurent examiner ces citations, afin de demander
la censure, ou des Lettres, ou des casuistes qui y sont cités, selon
qu'ils les y trouveraient ou contraires ou conformes. C'est ce qui
paraît par une lettre d'un curé de Rouen qui écrit à un de ses amis
le commencement de cette histoire ; je l'ai mise aussi dans ce
recueil, et on y trouvera ces mots : Pour procéder mûrement en
cette affaire, et ne s'y pas engager mal à propos, les Curés de
Rouen délibérèrent dans une de leurs assemblées de consulter les livres d'où l'on disait qu'étaient tirées les propositions
et les maximes pernicieuses que Monsieur le Curé de Saint-
Maclou avait décriées dans ses sermons, et d'en faire des
recueils et des extraits fidèles, afin d'en demander la
condamnation par les voies canoniques, si elles se trouvaient
dans les casuistes de quelque qualité et condition qu'ils
fussent ; et si elles ne s'y trouvaient pas, abandonner cette
cause et poursuivre en même temps la censure des Lettres au
provincial, qui alléguaient ces doctrines et qui en citaient les
auteurs. Six d'entre eux furent nommés de la compagnie
pour s'employer à ce travail, ils y vaquèrent un mois entier
avec toute la fidélité et l'exactitude possible ; ils cherchèrent
les textes allégués ; ils les trouvèrent dans leurs originaux et
dans leur source mot pour mot comme ils étaient cotés ; ils en
firent les extraits et rapportèrent le tout à leurs confrères dans

une seconde assemblée, en laquelle pour une plus grande précaution il fut arrêté que ceux d'entre eux qui voudraient être plus éclaircis sur ces matières se rendraient avec les députés en un lieu où étaient les livres, pour les consulter derechef et en faire telle conférence qu'ils voudraient. Cet ordre fut gardé, et les cinq ou six jours suivants il se trouva jusqu'à dix ou onze curés à la fois, qui firent encore la recherche des passages, qui les collationnèrent sur les auteurs, et en demeurèrent satisfaits. Pouvait-on apporter plus de circonspection en cette procédure ?

Ce fut ensuite de cette recherche que ces Curés demandèrent en corps à leur Archevêque la condamnation de ces erreurs, et écrivirent sur cela à ceux de Paris, qui s'unirent aussitôt à eux et à tous ceux du royaume pour demander ensemble à leurs prélats la censure si nécessaire, tant des maximes citées dans ses Lettres que d'un grand nombre d'autres qu'ils ont eux-mêmes découvertes et présentées au Clergé[6]. Ce qui montre combien l'auteur des Lettres a été fidèle dans ce qu'il a reproché aux Jésuites, et combien il leur en pouvait reprocher davantage, ainsi que je l'ai déjà dit.

Voilà l'état où sont aujourd'hui les choses et la suite que les Lettres ont eue, qui est sans doute très avantageux à l'Église, puisqu'il y a sujet de louer Dieu de ce qu'un venin si dangereux a été si utilement découvert, et qu'en même temps les curés et pasteurs d'un grand royaume se sont unis pour avertir de s'en garder les peuples qui leur sont commis. C'est pour cette raison que j'ai cru devoir joindre à ces Lettres les diverses pièces des Curés de Paris et de Rouen avec une excellente lettre de l'Archevêque de Malines sur le même sujet, afin qu'en voyant d'un côté la corruption de la morale des Jésuites et les excès dont l'homme est capable quand il est abandonné de Dieu, on voie en même temps de l'autre que Dieu n'abandonne point son Église, et qu'elle n'est pas entraînée par les corruptions des particuliers qui s'égarent en préférant leurs propres lumières à ses lumières incorruptibles.

RONDEAU

AUX RR. PP. JÉSUITES

sur leur morale accommodante

Retirez-vous, péchés ; l'adresse sans seconde
De la troupe fameuse en Escobars féconde
Nous laisse vos douceurs sans leur mortel venin :
On les goûte sans crime ; et ce nouveau chemin
Mène sans peine au ciel dans une paix profonde.
    L'enfer y perd ses droits, et si le diable en gronde,
On n'aura qu'à lui dire : Allez, esprit immonde,
De par *Bauny, Sanchez, Castro, Gans, Tambourin,*
        Retirez-vous.
    Mais, ô Pères flatteurs, sot qui sur vous se fonde,
Car l'auteur inconnu qui par Lettres vous fronde
De votre Politique a découvert le fin,
Vos Probabilités sont proches de leur fin,
On en est revenu ; cherchez un Nouveau Monde,
        Retirez-vous.

LETTRE

ÉCRITE À UN PROVINCIAL
PAR UN DE SES AMIS, SUR LE SUJET
DES DISPUTES PRÉSENTES DE LA SORBONNE

De Paris, ce 23 janvier 1656.

MONSIEUR,

Nous étions bien abusés. Je ne suis détrompé que d'hier ; jusque-là j'ai pensé que le sujet des disputes de Sorbonne était bien important, et d'une extrême conséquence pour la religion. Tant d'assemblées d'une compagnie aussi célèbre qu'est la Faculté de théologie de Paris, et où il s'est passé tant de choses si extraordinaires et si hors d'exemple, en font concevoir une si haute idée, qu'on ne peut croire qu'il n'y en ait un sujet bien extraordinaire.

Cependant vous serez bien surpris quand vous apprendrez, par ce récit, à quoi se termine un si grand éclat ; et c'est ce que je vous dirai en peu de mots, après m'en être parfaitement instruit.

On examine deux questions : l'une de fait, l'autre de droit.

Celle de fait consiste à savoir si M. Arnauld est téméraire [1] pour avoir dit dans sa Seconde Lettre : *Qu'il a lu exactement le livre de Jansénius, et qu'il n'y a point trouvé les propositions condamnées par le feu Pape ; et néanmoins que, comme il condamne ces propositions en quelque lieu qu'elles se rencontrent, il les condamne dans Jansénius, si elles y sont.*

La question sur cela est de savoir s'il a pu, sans témérité, témoigner par là qu'il doute que ces propositions soient de

Jansénius, après que Messieurs les évêques ont déclaré qu'elles y sont.

On propose l'affaire en Sorbonne. Soixante et onze docteurs entreprennent sa défense et soutiennent qu'il n'a pu répondre autre chose à ceux qui, par tant d'écrits, lui demandaient s'il tenait que ces propositions fussent dans ce livre, sinon qu'il ne les y a pas vues, et que néanmoins il les y condamne, si elles y sont.

Quelques-uns même, passant plus avant, ont déclaré que, quelque recherche qu'ils en aient faite, ils ne les y ont jamais trouvées, et que même ils y en ont trouvé de toutes contraires. Ils ont demandé ensuite avec instance que, s'il y avait quelque docteur qui les y eût vues, il voulût les montrer ; que c'était une chose si facile qu'elle ne pouvait être refusée, puisque c'était un moyen sûr de les réduire tous, et M. Arnauld même ; mais on le leur a toujours refusé. Voilà ce qui s'est passé de ce côté-là.

De l'autre part se sont trouvés quatre-vingts docteurs séculiers, et quelque quarante religieux mendiants[2], qui ont condamné la proposition de M. Arnauld sans vouloir examiner si ce qu'il avait dit était vrai ou faux, et ayant même déclaré qu'il ne s'agissait pas de la vérité, mais seulement de la témérité de sa proposition.

Il s'en est de plus trouvé quinze qui n'ont point été pour la censure, et qu'on appelle indifférents.

Voilà comment s'est terminée la question de fait, dont je ne me mets guère en peine ; car, que M. Arnauld soit téméraire ou non, ma conscience n'y est pas intéressée. Et si la curiosité me prenait de savoir si ces propositions sont dans Jansénius, son livre n'est pas si rare ni si gros[3] que je ne le pusse lire tout entier pour m'en éclaircir, sans en consulter la Sorbonne.

Mais, si je ne craignais aussi d'être téméraire, je crois que je suivrais l'avis de la plupart des gens que je vois, qui, ayant cru jusqu'ici, sur la foi publique, que ces propositions sont dans Jansénius, commencent à se défier du contraire, par le refus bizarre qu'on fait de les montrer, qui est tel, que je n'ai encore vu personne qui m'ait dit les y avoir vues. De sorte que je crains que cette censure ne fasse plus de mal que de bien, et qu'elle ne donne à ceux qui en sauront l'histoire une impression tout opposée à la conclusion. Car, en vérité, le monde devient méfiant et ne croit les choses que quand il les voit. Mais, comme j'ai déjà dit, ce point-là est peu important, puisqu'il ne s'y agit point de la foi.

Pour la question de droit, elle semble bien plus considérable, en ce qu'elle touche la foi. Aussi j'ai pris un soin particulier de m'en informer. Mais vous serez bien satisfait de voir que c'est une chose aussi peu importante que la première.

Il s'agit d'examiner ce que M. Arnauld a dit dans la même Lettre : *Que la grâce, sans laquelle on ne peut rien, a manqué à saint Pierre dans sa chute.* Sur quoi nous pensions, vous et moi, qu'il était question d'examiner les plus grands principes de la grâce, comme si elle n'est pas donnée à tous les hommes, ou bien si elle est efficace ; mais nous étions bien trompés. Je suis devenu grand théologien en peu de temps, et vous en allez voir des marques.

Pour savoir la chose au vrai, je vis Monsieur N., docteur de Navarre[4], qui demeure près de chez moi, qui est, comme vous le savez, des plus zélés contre les Jansénistes ; et comme ma curiosité me rendait presque aussi ardent que lui, je lui demandai s'ils ne décideraient pas formellement que *la grâce est donnée à tous*, afin qu'on n'agitât plus ce doute. Mais il me rebuta rudement et me dit que ce n'était pas là le point ; qu'il y en avait de ceux de son côté qui tenaient que la grâce n'est pas donnée à tous, que les examinateurs mêmes avaient dit en pleine Sorbonne que cette opinion est *problématique*[5], et qu'il était lui-même dans ce sentiment : ce qu'il me confirma par ce passage, qu'il dit être célèbre, de saint Augustin : *Nous savons que la grâce n'est pas donnée à tous les hommes*[6].

Je lui fis excuse d'avoir mal pris son sentiment, et le priai de me dire s'ils ne condamneraient donc pas au moins cette autre opinion des Jansénistes qui fait tant de bruit, *que la grâce est efficace, et qu'elle détermine notre volonté à faire le bien.* Mais je ne fus pas plus heureux en cette seconde question.

Vous n'y entendez rien, me dit-il, ce n'est pas là une hérésie ; c'est une opinion orthodoxe : tous les Thomistes[7] la tiennent, et moi-même je l'ai soutenue dans ma Sorbonique[8].

Je n'osai plus lui proposer mes doutes ; et même je ne savais plus où était la difficulté, quand, pour m'en éclaircir, je le suppliai de me dire en quoi consistait donc l'hérésie de la proposition de M. Arnauld. C'est, ce me dit-il, en ce qu'il ne reconnaît pas que les justes aient le pouvoir d'accomplir les commandements de Dieu en la manière que nous l'entendons.

Je le quittai après cette instruction ; et, bien glorieux de savoir le nœud de l'affaire, je fus trouver Monsieur N., qui se porte de mieux en mieux, et qui eut assez de santé pour me conduire chez son beau-frère, qui est janséniste s'il y en eut jamais, et pourtant fort bon homme. Pour en être mieux reçu, je feignis d'être fort des siens, et lui dis : Serait-il bien possible que la Sorbonne introduisît dans l'Église cette erreur, que *tous les justes ont toujours le pouvoir d'accomplir les commandements ?* Comment parlez-vous ? me dit mon docteur. Appelez-vous erreur un sentiment si catholique, et que les seuls Luthériens et Calvinistes combattent ? Eh quoi ! lui dis-je, n'est-ce pas votre opinion ? Non, me dit-il ; nous l'anathématisons comme hérétique et impie. Surpris de cette réponse, je connus bien que j'avais trop fait le janséniste, comme j'avais l'autre fois été trop moliniste[9] ; mais ne pouvant m'assurer de sa réponse, je le priai de me dire confidemment s'il tenait que *les justes eussent toujours un pouvoir véritable d'observer les préceptes.* Mon homme s'échauffa là-dessus, mais d'un zèle dévot, et dit qu'il ne déguiserait jamais ses sentiments pour quoi que ce fût, que c'était sa créance et que lui et tous les siens la défendraient jusqu'à la mort, comme étant la pure doctrine de saint Thomas et de saint Augustin, leur maître.

Il m'en parla si sérieusement, que je n'en pus douter ; et sur cette assurance, je retournai chez mon premier docteur, et lui dis, bien satisfait, que j'étais sûr que la paix serait bientôt en Sorbonne : que les Jansénistes étaient d'accord du

pouvoir qu'ont les justes d'accomplir les préceptes ; que j'en
étais garant, et que je ⟨ le ⟩ leur ferais signer de leur sang.
Tout beau ! me dit-il ; il faut être théologien pour en voir le
fin. La différence qui est entre nous est si subtile, qu'à peine
pouvons-nous la marquer nous-mêmes ; vous auriez trop de
difficulté à l'entendre. Contentez-vous donc de savoir que les
Jansénistes vous diront bien que tous les justes ont toujours
le pouvoir d'accomplir les commandements : ce n'est pas de
quoi nous disputons ; mais ils ne vous diront pas que ce
pouvoir soit *prochain ;* c'est là le point.

Ce mot me fut nouveau et inconnu. Jusque-là j'avais
entendu les affaires, mais ce terme me jeta dans l'obscurité,
et je crois qu'il n'a été inventé que pour brouiller. Je lui en
demandai donc l'explication ; mais il m'en fit un mystère et
me renvoya, sans autre satisfaction, pour demander aux
Jansénistes s'ils admettaient ce pouvoir *prochain.* Je chargeai
ma mémoire de ce terme, car mon intelligence n'y avait
aucune part [10]. Et, de peur de l'oublier, je fus promptement
retrouver mon Janséniste, à qui je dis incontinent, après les
premières civilités : Dites-moi, je vous prie, si vous admettez
le *pouvoir prochain ?* Il se mit à rire, et me dit froidement :
Dites-moi vous-même en quel sens vous l'entendez, et alors
je vous dirai ce que j'en crois. Comme ma connaissance
n'allait pas jusque-là, je me vis en terme de ne lui pouvoir
répondre ; et néanmoins pour ne pas rendre ma visite inutile,
je lui dis au hasard : Je l'entends au sens des Molinistes. À
quoi mon homme, sans s'émouvoir : Auxquels des Molinistes, me dit-il, me renvoyez-vous ? Je les lui offris tous
ensemble, comme ne faisant qu'un même corps et n'agissant
que par un même esprit.

Mais il me dit : Vous êtes bien peu instruit. Ils sont si peu
dans les mêmes sentiments, qu'ils en ont de tout contraires [11].
Étant tous unis dans le dessein de perdre M. Arnauld, ils se
sont avisés de s'accorder de ce terme de *prochain,* que les uns
et les autres diraient ensemble, quoiqu'ils l'entendissent
diversement, afin de parler un même langage, et que par
cette conformité apparente ils pussent former un corps

considérable, et composer un plus grand nombre, pour l'opprimer avec assurance.

Cette réponse m'étonna ; mais, sans recevoir ces impressions des méchants desseins des Molinistes, que je ne veux pas croire sur sa parole, et où je n'ai point d'intérêt, je m'attachai seulement à savoir les divers sens qu'ils donnent à ce mot mystérieux de *prochain*. Il me dit : Je vous en éclaircirais de bon cœur ; mais vous y verriez une répugnance et une contradiction [12] si grossière, que vous auriez peine à me croire. Je vous serais suspect. Vous en serez plus sûr en l'apprenant d'eux-mêmes, et je vous en donnerai les adresses. Vous n'avez qu'à voir séparément un nommé M. Le Moyne [13] et le Père Nicolaï [14]. Je ne connais ni l'un ni l'autre, lui dis-je. Voyez donc, me dit-il, si vous ne connaîtrez point quelqu'un de ceux que je vous vas nommer, car ils suivent les sentiments de M. Le Moyne. J'en connus en effet quelques-uns. Et ensuite il me dit : Voyez si vous ne connaissez point des Dominicains qu'on appelle nouveaux Thomistes [15], car ils sont tous comme le Père Nicolaï. J'en connus aussi entre ceux qu'il me nomma ; et, résolu de profiter de cet avis et de sortir d'affaire, je le quittai, et allai d'abord chez un des disciples de M. Le Moyne [16].

Je le suppliai de me dire ce que c'était qu'*avoir le pouvoir prochain de faire quelque chose*. Cela est aisé, me dit-il : c'est avoir tout ce qui est nécessaire pour la faire, de telle sorte qu'il ne manque rien pour agir. Et ainsi, lui dis-je, avoir le *pouvoir prochain* de passer une rivière, c'est avoir un bateau, des bateliers, des rames, et le reste, en sorte que rien ne manque [17]. Fort bien, me dit-il. Et avoir le pouvoir prochain *de voir*, lui dis-je, c'est avoir bonne vue et être en plein jour. Car qui aurait bonne vue dans l'obscurité n'aurait pas le pouvoir prochain de voir, selon vous, puisque la lumière lui manquerait, sans quoi on ne voit point [18]. Doctement, me dit-il. Et par conséquent, continuai-je, quand vous dites que tous les justes ont toujours le pouvoir prochain d'observer les commandements, vous entendez qu'ils ont toujours toute la grâce nécessaire pour les accomplir, en sorte qu'il ne leur manque rien de la part de Dieu. Attendez, me dit-il, ils ont toujours tout ce qui est nécessaire pour les observer, ou du moins pour le demander à Dieu. J'entends bien, lui dis-je ; ils ont tout ce qui est nécessaire pour prier Dieu de les assister, sans qu'il soit nécessaire qu'ils aient aucune nouvelle grâce de Dieu pour prier. Vous l'entendez, me dit-il. Mais il n'est donc pas nécessaire qu'ils aient une grâce efficace pour prier Dieu ? Non, me dit-il, suivant M. Le Moyne.

Pour ne point perdre de temps, j'allai aux Jacobins, et demandai ceux que je savais être des nouveaux Thomistes. Je les priai de me dire ce que c'est que *pouvoir prochain*. N'est-ce pas celui, leur dis-je, auquel il ne manque rien pour agir ? Non, me dirent-ils. Mais, quoi ! mon Père, s'il manque quelque chose à ce pouvoir, l'appelez-vous *prochain* ? et diriez-vous, par exemple, qu'un homme ait, la nuit et sans aucune lumière, le *pouvoir prochain de voir*[19] ? Oui-da, il l'aurait selon nous, s'il n'est pas aveugle. Je le veux bien, leur dis-je ; mais M. Le Moyne l'entend d'une manière contraire. Il est vrai, me dirent-ils ; mais nous l'entendons ainsi. J'y consens, leur dis-je. Car je ne dispute jamais du nom, pourvu qu'on m'avertisse du sens qu'on lui donne[20]. Mais je vois par là que, quand vous dites que les justes ont toujours le *pouvoir prochain* pour prier Dieu, vous entendez qu'ils ont besoin d'un autre secours pour prier, sans quoi ils ne prieront jamais. Voilà qui va bien, me répondirent mes Pères en m'embrassant, voilà qui va bien : car il leur faut de plus une grâce efficace qui n'est pas donnée à tous, et qui détermine leur volonté à prier ; et c'est une hérésie, de nier la nécessité de cette grâce efficace pour prier.

Voilà qui va bien, leur dis-je à mon tour ; mais selon vous, les Jansénistes sont catholiques, et M. Le Moyne hérétique ; car les Jansénistes disent que les justes ont le pouvoir de prier, mais qu'il faut pourtant une grâce efficace, et c'est ce que vous approuvez. Et M. Le Moyne dit que les justes prient sans grâce efficace, et c'est ce que vous condamnez. Oui, dirent-ils, mais M. Le Moyne appelle ce pouvoir *pouvoir prochain*.

Quoi ! mes Pères, leur dis-je, c'est se jouer des paroles de dire que vous êtes d'accord à cause des termes communs dont vous usez, quand vous êtes contraires dans le sens. Mes Pères ne répondent rien ; et sur cela mon disciple de M. Le Moyne arriva par un bonheur que je croyais extraordinaire ; mais j'ai su depuis que leur rencontre n'est pas rare, et qu'ils sont continuellement mêlés les uns avec les autres.

Je dis donc à mon disciple de M. Le Moyne : Je connais un homme qui dit que tous les justes ont toujours le pouvoir de prier Dieu, mais que néanmoins ils ne prieront jamais sans une grâce efficace qui les détermine, et laquelle Dieu ne donne pas toujours à tous les justes. Est-il hérétique ? Attendez, me dit mon docteur, vous me pourriez surprendre. Allons doucement, *distinguo ;* s'il appelle ce pouvoir *pouvoir prochain*, il sera thomiste, et partant catholique ; sinon, il sera janséniste, et partant hérétique. Il ne l'appelle, lui dis-je, ni prochain, ni non prochain. Il est donc hérétique, me dit-il ; demandez-le à ces bons Pères. Je ne les pris pas pour juges, car ils consentaient déjà d'un mouvement de tête, mais je leur dis : Il refuse d'admettre ce mot de *prochain*, parce qu'on ne le veut pas expliquer. À cela, un de ces Pères voulut en apporter sa définition ; mais il fut interrompu par le disciple de M. Le Moyne, qui lui dit : Voulez-vous donc recommencer nos brouilleries ? ne sommes-nous pas demeurés d'accord de ne point expliquer ce mot de *prochain*, et de le dire de part et d'autre sans dire ce qu'il signifie ? À quoi le Jacobin consentit.

Je pénétrai par là dans leur dessein, et leur dis en me levant pour les quitter : En vérité, mes Pères, j'ai grand peur que tout ceci ne soit une pure chicanerie ; et quoi qu'il arrive de vos assemblées, j'ose vous prédire que, quand la censure serait faite, la paix ne serait pas établie. Car, quand on aurait décidé qu'il faut prononcer les syllabes *pro chain*, qui ne voit que, n'ayant point été expliquées, chacun de vous voudra jouir de la victoire ? Les Jacobins diront que ce mot s'entend en leur sens. M. Le Moyne dira que c'est au sien ; et ainsi il y aura bien plus de disputes pour l'expliquer que pour l'introduire : car, après tout, il n'y aurait pas grand péril à le recevoir sans aucun sens, puisqu'il ne peut nuire que par le sens. Mais ce serait une chose indigne de la Sorbonne et de la théologie, d'user de mots équivoques et captieux sans les expliquer. Enfin, mes Pères, dites-moi, je vous prie, pour la dernière fois, ce qu'il faut que je croie pour être catholique. Il faut, me dirent-ils tous ensemble, dire que tous les justes ont le *pouvoir prochain*, en faisant abstraction de tout sens : *abstrahendo a sensu Thomistarum, et a sensu aliorum theologorum*[21].

C'est-à-dire, leur dis-je en les quittant, qu'il faut prononcer ce mot des lèvres, de peur d'être hérétique de nom. Car est-ce que le mot est de l'Écriture ? Non, me dirent-ils. Est-il donc des Pères, ou des Conciles, ou des Papes ? Non. Est-il donc de saint Thomas ? Non. Quelle nécessité y a-t-il donc de le dire, puisqu'il n'a ni autorité ni aucun sens de lui-même ? Vous êtes opiniâtre, me dirent-ils : vous le direz, ou vous serez hérétique, et M. Arnauld aussi, car nous sommes le plus grand nombre ; et s'il est besoin, nous ferons venir tant de Cordeliers que nous l'emporterons[22].

Je les viens de quitter sur cette dernière raison, pour vous écrire ce récit, par où vous voyez qu'il ne s'agit d'aucun des points suivants, et qu'ils ne sont condamnés de part ni d'autre : *1. Que la grâce n'est pas donnée à tous les hommes. 2. Que tous les justes ont le pouvoir d'accomplir les commandements de Dieu. 3. Qu'ils ont néanmoins besoin pour les accomplir, et même pour prier, d'une grâce efficace qui détermine leur volonté. 4. Que cette grâce efficace n'est pas toujours donnée à tous les justes, et qu'elle dépend de la pure miséricorde de Dieu.* De sorte qu'il n'y a plus que le mot de *prochain* sans aucun sens qui court risque.

Heureux les peuples qui l'ignorent ! Heureux ceux qui ont précédé sa naissance ! Car je n'y vois plus de remède, si Messieurs de l'Académie ne bannissent par un coup d'autorité ce mot barbare de Sorbonne[23], qui cause tant de divisions. Sans cela, la censure paraît assurée ; mais je vois qu'elle ne fera point d'autre mal que de rendre la Sorbonne moins considérable par ce procédé, qui lui ôtera l'autorité qui lui est si nécessaire en d'autres rencontres.

Je vous laisse cependant dans la liberté de tenir pour le mot de *prochain,* ou non ; car je vous aime trop pour vous persécuter [24] sous ce prétexte. Si ce récit ne vous déplaît pas, je continuerai de vous avertir de tout ce qui se passera.

Je suis, etc.

SECONDE LETTRE
ÉCRITE À UN PROVINCIAL
PAR UN DE SES AMIS

De Paris, ce 29 janvier 1656.

MONSIEUR,

Comme je fermais la lettre que je vous ai écrite, je fus visité par Monsieur N., notre ancien ami, le plus heureusement du monde pour ma curiosité ; car il est très informé des questions du temps, et il sait parfaitement le secret des Jésuites, chez qui il est à toute heure, et avec les principaux. Après avoir parlé de ce qui l'amenait chez moi, je le priai de me dire en un mot quels sont les points débattus entre les deux partis.

Il me satisfit sur l'heure, et me dit qu'il y en avait deux principaux : le premier touchant le *pouvoir prochain* ; le second touchant *la grâce suffisante*. Je vous ai éclairci du premier par la précédente ; je vous parlerai du second dans celle-ci [1].

Je sus donc, en un mot, que leur différend touchant la *grâce suffisante* est en ce que les Jésuites prétendent qu'il y a une grâce donnée généralement à tous les hommes, soumise de telle sorte au libre arbitre, qu'il la rend efficace ou inefficace à son choix, sans aucun nouveau secours de Dieu, et sans qu'il manque rien de sa part pour agir effectivement ; ce qui fait qu'ils l'appellent *suffisante*, parce qu'elle seule suffit pour agir. Et que les Jansénistes au contraire veulent qu'il n'y ait aucune grâce actuellement suffisante qui ne soit aussi efficace, c'est-à-dire que toutes celles qui ne déterminent point la volonté à agir effectivement sont insuffisantes pour agir, parce qu'ils disent qu'on n'agit jamais sans *grâce efficace*. Voilà leur différend.

Et m'informant après de la doctrine des nouveaux Thomistes : Elle est bizarre, me dit-il. Ils sont d'accord avec les Jésuites d'admettre une *grâce suffisante* donnée à tous les hommes ; mais ils veulent néanmoins que les hommes n'agissent jamais avec cette seule grâce, et qu'il faille, pour les faire agir, que Dieu leur donne une *grâce efficace*[2] qui détermine réellement leur volonté à l'action, et laquelle Dieu ne donne pas à tous. De sorte que, suivant cette doctrine, lui dis-je, cette grâce est *suffisante* sans l'être. Justement, me dit-il : car, si elle suffit, il n'en faut pas davantage pour agir ; et si elle ne suffit pas, elle n'est pas *suffisante*[3].

Mais, lui dis-je, quelle différence y a-t-il donc entre eux et les Jansénistes ? Ils diffèrent, me dit-il, en ce qu'au moins les Dominicains ont cela de bon qu'ils ne laissent pas de dire que tous les hommes ont la *grâce suffisante*. J'entends bien, répondis-je, mais ils le disent sans le penser, puisqu'ils ajoutent qu'il faut nécessairement, pour agir, avoir une *grâce efficace, qui n'est pas donnée à tous* : ainsi s'ils sont conformes aux Jésuites par un terme qui n'a pas de sens, ils leur sont contraires, et conformes aux Jansénistes dans la substance de la chose. Cela est vrai, dit-il. Comment donc, lui dis-je, les Jésuites sont-ils unis avec eux, et que ne les combattent-ils aussi bien que les Jansénistes, puisqu'ils auront toujours en eux de puissants adversaires, lesquels, soutenant la nécessité de la grâce efficace qui détermine, les empêcheront d'établir celle qu'ils veulent être seule suffisante ?

Les Dominicains sont trop puissants, me dit-il, et la Société des Jésuites est trop politique pour les choquer ouvertement. Elle se contente d'avoir gagné sur eux qu'ils admettent au moins le nom de *grâce suffisante*, quoiqu'ils l'entendent en un autre sens. Par là elle a cet avantage qu'elle fera passer leur opinion pour insoutenable, quand elle le jugera à propos, et cela lui sera aisé. Car supposé que tous les hommes aient des grâces suffisantes, il n'y a rien de plus naturel que d'en conclure que la grâce efficace n'est donc pas nécessaire pour agir, puisque la suffisance de ces grâces générales exclurait la nécessité de toutes les autres. Qui dit *suffisant*, marque tout ce qui est nécessaire pour agir, et il servirait de peu aux Dominicains de s'écrier qu'ils donnent un autre sens au mot de *suffisant* : le peuple, accoutumé à l'intelligence commune de ce terme, n'écouterait pas seulement leur explication. Ainsi la Société profite assez de cette expression que les Dominicains reçoivent, sans les pousser davantage ; et si vous aviez la connaissance des choses qui se sont passées sous les papes Clément VIII et Paul V[4], et combien la Société fut traversée dans l'établissement de sa grâce suffisante par les Dominicains, vous ne vous étonneriez pas de voir qu'elle ne se brouille pas avec eux, et qu'elle consent qu'ils gardent leur opinion, pourvu que la sienne soit libre, et principalement quand les Dominicains la favorisent par le nom de *grâce suffisante*, dont ils ont consenti de se servir publiquement.

Elle est bien satisfaite de leur complaisance. Elle n'exige pas qu'ils nient la nécessité de la grâce efficace ; ce serait trop les presser : il ne faut pas tyranniser ses amis ; les Jésuites ont assez gagné. Car le monde se paye de paroles : peu approfondissent les choses ; et ainsi le nom de *grâce suffisante* étant reçu des deux côtés, quoique avec divers sens, il n'y a personne, hors les plus fins théologiens, qui ne pense que la chose que ce mot signifie soit tenue aussi bien par les Jacobins que par les Jésuites.

Je lui avouai que c'étaient d'habiles gens ; et, pour profiter de son avis, je m'en allai droit aux Jacobins, où je trouvai à la porte un de mes bons amis, grand Janséniste, car j'en ai de tous les partis, qui demandait quelque autre Père que celui que je cherchais. Mais je l'engageai à m'accompagner à force de prières, et demandai un de mes nouveaux Thomistes. Il fut ravi de me revoir : Eh bien ! mon Père, lui dis-je, ce n'est pas assez que tous les hommes aient un *pouvoir prochain*, par

lequel pourtant ils n'agissent en effet jamais, il faut qu'ils
aient encore une *grâce suffisante* avec laquelle ils agissent aussi
peu. N'est-ce pas là l'opinion de votre École ? Oui, dit le bon
Père ; et je l'ai bien dit ce matin en Sorbonne. J'y ai parlé
toute ma demi-heure ; et, sans le *sable,* j'eusse bien fait
changer ce malheureux proverbe qui court déjà dans Paris :
Il opine du bonnet comme un moine en Sorbonne. Et que voulez-
vous dire par votre demi-heure et par votre sable ? lui
répondis-je. Taille-t-on vos avis à une certaine mesure ? Oui,
me dit-il, depuis quelques jours[5]. Et vous oblige-t-on de
parler demi-heure ? Non, on parle aussi peu qu'on veut. Mais
non pas tant que l'on veut, lui dis-je. Ô la bonne règle pour
les ignorants ! Ô l'honnête prétexte pour ceux qui n'ont rien
de bon à dire ! Mais enfin, mon Père, cette grâce donnée à
tous les hommes est *suffisante ?* Oui, dit-il. Et néanmoins elle
n'a nul effet *sans grâce efficace ?* Cela est vrai, dit-il. Et tous
les hommes ont la *suffisante,* continuai-je, et tous n'ont pas
l'*efficace ?* Il est vrai, dit-il. C'est-à-dire, lui dis-je, que tous
ont assez de grâce, et que tous n'en ont pas assez ; c'est-à-dire
que cette grâce suffit, quoiqu'elle ne suffise pas ; c'est-à-dire
qu'elle est suffisante de nom et insuffisante en effet. En
bonne foi, mon Père, cette doctrine est bien subtile. Avez-
vous oublié, en quittant le monde, ce que le mot de *suffisant* y
signifie ? Ne vous souvient-il pas qu'il enferme tout ce qui est
nécessaire pour agir ? Mais vous n'en avez pas perdu la
mémoire ; car, pour me servir d'une comparaison qui vous
sera plus sensible, si l'on ne vous servait à table que deux
onces de pain et un verre d'eau par jour, seriez-vous content
de votre prieur, qui vous dirait que cela serait suffisant pour
vous nourrir, sous prétexte qu'avec autre chose qu'il ne vous
donnerait pas, vous auriez tout ce qui vous serait nécessaire
pour vous nourrir ? Comment donc vous laissez-vous aller à
dire que tous les hommes ont la *grâce suffisante* pour agir,
puisque vous confessez qu'il y en a une autre absolument
nécessaire pour agir, que tous n'ont pas ? Est-ce que cette
créance est peu importante, et que vous abandonnez à la
liberté des hommes de croire que la grâce efficace est

nécessaire ou non ? Est-ce une chose indifférente de dire qu'avec la grâce suffisante on agit en effet ? Comment, dit ce bon homme, indifférente ! C'est une *hérésie*, c'est une *hérésie* formelle. La nécessité de la *grâce efficace* pour agir effectivement est *de foi ;* il y a *hérésie* à la nier.

Où en sommes-nous donc ? m'écriai-je, et quel parti dois-je ici prendre ? Si je nie la grâce suffisante, je suis Janséniste. Si je l'admets comme les Jésuites, en sorte que la grâce efficace ne soit pas nécessaire, je serai *hérétique,* dites-vous. Et si je l'admets comme vous, en sorte que la grâce efficace soit nécessaire, je pèche contre le sens commun, et je suis *extravagant,* disent les Jésuites. Que dois-je donc faire dans cette nécessité inévitable d'être ou extravagant, ou hérétique, ou Janséniste ? Et en quels termes sommes-nous réduits, s'il n'y a que les Jansénistes qui ne se brouillent ni avec la foi ni avec la raison, et qui se sauvent tout ensemble de la folie et de l'erreur ?

Mon ami Janséniste prenait ce discours à bon présage, et me croyait déjà gagné. Il ne me dit rien néanmoins ; mais en s'adressant à ce Père : Dites-moi, je vous prie, mon Père, en quoi vous êtes conformes aux Jésuites. C'est, dit-il, en ce que les Jésuites et nous reconnaissons les *grâces suffisantes* données à tous. Mais, lui dit-il, il y a deux choses dans ce mot de *grâce suffisante :* il y a le son, qui n'est que du vent ; et la chose qu'il signifie, qui est réelle et effective. Et ainsi, quand vous êtes d'accord avec les Jésuites touchant le mot de *suffisante,* et que vous leur êtes contraires dans le sens, il est visible que vous êtes contraires touchant la substance de ce terme, et que vous n'êtes d'accord que du son. Est-ce là agir sincèrement et cordialement [6] ? Mais quoi ! dit le bon homme, de quoi vous plaignez-vous, puisque nous ne trahissons personne par cette manière de parler ? car dans nos écoles, nous disons ouvertement que nous l'entendons d'une manière contraire aux Jésuites. Je me plains, lui dit mon ami, de ce que vous ne publiez pas de toutes parts que vous entendez par grâce suffisante la grâce qui n'est pas suffisante. Vous êtes obligés en conscience, en changeant ainsi le sens des termes ordinaires de la religion, de dire que, quand vous admettez une *grâce suffisante* dans tous les hommes, vous entendez qu'ils n'ont pas des grâces suffisantes en effet. Tout ce qu'il y a de personnes au monde entendent le mot de *suffisant* en un même sens ; les seuls nouveaux Thomistes l'entendent en un autre. Toutes les femmes, qui font la moitié du monde, tous les gens de la Cour, tous les gens de guerre, tous les magistrats, tous les gens de Palais, les marchands, les artisans, tout le peuple, enfin toutes sortes d'hommes, excepté les Dominicains, entendent par le mot de *suffisant* ce qui enferme tout le nécessaire. Presque personne n'est averti de cette singularité. On dit seulement par toute la terre que les Jacobins tiennent que tous les hommes ont des *grâces suffisantes*. Que peut-on conclure de là, sinon qu'ils tiennent que tous les hommes ont toutes les grâces qui sont nécessaires pour agir, et principalement en les voyant joints d'intérêts et d'intrigue avec les Jésuites, qui l'entendent de cette sorte ? L'uniformité de vos expressions, jointe à cette union de parti, n'est-elle pas une interprétation manifeste, et une confirmation de l'uniformité de vos sentiments ?

Tous les fidèles demandent aux théologiens quel est le véritable état de la nature depuis sa corruption[7]. Saint Augustin et ses disciples répondent qu'elle n'a plus de grâce suffisante qu'autant qu'il plaît à Dieu de lui en donner. Les Jésuites sont venus ensuite, et disent que tous ont des grâces effectivement suffisantes. On consulte les Dominicains sur cette contrariété. Que font-ils là-dessus ? ils s'unissent aux Jésuites. Ils font par cette union le plus grand nombre. Ils se séparent de ceux qui nient ces grâces suffisantes. Ils déclarent que tous les hommes en ont. Que peut-on penser de là, sinon qu'ils autorisent les Jésuites ? Et puis ils ajoutent que néanmoins ces grâces suffisantes sont inutiles sans les efficaces, qui ne sont pas données à tous.

Voulez-vous voir une peinture de l'Église dans ces différents avis ? Je la considère comme un homme qui, partant de son pays pour faire un voyage, est rencontré par des voleurs, qui le blessent de plusieurs coups, et le laissent à demi mort[8].

Il envoie quérir trois médecins dans les villes voisines. Le premier, ayant sondé ses plaies, les juge mortelles, et lui déclare qu'il n'y a que Dieu qui lui puisse rendre ses forces perdues. Le second, arrivant ensuite, voulut le flatter, et lui dit qu'il avait encore des forces suffisantes pour arriver en sa maison, et, insultant contre le premier, qui s'opposait à son avis, forma le dessein de le perdre. Le malade, en cet état douteux, apercevant de loin le troisième, lui tend les mains, comme à celui qui le devait déterminer. Celui-ci, ayant considéré ses blessures, et su l'avis des deux premiers, embrasse le second, s'unit à lui, et tous deux ensemble se liguent contre le premier, et le chassent honteusement, car ils étaient plus forts en nombre. Le malade juge à ce procédé qu'il est de l'avis du second, et, le lui demandant en effet, il lui déclare affirmativement que ses forces sont suffisantes pour faire son voyage. Le blessé néanmoins, ressentant sa faiblesse, lui demande à quoi il les jugeait telles. C'est, lui dit-il, parce que vous avez encore vos jambes ; or les jambes sont les organes qui suffisent naturellement pour marcher. Mais, lui dit le malade, ai-je toute la force nécessaire pour m'en servir, car il me semble qu'elles sont inutiles dans ma langueur ? Non certainement, dit le médecin ; et vous ne marcherez jamais effectivement, si Dieu ne vous envoie un secours extraordinaire pour vous soutenir et vous conduire. Eh quoi ! dit le malade, je n'ai donc pas en moi les forces suffisantes et auxquelles il ne manque rien pour marcher effectivement ? Vous en êtes bien éloigné, lui dit-il. Vous êtes donc, dit le blessé, d'avis contraire à votre compagnon touchant mon véritable état ? Je vous l'avoue, lui répondit-il.

Que pensez-vous que dit le malade ? Il se plaignit du procédé bizarre et des termes ambigus de ce troisième médecin. Il le blâma de s'être uni au second, à qui il était contraire de sentiment et avec lequel il n'avait qu'une conformité apparente, et d'avoir chassé le premier, auquel il était conforme en effet. Et, après avoir fait essai de ses forces, et reconnu par expérience la vérité de sa faiblesse, il les renvoya tous deux ; et, rappelant le premier, se mit entre ses mains, et, suivant son conseil, il demanda à Dieu les forces qu'il confessait n'avoir pas ; il en reçut miséricorde, et par son secours arriva heureusement dans sa maison.

Le bon Père, étonné d'une telle parabole, ne répondait rien. Et je lui dis doucement pour le rassurer : Mais, après tout, mon Père, à quoi avez-vous pensé de donner le nom de *suffisante* à une grâce que vous dites qu'il est de foi de croire qu'elle est insuffisante en effet ? Vous en parlez, dit-il, bien à votre aise. Vous êtes libre et particulier. Je suis religieux et en communauté. N'en savez-vous pas peser la différence ? Nous dépendons des supérieurs. Ils dépendent d'ailleurs. Ils ont promis nos suffrages ; que voulez-vous que je devienne ? Nous l'entendîmes à demi-mot, et cela nous fit souvenir de son confrère, qui a été relégué à Abbeville pour un sujet semblable [9].

Mais, lui dis-je, pourquoi votre communauté s'est-elle engagée à admettre cette grâce ? C'est un autre discours, me dit-il. Tout ce que je vous en puis dire en un mot est que notre ordre a soutenu autant qu'il a pu la doctrine de saint Thomas touchant la grâce efficace. Combien s'est-il opposé ardemment à la naissance de la doctrine de Molina ! Combien a-t-il travaillé pour l'établissement de la nécessité de la grâce efficace de Jésus-Christ ! Ignorez-vous ce qui se fit sous Clément VIII et Paul V, et que, la mort prévenant l'un, et quelques affaires d'Italie empêchant l'autre de publier sa bulle, nos armes sont demeurées au Vatican ? Mais les Jésuites, qui, dès le commencement de l'hérésie de Luther et Calvin, s'étaient prévalus du peu de lumières qu'a le peuple pour en discerner l'erreur d'avec la vérité de la doctrine de saint Thomas, avaient en peu de temps répandu partout leur doctrine avec un tel progrès, qu'on les vit bientôt maîtres de la créance des peuples ; et nous en état d'être décriés comme des Calvinistes et traités comme les Jansénistes le sont aujourd'hui, si nous ne tempérions la vérité de la grâce efficace par l'aveu, au moins apparent, d'une *suffisante*. Dans cette extrémité, que pouvions-nous mieux faire pour sauver la vérité sans perdre notre crédit, sinon d'admettre le nom de grâce suffisante, en niant néanmoins qu'elle soit telle en effet ? Voilà comment la chose est arrivée.

Il nous dit cela si tristement, qu'il me fit pitié, mais non pas à mon second, qui lui dit : Ne vous flattez point d'avoir sauvé la vérité ; si elle n'avait point eu d'autres protecteurs, elle serait périe en des mains si faibles. Vous avez reçu dans l'Église le nom de son ennemi : c'est y avoir reçu l'ennemi même. Les noms sont inséparables des choses : si le mot de grâce *suffisante* est une fois affermi, vous aurez beau dire que vous entendez par là une grâce qui est insuffisante, vous n'y serez pas reçus. Votre explication serait odieuse dans le monde ; on y parle plus sincèrement des choses moins importantes : les Jésuites triompheront ; ce sera leur grâce suffisante en effet, et non pas la vôtre qui ne l'est que de nom, qui passera pour établie ; et on fera un article de foi du contraire de votre créance.

Nous souffririons tous le martyre, lui dit le Père, plutôt que de consentir à l'établissement de la *grâce suffisante au sens des Jésuites,* saint Thomas, que nous jurons de suivre jusqu'à la mort, y étant directement contraire. À quoi mon ami, plus sérieux que moi, lui dit : Allez, mon Père, votre ordre a reçu un honneur qu'il ménage mal. Il abandonne cette grâce qui lui avait été confiée, et qui n'a jamais été abandonnée depuis la création du monde. Cette grâce victorieuse, qui a été attendue par les patriarches, prédite par les prophètes, apportée par Jésus-Christ, prêchée par saint Paul, expliquée par saint Augustin, le plus grand des Pères, maintenue par ceux qui l'ont suivi, confirmée par saint Bernard, le dernier des Pères, soutenue par saint Thomas, l'Ange de l'École, transmise de lui à votre ordre, appuyée par tant de vos Pères, et si glorieusement défendue par vos religieux sous les papes Clément et Paul. Cette grâce efficace, qui avait été mise comme en dépôt entre vos mains, pour avoir, dans un saint ordre à jamais durable, des prédicateurs qui la publiassent au monde jusqu'à la fin des temps, se trouve comme délaissée pour des intérêts si indignes. Il est temps que d'autres mains s'arment pour sa querelle. Il est temps que Dieu suscite des disciples intrépides au saint docteur de la grâce, qui, ignorant les engagements du siècle, servent Dieu pour Dieu. La grâce peut bien n'avoir plus les Dominicains pour défenseurs, mais elle ne manquera jamais de défenseurs, car elle les forme elle-même par sa force toute-puissante. Elle demande des cœurs purs et dégagés, et elle-même les purifie et les dégage des intérêts du monde, incompatibles avec les vérités de l'Évangile. Pensez-y bien, mon Père, et prenez garde que Dieu ne change ce flambeau de sa place, et qu'il ne vous laisse dans les ténèbres et sans couronne, pour punir la froideur que vous avez pour une cause si importante à son Église.

Il en eût bien dit davantage, car il s'échauffait de plus en plus ; mais je l'interrompis, et dis en me levant : En vérité, mon Père, si j'avais du crédit en France, je ferais publier à son de trompe : On fait à savoir *que, quand les Jacobins disent que la grâce suffisante est donnée à tous, ils entendent que tous n'ont pas la grâce qui suffit effectivement.* Après quoi vous le diriez tant qu'il vous plairait, mais non pas autrement. Ainsi finit notre visite.

Vous voyez donc par là que c'est ici une *suffisance* politique, pareille au *pouvoir prochain.* Cependant je vous dirai qu'il me semble qu'on peut sans péril douter du *pouvoir prochain,* et de cette grâce *suffisante,* pourvu qu'on ne soit pas Jacobin.

En fermant ma lettre, je viens d'apprendre que la censure est faite ; mais comme je ne sais pas encore en quels termes, et qu'elle ne sera publiée que le 15 février, je ne vous en parlerai que par le premier ordinaire.

Je suis, etc.

RÉPONSE DU PROVINCIAL

AUX DEUX PREMIÈRES LETTRES DE SON AMI

Du 2 février 1656.

MONSIEUR,

Vos deux lettres n'ont pas été pour moi seul. Tout le monde les voit, tout le monde les entend, tout le monde les croit. Elles ne sont pas seulement estimées par les théologiens ; elles sont encore agréables aux gens du monde, et intelligibles aux femmes mêmes.

Voici ce que m'en écrit un des Messieurs de l'Académie[1], des plus illustres entre ces hommes tous illustres, qui n'avait encore vu que la première : *Je voudrais que la Sorbonne, qui doit tant à la mémoire de feu Monsieur le Cardinal, voulût reconnaître la juridiction de son Académie française. L'auteur de la lettre serait content : car, en qualité d'académicien, je condamnerais d'autorité, je bannirais, je proscrirais, peu s'en faut que je ne die, j'exterminerais de tout mon pouvoir ce pouvoir prochain qui fait tant de bruit pour rien, et sans savoir autrement ce qu'il demande. Le mal est que notre pouvoir académique est un pouvoir fort éloigné et borné. J'en suis marri ; et je le suis encore beaucoup de ce que tout mon petit pouvoir ne saurait m'acquitter envers vous, etc.*

Et voici ce qu'une personne[2], que je ne vous marquerai en aucune sorte, en écrit à une dame qui lui avait fait tenir la première de vos lettres.

Je vous suis plus obligée que vous ne pouvez vous l'imaginer de la lettre que vous m'avez envoyée ; elle est tout à fait ingénieuse et tout à fait bien écrite. Elle narre sans narrer ; elle éclaircit les affaires du monde les plus embrouillées ; elle raille finement ; elle instruit même ceux qui ne savent pas bien les choses, elle redouble le plaisir de ceux qui les entendent. Elle est encore une excellente apologie, et, si l'on veut, une délicate et innocente censure. Et il y a enfin tant d'art, tant d'esprit et tant de jugement en cette lettre, que je voudrais bien savoir qui l'a faite, etc.

Vous voudriez bien aussi savoir qui est la personne qui en écrit de la sorte ; mais contentez-vous de l'honorer sans la connaître, et, quand vous la connaîtrez, vous l'honorerez bien davantage.

Continuez donc vos lettres sur ma parole, et que la censure vienne quand il lui plaira : nous sommes fort bien disposés à la recevoir. Ces mots de *pouvoir prochain* et de *grâce suffisante*, dont on nous menace, ne nous feront plus de peur. Nous avons trop appris des Jésuites, des Jacobins et de M. Le Moyne, en combien de façons on les tourne, et combien il y a peu de solidité en ces mots nouveaux, pour nous en mettre en peine. Cependant je serai toujours, etc.

TROISIÈME LETTRE

ÉCRITE À UN PROVINCIAL
POUR SERVIR DE RÉPONSE
À LA PRÉCÉDENTE

De Paris, ce 9 février 1656.

MONSIEUR,

Je viens de recevoir votre lettre, et en même temps l'on m'a apporté une copie manuscrite de la Censure. Je me suis trouvé aussi bien traité dans l'une, que M. Arnauld l'est mal dans l'autre. Je crains qu'il n'y ait de l'excès des deux côtés, et que nous ne soyons pas assez connus de nos juges. Je m'assure que, si nous l'étions davantage, M. Arnauld mériterait l'approbation de la Sorbonne, et moi la censure de l'Académie. Ainsi nos intérêts sont tout contraires. Il doit se faire connaître pour défendre son innocence, au lieu que je dois demeurer dans l'obscurité pour ne pas perdre ma réputation. De sorte que, ne pouvant paraître, je vous remets le soin de m'acquitter envers mes célèbres approbateurs, et je prends celui de vous informer des nouvelles de la Censure [1].

Je vous avoue, Monsieur, qu'elle m'a extrêmement surpris. J'y pensais voir condamner les plus horribles hérésies du monde ; mais vous admirerez, comme moi, que tant d'éclatantes préparations se soient anéanties sur le point de produire un si grand effet.

Pour l'entendre avec plaisir, ressouvenez-vous, je vous prie, des étranges impressions qu'on nous donne depuis si longtemps des Jansénistes. Rappelez dans votre mémoire les cabales, les factions, les erreurs, les schismes, les attentats qu'on leur reproche depuis si longtemps ; de quelle sorte on les a décriés et noircis dans les chaires et dans les livres et combien ce torrent, qui a eu tant de violence et de durée, était grossi dans ces dernières années, où on les accusait ouvertement et publiquement d'être non seulement hérétiques et schismatiques, mais apostats et infidèles, de *nier le mystère de la transsubstantiation, et de renoncer à Jésus-Christ et à l'Évangile.*

Ensuite de tant d'accusations si surprenantes, on a pris le dessein d'examiner leurs livres pour en faire le jugement. On a choisi la *Seconde Lettre* de M. Arnauld, qu'on disait être remplie des plus grandes erreurs. On lui donne pour examinateurs ses plus déclarés ennemis. Ils emploient toute leur étude à rechercher ce qu'ils y pourraient reprendre ; et ils en rapportent une proposition touchant la doctrine, qu'ils exposent à la censure.

Que pouvait-on penser de tout ce procédé, sinon que cette proposition, choisie avec des circonstances si remarquables, contenait l'essence des plus noires hérésies qui se puissent imaginer ? Cependant elle est telle qu'on n'y voit rien qui ne soit si clairement et si formellement exprimé dans les passages des Pères que M. Arnauld a rapportés en cet endroit, que je n'ai vu personne qui en pût comprendre la différence. On s'imaginait néanmoins qu'il y en avait beaucoup, puisque, les passages des Pères étant sans doute catholiques, il fallait que la proposition de M. Arnauld y fût extrêmement contraire pour être hérétique.

C'était de la Sorbonne qu'on attendait cet éclaircissement. Toute la chrétienté avait les yeux ouverts pour voir dans la censure de ces docteurs ce point imperceptible au commun des hommes. Cependant M. Arnauld fait ses Apologies, où il donne en plusieurs colonnes sa proposition et les passages des Pères d'où il l'a prise, pour en faire paraître la conformité aux moins clairvoyants.

Il fait voir que saint Augustin dit en un endroit qu'il cite : *Que Jésus-Christ nous montre un juste en la personne de saint*

Pierre, qui nous instruit par sa chute de fuir la présomption. Il en rapporte un autre du même Père, qui dit : *Que Dieu, pour montrer que sans la grâce on ne peut rien, a laissé saint Pierre sans grâce.* Il en donne un autre de saint Chrysostome, qui dit : *Que la chute de saint Pierre n'arriva pas pour avoir été froid envers Jésus-Christ, mais parce que la grâce lui manqua ; et qu'elle n'arriva pas tant par sa négligence que par l'abandon de Dieu, pour apprendre à toute l'Église que sans Dieu l'on ne peut rien.* Ensuite de quoi il rapporte sa proposition accusée, qui est celle-ci : *Les Pères nous montrent un juste en la personne de saint Pierre, à qui la grâce, sans laquelle on ne peut rien, a manqué.*

C'est sur cela qu'on essaie en vain de remarquer comment il se peut faire que l'expression de M. Arnauld soit autant différente de celles des Pères que la vérité l'est de l'erreur, et la foi de l'hérésie. Car où en pourrait-on trouver la différence ? Serait-ce en ce qu'il dit : *Que les Pères nous montrent un juste en la personne de saint Pierre ?* Mais saint Augustin l'a dit en mots propres. Est-ce en ce qu'il dit : *Que la grâce lui a manqué ?* Mais le même saint Augustin qui dit *que saint Pierre était juste,* dit *qu'il n'avait pas eu la grâce en cette rencontre.* Est-ce en ce qu'il dit : *Que sans la grâce on ne peut rien ?* Mais n'est-ce pas ce que saint Augustin dit au même endroit, et ce que saint Chrysostome même avait dit avant lui, avec cette seule différence, qu'il l'exprime d'une manière bien plus forte, comme en ce qu'il dit : *Que sa chute n'arriva pas par sa froideur, ni par sa négligence, mais par le défaut de la grâce, et par l'abandon de Dieu ?*

Toutes ces considérations tenaient tout le monde en haleine, pour apprendre en quoi consistait donc cette diversité, lorsque cette censure si célèbre et si attendue a enfin paru après tant d'assemblées. Mais, hélas ! elle a bien frustré notre attente. Soit que les docteurs Molinistes n'aient pas daigné s'abaisser jusqu'à nous en instruire, soit pour quelque autre raison secrète, ils n'ont fait autre chose que prononcer ces paroles : *Cette proposition est téméraire, impie, blasphématoire, frappée d'anathème et hérétique.*

Croiriez-vous, Monsieur, que la plupart des gens, se voyant trompés dans leur espérance, sont entrés en mauvaise humeur, et s'en prennent aux censeurs mêmes ? Ils tirent de leur conduite des conséquences admirables pour l'innocence de M. Arnauld. Eh quoi ! disent-ils, est-ce là tout ce qu'ont pu faire, durant si longtemps, tant de docteurs si acharnés sur un seul, que de ne trouver dans tous ses ouvrages que trois lignes à reprendre, et qui sont tirées des propres paroles des plus grands docteurs de l'Église grecque et latine ? Y a-t-il un auteur qu'on veuille perdre, dont les écrits n'en donnent un plus spécieux prétexte ? et quelle plus haute marque peut-on produire de la vérité de la foi de cet illustre accusé ?

D'où vient, disent-ils, qu'on pousse tant d'imprécations qui se trouvent dans cette Censure, où l'on assemble tous ces termes de *poison*, de *peste*, d'*horreur*, de *témérité*, d'*impiété*, de *blasphème*, d'*abomination*, d'*exécration*, d'*anathème*, d'*hérésie*, qui sont les plus horribles expressions qu'on pourrait former contre Arius, contre l'Antéchrist même, pour combattre une hérésie imperceptible, et encore sans la découvrir ? Si c'est contre les paroles des Pères qu'on agit de la sorte, où est la foi et la tradition ? Si c'est contre la proposition de M. Arnauld, qu'on nous montre en quoi elle en est différente, puisqu'il ne nous en paraît autre chose qu'une parfaite conformité. Quand nous en reconnaîtrons le mal, nous l'aurons en détestation ; mais tant que nous ne le verrons point, et que nous n'y trouverons que les sentiments des saints Pères conçus et exprimés en leurs propres termes, comment pourrions-nous l'avoir sinon en une sainte vénération ?

Voilà de quelle sorte ils s'emportent ; mais ce sont des gens trop pénétrants. Pour nous qui n'approfondissons pas tant les choses, tenons-nous en repos sur le tout. Voulons-nous être plus savants que nos maîtres ? N'entreprenons pas plus qu'eux. Nous nous égarerions dans cette recherche. Il ne faudrait rien pour rendre cette Censure hérétique. La vérité est si délicate, que pour peu qu'on s'en retire, on tombe dans l'erreur ; mais cette erreur est si déliée, que pour peu qu'on s'en éloigne, on se trouve dans la vérité. Il n'y a qu'un point imperceptible entre cette proposition et la foi. La distance en est si insensible, que j'ai eu peur, en ne la voyant pas, de me rendre contraire aux docteurs de l'Église, pour me rendre trop conforme aux docteurs de Sorbonne ; et, dans cette crainte, j'ai jugé nécessaire de consulter un de ceux qui par politique furent neutres dans la première question, pour apprendre de lui la chose véritablement. J'en ai donc vu un fort habile, que je priai de me vouloir marquer les circonstances de cette différence, parce que je lui confessai franchement que je n'y en voyais aucune.

À quoi il me répondit en riant, comme s'il eût pris plaisir à ma naïveté : Que vous êtes simple de croire qu'il y en ait ! Et où pourrait-elle être ? Vous imaginez-vous que, si l'on en eût trouvé quelqu'une, on ne l'eût pas marquée hautement, et qu'on n'eût pas été ravi de l'exposer à la vue de tous les peuples dans l'esprit desquels on veut décrier M. Arnauld ? Je reconnus bien, à ce peu de mots, que tous ceux qui avaient été neutres dans la première question ne l'eussent pas été dans la seconde. Je ne laissai pas néanmoins de vouloir ouïr ses raisons, et de lui dire : Pourquoi donc ont-ils attaqué cette proposition ? À quoi il me repartit : Ignorez-vous ces deux choses, que les moins instruits de ces affaires connaissent : l'une, que M. Arnauld a toujours évité de dire rien qui ne fût puissamment fondé sur la tradition de l'Église ; l'autre, que ses ennemis ont néanmoins résolu de l'en retrancher à quelque prix que ce soit ; et qu'ainsi les écrits de l'un ne donnant aucune prise aux desseins des autres, ils ont été contraints, pour satisfaire leur passion, de prendre une proposition telle quelle, et de la condamner sans dire en quoi ni pourquoi ? Car ne savez-vous pas comment les Jansénistes les tiennent en échec, et les pressent si furieusement, que la moindre parole qui leur échappe contre les principes des Pères, on les voit incontinent accablés par des volumes entiers, où ils sont forcés de succomber ? De sorte qu'après tant d'épreuves de leur faiblesse, ils ont jugé plus à propos et plus facile de censurer que de repartir, parce qu'il leur est bien plus aisé de trouver des moines que des raisons[2].

Mais quoi ! lui dis-je, la chose étant ainsi, leur Censure est
inutile. Car quelle créance y aura-t-on en la voyant sans
fondement, et ruinée par les réponses qu'on y fera ? Si vous
connaissiez l'esprit du peuple, me dit mon docteur, vous
parleriez d'une autre sorte. Leur Censure, toute censurable
qu'elle est, aura presque tout son effet pour un temps ; et
quoiqu'à force d'en montrer l'invalidité il soit certain qu'on
la fera entendre, il est aussi véritable que d'abord la plupart
des esprits en seront aussi fortement frappés que de la plus
juste du monde. Pourvu qu'on crie dans les rues : *Voici la
Censure de M. Arnauld, voici la condamnation des Jansénistes,*
les Jésuites auront leur compte. Combien y en aura-t-il peu
qui la lisent ? combien peu de ceux qui la liront qui
l'entendent ? combien peu qui aperçoivent qu'elle ne satisfait
point aux objections ? Qui croyez-vous qui prenne les choses
à cœur, et qui entreprenne de les examiner à fond ? Voyez
donc combien il y a d'utilité en cela pour les ennemis des
Jansénistes. Ils sont sûrs par là de triompher, quoique d'un
vain triomphe à leur ordinaire, au moins durant quelques
mois : c'est beaucoup pour eux. Ils chercheront ensuite
quelque nouveau moyen de subsister. Ils vivent au jour la
journée. C'est de cette sorte qu'ils se sont maintenus jusqu'à
présent, tantôt par un catéchisme où un enfant condamne
leurs adversaires[3], tantôt par une procession où la grâce
suffisante mène l'efficace en triomphe[4], tantôt par une
comédie où les diables emportent Jansénius[5], une autre fois
par un almanach[6], maintenant par cette Censure.

En vérité, lui dis-je, je trouvais tantôt à redire au procédé
des Molinistes ; mais après ce que vous m'avez dit, j'admire
leur prudence et leur politique. Je vois bien qu'ils ne
pouvaient rien faire de plus judicieux ni de plus sûr. Vous
l'entendez, me dit-il : leur plus sûr parti a toujours été de se
taire. Et c'est ce qui a fait dire à un savant théologien : *Que
les plus habiles d'entre eux sont ceux qui intriguent beaucoup, qui
parlent peu, et qui n'écrivent point.*

C'est dans cet esprit que, dès le commencement des assemblées, ils avaient prudemment ordonné que si M. Arnauld

venait en Sorbonne, ce ne fût que pour exposer simplement ce qu'il croyait, et non pas pour y entrer en lice contre personne. Les examinateurs s'étant voulu un peu écarter de cette méthode, ils ne s'en sont pas bien trouvés. Ils se sont vus trop fortement réfutés par son *Second Apologétique*[7].

C'est dans ce même esprit qu'ils ont trouvé cette rare et toute nouvelle invention de la demi-heure et du sable[8]. Ils se sont délivrés par là de l'importunité de ces docteurs qui entreprenaient de réfuter toutes leurs raisons, de produire les livres pour les convaincre de fausseté, de les sommer de répondre, et de les réduire à ne pouvoir répliquer.

Ce n'est pas qu'ils n'aient bien vu que ce manquement de liberté, qui avait porté un si grand nombre de docteurs à se retirer des assemblées, ne ferait pas de bien à leur censure ; et que l'acte de protestation de nullité qu'en avait fait M. Arnauld, dès avant qu'elle fût conclue, serait un mauvais préambule pour la faire recevoir favorablement. Ils croient assez que ceux qui ne sont pas préoccupés considèrent pour le moins autant le jugement de soixante-dix docteurs, qui n'avaient rien à gagner en défendant M. Arnauld, que celui d'une centaine d'autres, qui n'avaient rien à perdre en le condamnant.

Mais, après tout, ils ont pensé que c'était toujours beaucoup d'avoir une censure, quoiqu'elle ne soit que d'une partie de la Sorbonne, et non pas de tout le corps ; quoiqu'elle soit faite avec peu ou point de liberté, et obtenue par beaucoup de menus moyens qui ne sont pas des plus réguliers ; quoiqu'elle n'explique rien de ce qui pouvait être en dispute ; quoiqu'elle ne marque point en quoi consiste cette hérésie, et qu'on y parle peu, de crainte de se méprendre. Ce silence même est un mystère pour les simples ; et la Censure en tirera cet avantage singulier, que les plus critiques et les plus subtils théologiens n'y pourront trouver aucune mauvaise raison[9].

Mettez-vous donc l'esprit en repos, et ne craignez point d'être hérétique en vous servant de la proposition condamnée. Elle n'est mauvaise que dans la *Seconde Lettre* de

M. Arnauld. Ne vous en voulez-vous pas fier à ma parole ? croyez-en M. Le Moyne, le plus ardent des examinateurs, qui, en parlant encore ce matin à un docteur de mes amis, qui lui demandait en quoi consiste cette différence dont il s'agit, et s'il ne serait plus permis de dire ce qu'ont dit les Pères : *Cette proposition,* lui a-t-il excellemment répondu, *serait catholique dans une autre bouche; ce n'est que dans M. Arnauld que la Sorbonne l'a condamnée*[10]. Et ainsi admirez les machines du Molinisme, qui font dans l'Église de si prodigieux renversements, que ce qui est catholique dans les Pères devient hérétique dans M. Arnauld; que ce qui était hérétique dans les semi-Pélagiens[11] devient orthodoxe dans les écrits des Jésuites; que la doctrine si ancienne de saint Augustin est une nouveauté insupportable; et que les inventions nouvelles qu'on fabrique tous les jours à notre vue passent pour l'ancienne foi de l'Église. Sur cela il me quitta.

Cette instruction m'a servi. J'y ai compris que c'est ici une hérésie d'une nouvelle espèce. Ce ne sont pas les sentiments de M. Arnauld qui sont hérétiques; ce n'est que sa personne. C'est une hérésie personnelle. Il n'est pas hérétique pour ce qu'il a dit ou écrit, mais seulement pour ce qu'il est M. Arnauld. C'est tout ce qu'on trouve à redire en lui. Quoi qu'il fasse, s'il ne cesse d'être, il ne sera jamais bon catholique. La grâce de saint Augustin ne sera jamais la véritable tant qu'il la défendra. Elle le deviendrait, s'il venait à la combattre. Ce serait un coup sûr, et presque le seul moyen de l'établir, et de détruire le Molinisme, tant il porte de malheur aux opinions qu'il embrasse[12].

Laissons donc là leurs différends. Ce sont des disputes de théologiens, et non pas de théologie. Nous, qui ne sommes point docteurs, n'avons que faire à leurs démêlés. Apprenez des nouvelles de la censure à tous nos amis, et aimez-moi autant que je suis, Monsieur, votre très humble et très obéissant serviteur,

E.A.A.B.P.A.F.D.E.P.[13]

QUATRIÈME LETTRE
ÉCRITE À UN PROVINCIAL
PAR UN DE SES AMIS

De Paris, le 25 février 1656.

MONSIEUR,

Il n'est rien tel que les Jésuites. J'ai bien vu des Jacobins, des docteurs, et de toute sorte de gens, mais une pareille visite manquait à mon instruction. Les autres ne font que les copier. Les choses valent toujours mieux dans leur source. J'en ai donc vu un des plus habiles, et j'y étais accompagné de mon fidèle Janséniste, qui fut avec moi aux Jacobins. Et comme je souhaitais particulièrement d'être éclairci sur le sujet d'un différend qu'ils ont avec les Jansénistes touchant ce qu'ils appellent la *grâce actuelle*, je dis à ce bon Père que je lui serais fort obligé s'il voulait m'en instruire, que je ne savais pas seulement ce que ce terme signifiait ; et je le priai de me l'expliquer. Très volontiers, me dit-il car j'aime les gens curieux. En voici la définition. Nous appelons *grâce actuelle une inspiration de Dieu par laquelle il nous fait connaître sa volonté, et par laquelle il nous excite à la vouloir accomplir*. Et en quoi, lui dis-je, êtes-vous en dispute avec les Jansénistes sur ce sujet ? C'est, me répondit-il, en ce que nous voulons que Dieu donne des grâces actuelles à tous les hommes à chaque tentation, parce que nous soutenons que, si l'on n'avait pas à chaque tentation la grâce actuelle pour n'y point pécher, quelque péché que l'on commît, il ne pourrait jamais

être imputé. Et les Jansénistes disent, au contraire, que les
péchés commis sans grâce actuelle ne laissent pas d'être
imputés. Mais ce sont des rêveurs. J'entrevoyais ce qu'il
voulait dire ; mais, pour le lui faire encore expliquer plus
clairement, je lui dis : Mon Père, ce mot de *grâce actuelle* me
brouille ; je n'y suis pas accoutumé : si vous aviez la bonté de
me dire la même chose sans vous servir de ce terme, vous
m'obligeriez infiniment. Oui, dit le Père ; c'est-à-dire que
vous voulez que je substitue la définition à la place du défini :
cela ne change jamais le sens du discours ; je le veux bien.
Nous soutenons donc, comme un principe indubitable,
qu'une action ne peut être imputée à péché, si Dieu ne nous donne,
avant que de la commettre, la connaissance du mal qui y est, et
une inspiration qui nous excite à l'éviter. M'entendez-vous
maintenant ?

Étonné d'un tel discours, selon lequel tous les péchés de
surprise, et ceux qu'on fait dans un entier oubli de Dieu, se
pourraient être imputés, je me tournai vers mon Janséniste,
et je connus bien à sa façon qu'il n'en croyait rien. Mais
comme il ne répondait mot, je dis à ce Père : Je voudrais,
mon Père, que ce que vous dites fût bien véritable, et que
vous en eussiez de bonnes preuves. En voulez-vous ? me dit-il
aussitôt ; je m'en vas vous en fournir, et des meilleures :
laissez-moi faire. Sur cela il alla chercher ses livres. Et je dis
cependant à mon ami : Y en a-t-il quelque autre qui parle
comme celui-ci ? Cela vous est-il si nouveau ? me répondit-il.
Faites état que jamais les Pères, les Papes, les Conciles, ni
l'Écriture, ni aucun livre de piété, même dans ces derniers
temps, n'ont parlé de cette sorte : mais que pour des
casuistes, et des nouveaux scolastiques, il vous en apportera
un beau nombre. Mais quoi ! lui dis-je, je me moque de ces
auteurs-là, s'ils sont contraires à la tradition. Vous avez
raison, me dit-il. Et à ces mots, le bon Père arriva chargé de
livres ; et m'offrant le premier qu'il tenait : Lisez, me dit-il,
la *Somme des péchés* du Père Bauny[1], que voici, et de la
cinquième édition encore, pour vous montrer que c'est un
bon livre. C'est dommage, me dit tout bas mon Janséniste,

que ce livre-là ait été condamné à Rome, et par les évêques de France[2]. Voyez, me dit le Père, la page 906. Je lus donc, et je trouvai ces paroles : *Pour pécher et se rendre coupable devant Dieu, il faut savoir que la chose qu'on veut faire ne vaut rien, ou au moins en douter, craindre, ou bien juger que Dieu ne prend plaisir à l'action à laquelle on s'occupe, qu'il la défend, et nonobstant la faire, franchir le saut, et passer outre.*

Voilà qui commence bien, lui dis-je. Voyez cependant, me dit-il, ce que c'est que l'envie. C'était sur cela que M. Hallier[3], avant qu'il fût de nos amis, se moquait du Père Bauny, et lui appliquait ces paroles : *Ecce qui tollit peccata mundi*[4] : *Voilà celui qui ôte les péchés du monde !* Il est vrai, lui dis-je, que voilà une rédemption toute nouvelle selon le Père Bauny.

En voulez-vous, ajouta-t-il, une autorité plus authentique ? Voyez ce livre du Père Annat[5]. C'est le dernier qu'il a fait contre M. Arnauld ; lisez la page 34, où il y a une oreille[6], et voyez les lignes que j'ai marquées avec du crayon : elles sont toutes d'or. Je lus donc ces termes : *Celui qui n'a aucune pensée de Dieu ni de ses péchés, ni aucune appréhension,* c'est-à-dire, à ce qu'il me fit entendre, aucune connaissance, *de l'obligation d'exercer des actes d'amour de Dieu ou de contrition, n'a aucune grâce actuelle pour exercer ces actes ; mais il est vrai aussi qu'il ne fait aucun péché en les omettant, et que, s'il est damné, ce ne sera pas en punition de cette omission.* Et quelques lignes plus bas : *Et on peut dire la même chose d'une coupable commission.*

Voyez-vous, me dit le Père, comment il parle des péchés d'omission, et de ceux de commission ? Car il n'oublie rien. Qu'en dites-vous ? Ô que cela me plaît ! lui répondis-je ; que j'en vois de belles conséquences ! Je perce déjà dans les suites : que de mystères s'offrent à moi ! Je vois sans comparaison plus de gens justifiés par cette ignorance et cet oubli de Dieu que par la grâce et les sacrements. Mais, mon Père, ne me donnez-vous point une fausse joie ? N'est-ce point ici quelque chose de semblable à cette *suffisance* qui ne suffit pas ? J'appréhende furieusement le *distinguo* : j'y ai été déjà attrapé ; parlez-vous sincèrement ? Comment ! dit le

Père en s'échauffant, il n'en faut pas railler. Il n'y a point ici
d'équivoque. Je n'en raille pas, lui dis-je ; mais c'est que je
crains à force de désirer.

Voyez donc, me dit-il, pour vous en mieux assurer, les
écrits de M. Le Moyne, qui l'a enseigné en pleine Sorbonne[7].
Il l'a appris de nous à la vérité, mais il l'a bien démêlé. Ô qu'il
l'a fortement établi ! Il enseigne que, pour faire qu'une action
soit *péché*, il faut que *toutes ces choses se passent dans l'âme*.
Lisez, et pesez chaque mot. Je lus donc en latin ce que vous
verrez ici en français : 1. *D'une part Dieu répand dans l'âme
quelque amour qui la penche vers la chose commandée et de l'autre
part la concupiscence rebelle la sollicite au contraire.* 2. *Dieu lui
inspire la connaissance de sa faiblesse.* 3. *Dieu lui inspire la
connaissance du médecin qui la doit guérir.* 4. *Dieu lui inspire le
désir de sa guérison.* 5. *Dieu lui inspire le désir de le prier et
d'implorer son secours.*

Et si toutes ces choses ne se passent dans l'âme, dit le
Jésuite, l'action n'est pas proprement péché et ne peut être
imputée, comme M. Le Moyne le dit en ce même endroit et
dans toute la suite.

En voulez-vous encore d'autres autorités ? En voici. Mais
toutes modernes, me dit doucement mon Janséniste. Je le
vois bien, dis-je ; et, en m'adressant à ce Père, je lui dis : Ô
mon Père, le grand bien que voici pour des gens de ma
connaissance ! Il faut que je vous les amène. Peut-être n'en
avez-vous guère vus qui aient moins de péchés, car ils ne
pensent jamais à Dieu ; les vices ont prévenu leur raison : *Ils
n'ont jamais connu ni leur infirmité, ni le médecin qui la peut
guérir. Ils n'ont jamais pensé à désirer la santé de leur âme, et
encore moins à prier Dieu de la leur donner ;* de sorte qu'ils sont
encore dans l'innocence baptismale, selon M. Le Moyne. *Ils
n'ont jamais eu de pensée d'aimer Dieu, ni d'être contrits de leurs
péchés,* de sorte que, selon le Père Annat, ils n'ont commis
aucun péché par le défaut de charité et de pénitence : leur vie
est dans une recherche continuelle de toutes sortes de
plaisirs, dont jamais le moindre remords n'a interrompu le
cours. Tous ces excès me faisaient croire leur perte assurée.

Mais, mon Père, vous m'apprenez que ces mêmes excès rendent leur salut assuré. Béni soyez-vous, mon Père, qui justifiez ainsi les gens! Les autres apprennent à guérir les âmes par des austérités pénibles : mais vous montrez que celles qu'on aurait crues le plus désespérément malades se portent bien. Ô la bonne voie pour être heureux en ce monde et en l'autre! J'avais toujours pensé qu'on péchât d'autant plus qu'on pensait le moins à Dieu. Mais, à ce que je vois, quand on a pu gagner une fois sur soi de n'y plus penser du tout, toutes choses deviennent pures pour l'avenir. Point de ces pécheurs à demi, qui ont quelque amour pour la vertu ; ils seront tous damnés, ces demi-pécheurs. Mais pour ces francs pécheurs, pécheurs endurcis, pécheurs sans mélange, pleins et achevés, l'enfer ne les tient pas ; ils ont trompé le diable à force de s'y abandonner.

Le bon Père, qui voyait assez clairement la liaison de ces conséquences avec son principe, s'en échappa adroitement ; et, sans se fâcher, ou par douceur ou par prudence, il me dit seulement : Afin que vous entendiez comment nous sauvons ces inconvénients, sachez que nous disons bien que ces impies dont vous parlez seraient sans péché s'ils n'avaient jamais eu de pensées de se convertir, ni de désirs de se donner à Dieu. Mais nous soutenons qu'ils en ont tous, et que Dieu n'a jamais laissé pécher un homme sans lui donner auparavant la vue du mal qu'il va faire, et le désir, ou d'éviter le péché, ou au moins d'implorer son assistance pour le pouvoir éviter, et il n'y a que les Jansénistes qui disent le contraire.

Eh quoi! mon Père, lui repartis-je, est-ce là l'hérésie des Jansénistes, de nier qu'à chaque fois qu'on fait un péché, il vient un remords troubler la conscience, malgré lequel on ne laisse pas de *franchir le saut et de passer outre*, comme dit le Père Bauny ? C'est une assez plaisante chose d'être hérétique pour cela [8]. Je croyais bien qu'on fût damné pour n'avoir pas de bonnes pensées, mais qu'on le soit pour ne pas croire que tout le monde en a, vraiment je ne le pensais pas [9]. Mais, mon Père, je me tiens obligé en conscience de vous désabuser, et de vous dire qu'il y a mille gens qui n'ont point ces désirs, qui pèchent sans regret, qui pèchent avec joie, qui en font vanité. Et qui peut en savoir plus de nouvelles que vous ? Il n'est pas que vous ne confessiez quelqu'un de ceux dont je parle [10], car c'est parmi les personnes de grande qualité qu'il s'en rencontre d'ordinaire. Mais prenez garde, mon Père, aux dangereuses suites de votre maxime. Ne remarquez-vous pas quel effet elle peut faire dans ces libertins qui ne cherchent qu'à douter de la religion ? Quel prétexte leur en offrez-vous, quand vous leur dites, comme une vérité de foi, qu'ils sentent, à chaque péché qu'ils commettent, un avertissement et un désir intérieur de s'en abstenir ! Car n'est-il pas visible qu'étant convaincus par leur propre expérience de la fausseté de votre doctrine en ce point que vous dites être de foi, ils en étendront la conséquence à tous les autres ? Ils diront que si vous n'êtes pas véritables en un article, vous êtes suspects en tous : et ainsi vous les obligerez à conclure ou que la religion est fausse, ou du moins que vous en êtes mal instruits.

Mais mon second, soutenant mon discours, lui dit : Vous feriez bien, mon Père, pour conserver votre doctrine, de n'expliquer pas aussi nettement que vous nous avez fait, ce que vous entendez par grâce *actuelle*. Car comment pourriez-vous déclarer ouvertement sans perdre toute créance dans les esprits, *que personne ne pèche qu'il n'ait auparavant la connaissance de son infirmité, celle du médecin, le désir de la guérison, et celui de la demander à Dieu ?* Croira-t-on, sur votre parole, que ceux qui sont plongés dans l'avarice, dans l'impudicité, dans les blasphèmes, dans le duel, dans la vengeance, dans les vols, dans les sacrilèges, aient de véritables désirs d'embrasser la chasteté, l'humilité, et les autres vertus chrétiennes [11] ?

Pensera-t-on que ces philosophes, qui vantaient si hautement la puissance de la nature, en connussent l'infirmité et le médecin ? Direz-vous que ceux qui soutenaient comme une maxime assurée *que Dieu ne donne point la vertu, et qu'il ne s'est jamais trouvé personne qui la lui ait demandée* [12], pensassent à la lui demander eux-mêmes ?

Qui pourra croire que les épicuriens, qui niaient la Providence divine, eussent des mouvements de prier Dieu, eux qui disaient *que c'était lui faire injure de l'implorer dans nos besoins, comme s'il eût été capable de s'amuser à penser à nous ?*

Et enfin comment s'imaginer que les idolâtres et les athées aient dans toutes les tentations qui les portent au péché, c'est-à-dire une infinité de fois en leur vie, le désir de prier le véritable Dieu qu'ils ignorent, de leur donner les véritables vertus qu'ils ne connaissent pas ?

Oui, dit le bon Père d'un ton résolu, nous le dirons ; et plutôt que de dire qu'on pèche sans avoir la vue que l'on fait mal, et le désir de la vertu contraire, nous soutiendrons que tout le monde, et les impies et les infidèles, ont ces inspirations et ces désirs à chaque tentation. Car vous ne sauriez me montrer, au moins par l'Écriture, que cela ne soit pas.

Je pris la parole à ce discours pour lui dire : Eh quoi ! mon Père, faut-il recourir à l'Écriture pour montrer une chose si claire ? Ce n'est pas ici un point de foi, ni même de raisonnement. C'est une chose de fait. Nous le voyons, nous le savons, nous le sentons.

Mais mon Janséniste, se tenant dans les termes que le Père avait prescrits, lui dit ainsi : Si vous voulez, mon Père, ne vous rendre qu'à l'Écriture, j'y consens ; mais au moins ne lui résistez pas : et puisqu'il est écrit, que *Dieu n'a pas révélé ses jugements aux Gentils*[13], *et qu'il les a laissés errer dans leurs voies*[14], ne dites pas que Dieu a éclairé ceux que les livres sacrés nous assurent *avoir été abandonnés dans les ténèbres et dans l'ombre de la mort*[15].

Ne vous suffit-il pas, pour entendre l'erreur de votre principe, de voir que saint Paul se dit *le premier des pécheurs*, pour un péché qu'il déclare avoir commis *par ignorance, et avec zèle*[16] ?

Ne suffit-il pas de voir par l'Évangile que ceux qui crucifiaient Jésus-Christ avaient besoin du pardon qu'il demandait pour eux, quoiqu'ils ne connussent point la malice de leur action[17], et qu'ils ne l'eussent jamais faite, selon saint Paul, s'ils en eussent eu la connaissance[18] ?

Ne suffit-il pas que Jésus-Christ nous avertisse qu'il y aura

des persécuteurs de l'Église qui croiront rendre service à
Dieu en s'efforçant de la ruiner [19], pour nous faire entendre
que ce péché, qui est le plus grand de tous selon l'Apôtre,
peut être commis par ceux qui sont si éloignés de savoir qu'ils
pèchent, qu'ils croiraient pécher en ne le faisant pas ? Et
enfin ne suffit-il pas que Jésus-Christ lui-même nous ait
appris qu'il y a deux sortes de pécheurs, dont les uns pèchent
avec connaissance, et les autres sans connaissance, et qu'ils
seront tous châtiés, quoiqu'à la vérité différemment [20] ?

Le bon Père, pressé par tant de témoignages de l'Écriture à
laquelle il avait eu recours, commença à lâcher le pied ; et
laissant pécher les impies sans inspiration, il nous dit : Au
moins vous ne nierez pas que les justes ne pèchent jamais
sans que Dieu leur donne... Vous reculez, lui dis-je en
l'interrompant, vous reculez, mon Père, et vous abandonnez
le principe général, et, voyant qu'il ne vaut plus rien à l'égard
des pécheurs, vous voudriez entrer en composition, et le faire
au moins subsister pour les justes. Mais cela étant, j'en vois
l'usage bien raccourci ; car il ne servira plus à guère de gens.
Et ce n'est quasi pas la peine de vous le disputer.

Mais mon second [21], qui avait, à ce que je crois, étudié
toute cette question le matin même, tant il était prêt sur tout,
lui répondit : Voilà, mon Père, le dernier retranchement où
se retirent ceux de votre parti qui ont voulu entrer en
dispute. Mais vous y êtes aussi peu en assurance. L'exemple
des justes ne vous est pas plus favorable [22]. Qui doute qu'ils
ne tombent souvent dans des péchés de surprise sans qu'ils
s'en aperçoivent ? N'apprenons-nous pas des saints mêmes
combien la concupiscence leur tend de pièges secrets, et
combien il arrive ordinairement que, quelque sobres qu'ils
soient, ils donnent à la volupté ce qu'ils pensent donner à la
seule nécessité, comme saint Augustin le dit de soi-même
dans ses *Confessions* [23] ?

Combien est-il ordinaire de voir les plus zélés s'emporter
dans la dispute à des mouvements d'aigreur pour leur propre
intérêt, sans que leur conscience leur rende sur l'heure
d'autre témoignage, sinon qu'ils agissent de la sorte pour le

seul intérêt de la vérité, et sans qu'ils s'en aperçoivent quelquefois que longtemps après !

Mais que dira-t-on de ceux qui se portent avec ardeur à des choses effectivement mauvaises, parce qu'ils les croient effectivement bonnes, comme l'histoire ecclésiastique en donne des exemples ; ce qui n'empêche pas, selon les Pères, qu'ils n'aient péché dans ces occasions ?

Et sans cela, comment les justes auraient-ils des péchés cachés[24] ? Comment serait-il véritable que Dieu seul en connaît et la grandeur et le nombre ; que personne ne sait s'il est digne d'amour ou de haine[25], et que les plus saints doivent toujours demeurer dans la crainte et dans le tremblement[26], quoiqu'ils ne se sentent coupables en aucune chose[27], comme saint Paul le dit de lui-même ?

Concevez donc, mon Père, que les exemples et des justes et des pécheurs renversent également cette nécessité que vous supposez pour pécher, de connaître le mal et d'aimer la vertu contraire, puisque la passion que les impies ont pour les vices témoigne assez qu'ils n'ont aucun désir pour la vertu ; et que l'amour que les justes ont pour la vertu témoigne hautement qu'ils n'ont pas toujours la connaissance des péchés qu'ils commettent chaque jour, selon l'Écriture[28].

Et il est si véritable que les justes pèchent en cette sorte, qu'il est rare que les grands saints pèchent autrement. Car comment pourrait-on concevoir que ces âmes si pures, qui fuient avec tant de soin et d'ardeur les moindres choses qui peuvent déplaire à Dieu aussitôt qu'elles s'en aperçoivent, et qui pèchent néanmoins plusieurs fois chaque jour, eussent à chaque fois, avant que de tomber, *la connaissance de leur infirmité en cette occasion, celle du médecin, le désir de leur santé, et celui de prier Dieu de les secourir*, et que, malgré toutes ces inspirations, ces âmes si zélées *ne laissassent pas de passer outre*, et de commettre le péché ?

Concluez donc, mon Père, que ni les pécheurs, ni même les plus justes, n'ont pas toujours ces connaissances, ces désirs et toutes ces inspirations toutes les fois qu'ils pèchent ; c'est-à-dire, pour user de vos termes, qu'ils n'ont pas toujours la grâce actuelle dans toutes les occasions où ils pèchent. Et ne dites plus, avec vos nouveaux auteurs, qu'il est impossible qu'on pèche quand on ne connaît pas la justice, mais dites plutôt avec saint Augustin, et les anciens Pères, qu'il est impossible qu'on ne pèche pas quand on ne connaît pas la justice : *Necesse est ut peccet, a quo ignoratur justitia*[29].

Le bon Père, se trouvant aussi empêché de soutenir son opinion au regard des justes qu'au regard des pécheurs, ne perdit pas pourtant courage. Et après avoir un peu rêvé : Je m'en vas bien vous convaincre, nous dit-il. Et reprenant son P. Bauny à l'endroit même qu'il nous avait montré : Voyez, voyez la raison sur laquelle il établit sa pensée. Je savais bien qu'il ne manquait pas de bonnes preuves. Lisez ce qu'il cite d'Aristote, et vous verrez qu'après une autorité si expresse, il faut brûler les livres de ce prince des philosophes, ou être de notre opinion. Écoutez donc les principes qu'établit le P. Bauny : il dit premièrement *qu'une action ne peut être imputée à blâme lorsqu'elle est involontaire.* Je l'avoue, lui dit mon ami. Voilà la première fois, leur dis-je, que je vous ai vus d'accord. Tenez-vous-en là, mon Père, si vous m'en croyez. Ce ne serait rien faire, me dit-il. Car il faut savoir quelles sont les conditions nécessaires pour faire qu'une action soit volontaire. J'ai bien peur, répondis-je, que vous ne vous brouilliez là-dessus. Ne craignez point, dit-il, ceci est sûr. Aristote est pour moi. Écoutez bien ce que dit le P. Bauny : *Afin qu'une action soit volontaire, il faut qu'elle procède d'homme qui voie, qui sache, qui pénètre ce qu'il y a de bien et de mal en elle. Voluntarium est, dit-on communément avec le Philosophe* (vous savez bien que c'est Aristote, me dit-il en me serrant les doigts), *quod fit a principio cognoscente singula, in quibus est actio*[30] : *si bien que, quand la volonté, à la volée et sans discussion, se porte à vouloir ou abhorrer, faire ou laisser quelque chose, avant que l'entendement ait pu voir s'il y a du mal à la vouloir ou à la fuir, la faire, ou la laisser, telle action n'est ni bonne ni mauvaise, d'autant qu'avant cette perquisition, cette vue et réflexion de l'esprit dessus les qualités bonnes ou mauvaises de la chose à laquelle on s'occupe, l'action avec laquelle on la fait n'est volontaire.*

Hé bien ! me dit le Père, êtes-vous content ? Il semble, repartis-je, qu'Aristote est de l'avis du P. Bauny ; mais cela ne laisse pas de me surprendre. Quoi, mon Père ! il ne suffit pas pour agir volontairement qu'on sache ce que l'on fait, et qu'on ne le fasse que parce qu'on le veut faire ? mais il faut de plus *que l'on voie, que l'on sache, et que l'on pénètre ce qu'il y a de bien et de mal dans cette action ?* Si cela est, il n'y a guère d'actions volontaires dans la vie ; car on ne pense guère à tout cela. Que de juremens dans le jeu, que d'excès dans les débauches, que d'emportemens dans le carnaval, qui ne sont point volontaires, et par conséquent ni bons, ni mauvais, pour n'être point accompagnés de ces *réflexions d'esprit sur les qualités bonnes ou mauvaises* de ce que l'on fait ! Mais est-il possible, mon Père, qu'Aristote ait eu cette pensée ? Car j'avais ouï dire que c'était un habile homme. Je m'en vas vous en éclaircir, me dit mon Janséniste. Et ayant demandé au Père la *Morale* d'Aristote, il l'ouvrit au commencement du troisième livre, d'où le P. Bauny a pris les paroles qu'il en rapporte, et dit à ce bon Père : Je vous pardonne d'avoir cru, sur la foi du P. Bauny, qu'Aristote ait été de ce sentiment. Vous auriez changé d'avis si vous l'aviez lu vous-même. Il est bien vrai qu'il enseigne *qu'afin qu'une action soit volontaire il faut connaître les particularités de cette action, singula in quibus est actio.* Mais qu'entend-il par là, sinon les circonstances particulières de l'action, ainsi que les exemples qu'il en donne le justifient clairement, n'en rapportant point d'autres que de ceux où l'on ignore quelqu'une de ces circonstances, comme *d'une personne qui, voulant montrer une machine, en décoche un dard qui blesse quelqu'un ; et de Mérope*[31], *qui tua son fils en pensant tuer son ennemi*, et autres semblables ?

Vous voyez donc par là quelle est l'ignorance qui rend les actions involontaires ; et que ce n'est que celle des circonstances particulières qui est appelée par les théologiens, comme vous le savez fort bien, mon Père, l'*ignorance du fait.* Mais quant à celle du *droit*, c'est-à-dire quant à l'ignorance du bien et du mal qui est en l'action, de laquelle seule il s'agit ici, voyons si Aristote est de l'avis du P. Bauny. Voici les paroles de ce philosophe : *Tous les méchants ignorent ce qu'ils doivent faire et ce qu'ils doivent fuir ; et c'est cela même qui les rend méchants et vicieux. C'est pourquoi on ne peut pas dire que, parce qu'un homme ignore ce qu'il est à propos qu'il fasse pour satisfaire à son devoir, son action soit involontaire. Car cette ignorance dans le choix du bien et du mal ne fait pas qu'une action soit involontaire, mais seulement qu'elle est vicieuse. L'on doit dire la même chose de celui qui ignore en général les règles de son devoir, puisque cette ignorance rend les hommes dignes de blâme, et non d'excuse. Et ainsi l'ignorance qui rend les actions involontaires et excusables est seulement celle qui regarde le fait en particulier, et ses circonstances singulières. Car alors on pardonne à un homme, et on l'excuse, et on le considère comme ayant agi contre son gré.*

Après cela, mon Père, diriez-vous encore qu'Aristote soit de votre opinion ? Et qui ne s'étonnera de voir qu'un philosophe païen ait été plus éclairé que vos docteurs en une matière aussi importante à toute la morale, et à la conduite même des âmes, qu'est la connaissance des conditions qui rendent les actions volontaires ou involontaires, et qui ensuite les excusent ou ne les excusent pas de péché ? N'espérez donc plus rien, mon Père, de ce prince des philosophes, et ne résistez plus au prince des théologiens, qui décide ainsi ce point, au livre I de ses *Rétr.*, chap. xv : *Ceux qui pèchent par ignorance ne font leur action que parce qu'ils la veulent faire, quoiqu'ils pèchent sans qu'ils veuillent pécher. Et ainsi ce péché même d'ignorance ne peut être commis que par la volonté de celui qui le commet, mais pas une volonté qui se porte à l'action, et non au péché, ce qui n'empêche pas néanmoins que l'action ne soit péché, parce qu'il suffit pour cela qu'on ait fait ce qu'on était obligé de ne point faire* [32].

Le Père me parut surpris, et plus encore du passage d'Aristote, que de celui de saint Augustin. Mais, comme il pensait à ce qu'il devait dire, on vint l'avertir que Madame la Maréchale de... et Madame la Marquise de... le demandaient. Et ainsi, en nous quittant à la hâte : J'en parlerai, dit-il, à nos Pères. Ils y trouveront bien quelque réponse. Nous en avons ici de bien subtils. Nous l'entendîmes bien ; et quand je fus seul avec mon ami, je lui témoignai d'être étonné du renversement que cette doctrine apportait dans la morale. À quoi il me répondit qu'il était bien étonné de mon étonnement. Ne savez-vous donc pas encore que leurs excès sont beaucoup plus grands dans la morale que dans la doctrine ? Il m'en donna d'étranges exemples, et remit le reste à une autre fois. J'espère que ce que j'en apprendrai sera le sujet de notre premier entretien.

Je suis, etc.

CINQUIÈME LETTRE

ÉCRITE À UN PROVINCIAL
PAR UN DE SES AMIS

De Paris le 20 mars 1656.

Monsieur,

Voici ce que je vous ai promis. Voici les premiers traits de la morale des bons Pères jésuites, *de ces hommes éminents en doctrine et en sagesse ; qui sont tous conduits par la sagesse divine, qui est plus assurée que toute la Philosophie.* Vous pensez peut-être que je raille : je le dis sérieusement, ou plutôt ce sont eux-mêmes qui le disent dans le livre intitulé : *Imago primi saeculi* [1]. Je ne fais que copier leurs paroles aussi bien que dans la suite de cet éloge : *C'est une société d'hommes ou plutôt d'anges, qui a été prédite par Isaïe en ces paroles : Allez, anges prompts et légers.* La prophétie n'en est-elle pas claire ? *Ce sont des esprits d'aigles ; c'est une troupe de phénix, un auteur ayant montré depuis peu qu'il y en a plusieurs* [2]. *Ils ont changé la face de la Chrétienté.* Il le faut croire puisqu'ils le disent. Et vous l'allez bien voir dans la suite de ce discours, qui vous apprendra leurs maximes.

J'ai voulu m'en instruire de bonne sorte. Je ne me suis pas fié à ce que notre ami m'en avait appris. J'ai voulu les voir eux-mêmes. Mais j'ai trouvé qu'il ne m'avait rien dit que de vrai. Je pense qu'il ne ment jamais. Vous le verrez par le récit de ces conférences.

Dans celle que j'eus avec lui, il me dit de si plaisantes

choses, que j'avais peine à le croire ; mais il me les montra dans les livres de ces Pères : de sorte qu'il ne me resta à dire pour leur défense, sinon que c'étaient les sentiments de quelques particuliers, qu'il n'était pas juste d'imputer au corps. Et en effet je l'assurai que j'en connaissais qui sont aussi sévères que ceux qu'il me citait sont relâchés. Ce fut sur cela qu'il me découvrit l'esprit de la Société, qui n'est pas connu de tout le monde, et vous serez peut-être bien aise de l'apprendre. Voici ce qu'il me dit.

Vous pensez beaucoup faire en leur faveur, de montrer qu'ils ont de leurs Pères aussi conformes aux maximes évangéliques que les autres y sont contraires ; et vous concluez de là que ces opinions larges n'appartiennent pas à toute la Société. Je le sais bien ; car si cela était, ils n'en souffriraient pas qui y fussent si contraires. Mais puisqu'ils en ont aussi qui sont dans une doctrine si licencieuse, concluez-en de même que l'esprit de la Société n'est pas celui de la sévérité chrétienne. Car, si cela était, ils n'en souffriraient pas qui y fussent si opposés. Eh quoi ! lui répondis-je, quel peut donc être le dessein du corps entier ? C'est sans doute qu'ils n'en ont aucun d'arrêté, et que chacun a la liberté de dire à l'aventure ce qu'il pense. Cela ne peut pas être, me répondit-il ; un si grand corps ne subsisterait pas dans une conduite téméraire, et sans une âme qui le gouverne et qui règle tous ses mouvements. Outre qu'ils ont un ordre particulier de ne rien imprimer sans l'aveu de leurs supérieurs. Mais quoi ! lui dis-je, comment les mêmes supérieurs peuvent-ils consentir à des maximes si différentes ? C'est ce qu'il faut vous apprendre, me répliqua-t-il.

Sachez donc que leur objet n'est pas de corrompre les mœurs : ce n'est pas leur dessein. Mais ils n'ont pas aussi pour unique but celui de les réformer. Ce serait une mauvaise politique. Voici quelle est leur pensée. Ils ont assez bonne opinion d'eux-mêmes pour croire qu'il est utile et comme nécessaire au bien de la religion que leur crédit s'étende partout, et qu'ils gouvernent toutes les consciences.

Et parce que les maximes évangéliques et sévères sont

propres pour gouverner quelques sortes de personnes, ils s'en servent dans ces occasions où elles leur sont favorables. Mais comme ces mêmes maximes ne s'accordent pas au dessein de la plupart des gens, ils les laissent à l'égard de ceux-là, afin d'avoir de quoi satisfaire tout le monde.

C'est pour cette raison qu'ayant affaire à des personnes de toutes sortes de conditions et des nations si différentes, il est nécessaire qu'ils aient des casuistes assortis à toute cette diversité.

De ce principe vous jugez aisément que s'ils n'avaient que des casuistes relâchés, ils ruineraient leur principal dessein, qui est d'embrasser tout le monde, puisque ceux qui sont véritablement pieux cherchent une conduite plus sûre. Mais comme il n'y en a pas beaucoup de cette sorte, ils n'ont pas besoin de beaucoup de directeurs sévères pour les conduire. Ils en ont peu pour peu ; au lieu que la foule des casuistes relâchés s'offre à la foule de ceux qui cherchent le relâchement.

C'est par cette conduite, *obligeante et accommodante*, comme l'appelle le P. Pétau [3], qu'ils tendent les bras à tout le monde. Car, s'il se présente à eux quelqu'un qui soit tout résolu de rendre des biens mal acquis, ne craignez pas qu'ils l'en détournent. Ils loueront, au contraire, et confirmeront une si sainte résolution ; mais qu'il en vienne un autre qui veuille avoir l'absolution sans restituer, la chose sera bien difficile, s'ils n'en fournissent des moyens dont ils se rendront les garants.

Par là ils conservent tous leurs amis, et se défendent contre tous leurs ennemis. Car si on leur reproche leur extrême relâchement, ils produisent incontinent au public leurs directeurs austères, et quelques livres qu'ils ont faits de la rigueur de la loi chrétienne ; et les simples, et ceux qui n'approfondissent pas plus avant les choses, se contentent de ces preuves.

Ainsi ils en ont pour toutes sortes de personnes, et répondent si bien selon ce qu'on leur demande, que, quand ils se trouvent en des pays où un Dieu crucifié passe pour folie[4], ils suppriment le scandale de la Croix, et ne prêchent que Jésus-Christ glorieux, et non pas Jésus-Christ souffrant : comme ils ont fait dans les Indes et dans la Chine[5], où ils ont permis aux Chrétiens l'idolâtrie même par cette subtile invention, de leur faire cacher sous leurs habits une image de Jésus-Christ, à laquelle ils leur enseignent de rapporter mentalement les adorations publiques qu'ils rendent à l'idole Chacimchoan[6] et à leur Keum-fucum[7], comme Gravina[8], Dominicain, le leur reproche, et comme le témoigne le Mémoire en espagnol, présenté au roi d'Espagne Philippe IV par les Cordeliers des îles Philippines, rapporté par Thomas Hurtado[9] dans son livre du *Martyre de la foi*, p. 427. De telle sorte que la congrégation des cardinaux *de Propaganda fide* fut obligée de défendre particulièrement aux Jésuites, sur peine d'excommunication, de permettre des adorations d'idoles sous aucun prétexte, et de cacher le mystère de la Croix à ceux qu'ils instruisent de la religion, leur commandant expressément de n'en recevoir aucun au baptême qu'après cette connaissance, et d'exposer dans leurs églises l'image du Crucifix, comme il est porté amplement dans le décret de cette congrégation, donné le 9 juillet 1646[10], signé par le cardinal Capponi.

Voilà de quelle sorte ils se sont répandus par toute la terre à la faveur *de la doctrine des opinions probables*, qui est la source et la base de tout ce dérèglement. C'est ce qu'il faut que vous appreniez d'eux-mêmes. Car ils ne le cachent à personne, non plus que tout ce que vous venez d'entendre, avec cette différence, qu'ils couvrent leur prudence humaine et politique du prétexte d'une prudence divine et chrétienne ; comme si la foi, et la tradition qui la maintient, n'était pas toujours une et invariable dans tous les temps et dans tous les lieux ; comme si c'était à la règle à se fléchir pour convenir au sujet qui doit lui être conforme ; et comme si les âmes n'avaient, pour se purifier de leurs taches, qu'à corrompre la loi du Seigneur ; au lieu *que la loi du Seigneur, qui est sans tache et toute sainte, est celle qui doit convertir les âmes*[11], et les conformer à ses salutaires instructions !

Allez donc, je vous prie, voir ces bons Pères, et je m'assure
que vous remarquerez aisément dans le relâchement de leur
morale la cause de leur doctrine touchant la grâce. Vous y
verrez les vertus chrétiennes si inconnues, et si dépourvues
de la charité qui en est l'âme et la vie ; vous y verrez tant de
crimes palliés, et tant de désordres soufferts, que vous ne
trouverez plus étrange qu'ils soutiennent que tous les
hommes ont toujours assez de grâce pour vivre dans la piété
de la manière qu'ils l'entendent. Comme leur morale est
toute païenne, la nature suffit pour l'observer. Quand nous
soutenons la nécessité de la grâce efficace, nous lui donnons
d'autres vertus pour objet. Ce n'est pas simplement pour
guérir les vices par d'autres vices ; ce n'est pas seulement
pour faire pratiquer aux hommes les devoirs extérieurs de la
religion, c'est pour une vertu plus haute que celle des
Pharisiens et des plus sages du Paganisme. La loi et la raison
sont des grâces suffisantes pour ces effets. Mais pour dégager
l'âme de l'amour du monde, pour la retirer de ce qu'elle a de
plus cher, pour la faire mourir à soi-même, pour la porter et
l'attacher uniquement et invariablement à Dieu, ce n'est
l'ouvrage que d'une main toute-puissante. Et il est aussi peu
raisonnable de prétendre que l'on en a toujours un plein
pouvoir, qu'il le serait de nier que ces vertus destituées
d'amour de Dieu, lesquelles ces bons Pères confondent avec
les vertus chrétiennes, ne sont pas en notre puissance [12].

Voilà comment il me parla, et avec beaucoup de douleur ;
car il s'afflige sérieusement de tous ces désordres. Pour moi,
j'estimai ces bons Pères de l'excellence de leur politique ; et je
fus, selon son conseil, trouver un bon casuiste de la Société :
c'est une de mes anciennes connaissances, que je voulus
renouveler exprès [13]. Et comme j'étais instruit de la manière
dont il les faut traiter, je n'eus pas peine à le mettre en train.
Il me fit d'abord mille caresses, car il m'aime toujours ; et
après quelques discours indifférents, je pris occasion du
temps où nous sommes [14] pour apprendre de lui quelque
chose sur le jeûne, afin d'entrer insensiblement en matière.
Je lui témoignai donc que j'avais bien de la peine à le

supporter. Il m'exhorta à me faire violence ; mais comme je continuai à me plaindre, il en fut touché, et se mit à chercher quelque cause de dispense. Il m'en offrit en effet plusieurs qui ne me convenaient point, lorsqu'il s'avisa enfin de me demander si je n'avais pas de peine à dormir sans souper. Oui, lui dis-je, mon Père, et cela m'oblige souvent à faire collation à midi, et à souper le soir [15]. Je suis bien aise, me répliqua-t-il, d'avoir trouvé ce moyen de vous soulager sans péché : allez, vous n'êtes point obligé à jeûner. Je ne veux pas que vous m'en croyiez ; venez à la bibliothèque. J'y fus, et là, en prenant un livre : En voici la preuve, me dit-il, et Dieu sait quelle ! C'est Escobar [16]. Qui est Escobar, lui dis-je, mon Père ? Quoi ! vous ne savez pas qui est Escobar de notre Société, qui a compilé cette *Théologie morale* de vingt-quatre de nos Pères ; sur quoi il fait dans la préface une allégorie de ce livre *à celui de l'Apocalypse qui était scellé de sept sceaux* [17] ? Et il dit *que Jésus l'offre ainsi scellé aux quatre animaux, Suarez, Vasquez, Molina, Valentia* [18], *en présence de vingt-quatre Jésuites qui représentent les vingt-quatre vieillards* [19] ? Il lut toute cette allégorie qu'il trouvait bien juste, et par où il me donnait une grande idée de l'excellence de cet ouvrage. Ayant ensuite cherché son passage du jeûne : Le voici, me dit-il, au tr. 1, ex. 13, n. 67 [20]. *Celui qui ne peut dormir s'il n'a soupé, est-il obligé de jeûner ? Nullement.* N'êtes-vous pas content ? Non pas tout à fait, lui dis-je, car je puis bien supporter le jeûne en faisant collation le matin et soupant le soir. Voyez donc la suite, me dit-il, ils ont pensé à tout. *Et que dira-t-on, si on se peut passer* [21] *d'une collation le matin en soupant le soir ? Me voilà. On n'est point encore obligé à jeûner. Car personne n'est obligé à changer l'ordre de ses repas.* Ô la bonne raison ! lui dis-je. Mais, dites-moi, continua-t-il, usez-vous beaucoup de vin ? Non, mon Père, lui dis-je, je ne le puis souffrir. Je vous disais cela, me répondit-il, pour vous avertir que vous en pourriez boire le matin, et quand il vous plairait, sans rompre le jeûne ; et cela soutient toujours. En voici la décision, au même lieu, n. 75 : *Peut-on, sans rompre le jeûne, boire du vin à telle heure qu'on voudra, et même en grande*

quantité? *On le peut, et même de l'hypocras*[22]. Je ne me
souvenais pas de cet hypocras, dit-il; il faut que je le mette
sur mon recueil[23]. Voilà un honnête homme, lui dis-je,
qu'Escobar. Tout le monde l'aime, répondit le Père. Il fait de
si jolies questions! Voyez celle-ci qui est au même endroit,
n. 38 : *Si un homme doute qu'il ait vingt-un ans, est-il obligé de
jeûner? Non. Mais si j'ai vingt-un ans cette nuit à une heure
après minuit, et qu'il soit demain jeûne, serai-je obligé de jeûner
demain? Non*[24]. *Car vous pourriez manger autant qu'il vous
plairait depuis minuit jusqu'à une heure, puisque vous n'auriez
pas encore vingt-un ans : et ainsi ayant droit de rompre le jeûne,
vous n'y êtes pas obligé.* Ô que cela est divertissant! lui dis-je.
On ne s'en peut tirer, me répondit-il; je passe les jours et les
nuits à le lire; je ne fais autre chose. Le bon Père, voyant que
j'y prenais plaisir, en fut ravi, et continuant : Voyez, dit-il,
encore ce trait de Filiutius[25], qui est un de ces vingt-quatre
Jésuites, t. 2, tr. 27, part. 2, c. 6, n. 123 : *Celui qui s'est
fatigué à quelque chose, comme à poursuivre une fille, ad
persequendam amicam, est-il obligé de jeûner? Nullement. Mais
s'il est fatigué exprès pour être par là dispensé du jeûne, y sera-t-il
tenu? Encore qu'il ait eu ce dessein formé, il n'y sera point obligé.*
Eh bien! l'eussiez-vous cru? me dit-il. En vérité, mon Père,
lui dis-je, je ne le crois pas bien encore. Et quoi! n'est-ce pas
un péché, de ne pas jeûner quand on le peut? Et est-il permis
de rechercher les occasions de pécher? ou plutôt n'est-on pas
obligé de les fuir? Cela serait assez commode. Non pas
toujours, me dit-il, c'est selon. Selon quoi? lui dis-je. Ho,
ho! repartit le Père. Et si on recevait quelque incommodité
en fuyant les occasions, y serait-on obligé, à votre avis? Ce
n'est pas au moins celui du P. Bauny[26] que voici, p. 1084 :
*On ne doit pas refuser l'absolution à ceux qui demeurent dans les
occasions prochaines du péché, s'ils sont en tel état qu'ils ne
puissent les quitter sans donner sujet au monde de parler, ou sans
qu'ils en reçussent eux-mêmes de l'incommodité.* Je m'en réjouis,
mon Père; il ne reste plus qu'à dire qu'on peut rechercher les
occasions de propos délibéré, puisqu'il est permis de ne les
pas fuir. Cela même est aussi quelquefois permis, ajouta-t-il.

Le célèbre casuiste Bazile Ponce l'a dit, et le P. Bauny le cite et approuve son sentiment que voici dans le *Traité de la Pénitence*, q. 4[27], p. 94 : *On peut rechercher une occasion de pécher directement et par elle-même, primo et per se, quand le bien spirituel ou temporel de nous ou de notre prochain nous y porte*[28].

Vraiment, lui dis-je, il me semble que je rêve, quand j'entends des religieux parler de cette sorte ! Et quoi ! mon Père, dites-moi en conscience, êtes-vous dans ce sentiment-là ? Non vraiment, me dit le Père. Vous parlez donc, continuai-je, contre votre conscience ? Point du tout, dit-il. Je ne parlais pas en cela selon ma conscience, mais selon celle de Ponce et du P. Bauny. Et vous pourriez les suivre en sûreté ; car ce sont d'habiles gens. Quoi ! mon Père, parce qu'ils ont mis ces trois lignes dans leurs livres, sera-t-il devenu permis de rechercher les occasions de pécher ? Je croyais ne devoir prendre pour règle que l'Écriture et la Tradition de l'Église, mais non pas vos casuistes. Ô bon Dieu, s'écria le Père, vous me faites souvenir de ces Jansénistes ! Est-ce que le P. Bauny et Bazile Ponce ne peuvent pas rendre leur opinion probable ? Je ne me contente pas du probable, lui dis-je, je cherche le sûr. Je vois bien, me dit le bon Père, que vous ne savez pas ce que c'est que la doctrine des opinions probables[29]. Vous parleriez autrement si vous la saviez. Ah vraiment ! il faut que je vous en instruise. Vous n'aurez pas perdu votre temps d'être venu ici, sans cela vous ne pouviez rien entendre. C'est le fondement et l'A B C de toute notre morale. Je fus ravi de le voir tombé dans ce que je souhaitais, et le lui ayant témoigné, je le priai de m'expliquer ce que c'était qu'une opinion probable. Nos auteurs vous y répondront mieux que moi, dit-il. Voici comme ils en parlent tous généralement, et entre autres nos vingt-quatre, *in princ.*[30] ex. 3, n. 8 : *Une opinion est appelée probable, lorsqu'elle est fondée sur des raisons de quelque considération. D'où il arrive quelquefois qu'un seul docteur fort grave peut rendre une opinion probable.* Et en voici la raison au même lieu : *Car un homme adonné particulièrement à l'étude ne s'attacherait pas à une opinion, s'il n'y était attiré par une raison bonne et suffisante.*

Et ainsi, lui dis-je, un seul docteur peut tourner les consciences et les bouleverser à son gré, et toujours en sûreté. Il n'en faut pas rire, me dit-il, ni penser combattre cette doctrine. Quand les Jansénistes l'ont voulu faire, ils y ont perdu leur temps. Elle est trop bien établie. Écoutez Sanchez[31], qui est un des plus célèbres de nos Pères, *Som.* l. 1, c. 9, n. 7 : *Vous douterez peut-être si l'autorité d'un seul docteur bon et savant rend une opinion probable. À quoi je réponds qu'oui. Et c'est ce qu'assurent Angelus, Sylv., Navarre*[32], *Emmanuel Sa*[33], *etc. Et voici comme on le prouve. Une opinion probable est celle qui a un fondement considérable. Or l'autorité d'un homme savant et pieux n'est pas de petite considération, mais plutôt de grande considération. Car,* écoutez bien cette raison : *Si le témoignage d'un tel homme est de grand poids pour nous assurer qu'une chose se soit passée par exemple à Rome, pourquoi ne le sera-t-il pas de même dans un doute de morale ?*

La plaisante comparaison, lui dis-je, des choses du monde à celles de la conscience ! Ayez patience ; Sanchez répond à cela dans les lignes qui suivent immédiatement. *Et la restriction qu'y apportent certains auteurs ne me plaît pas, que l'autorité d'un tel docteur est suffisante dans les choses de droit humain, mais non pas dans celles de droit divin. Car elle est de grand poids dans les uns et dans les autres.*

Mon Père, lui dis-je franchement, je ne puis faire cas de cette règle. Qui m'a assuré que dans la liberté que vos docteurs se donnent d'examiner les choses par la raison, ce qui paraîtra sûr à l'un le paraisse à tous les autres ? La diversité des jugements est si grande... Vous ne l'entendez pas, dit le Père en m'interrompant ; aussi sont-ils fort souvent de différents avis ; mais cela n'y fait rien. Chacun rend le sien probable et sûr. Vraiment l'on sait bien qu'ils ne sont pas tous de même sentiment. Et cela n'en est que mieux. Ils ne s'accordent au contraire presque jamais. Il y a peu de questions où vous ne trouviez que l'un dit oui, l'autre dit non. Et en tous ces cas-là, l'une et l'autre des opinions contraires est probable. Et c'est pourquoi Diana[34] dit sur un certain sujet, Part. 3, to. 4, R. 244 : *Ponce et Sanchez sont de contraires avis ; mais parce qu'ils étaient tous deux savants, chacun rend son opinion probable.*

Mais, mon Père, lui dis-je, on doit être bien embarrassé à choisir alors ! Point du tout, dit-il, il n'y a qu'à suivre l'avis qui agrée le plus. Et quoi ! si l'autre est plus probable ? Il n'importe, me dit-il. Et si l'autre est plus sûr ? Il n'importe, me dit encore le Père ; le voici bien expliqué. C'est Emmanuel Sa de notre Société, dans son Aphorisme *de Dubio*, p. 183 : *On peut faire ce qu'on pense être permis selon une opinion probable, quoique le contraire soit plus sûr. Or l'opinion d'un seul docteur grave y suffit.* Et si une opinion est tout ensemble et moins probable et moins sûre, sera-t-il permis de la suivre, en quittant ce que l'on croit plus probable et plus sûr ? Oui encore une fois, me dit-il, écoutez Filiutius ce grand Jésuite de Rome, *Mor. quaest.* Tr. 21, c. 4, n. 128 : *Il est permis de suivre l'opinion la moins probable, quoiqu'elle soit la moins sûre. C'est l'opinion commune des nouveaux auteurs.* Cela n'est-il pas clair ? Nous voici bien au large, lui dis-je, mon Révérend Père, grâce à vos opinions probables. Nous avons une belle liberté de conscience. Et vous autres casuistes, avez-vous la même liberté dans vos réponses ? Oui, me dit-il, nous répondons aussi ce qu'il nous plaît, ou plutôt ce qui plaît à ceux qui nous interrogent. Car voici nos règles, prises de nos Pères Layman, *Theol. Mor.*, l. 1, tr. 1, c. 5, § 2, n. 7, Vasquez, *Dist.* 62, c. 9, n. 47, Sanchez ⟨ *in Sum.*, L. I, c. 9, n. 23⟩ et de nos vingt-quatre, *Princ.* ex. 3, n. 24. Voici les paroles de Layman [35], que le livre de nos vingt-quatre a suivies : *Un docteur, étant consulté, peut donner un conseil, non seulement probable selon son opinion, mais contraire à son opinion, s'il est estimé probable par d'autres, lorsque cet avis contraire au sien se rencontre plus favorable et plus agréable à celui qui le consulte. Mais je dis de plus qu'il ne sera point hors de raison qu'il donne à ceux qui le consultent un avis tenu pour probable par quelque personne savante, quand même il s'assurerait qu'il serait absolument faux.*

Tout de bon, mon Père, votre doctrine est bien commode.

Quoi ! avoir à répondre oui et non à son choix ? On ne peut
assez priser un tel avantage. Et je vois bien maintenant à quoi
vous servent les opinions contraires que vos docteurs ont sur
chaque matière. Car l'une vous sert toujours, et l'autre ne
vous nuit jamais. Si vous ne trouvez votre compte d'un côté,
vous vous jetez de l'autre, et toujours en sûreté. Cela est vrai,
dit-il, et ainsi nous pouvons toujours dire avec Diana, qui
trouva le P. Bauny pour lui, lorsque le P. Lugo lui était
contraire : *Saepe, premente deo, fert deus alter opem. Si quelque
Dieu nous presse, un autre nous délivre*[36].

J'entends bien, lui dis-je ; mais il me vient une difficulté
dans l'esprit. C'est qu'après avoir consulté un de vos
docteurs, et pris de lui une opinion un peu large, on sera
peut-être attrapé si on rencontre un confesseur qui n'en soit
pas, et qui refuse l'absolution si on ne change de sentiment.
N'y avez-vous point donné ordre, mon Père ? En doutez-
vous ? me répondit-il. On les a obligés à absoudre leurs
pénitents qui ont des opinions probables, sur peine de péché
mortel, afin qu'ils n'y manquent pas. C'est ce qu'ont bien
montré nos Pères, et entre autres le Père Bauny, Tr. 4, *de
Paenit.*, q. 13, p. 93. *Quand le pénitent*, dit-il, *suit une opinion
probable, le confesseur le doit absoudre, quoique son opinion soit
contraire à celle du pénitent*. Mais il ne dit pas que ce soit un
péché mortel, de ne le pas absoudre ? Que vous êtes prompt !
me dit-il, écoutez la suite : il en fait une conclusion expresse :
*Refuser l'absolution à un pénitent qui agit selon une opinion
probable est un péché qui de sa nature est mortel*. Et il cite pour
confirmer ce sentiment trois des plus fameux de nos Pères,
Suarez to. 4, d. 32 sect. 5, Vasquez disp. 62, c. 7, et Sanchez
numero 29.

Ô mon Père, lui dis-je, voilà qui est bien prudemment
ordonné ! Il n'y a plus rien à craindre. Un confesseur
n'oserait plus y manquer. Je ne savais pas que vous eussiez le
pouvoir de rien ordonner sur peine de damnation. Je croyais
que vous ne saviez qu'ôter les péchés ; je ne pensais pas que
vous en sussiez introduire. Mais vous avez tout pouvoir, à ce
que je vois. Vous ne parlez pas proprement, me dit-il. Nous

n'introduisons pas les péchés, nous ne faisons que les remarquer. J'ai déjà bien reconnu deux ou trois fois que vous n'êtes pas bon scolastique. Quoi qu'il en soit, mon Père, voilà mon doute bien résolu. Mais j'en ai un autre encore à vous proposer. C'est que je ne sais comment vous pouvez faire, quand les Pères sont contraires aux sentiments de quelqu'un de vos casuistes.

Vous l'entendez bien peu, me dit-il. Les Pères étaient bons pour la morale de leur temps ; mais ils sont trop éloignés pour celle du nôtre. Ce ne sont plus eux qui la règlent, ce sont les nouveaux casuistes. Écoutez notre Père Cellot[37], *de Hier.* l. 8, cap. 16, p. 714, qui suit en cela notre fameux Père Reginaldus[38] : *Dans les questions de morale, les nouveaux casuistes sont préférables aux anciens Pères, quoiqu'ils fussent plus proches des Apôtres.* Et c'est en suivant cette maxime que Diana parle de cette sorte, P. 5, tr. 8, R. 31 : *Les bénéficiers sont-ils obligés de restituer leur revenu dont ils disposent mal ? Les anciens disaient qu'oui, mais les nouveaux disent que non : ne quittons donc pas cette opinion qui décharge de l'obligation de restituer.* Voilà de belles paroles, lui dis-je, et pleines de consolation pour bien du monde. Nous laissons les Pères, me dit-il, à ceux qui traitent la Positive[39] ; mais pour nous qui gouvernons les consciences, nous les lisons peu, et ne citons dans nos écrits que les nouveaux casuistes. Voyez Diana qui a furieusement écrit ; il a mis à l'entrée de ses livres la liste des auteurs qu'il rapporte. Il y en a 296, dont le plus ancien est depuis quatre-vingts ans. Cela est donc venu au monde depuis votre Société ? lui dis-je. Environ, me répondit-il. C'est-à-dire, mon Père, qu'à votre arrivée on a vu disparaître saint Augustin, saint Chrysostome, saint Ambroise, saint Jérôme, et les autres, pour ce qui est de la morale. Mais au moins, que je sache les noms de ceux qui leur ont succédé ; qui sont-ils ces nouveaux auteurs ? Ce sont des gens bien habiles et bien célèbres, me dit-il. C'est Villalobos, Coninck, Llamas, Achokier, Dealkozer, Dellacrux, Veracruz, Ugolin, Tambourin, Fernandez, Martinez, Suarez, Henriquez[40], Vasquez, Lopez, Gomez, Sanchez, de Vechis, de Grassis, de

Grassalis, de Pitigianis, de Graphæis, Squilanti, Bizozeri, Barcola, de Bobadilla, Simancha, Perez de Lara, Aldretta, Lorca, de Scarcia, Quaranta, Scophra, Pedrezza, Cabrezza, Bisbe, Dias, de Clavasio, Villagut, Adam à Mandem, Iribarne, Binsfeld, Volfangi à Vorberg, Vosthery, Strevesdorf[41]. Ô mon Père ! lui dis-je tout effrayé, tous ces gens-là étaient-ils chrétiens ? Comment, chrétiens ! me répondit-il. Ne vous disais-je pas que ce sont les seuls par lesquels nous gouvernons aujourd'hui la chrétienté ? Cela me fit pitié mais je ne lui en témoignai rien, et lui demandai seulement si tous ces auteurs-là étaient Jésuites. Non, me dit-il, mais il n'importe ; ils n'ont pas laissé de dire de bonnes choses. Ce n'est pas que la plupart ne les aient prises ou imitées des nôtres ; mais nous ne nous piquons pas d'honneur ; outre qu'ils citent nos Pères à toute heure, et avec éloge, voyez Diana, qui n'est pas de notre Société, quand il parle de Vasquez, il l'appelle *le phénix des esprits*. Et quelquefois il dit *que Vasquez seul lui est autant que tout le reste des hommes, Instar omnium.* Aussi tous nos Pères se servent fort souvent de ce bon Diana ; car si vous entendez bien notre doctrine de la probabilité, vous verrez bien que cela n'y fait rien. Au contraire nous avons bien voulu que d'autres que les Jésuites puissent rendre leurs opinions probables, afin qu'on ne puisse pas nous les imputer toutes. Et ainsi quand quelque auteur que ce soit en a avancé une, nous avons droit de la prendre si nous le voulons, par la doctrine des opinions probables, et nous n'en sommes pas les garants quand l'auteur n'est pas de notre corps. J'entends tout cela, lui dis-je. Je vois bien par là que tout est bien venu chez vous, hormis les anciens Pères, et que vous êtes les maîtres de la campagne. Vous n'avez plus qu'à courir.

Mais je prévois trois ou quatre grands inconvénients, et de puissantes barrières qui s'opposeront à votre course. Et quoi ? me dit le Père tout étonné. C'est, lui répondis-je, l'Écriture Sainte, les Papes et les Conciles, que vous ne pouvez démentir, et qui sont tous dans la voie unique de l'Évangile. Est-ce là tout ? me dit-il. Vous m'avez fait peur.

Croyez-vous qu'une chose si visible n'ait pas été prévue, et que nous n'y ayons pas pourvu ? Vraiment je vous admire, de penser que nous soyons opposés à l'Écriture, aux Papes ou aux Conciles ! Il faut que je vous éclaircisse du contraire. Je serais bien marri que vous crussiez que nous manquons à ce que nous leur devons. Vous avez sans doute pris cette pensée de quelques opinions de nos Pères qui paraissent choquer leurs décisions, quoique cela ne soit pas. Mais pour en entendre l'accord, il faudrait avoir plus de loisir. Je souhaite que vous ne demeuriez pas mal édifié de nous. Si vous voulez que nous nous revoyions demain, je vous en donnerai l'éclaircissement.

Voilà la fin de cette conférence, qui sera celle de cet entretien ; aussi en voilà bien assez pour une lettre. Je m'assure que vous en serez satisfait en attendant la suite. Je suis, etc.

SIXIÈME LETTRE
ÉCRITE À UN PROVINCIAL
PAR UN DE SES AMIS

De Paris, le 10 avril 1656.

MONSIEUR,

Je vous ai dit à la fin de ma dernière lettre que ce bon Père jésuite m'avait promis de m'apprendre de quelle sorte les casuistes accordent les contrariétés qui se rencontrent entre leurs opinions et les décisions des Papes, des Conciles et de l'Écriture. Il m'en a instruit en effet dans ma seconde visite, dont voici le récit. Je le ferai plus exactement que l'autre. Car j'y portai des tablettes, pour marquer les citations des passages, et je fus bien fâché de n'en avoir point apporté dès la première fois. Néanmoins si vous êtes en peine de quelqu'un de ceux que je vous ai cités dans l'autre lettre, faites-le-moi savoir, je vous satisferai facilement [1].

Ce bon Père me parla donc de cette sorte. Une des manières dont nous accordons ces contradictions apparentes est par l'interprétation de quelque terme. Par exemple le pape Grégoire XIV [2] a déclaré que les assassins sont indignes de jouir de l'asile des églises, et qu'on les en doit arracher. Cependant nos vingt-quatre vieillards [3] disent en la page 660 : *Que tous ceux qui tuent en trahison ne doivent pas encourir la peine de cette bulle.* Cela vous paraît être contraire, mais on l'accorde, en interprétant le mot d'*assassin*, comme ils font par ces paroles : *Les assassins ne sont-ils pas indignes de jouir du*

*privilège des églises ? Oui, par la bulle de Grégoire XIV. Mais
nous entendons par le mot d'assassins ceux qui ont reçu de l'argent
pour tuer quelqu'un en trahison. D'où il arrive que ceux qui tuent
sans en recevoir aucun prix, mais seulement pour obliger leurs
amis, ne sont pas appelés assassins.* De même il est dit dans
l'Évangile : *Donnez l'aumône de votre superflu*[4]. Cependant
plusieurs casuistes ont trouvé moyen de décharger les
personnes les plus riches de l'obligation de donner l'aumône.
Cela vous paraît encore contraire, mais on en fait voir
facilement l'accord, en interprétant le mot de *superflu*, en
sorte qu'il n'arrive presque jamais que personne en ait. Et
c'est ce qu'a fait le docte Vasquez en cette sorte, dans son
traité de l'aumône, c. 4 : *Ce que les personnes du monde gardent
pour relever leur condition et celle de leurs parents n'est pas appelé
superflu. Et c'est pourquoi à peine trouvera-t-on qu'il y ait jamais
de superflu dans les gens du monde, et non pas même dans les
rois*[5].

Aussi Diana ayant rapporté ces mêmes paroles de Vasquez,
car il se fonde ordinairement sur nos Pères, il en conclut fort
bien : *Que dans la question, si les riches sont obligés de donner
l'aumône de leur superflu, encore que l'affirmative fût véritable,
il n'arrivera jamais, ou presque jamais, qu'elle oblige dans la
pratique.*

Je vois bien, mon Père, que cela suit de la doctrine de
Vasquez. Mais que répondrait-on si on m'objectait qu'afin de
faire son salut, il serait donc aussi sûr selon Vasquez d'avoir
assez d'ambition pour n'avoir point de superflu, qu'il est sûr
selon l'Évangile de n'avoir point d'ambition pour donner
l'aumône de son superflu ? Il faudrait répondre, me dit-il,
que toutes ces deux voies sont sûres selon le même Évangile,
l'une selon l'Évangile dans le sens le plus littéral et le plus
facile à trouver, l'autre selon le même Évangile interprété par
Vasquez. Vous voyez par là l'utilité des interprétations.

Mais quand les termes sont si clairs qu'ils n'en souffrent
aucune, alors nous nous servons de la remarque des circonstances favorables, comme vous verrez par cet exemple. Les
Papes ont excommunié les religieux qui quittent leur habit,

et nos vingt-quatre vieillards ne laissent pas de parler en cette sorte, p. 704 : *En quelles occasions un religieux peut-il quitter son habit sans encourir l'excommunication ?* Il en rapporte plusieurs, et entre autres celles-ci : *S'il le quitte pour une cause honteuse, comme pour aller filouter, ou pour aller* incognito *en des lieux de débauche, le devant bientôt reprendre.* Aussi il est visible que les bulles ne parlent point de ces cas-là.

J'avais peine à croire cela, et je priai le Père de me le montrer dans l'original ; et je vis que le chapitre où sont ces paroles est intitulé : *Pratique selon l'école de la Société de Jésus ; Praxis ex Societatis Jesu schola ;* et j'y vis ces mots : *Si habitum dimittat ut furetur occulte, vel fornicetur*[6]. Et il me montra la même chose dans Diana en ces termes : *Ut eat incognitus ad lupanar*[7]. Et d'où vient, mon Père, qu'ils les ont déchargés de l'excommunication en cette rencontre ? Ne le comprenez-vous pas ? me dit-il. Ne voyez-vous pas quel scandale ce serait de surprendre un religieux en cet état avec son habit de religion ? Et n'avez-vous point ouï parler, continua-t-il, comment on répondit à la première bulle, *Contra sollicitantes*[8] ? et de quelle sorte nos vingt-quatre, dans un chapitre aussi de la pratique de l'école de notre Société, expliquent la bulle de Pie V, *Contra clericos,* etc. ? Je ne sais ce que c'est que tout cela, lui dis-je. Vous ne lisez donc guère Escobar, me dit-il. Je ne l'ai que d'hier, mon Père, et même j'eus de la peine à le trouver. Je ne sais ce qui est arrivé depuis peu, qui fait que tout le monde le cherche. Ce que je vous disais, repartit le Père, est en la p. 117. Voyez-le en votre particulier. Vous y trouverez un bel exemple de la manière d'interpréter favorablement les bulles. Je le vis en effet, dès le soir même, mais je n'ose vous le rapporter, car c'est une chose effroyable[9].

Le bon Père continua donc ainsi : Vous entendez bien maintenant comment on se sert des circonstances favorables. Mais il y en a quelquefois de si précises, qu'on ne peut accorder par là les contradictions. De sorte que ce serait bien alors que vous croiriez qu'il y en aurait. Par exemple : trois Papes ont décidé que les religieux qui sont obligés par un

vœu particulier à la vie quadragésimale[10] n'en sont pas
dispensés, encore qu'ils soient faits évêques. Et cependant
Diana dit *que nonobstant leur décision ils en sont dispensés.* Et
comment accorde-t-il cela ? lui dis-je. C'est, répliqua le Père,
par la plus subtile de toutes les nouvelles méthodes, et par le
plus fin de la probabilité. Je vais vous l'expliquer. C'est que,
comme vous le vîtes l'autre jour, l'affirmative et la négative
de la plupart des opinions ont chacune quelque probabilité,
au jugement de nos docteurs, et assez pour être suivies avec
sûreté de conscience. Ce n'est pas que le pour et le contre
soient ensemble véritables dans le même sens ; cela est
impossible, mais c'est seulement qu'ils sont probables, et
sûrs par conséquent.

Sur ce principe Diana notre bon ami parle ainsi en la
part. 5, tr. 13, r. 39 : *Je réponds à la décision de ces trois Papes,*
contraire à mon opinion, qu'ils ont parlé de la sorte, en s'attachant
à l'affirmative laquelle en effet est probable, à mon jugement
même ; mais il ne s'ensuit pas de là que la négative n'ait aussi sa
probabilité. Et dans le même traité, r. 65, sur un autre sujet
dans lequel il est encore d'un sentiment contraire à un Pape,
il parle ainsi : *Que le pape l'ait dit comme chef de l'Église, je le*
veux. Mais il ne l'a fait que dans l'étendue de la sphère de
probabilité de son sentiment. Or vous voyez bien que ce n'est
pas blesser les sentiments des Papes, on ne le souffrirait pas à
Rome, où Diana est en un si haut crédit. Car il ne dit pas que
ce que les Papes ont décidé ne soit pas probable ; mais en
laissant leur opinion dans toute la sphère de probabilité, il ne
laisse pas de dire que le contraire est aussi probable. Cela est
très respectueux, lui dis-je. Et cela est plus subtil, ajouta-t-il,
que la réponse que fit le Père Bauny quand on eut censuré ses
livres à Rome. Car il lui échappa d'écrire contre Monsieur
Hallier, qui le persécutait alors furieusement : *Qu'a de*
commun la censure de Rome avec celle de France ? Vous voyez
assez par là que, soit par l'interprétation des termes, soit par
la remarque des circonstances favorables, soit enfin par la
double probabilité du pour et du contre, on accorde toujours
ces contradictions prétendues, qui vous étonnaient aupara-

vant, sans jamais blesser les décisions de l'Écriture, des Conciles ou des Papes, comme vous le voyez. Mon Révérend Père, lui dis-je, que l'Église est heureuse de vous avoir pour défenseurs [11] ! Que ces probabilités sont utiles ! Je ne savais pourquoi vous aviez pris tant de soin d'établir qu'un seul docteur, *s'il est grave,* peut rendre une opinion probable ; que le contraire peut l'être aussi ; et qu'alors on peut choisir du pour et du contre celui qui agrée le plus, encore qu'on ne le croie pas véritable, et avec tant de sûreté de conscience, qu'un confesseur qui refuserait de donner l'absolution sur la foi de ces casuistes serait en état de damnation. D'où je comprends qu'un seul casuiste peut à son gré faire de nouvelles règles de morale, et disposer selon sa fantaisie de tout ce qui regarde la conduite de l'Église. Il faut, me dit le Père, apporter quelque tempérament à ce que vous dites. Apprenez bien ceci. Voici notre méthode, où vous verrez le progrès d'une opinion nouvelle depuis sa naissance jusqu'à sa maturité.

D'abord le docteur *grave* qui l'a inventée l'expose au monde, et la jette comme une semence pour prendre racine. Elle est encore faible en cet état ; mais il faut que le temps la mûrisse peu à peu. Et c'est pourquoi Diana, qui en a introduit plusieurs, dit en un endroit : *J'avance cette opinion, mais parce qu'elle est nouvelle, je la laisse mûrir au temps, relinquo tempori maturandam.* Ainsi en peu d'années on la voit insensiblement s'affermir ; et après un temps considérable, elle se trouve autorisée par la tacite approbation de l'Église, selon cette grande maxime du Père Bauny : *Qu'une opinion étant avancée par quelques casuistes, et l'Église ne s'y étant point opposée, c'est un témoignage qu'elle l'approuve.* Et c'est en effet par ce principe qu'il autorise un de ses sentiments dans son traité VI, p. 312 [12]. Et quoi, lui dis-je, mon Père, l'Église à ce compte-là approuverait donc tous les abus qu'elle souffre, et toutes les erreurs des livres qu'elle ne censure point ? Disputez, me dit-il, contre le P. Bauny. Je vous fais un récit, et vous contestez contre moi. Il ne faut jamais disputer sur le fait. Je vous disais donc que, quand le temps a ainsi mûri une

opinion, alors elle est probable tout à fait et sûre. Et de là
vient que le docte Caramuel [13], dans la lettre où il adresse à
Diana sa Théologie fondamentale, dit que ce grand *Diana a
rendu plusieurs opinions probables qui ne l'étaient pas auparavant, quae antea non erant : et qu'ainsi on ne pèche plus en les
suivant, au lieu qu'on péchait auparavant : jam non peccant,
licet ante peccaverint.*

En vérité, mon Père, lui dis-je, il y a bien à profiter auprès
de vos docteurs. Quoi ! de deux personnes qui font les mêmes
choses, celui qui ne sait pas leur doctrine pèche, celui qui la
sait ne pèche pas ! Elle est donc tout ensemble instructive et
justifiante. La loi de Dieu faisait des prévaricateurs [14] selon
saint Paul ; et celle-ci fait qu'il n'y a presque que des
innocents. Je vous supplie, mon Père, de m'en bien informer ; je ne vous quitterai point que vous ne m'ayez dit les
principales maximes que vos casuistes ont établies.

Hélas ! me dit le Père, notre principal but aurait été de
n'établir point d'autres maximes que celles de l'Évangile dans
toute leur sévérité. Et l'on voit assez par le règlement de nos
mœurs que, si nous souffrons quelque relâchement dans les
autres, c'est plutôt par condescendance que par dessein.
Nous y sommes forcés. Les hommes sont aujourd'hui
tellement corrompus que, ne pouvant les faire venir à nous, il
faut bien que nous allions à eux. Autrement ils nous
quitteraient, ils feraient pis, ils s'abandonneraient entièrement. Et c'est pour les retenir que nos casuistes ont considéré
les vices auxquels on est le plus porté dans toutes les
conditions, afin d'établir des maximes si douces, sans
toutefois blesser la vérité, qu'on serait de difficile composition si l'on n'en était content. Car le dessein capital que notre
Société a pris pour le bien de la religion est de ne rebuter qui
que ce soit, pour ne pas désespérer le monde.

Nous avons donc des maximes pour toutes sortes de
personnes, pour les bénéficiers [15], pour les prêtres, pour les
religieux, pour les gentilshommes, pour les domestiques,
pour les riches, pour ceux qui sont dans le commerce, pour
ceux qui sont mal dans leurs affaires, pour ceux qui sont dans

l'indigence, pour les femmes dévotes, pour celles qui ne le sont pas, pour les gens mariés, pour les gens déréglés[16]. Enfin rien n'a échappé à leur prévoyance. C'est-à-dire, lui dis-je, qu'il y en a pour le Clergé, la Noblesse, et le Tiers-État. Me voici bien disposé à les entendre.

Commençons, dit le Père, par les bénéficiers. Vous savez quel trafic on fait aujourd'hui des bénéfices, et que s'il fallait s'en rapporter à ce que saint Thomas et les anciens en ont écrit, il y aurait bien des simoniaques[17] dans l'Église. Et c'est pourquoi il a été fort nécessaire que nos Pères aient tempéré les choses par leur prudence, comme ces paroles de Valentia, qui est l'un des quatre animaux d'Escobar, vous l'apprendront. C'est la conclusion d'un long discours, où il en donne plusieurs expédients, dont voici le meilleur à mon avis ; c'est en la page 2039 du tome III. *Si l'on donne un bien temporel pour un bien spirituel*, c'est-à-dire de l'argent pour un bénéfice, *et qu'on donne l'argent comme le prix du bénéfice, c'est une simonie visible. Mais si on le donne comme le motif qui porte la volonté du collateur à le conférer, tanquam motivum conferendi spirituale*[18], *ce n'est point simonie, encore que celui qui résigne considère et attende l'argent comme sa fin principale.* Tannerus[19], qui est encore de notre Société, dit la même chose dans son tome III, p. 1519, quoiqu'il avoue *que saint Thomas y est contraire, en ce qu'il enseigne absolument que c'est toujours simonie de donner un bien spirituel pour un temporel, si le temporel en est la fin*[20]. Par ce moyen nous empêchons une infinité de simonies. Car qui serait assez méchant pour refuser, en donnant de l'argent pour un bénéfice, de porter son intention à le donner comme *un motif* qui porte le bénéficier à le résigner, au lieu de le donner comme *le prix* du bénéfice ? Personne n'est assez abandonné de Dieu pour cela. Je demeure d'accord, lui dis-je, que tout le monde a des grâces suffisantes pour faire un tel marché. Cela est assuré, repartit le Père.

Voilà comment nous avons adouci les choses à l'égard des bénéficiers. Quant aux prêtres, nous avons plusieurs maximes qui leur sont assez favorables. Par exemple, celle-ci de nos vingt-quatre, p. 143 [21] : *Un prêtre qui a reçu de l'argent pour dire une messe peut-il recevoir de nouvel argent sur la même messe ? Oui, dit Filiutius, en appliquant la partie du sacrifice qui lui appartient comme prêtre à celui qui le paie de nouveau, pourvu qu'il n'en reçoive pas autant que pour une messe entière, mais seulement pour une partie, comme pour un tiers de messe.*

Certes, mon Père, voici une de ces rencontres où le *pour* et le *contre* sont bien probables. Car ce que vous dites ne peut manquer de l'être après l'autorité de Filiutius et d'Escobar. Mais en le laissant dans la sphère de probabilité, on pourrait bien, ce me semble, dire aussi le contraire, et l'appuyer par ces raisons. Lorsque l'Église permet aux prêtres qui sont pauvres de recevoir de l'argent pour leurs messes, parce qu'il est bien juste que ceux qui servent à l'autel vivent de l'autel [22], elle n'entend pas pour cela qu'ils échangent le sacrifice pour de l'argent, et encore moins qu'ils se privent eux-mêmes de toutes les grâces qu'ils en doivent tirer les premiers. Et je dirais encore que *les prêtres*, selon saint Paul, *sont obligés d'offrir le sacrifice premièrement pour eux-mêmes, et puis pour le peuple* [23] ; et qu'ainsi il leur est bien permis d'en associer d'autres au fruit du sacrifice, mais non pas de renoncer eux-mêmes volontairement à tout le fruit du sacrifice et de le donner à un autre pour un tiers de messe, c'est-à-dire pour quatre ou cinq sols. En vérité, mon Père, pour peu que je fusse *grave*, je rendrais cette opinion probable. Vous n'y auriez pas grande peine, me dit-il. Celle-là l'est visiblement. La difficulté était de trouver de la probabilité dans le contraire. Et c'est ce qui n'appartient qu'aux grands hommes. Le P. Bauny y excelle. Il y a du plaisir de voir ce savant casuiste pénétrer dans le pour et le contre d'une même question qui regarde encore les prêtres, et trouver raison partout, tant il est ingénieux et subtil.

Il dit en un endroit, c'est dans le traité x, p. 474 : *On ne peut pas faire une loi qui obligeât les curés à dire la messe tous les jours, parce qu'une telle loi les exposerait indubitalement, haud dubie, au péril de la dire quelquefois en péché mortel.* Et néanmoins dans le même traité x, p. 441, il dit *que les prêtres qui ont reçu de l'argent pour dire la messe tous les jours la doivent dire tous les jours ; et qu'ils ne peuvent pas s'excuser sur ce qu'ils ne sont pas toujours assez bien préparés pour la dire, parce qu'on peut toujours faire l'acte de contrition ; et que s'ils y manquent, c'est leur faute, et non pas celle de celui qui leur fait dire la messe.* Et pour lever les plus grandes difficultés qui pourraient les en empêcher, il résout ainsi cette question dans le même traité, q. 32[24], p. 457 : *Un prêtre peut-il dire la messe le même jour qu'il a commis un péché mortel, et des plus criminels, en se confessant auparavant ? Non, dit Villabos, à cause de son impureté ; mais Sanctius dit que oui, et sans aucun péché, et je tiens son opinion sûre, et qu'elle doit être suivie dans la pratique ; et tuta et sequenda in praxi.*

Quoi ! mon Père, lui dis-je, on doit suivre cette opinion dans la pratique ! Un prêtre qui serait tombé dans un tel désordre, oserait-il s'approcher le même jour de l'autel sur la parole du P. Bauny ? Et ne devrait-il pas plutôt déférer aux anciennes lois de l'Église, qui excluaient pour jamais du sacrifice[25] les prêtres qui avaient commis des péchés de cette sorte, que les nouvelles opinions des casuistes qui les y admettent le jour même qu'ils y sont tombés ? Vous n'avez point de mémoire, dit le Père. Ne vous appris-je pas l'autre fois que *l'on ne doit pas suivre dans la morale les anciens Pères, mais les nouveaux casuistes,* selon nos Pères Cellot et Reginaldus ? Je m'en souviens bien, lui répondis-je. Mais il y a plus ici. Car il y a des lois de l'Église. Vous avez raison, me dit-il ; mais c'est que vous ne savez pas encore cette belle maxime de nos Pères : *que les lois de l'Église perdent leur force quand on ne les observe plus, cum jam desuetudine abierunt,* comme dit Filiutius, tom. II, tr. 25, n. 33. Nous voyons mieux que les anciens les nécessités présentes de l'Église. Si on était si sévère à exclure les prêtres de l'autel, vous comprenez bien qu'il n'y aurait pas un si grand nombre de messes. Or la pluralité des messes apporte tant de gloire à Dieu, et tant d'utilité aux âmes, que j'oserais dire avec notre Père Cellot, dans son livre de la Hiérarchie, p. 611[26], qu'il n'y aurait pas trop de prêtres, *quand non seulement tous les hommes et les femmes, si cela se pouvait, mais que les corps insensibles, et les bêtes brutes même, bruta animalia, seraient changés en prêtres pour célébrer la messe.* Je fus si surpris de la bizarrerie de cette imagination, que je ne pus rien dire, de sorte qu'il continua ainsi.

Mais en voilà assez pour les prêtres, je serais trop long; venons aux religieux. Comme leur plus grande difficulté est en l'obéissance qu'ils doivent à leurs supérieurs, écoutez l'adoucissement qu'y apportent nos Pères. C'est Castrus Palaüs de notre Société, *Op. mor.*, p. I, disp. 2, p. 6 : *Il est hors de dispute, non est controversia, que le religieux qui a pour soi une opinion probable n'est point tenu d'obéir à son supérieur, quoique l'opinion du supérieur soit la plus probable. Car alors il est permis au religieux d'embrasser celle qui lui est la plus agréable, quae sibi gratior fuerit, comme le dit Sanchez. Et encore que le commandement du supérieur soit juste, cela ne vous oblige pas de lui obéir; car il n'est pas juste de tous points et en toutes manières, non undequaque juste praecipit, mais seulement probablement, et ainsi vous n'êtes engagé que probablement à lui obéir, et vous en êtes probablement dégagé, probabiliter obligatus, et probabiliter deobligatus.* Certes, mon Père, lui dis-je, on ne saurait trop estimer un si beau fruit de la double probabilité! Elle est de grand usage, me dit-il, mais abrégeons. Je ne vous dirai plus que ce trait de notre célèbre Molina en faveur des religieux qui sont chassés de leurs couvents pour leurs désordres. Notre Père Escobar le rapporte en la page 705[27] en ces termes : *Molina assure qu'un religieux chassé de son monastère n'est point obligé de se corriger pour y retourner, et qu'il n'est plus lié par son vœu d'obéissance.*

Voilà, mon Père, lui dis-je, les ecclésiastiques bien à leur aise. Je vois bien que vos casuistes les ont traités favorablement. Ils y ont agi comme pour eux-mêmes. J'ai bien peur que les gens des autres conditions ne soient pas si bien traités. Il fallait que chacun fît pour soi. Ils n'auraient pas mieux fait eux-mêmes, me repartit le Père; on a agi pour tous avec une pareille charité, depuis les plus grands jusqu'aux moindres. Et vous m'engagez, pour vous le montrer, à vous dire nos maximes touchant les-valets.

Nous avons considéré à leur égard la peine qu'ils ont, quand ils sont gens de conscience, à servir des maîtres débauchés. Car s'ils ne font tous les messages où ils les emploient, ils perdent leur fortune ; et s'ils leur obéissent, ils en ont du scrupule. Et c'est pour les en soulager que nos vingt-quatre Pères dans la page 770[28] ont marqué les services qu'ils peuvent rendre en sûreté de conscience. En voici quelques-uns : *Porter des lettres et des présents ; ouvrir les portes et les fenêtres ; aider leur maître à monter à la fenêtre, tenir l'échelle pendant qu'il y monte : tout cela est permis et indifférent. Il est vrai que pour tenir l'échelle il faut qu'ils soient menacés plus qu'à l'ordinaire s'ils y manquaient. Car c'est faire injure au maître d'une maison d'y entrer par la fenêtre.*

Voyez-vous combien cela est judicieux ? Je n'attendais rien moins, lui dis-je, d'un livre tiré de vingt-quatre Jésuites. Mais, ajouta le Père, notre P. Bauny a encore bien appris aux valets à rendre tous ces devoirs-là innocemment à leurs maîtres, en faisant qu'ils portent leur intention, non pas aux péchés dont ils sont les entremetteurs, mais seulement au gain qui leur en revient. C'est ce qu'il a bien expliqué dans sa *Somme des péchés*, en la page 710 de la première impression : *Que les confesseurs*, dit-il, *remarquent bien qu'on ne peut absoudre les valets qui font des messages déshonnêtes, s'ils consentent aux péchés de leurs maîtres, mais il faut dire le contraire s'ils le font pour leur commodité temporelle.* Et cela est bien facile à faire, car pourquoi s'obstineraient-ils à consentir à des péchés dont ils n'ont que la peine ?

Et le même P. Bauny a encore établi cette grande maxime en faveur de ceux qui ne sont pas contents de leurs gages ; c'est dans sa *Somme*, pages 213 et 214 de la sixième édition : *Les valets qui se plaignent de leurs gages, peuvent-ils d'eux-mêmes les croître en se garnissant les mains d'autant de bien appartenant à leurs maîtres, comme ils s'imaginent en être nécessaire pour égaler les dits gages à leur peine ? Ils le peuvent en quelques rencontres, comme lorsqu'ils sont si pauvres en cherchant condition, qu'ils ont été obligés d'accepter l'offre qu'on leur a faite, et que les autres valets de leur sorte gagnent davantage ailleurs.*

Voilà justement, mon Père, lui dis-je, le passage de Jean d'Alba.

Quel Jean d'Alba ? dit le Père. Que voulez-vous dire ? Quoi ! mon Père, ne vous souvenez-vous plus de ce qui se passa en l'année 1647 ? Et où étiez-vous donc alors ? J'enseignais, dit-il, les cas de conscience en un de nos collèges assez éloigné de Paris. Je vois donc bien, mon Père, que vous ne savez pas cette histoire ; il faut que je vous la die. C'était une personne d'honneur qui la contait l'autre jour en un lieu où j'étais. Il nous disait que ce Jean d'Alba, servant vos Pères du Collège de Clermont de la rue Saint-Jacques, et n'étant pas satisfait de ses gages, déroba quelque chose pour se récompenser. Qu'ensuite vos Pères le firent mettre en prison, l'accusant de vol domestique ; et que le procès en fut rapporté au Châtelet le sixième jour d'avril 1647, si j'ai bonne mémoire. Car il nous marqua toutes ces particularités-là, sans quoi à peine l'aurait-on cru. Ce malheureux, étant interrogé, avoua qu'il avait pris quelques plats d'étain à vos Pères, mais qu'il ne les avait pas volés pour cela, rapportant pour sa justification cette doctrine de P. Bauny, qu'il présenta aux juges avec les écrits d'un de vos Pères, sous lequel il avait étudié les cas de conscience, qui lui avait appris la même chose. Sur quoi feu M. de Montrouge, qui était un des plus considérés de cette compagnie, opina et dit : *Qu'il n'était pas d'avis que, sur des écrits de ces Pères contenant une doctrine illicite, pernicieuse et contraire à toutes les lois naturelles, divines et humaines, capable de renverser toutes les familles et d'autoriser tous les vols domestiques, on dût absoudre cet accusé. Mais qu'il était d'avis que ce trop fidèle disciple fût fouetté devant la porte du Collège par la main du bourreau, lequel en même temps brûlerait les écrits de ces Pères traitant du larcin, et défense à eux de plus enseigner une telle doctrine sur peine de la vie.*

On attendait la suite de cet avis qui fut fort approuvé, lorsqu'il arriva un incident qui fit remettre le jugement de ce

procès. Mais cependant le prisonnier disparut, on ne sait
comment, sans qu'on parlât plus de cette affaire-là, de sorte
que Jean d'Alba sortit, et sans rendre sa vaisselle. Voilà ce
qu'il nous dit, et il ajoutait à cela que l'avis de M. de
Montrouge est aux registres du Châtelet, où chacun le peut
voir[29]. Nous prîmes plaisir à ce conte.

À quoi vous amusez-vous ? dit le Père. Qu'est-ce que tout
cela signifie ? Je vous parle des maximes de nos casuistes ;
j'étais prêt à vous parler de celles qui regardent les gentilshommes, et vous m'interrompez par des histoires hors de
propos. Je ne vous le disais qu'en passant, lui dis-je, et aussi
pour vous avertir d'une chose importante sur ce sujet, que je
trouve que vous avez oubliée en établissant votre doctrine de
la probabilité. Et quoi ! dit le Père, que pourrait-il y avoir de
manque après tant d'habiles gens qui y ont passé ? C'est, lui
répondis-je, que vous avez bien mis ceux qui suivent vos
opinions probables en assurance à l'égard de Dieu et de la
conscience. Car à ce que vous dites, on est en sûreté de ce
côté-là, en suivant un docteur grave. Vous les avez encore
mis en assurance du côté des confesseurs, car vous avez
obligé les prêtres à les absoudre sur une opinion probable, à
peine de péché mortel. Mais vous ne les avez point mis en
assurance du côté des juges, de sorte qu'ils se trouvent
exposés au fouet et à la potence en suivant vos probabilités.
C'est un défaut capital que cela. Vous avez raison, dit le Père,
vous me faites plaisir ; mais c'est que nous n'avons pas autant
de pouvoir sur les magistrats que sur les confesseurs, qui sont
obligés de se rapporter à nous pour les cas de conscience. Car
c'est nous qui en jugeons souverainement. J'entends bien, lui
dis-je, mais si d'une part vous êtes les juges des confesseurs,
n'êtes-vous pas de l'autre les confesseurs des juges ? Votre
pouvoir est de grande étendue : obligez-les d'absoudre les
criminels qui ont une opinion probable, à peine d'être exclus
des sacrements ; afin qu'il n'arrive point, au grand mépris et
scandale de la probabilité, que ceux que vous rendez
innocents dans la théorie soient fouettés et pendus dans la
pratique. Sans cela comment trouveriez-vous des disciples ?

Il y faudra songer, me dit-il, cela n'est pas à négliger. Je le proposerai à notre Père Provincial. Vous pouviez néanmoins réserver cet avis à un autre temps, sans interrompre ce que j'ai à vous dire des maximes que nous avons établies en faveur des gentilshommes, et je ne vous les apprendrai qu'à la charge que vous ne me ferez plus d'histoires. Voilà tout ce que vous aurez pour aujourd'hui ; car il faut plus d'une lettre pour vous mander tout ce que j'ai appris en une seule conversation. Cependant, je suis, etc.

SEPTIÈME LETTRE

ÉCRITE À UN PROVINCIAL
PAR UN DE SES AMIS

De Paris le 25 avril 1656.

Monsieur,

Après avoir apaisé le bon Père, dont j'avais un peu troublé le discours par l'histoire de Jean d'Alba, il le reprit sur l'assurance que je lui donnai de ne lui en plus faire de semblables, et il me parla des maximes de ses casuistes touchant les gentilshommes, à peu près en ces termes :

Vous savez, me dit-il, que la passion dominante des personnes de cette condition est ce point d'honneur [1] qui les engage à toute heure à des violences qui paraissent bien contraires à la piété chrétienne, de sorte qu'il faudrait les exclure presque tous de nos confessionnaux, si nos Pères n'eussent un peu relâché de la sévérité de la religion, pour s'accommoder à la faiblesse des hommes. Mais comme ils voulaient demeurer attachés à l'Évangile par leur devoir envers Dieu, et aux gens du monde par leur charité pour le prochain, ils ont eu besoin de toute leur lumière pour trouver des expédients qui tempérassent les choses avec tant de justesse, qu'on pût maintenir et réparer son honneur par les moyens dont on se sert ordinairement dans le monde, sans blesser néanmoins sa conscience ; afin de conserver tout ensemble deux choses aussi opposées en apparence que la piété et l'honneur.

Mais autant que ce dessein était utile, autant l'exécution en était pénible. Car je crois que vous voyez assez la grandeur et la difficulté de cette entreprise. Elle m'étonne, lui dis-je. Elle vous étonne ? me dit-il. Je le crois. Elle en étonnerait bien d'autres. Ignorez-vous que d'une part la loi de l'Évangile ordonne *de ne point rendre le mal pour le mal, et d'en laisser la vengeance à Dieu* [2] ? Et que de l'autre les lois du monde défendent de souffrir les injures, sans en tirer raison soi-même, et souvent par la mort de ses ennemis ? Avez-vous jamais rien vu qui paraisse plus contraire ? Et cependant quand je vous dis que nos Pères ont accordé ces choses, vous me dites simplement que cela vous étonne. Je ne m'expliquais pas assez, mon Père. Je tiendrais la chose impossible si, après ce que j'ai vu de vos Pères, je ne savais qu'ils peuvent faire facilement ce qui est impossible aux autres hommes. C'est ce qui me fait croire qu'ils en ont bien trouvé quelque moyen, que j'admire sans le connaître, et que je vous prie de me déclarer.

Puisque vous le prenez ainsi, me dit-il, je ne puis vous le refuser. Sachez donc que ce principe merveilleux est notre grande méthode de *diriger l'intention*, dont l'importance est telle dans notre morale, que j'oserais quasi la comparer à la doctrine de la probabilité. Vous en avez vu quelques traits en passant, dans de certaines maximes que je vous ai dites. Car lorsque je vous ai fait entendre comment les valets peuvent faire en conscience de certains messages fâcheux, n'avez-vous pas pris garde que c'était seulement en détournant leur intention du mal dont ils sont les entremetteurs, pour la porter au gain qui leur en revient ? Voilà ce que c'est que *diriger l'intention*. Et vous avez vu de même que ceux qui donnent de l'argent pour des bénéfices seraient de véritables simoniaques, sans une pareille diversion. Mais je veux maintenant vous faire voir cette grande méthode dans tout son lustre, sur le sujet de l'homicide, qu'elle justifie en mille rencontres, afin que vous jugiez par un tel effet tout ce qu'elle est capable de produire. Je vois déjà, lui dis-je, que par là tout sera permis, rien n'en échappera. Vous allez toujours d'une extrémité à l'autre, répondit le Père ; corrigez-vous de cela. Car pour vous témoigner que nous ne permettons pas tout, sachez que, par exemple, nous ne souffrons jamais d'avoir l'intention formelle de pécher, pour le seul dessein de pécher ; et que quiconque s'obstine à borner son désir dans le mal pour le mal même, nous rompons avec lui ; cela est diabolique : voilà qui est sans exception d'âge, de sexe, de qualité. Mais quand on n'est pas dans cette malheureuse disposition, alors nous essayons de mettre en pratique notre méthode de *diriger l'intention*, qui consiste à se proposer pour fin de ses actions un objet permis. Ce n'est pas qu'autant qu'il est en notre pouvoir nous ne détournions les hommes des choses défendues ; mais, quand nous ne pouvons pas empêcher l'action, nous purifions au moins l'intention ; et ainsi nous corrigeons le vice du moyen par la pureté de la fin [3].

Voilà par où nos Pères ont trouvé moyen de permettre les violences qu'on pratique en défendant son honneur. Car il n'y a qu'à détourner son intention du désir de vengeance, qui est criminel, pour la porter au désir de défendre son honneur, qui est permis selon nos Pères. Et c'est ainsi qu'ils accomplissent tous leurs devoirs envers Dieu et envers les hommes. Car ils contentent le monde, en permettant les actions ; et ils satisfont à l'Évangile, en purifiant les intentions. Voilà ce que les anciens n'ont point connu, voilà ce qu'on doit à nos Pères. Le comprenez-vous maintenant ? Fort bien, lui dis-je. Vous accordez aux hommes la substance grossière des choses, et vous donnez à Dieu ce mouvement spirituel de l'intention ; et par cet équitable partage, vous alliez les lois humaines avec les divines. Mais, mon Père, pour vous dire la vérité, je me défie un peu de vos promesses, et je doute que vos auteurs en disent autant que vous. Vous me faites tort, dit le Père ; je n'avance rien que je ne prouve, et par tant de passages, que leur nombre, leur autorité et leurs raisons vous rempliront d'admiration.

Car pour vous faire voir l'alliance que nos Pères ont faite des maximes de l'Évangile avec celles du monde, par cette direction d'intention, écoutez notre Père Reginaldus, *in Praxi*, l. XXI, n. 62, p. 260 : *Il est défendu aux particuliers de se venger. Car saint Paul dit aux Rom. 12 : Ne rendez à personne le mal pour le mal ; et l'Eccl. 28 : Celui qui veut se venger attirera sur soi la vengeance de Dieu, et ses péchés ne seront point oubliés. Outre tout ce qui est dit dans l'Évangile du pardon des offenses, comme dans les chapitres 6 et 18 de saint Matthieu.* Certes, mon Père, si après cela il dit autre chose que ce qui est dans l'Écriture, ce ne sera pas manque de la savoir. Que conclut-il donc enfin ? Le voici, dit-il : *De toutes ces choses, il paraît qu'un homme de guerre peut sur l'heure même poursuivre celui qui l'a blessé ; non pas à la vérité avec l'intention de rendre le mal pour le mal, mais avec celle de conserver son honneur ; Non ut malum pro malo reddat, sed ut conservet honorem.*

Voyez-vous comment ils ont soin de défendre d'avoir l'intention de rendre le mal pour le mal, parce que l'Écriture le condamne ? Ils ne l'ont jamais souffert. Voyez Lessius[4], *De Just.* Lib. II, c. IX, d. 12, n. 79 : *Celui qui a reçu un soufflet ne peut pas avoir l'intention de s'en venger ; mais il peut bien avoir celle d'éviter l'infamie, et pour cela de repousser à l'instant cette injure, et même à coups d'épée ; etiam cum gladio*[5]. Nous sommes si éloignés de souffrir qu'on ait le dessein de se venger de ses ennemis, que nos Pères ne veulent pas seulement qu'on leur souhaite la mort par un mouvement de haine. Voyez notre Père Escobar, tr. 5, ex. 5, n. 145 : *Si votre ennemi est disposé à vous nuire, vous ne devez pas souhaiter sa mort par un mouvement de haine, mais vous le pouvez bien faire pour éviter votre dommage.* Car cela est tellement légitime avec cette intention, que notre grand Hurtado de Mendoza[6] dit : *Qu'on peut prier Dieu de faire promptement mourir ceux qui se disposent à nous persécuter, si on ne le peut éviter autrement.* C'est au livre *De Spe*, vol. II, di. 15, 3, sect. 4, § 48.

Mon Révérend Père, lui dis-je, l'Église a bien oublié de mettre une oraison à cette intention dans ses prières. On n'y a pas mis, me dit-il, tout ce qu'on peut demander à Dieu. Outre que cela ne se pouvait pas ; car cette opinion-là est plus nouvelle que le bréviaire. Vous n'êtes pas bon chronologiste.

Mais sans sortir de ce sujet, écoutez encore ce passage de notre Père Gaspar Hurtado[7], *De sub. pecc. diff.* 9, cité par Diana, p. 5, tr. 14, r. 99. C'est l'un des vingt-quatre Pères d'Escobar. *Un bénéficier peut sans aucun péché mortel désirer la mort de celui qui a une pension sur son bénéfice ; un fils celle de son père, et se réjouir quand elle arrive, pourvu que ce ne soit que pour le bien qui lui en revient, et non pas par une haine personnelle.*

Ô mon Père, lui dis-je, voilà un beau fruit de la direction d'intention ! Je vois bien qu'elle est de grande étendue. Mais néanmoins il y a de certains cas dont la résolution serait encore difficile, quoique fort nécessaire pour les gentils-hommes. Proposez-les pour voir, dit le Père. Montrez-moi, lui dis-je, avec toute cette direction d'intention, qu'il soit permis de se battre en duel. Notre grand Hurtado de Mendoza, dit le Père, vous y satisfera sur l'heure, dans ce passage que Diana rapporte p. 5, tr. 14, r. 99. *Si un gentilhomme qui est appelé en duel est connu pour n'être pas dévot, et que les péchés qu'on lui voit commettre à toute heure sans scrupule fassent aisément juger que s'il refuse le duel, ce n'est pas par la crainte de Dieu, mais par timidité ; et qu'ainsi on dise de lui que c'est une poule, et non pas un homme, gallina, et non vir, il peut, pour conserver son honneur, se trouver au lieu assigné, non pas véritablement avec l'intention expresse de se battre en duel, mais seulement avec celle de se défendre, si celui qui l'a appelé l'y vient attaquer injustement. Et son action sera toute indifférente d'elle-même. Car quel mal y a-t-il d'aller dans un champ, de s'y promener en attendant un homme, et de se défendre si on l'y vient attaquer[8] ? Et ainsi il ne pèche en aucune manière, puisque ce n'est point du tout accepter un duel, ayant l'intention dirigée à d'autres circonstances. Car l'acceptation du duel consiste en l'intention expresse de se battre, laquelle celui-ci n'a pas.*

Vous ne m'avez pas tenu parole, mon Père. Ce n'est pas là proprement permettre le duel. Au contraire, il évite de dire que c'en soit un pour rendre la chose permise, tant il la croit défendue. Ho ! ho ! dit le Père, vous commencez à pénétrer, j'en suis ravi. Je pourrais dire néanmoins qu'il permet en cela tout ce que demandent ceux qui se battent en duel. Mais puisqu'il faut vous répondre juste, notre Père Layman le fera pour moi, en permettant le duel en mots propres, pourvu qu'on dirige son intention à l'accepter seulement pour conserver son honneur, ou sa fortune. C'est au l. 3, p. 3, c. 3, n. 2 et 3 : *Si un soldat à l'armée, ou un gentilhomme à la Cour, se trouve en état de perdre son honneur, ou sa fortune, s'il n'accepte un duel, je ne vois pas que l'on puisse condamner celui qui le reçoit pour se défendre* [9]. Petrus Hurtado dit la même chose au rapport de notre célèbre Escobar au tr. I, ex. 7, n. 96, et au n. 98 il ajoute ces paroles de Hurtado : *Qu'on peut se battre en duel pour défendre même son bien, s'il n'y a que ce moyen de le conserver, parce que chacun a le droit de défendre son bien, et même par la mort de ses ennemis.* J'admirai sur ces passages de voir que la piété du roi emploie sa puissance à défendre et à abolir le duel dans ses États, et que la piété des Jésuites occupe leur subtilité à le permettre et à l'autoriser dans l'Église. Mais le bon Père était si en train, qu'on lui eût fait tort de l'arrêter, de sorte qu'il poursuivit ainsi : Enfin, dit-il, Sanchez (voyez un peu quels gens je vous cite !) fait plus ; car il permet non seulement de recevoir, mais encore d'offrir le duel, en dirigeant bien son intention. Et notre Escobar le suit en cela au même lieu n. 97. Mon Père, lui dis-je, je le quitte [10], si cela est ; mais je ne croirai jamais qu'il l'ait écrit, si je ne le vois. Lisez-le donc vous-même, me dit-il ; et je lus en effet ces mots dans la Théologie morale de Sanchez, l. 2, c. 29, n. 7. *Il est bien raisonnable de dire qu'un homme peut se battre en duel pour sauver sa vie, son honneur, ou son bien en une quantité considérable, lorsqu'il est constant qu'on les lui veut ravir injustement, par des procès et des chicaneries, et qu'il n'y a que ce seul moyen de les conserver. Et Navarrus dit fort bien qu'en cette occasion il est permis d'accepter et d'offrir le duel :* Licet acceptare et offerre duellum. *Et aussi qu'on peut tuer en cachette son ennemi. Et même en ces rencontres-là on ne doit point user de la voie du duel, si on peut tuer en cachette son homme, et sortir par là d'affaire. Car par ce moyen on évitera tout ensemble, et d'exposer sa vie dans un combat, et de participer au péché que notre ennemi commettrait par un duel.*

Voilà, mon Père, lui dis-je, un pieux guet-apens : mais
quoique pieux, il demeure toujours guet-apens, puisqu'il
est permis de tuer son ennemi en trahison. Vous ai-je dit,
répliqua le Père, qu'on peut tuer en trahison ? Dieu m'en
garde. Je vous dis qu'on peut tuer en cachette ; et de là
vous concluez qu'on peut tuer en trahison, comme si
c'était la même chose. Apprenez d'Escobar, tr. 6, ex. 4, n.
26, ce que c'est que tuer en trahison, et puis vous parlerez.
On appelle tuer en trahison, quand on tue celui qui ne s'en
défie en aucune manière. Et c'est pourquoi celui qui tue son
ennemi n'est pas dit le tuer en trahison, quoique ce soit par
derrière ou dans une embûche : licet per insidias, aut a tergo
percutiat. Et au même traité, n. 56 : *Celui qui tue son*
ennemi, avec lequel il s'était réconcilié sous promesse de ne plus
attenter à sa vie, n'est pas absolument dit le tuer en trahison, à
moins qu'il y eût entre eux une amitié bien étroite : arctior
amicitia.

Vous voyez par là que vous ne savez pas seulement ce
que les termes signifient ; et cependant vous parlez comme
un docteur. J'avoue, lui dis-je, que cela m'est nouveau ; et
j'apprends de cette définition qu'on n'a peut-être jamais
tué personne en trahison. Car on ne s'avise guère d'assassiner que ses ennemis. Mais quoi qu'il en soit, on peut selon
Sanchez tuer hardiment, je ne dis plus en trahison, mais
seulement par derrière, ou dans une embûche, un calomniateur qui nous poursuit en justice ? Oui, dit le Père, mais
en dirigeant bien l'intention ; vous oubliez toujours le
principal. Et c'est ce que Molina soutient aussi, t. 4, tr. 3,
disp. 12. Et même, selon notre docte Reginaldus, l. 21, c.
5, n. 57 : *On peut tuer aussi les faux témoins qu'il suscite*
contre nous. Et enfin, selon nos grands et célèbres Pères
Tannerus et Emmanuel Sa, on peut de même tuer et les
faux témoins et le juge, s'il est de leur intelligence. Voici
ses mots, tr. 3, disp. 4, q. 8, n. 83 ; *Sotus*, dit-il, *et Lessius*
disent qu'il n'est pas permis de tuer les faux témoins et le juge
qui conspirent à faire mourir un innocent ; mais Emmanuel Sa
et d'autres auteurs ont raison d'improuver ce sentiment-là, au

moins pour ce qui touche la conscience. Et il confirme encore au même lieu qu'on peut tuer et témoins et juge.

Mon Père, lui dis-je, j'entends maintenant assez bien votre principe de la direction d'intention; mais j'en veux bien entendre aussi les conséquences, et tous les cas où cette méthode donne le pouvoir de tuer. Reprenons donc ceux que vous m'avez dits, de peur de méprise. Car l'équivoque serait ici dangereuse. Il ne faut tuer que bien à propos, et sur bonne opinion probable. Vous m'avez donc assuré qu'en dirigeant bien son intention, on peut, selon vos Pères, pour conserver son honneur et même son bien, accepter un duel, l'offrir quelquefois, tuer en cachette un faux accusateur, et ses témoins avec lui, et encore le juge corrompu qui les favorise; et vous m'avez dit aussi que celui qui a reçu un soufflet peut, sans se venger, le réparer à coups d'épée. Mais, mon Père, vous ne m'avez pas dit avec quelle mesure. On ne s'y peut guère tromper, dit le Père, car on peut aller jusqu'à le tuer. C'est ce que prouve fort bien notre savant Henriquez, lib. 14, c. 10, n. 3, et d'autres de nos Pères rapportés par Escobar, au tr. 1, ex. 7, n. 48, en ces mots: *On peut tuer celui qui a donné un soufflet, quoiqu'il s'enfuie, pourvu qu'on évite de le faire par haine ou par vengeance, et que par là on ne donne pas lieu à des meurtres excessifs et nuisibles à l'État. Et la raison en est qu'on peut courir après son honneur comme après du bien dérobé. Car encore que votre honneur ne soit pas entre les mains de votre ennemi comme seraient des hardes qu'il vous aurait volées, on peut néanmoins le recouvrer en la même manière, en donnant des marques de grandeur et d'autorité, et s'acquérant par là l'estime des hommes. Et en effet n'est-il pas véritable que celui qui a reçu un soufflet est réputé sans honneur, jusques à ce qu'il ait tué son ennemi?* Cela me parut si horrible, que j'eus peine à me retenir; mais pour savoir le reste, je le laissai continuer ainsi: Et même, dit-il, on peut, pour prévenir un soufflet, tuer celui qui le veut donner s'il n'y a que ce moyen de l'éviter. Cela est commun dans nos Pères. Par exemple Azor, Inst. mor., part. 3, p. 105 (c'est encore l'un des vingt-quatre): *Est-il permis à un homme d'honneur de tuer celui qui lui veut donner un soufflet ou un coup de bâton? Les uns disent que non; et leur raison est que la vie du prochain est plus précieuse que notre honneur; outre qu'il y a de la cruauté à tuer un homme, pour éviter seulement un soufflet. Mais les autres disent que cela est permis; et certainement je le trouve probable, quand on ne peut l'éviter autrement. Car sans cela l'honneur des innocents serait sans cesse exposé à la malice des insolents.* Notre grand Filiutius de même, t. 2, tr. 29, c. 3, n. 50; et le P. Héreau, dans ses écrits de l'homicide[11]; Hurtado de Mendoza, in 2, 2, disp. 170, sect. 16, § 137. Et Bécan, Som., t. 1, q. 64, *De Homicid.* Et nos Pères Flahaut et Lecourt, dans leurs écrits que l'Université dans sa troisième requête a rapportés tout au long pour les décrier[12], mais elle n'y a pas réussi, et Escobar au même lieu, n. 48, disent tous les mêmes choses. Enfin cela est si généralement soutenu, que Lessius, l. 2, c. 9, d. 12, n. 77, en parle comme d'une chose autorisée par le consentement universel de tous les casuistes. *Il est permis,* dit-il, *selon le consentement de tous les casuistes; ex sententia omnium; de tuer celui qui veut donner un soufflet ou un coup de bâton, quand on ne le peut éviter autrement*[13]. En voulez-vous davantage?

Je l'en remerciai, car je n'en avais que trop entendu. Mais pour voir jusqu'où irait une si damnable doctrine, je lui dis: Mais, mon Père, ne sera-t-il point permis de tuer pour un peu moins? Ne saurait-on diriger son intention en sorte qu'on puisse tuer pour un démenti? Oui, dit le Père, et selon notre Père Baldelle, l. 3, disp. 24, n. 24, rapporté par Escobar au même lieu, n. 49: *Il est permis de tuer celui qui vous dit: Vous avez menti, si on ne peut le réprimer autrement.* Et on peut tuer de la même sorte pour des médisances selon nos Pères. Car Lessius, que le Père Héreau entre autres suit mot à mot, dit au lieu déjà cité: *Si vous tâchez de ruiner ma réputation par des calomnies devant des personnes d'honneur, et que je ne puisse l'éviter autrement qu'en vous tuant, le puis-je faire? Oui, selon des auteurs modernes, et même encore que ce crime que vous publiez soit véritable, si toutefois il est secret, en sorte que vous ne puissiez le découvrir selon les voies de la justice. Et en voici la preuve. Si vous me voulez ravir l'honneur en me donnant un*

soufflet, je puis l'empêcher par la force des armes, donc la même
défense est permise quand vous me voulez faire la même injure
avec la langue. De plus on peut empêcher les affronts, donc on
peut empêcher les médisances. Enfin l'honneur est plus cher que la
vie. Or on peut tuer pour défendre sa vie ; donc on peut tuer pour
défendre son honneur.

Voilà des arguments en forme. Ce n'est pas là discourir ;
c'est prouver. Et enfin ce grand Lessius montre au même
endroit, n. 78, qu'on peut tuer même pour un simple geste,
ou un signe de mépris. *On peut,* dit-il, *attaquer et ôter*
l'honneur en plusieurs manières, dans lesquelles la défense paraît
bien juste ; comme si on veut donner un coup de bâton, ou un
soufflet, ou si on veut nous faire affront par des paroles ou par des
signes, sive per signa.

Ô mon Père, lui dis-je, voilà tout ce qu'on peut souhaiter
pour mettre l'honneur à couvert ; mais la vie est bien
exposée, si, pour de simples médisances et des gestes
désobligeants, on peut tuer le monde en conscience. Cela est
vrai, me dit-il ; mais comme nos Pères sont fort circonspects,
ils ont trouvé à propos de défendre de mettre cette doctrine
en usage en de certaines occasions, comme pour les simples
médisances. Car ils disent au moins : *Qu'à peine doit-on la*
pratiquer : practice vix probari potest. Et ce n'a pas été sans
raison ; la voici. Je la sais bien, lui dis-je ; c'est parce que la loi
de Dieu défend de tuer. Ils ne le prennent pas par là, me dit
le Père ; ils le trouvent permis en conscience, et en ne
regardant que la vérité en elle-même. Et pourquoi le
défendent-ils donc ? Écoutez-le, dit-il. C'est parce qu'on
dépeuplerait un État en moins de rien, si on en tuait tous les
médisants. Apprenez-le de notre Reginaldus, l. 21, n. 63,
p. 260 : *Encore que cette opinion, qu'on peut tuer pour une*
médisance, ne soit pas sans probabilité dans la théorie, il faut
suivre le contraire dans la pratique. Car il faut toujours éviter le
dommage de l'État dans la manière de se défendre. Or il est
visible qu'en tuant le monde de cette sorte, il se ferait un trop
grand nombre de meurtres. Lessius en parle de même au lieu
déjà cité. *Il faut prendre garde que l'usage de cette maxime ne soit*

nuisible à l'État. Car alors il ne faut pas le permettre : tunc enim non est permittendus.

Quoi ! mon Père, ce n'est donc ici qu'une défense de politique, et non pas de religion ? Peu de gens s'y arrêteront, et surtout dans la colère. Car il pourrait être assez probable qu'on ne fait point de tort à l'État de le purger d'un méchant homme. Aussi, dit-il, notre Père Filiutius joint à cette raison-là une autre bien considérable, tr. 29, c. 3, n. 51. *C'est qu'on serait puni en justice en tuant le monde pour ce sujet* [14]. Je vous le disais bien, mon Père, que vous ne feriez jamais rien qui vaille, tant que vous n'auriez point les juges de votre côté. Les juges, dit le Père, qui ne pénètrent pas dans les consciences, ne jugent que par le dehors de l'action ; au lieu que nous regardons principalement à l'intention. Et de là vient que nos maximes sont quelquefois un peu différentes des leurs. Quoi qu'il en soit, mon Père, il se conclut fort bien des vôtres qu'on peut tuer les médisants en sûreté de conscience, pourvu que ce soit en sûreté de sa personne.

Mais, mon Père, après avoir si bien pourvu à l'honneur, n'avez-vous rien fait pour le bien ? Je sais qu'il est de moindre considération ; mais il n'importe. Il me semble qu'on peut bien diriger son intention à tuer pour le conserver. Oui, dit le Père, et je vous en ai touché quelque chose qui vous a pu donner cette ouverture. Tous nos casuistes s'y accordent et même on le permet, *encore que l'on ne craigne plus aucune violence de ceux qui nous ôtent notre bien, comme quand ils s'enfuient.* Azor de notre Société le prouve, p. 3, l. 2, c. 1, q. 20.

Mais, mon Père, combien faut-il que la chose vaille pour nous porter à cette extrémité ? *Il faut,* selon Reginaldus, l. 21, ch. 5, n. 66, et Tannerus, in. 2, 2, disp. 4, q. 8, d. 4, n. 69, *que la chose soit de grand prix au jugement d'un homme prudent.* Et Layman, et Filiutius en parlent de même. Ce n'est rien dire, mon Père, où ira-t-on chercher un homme prudent, dont la rencontre est si rare, pour faire cette estimation ? Que ne déterminent-ils exactement la somme ?

Comment! dit le Père; était-il si facile, à votre avis, de comparer la vie d'un homme et d'un chrétien à de l'argent? C'est ici où je veux vous faire sentir la nécessité de nos casuistes. Cherchez-moi dans tous les anciens Pères pour combien d'argent il est permis de tuer un homme. Que vous diront-ils sinon : *Non occides, vous ne tuerez point?* Et qui a donc osé déterminer cette somme? répondis-je. C'est, me dit-il, notre grand et incomparable Molina, la gloire de notre Société, qui, par sa prudence inimitable, l'a estimée *à six ou sept ducats*[15], *pour lesquels il assure qu'il est permis de tuer, encore que celui qui les emporte s'enfuie*[16]. C'est en son t. 4, tr. 3, disp. 16, d. 6. Et il dit de plus au même endroit : *Qu'il n'oserait condamner d'aucun péché un homme qui tue celui qui lui veut ôter une chose de la valeur d'un écu, ou moins ; unius aurei, vel minoris adhuc valoris.* Ce qui a porté Escobar à établir cette règle générale, n. 44, *que régulièrement on peut tuer un homme pour la valeur d'un écu, selon Molina*[17].

Ô mon Père, d'où Molina a-t-il pu être éclairé pour déterminer une chose de cette importance sans aucun secours de l'Écriture, des Conciles, ni des Pères ! Je vois bien qu'il a eu des lumières bien particulières, et bien éloignées de saint Augustin, sur l'homicide, aussi bien que sur la grâce. Me voici bien savant sur ce chapitre, et je connais parfaitement qu'il n'y a plus que les gens d'Église qu'on puisse offenser et pour l'honneur et pour le bien, sans craindre qu'ils tuent ceux qui les offensent. Que voulez-vous dire? répliqua le Père. Cela serait-il raisonnable à votre avis, que ceux qu'on doit le plus respecter dans le monde fussent seuls exposés à l'insolence des méchants? Nos Pères ont prévenu ce désordre. Car Tannerus, to. 2, d. 4, q. 8, d. 4, n. 76, dit : *Qu'il est permis aux ecclésiastiques, et aux religieux mêmes, de tuer pour défendre non seulement leur vie, mais aussi leur bien, ou celui de leur communauté.* Molina, qu'Escobar rapporte, n. 43 ; Bécan, in 2, 2, t. 2, q. 7, *De Hom.*, concl. 2, n. 5 ; Reginaldus, l. 21, c. 5, n. 68 ; Layman, l. 3, tr. 3, p. 3, c. 3, n. 4 ; Lessius, l. 2, c. 9, d. 11, n. 72 ; et les autres, se servent tous des mêmes paroles.

Et même selon notre célèbre P. L'Amy[18], il est permis
aux prêtres et aux religieux de prévenir ceux qui les veulent
noircir par des médisances, en les tuant pour les en empêcher. Mais c'est toujours en dirigeant bien l'intention. Voici
ses termes, t. 5, disp. 36, n. 118 : *Il est permis à un
ecclésiastique ou à un religieux de tuer un calomniateur qui
menace de publier des crimes scandaleux de sa communauté, ou
de lui-même, quand il n'y a que ce seul moyen de l'en empêcher,
comme s'il est prêt à répandre ses médisances si on ne le tue
promptement. Car en ce cas, comme il serait permis à ce
religieux de tuer celui qui lui voudrait ôter la vie, il lui est
permis aussi de tuer celui qui lui veut ôter l'honneur, ou celui de
sa communauté, de la même sorte qu'aux gens du monde.* Je ne
savais pas cela, lui dis-je, et j'avais cru simplement le
contraire sans y faire de réflexion, sur ce que j'avais ouï dire
que l'Église abhorre tellement le sang, qu'elle ne permet pas
seulement aux juges ecclésiastiques d'assister[19] aux jugements criminels. Ne vous arrêtez pas à cela, dit-il, notre
Père L'Amy prouve fort bien cette doctrine, quoique, par
un trait d'humilité bien séant à ce grand homme, il la
soumette aux lecteurs prudents. Et Caramuel, notre illustre
défenseur, qui la rapporte dans sa Théologie fondamentale,
p. 543, la croit si certaine qu'il soutient *que le contraire n'est
pas probable;* et il en tire des conclusions admirables,
comme celle-ci qu'il appelle *la conclusion des conclusions,
conclusionum conclusio : Qu'un prêtre non seulement peut en de
certaines rencontres tuer un calomniateur, mais encore qu'il y en
a où il le doit faire : etiam aliquando debet occidere.* Il examine
plusieurs questions nouvelles sur ce principe; par exemple
celle-ci : SAVOIR SI LES JÉSUITES PEUVENT TUER LES JANSÉ-
NISTES ? Voilà, mon Père, m'écriai-je, un point de théologie
bien surprenant ! Et je tiens les Jansénistes déjà morts par la
doctrine du P. L'Amy. Vous voilà attrapé, dit le Père. Il
conclut le contraire des mêmes principes. Et comment cela,
mon Père ? Parce, me dit-il, qu'ils ne nuisent pas à notre
réputation. Voici ses mots, n. 1146 et 1147, p. 547 et 548 :
Les Jansénistes appellent les Jésuites Pélagiens; pourra-t-on

les tuer pour cela? Non, d'autant que les Jansénistes n'obscur-
cissent non plus l'éclat de la Société qu'un hibou celui
du soleil; au contraire, ils l'ont relevée, quoique contre
leur intention. Occidi non possunt, quia nocere non potue-
runt.

Eh quoi! mon Père, la vie des Jansénistes dépend donc
seulement de savoir s'ils nuisent à votre réputation? Je
les tiens peu en sûreté, si cela est. Car s'il devient tant
soit peu probable qu'ils vous fassent tort, les voilà tuables
sans difficulté. Vous en ferez un argument en forme; et il
n'en faut pas davantage, avec une direction d'intention,
pour expédier[20] un homme en sûreté de conscience. Ô
qu'heureux sont les gens qui ne veulent pas souffrir les
injures, d'être instruits en cette doctrine! Mais que malheureux sont ceux qui les offensent! En vérité, mon Père, il
vaudrait autant avoir affaire à des gens qui n'ont point de
religion, qu'à ceux qui en sont instruits jusqu'à cette
direction. Car enfin l'intention de celui qui blesse ne soulage
point celui qui est blessé. Il ne s'aperçoit point de cette
direction secrète, et il ne sent que celle du coup qu'on lui
porte. Et je ne sais même si on n'aurait pas moins de dépit
de se voir tuer brutalement par des gens emportés, que de
se sentir poignarder consciencieusement par des gens
dévots.

Tout de bon, mon Père, je suis un peu surpris de tout
ceci, et ces questions du Père L'Amy et de Caramuel ne me
plaisent point. Pourquoi? dit le Père; êtes-vous Janséniste? J'en ai une autre raison, lui dis-je. C'est que j'écris
de temps en temps à un de mes amis de la campagne ce
que j'apprends des maximes de vos Pères. Et quoique je ne
fasse que rapporter simplement et citer fidèlement leurs
paroles, je ne sais néanmoins s'il ne se pourrait pas rencon-
trer quelque esprit bizarre qui, s'imaginant que cela vous
fait tort, n'en tirât de vos principes quelque méchante
conclusion. Allez, me dit le Père, il ne vous en arrivera
point de mal; j'en suis garant. Sachez que ce que nos
Pères ont imprimé eux-mêmes, et avec l'approbation de

nos Supérieurs, n'est ni mauvais, ni dangereux à publier.

Je vous écris donc sur la parole de ce bon Père; mais le papier me manque toujours[21], et non pas les passages[22]. Car il y en a tant d'autres, et de si forts, qu'il faudrait des volumes pour tout dire. Je suis, etc.

HUITIÈME LETTRE
ÉCRITE À UN PROVINCIAL
PAR UN DE SES AMIS

De Paris, le 28 mai 1656.

MONSIEUR,

Vous ne pensiez pas que personne eût la curiosité de savoir qui nous sommes ; cependant il y a des gens qui essayent de le deviner ; mais ils rencontrent mal. Les uns me prennent pour un docteur de Sorbonne ; les autres attribuent mes Lettres à quatre ou cinq personnes, qui comme moi ne sont ni prêtres ni ecclésiastiques. Tous ces faux soupçons me font connaître que je n'ai pas mal réussi dans le dessein que j'ai eu de n'être connu que de vous, et du bon Père qui souffre toujours mes visites, et dont je souffre toujours les discours quoique avec bien de la peine. Mais je suis obligé à me contraindre ; car il ne les continuerait pas s'il s'apercevait que j'en fusse si choqué ; et ainsi je ne pourrais m'acquitter de la parole que je vous ai donnée de vous faire savoir leur morale. Je vous assure que vous devez compter pour quelque chose la violence que je me fais. Il est bien pénible de voir renverser toute la morale chrétienne par des égarements si étranges, sans oser y contredire ouvertement. Mais après avoir tant enduré pour votre satisfaction, je pense qu'à la fin j'éclaterai pour la mienne, quand il n'aura plus rien à me dire. Cependant je me retiendrai autant qu'il me sera possible ; car plus je me tais, plus il me dit de choses. Il m'en apprit tant la dernière fois, que j'aurai bien de la peine à tout dire. Vous verrez que la bourse y a été aussi malmenée que la vie le fut l'autre fois. Car de quelque manière qu'il pallie ses maximes, celles que j'ai à vous dire ne vont en effet qu'à favoriser les juges corrompus, les usuriers, les banqueroutiers, les larrons, les femmes perdues et les sorciers, qui sont tous dispensés assez largement de restituer ce qu'ils gagnent chacun dans leur métier. C'est ce que le bon Père m'apprit par ce discours.

Dès le commencement de nos entretiens, me dit-il, je me suis engagé à vous expliquer les maximes de nos auteurs pour toutes sortes de conditions. Vous avez déjà vu celles qui touchent les bénéficiers, les prêtres, les religieux, les valets et les gentilshommes ; parcourons maintenant les autres, et commençons par les juges.

Je vous dirai d'abord une des plus importantes et des plus avantageuses maximes que nos Pères aient enseignées en leur faveur. Elle est de notre savant Castro Palao, l'un de nos vingt-quatre vieillards. Voici ses mots : *Un juge peut-il dans une question de droit juger selon une opinion probable, en quittant l'opinion la plus probable ? Oui, et même contre son propre sentiment : imo contra propriam opinionem.* Et c'est ce que notre Père Escobar rapporte aussi au tr. 6, ex. 6, n. 45. Ô mon Père, lui dis-je, voilà un beau commencement, les juges vous sont bien obligés ; et je trouve bien étrange qu'ils s'opposent à vos probabilités, comme nous l'avons remarqué quelquefois, puisqu'elles leur sont si favorables. Car vous leur donnez par là le même pouvoir sur la fortune des hommes que vous vous êtes donné sur les consciences. Vous voyez, me dit-il, que ce n'est pas notre intérêt qui nous fait agir, nous n'avons eu égard qu'au repos de leurs consciences ; et c'est à quoi notre grand Molina a si utilement travaillé sur le sujet des présents qu'on leur fait. Car pour lever les scrupules qu'ils pourraient avoir d'en prendre en de certaines rencontres, il a pris le soin de faire le dénombrement de tous les cas où ils en peuvent recevoir en conscience, à moins qu'il y eût quelque loi particulière qui le leur défendît. C'est en son t. 1, tr. 2, disp. 88, n. 6. Les voici : *Les juges peuvent recevoir des présents des parties, quand ils les leur donnent ou par amitié, ou par reconnaissance de la justice qu'ils ont rendue, ou pour les porter à la rendre à l'avenir, ou pour les obliger à prendre un soin particulier de leur affaire, ou pour les engager à les expédier promptement.* Notre savant Escobar en parle encore au tr. 6, ex. 6, n. 43, en cette sorte : *S'il y a plusieurs personnes qui n'aient pas plus de droit d'être expédiées l'une que l'autre, le juge qui prendra quelque chose de l'un à condition, ex pacto, de l'expédier le premier, péchera-t-il ? Non certainement, selon Layman : car il ne fait aucune injure aux autres selon le droit naturel, lorsqu'il accorde à l'un, par la considération de son présent, ce qu'il pouvait accorder à celui qu'il lui eût plu : et même, étant également obligé envers tous par l'égalité de leur droit, il le devient davantage envers celui qui lui fait ce don, qui l'engage à le préférer aux autres ; et cette préférence semble pouvoir être estimée pour de l'argent : Quae obligatio videtur pretio aestimabilis.*

Mon Révérend Père, lui dis-je, je suis surpris de cette permission que les premiers magistrats du royaume ne savent pas encore. Car Monsieur le premier président a apporté un ordre dans le Parlement pour empêcher que certains greffiers ne prissent de l'argent pour cette sorte de préférence : ce qui témoigne qu'il est bien éloigné de croire que cela soit permis à des juges ; et tout le monde a loué une réformation si utile à toutes les parties. Le bon Père, surpris de ce discours, me répondit : Dites-vous vrai ? Je ne savais rien de cela. Notre opinion n'est que probable. Le contraire est probable aussi. En vérité, mon Père, lui dis-je, on trouve que M. le premier président a plus que probablement bien fait, et qu'il a arrêté par là le cours d'une corruption publique et soufferte durant trop longtemps. J'en juge de la même sorte, dit le Père ; mais passons cela, laissons les juges. Vous avez raison, lui dis-je ; aussi bien ne reconnaissent-ils pas assez ce que vous faites pour eux. Ce n'est pas cela, dit le Père ; mais c'est qu'il y a tant de choses à dire sur tous, qu'il faut être court sur chacun.

Parlons maintenant des gens d'affaires. Vous savez que la plus grande peine qu'on ait avec eux est de les détourner de l'usure[1] ; et c'est aussi à quoi nos Pères ont pris un soin particulier ; car ils détestent si fort ce vice qu'Escobar dit au tr. 3, ex. 5, n. 1, *que de dire que l'usure n'est pas péché, ce serait une hérésie.* Et notre Père Bauny, dans sa *Somme des péchés*, ch. 14, remplit plusieurs pages des peines dues aux usuriers. Il les déclare *infâmes durant leur vie, et indignes de sépulture après leur mort.* Ô mon Père, je ne le croyais pas si sévère ! Il l'est quand il le faut, me dit-il ; mais aussi ce savant casuiste ayant remarqué qu'on n'est attiré à l'usure que par le désir du gain, il dit au même lieu : *L'on n'obligerait donc pas peu le monde si, le garantissant des mauvais effets de l'usure, et tout ensemble du péché qui en est la cause, l'on lui donnait le moyen de tirer autant et plus de profit de son argent par quelque bon et légitime emploi, que l'on n'en tire des usures.* Sans doute, mon Père, il n'y aurait plus d'usuriers après cela. Et c'est pourquoi, dit-il, il en a fourni une *méthode générale pour toutes sortes de personnes, gentilshommes, présidents, conseillers, etc.*, et si facile qu'elle ne consiste qu'en l'usage de certaines paroles qu'il faut prononcer en prêtant son argent, ensuite desquelles on peut en prendre du profit, sans craindre qu'il soit usuraire, comme il est sans doute qu'il l'aurait été autrement. Et quels sont donc ces termes mystérieux, mon Père ? Les voici, me dit-il, et en mots propres ; car vous savez qu'il a fait son livre de la *Somme des péchés* en français, *pour être entendu de tout le monde,* comme il le dit dans la préface : *Celui à qui on demande de l'argent répondra donc en cette sorte : Je n'ai point d'argent à prêter ; si ai bien à mettre à profit honnête et licite. Si désirez la somme que demandez pour la faire valoir par votre industrie à moitié gain, moitié perte, peut-être m'y résoudrai-je. Bien est vrai qu'à cause qu'il a trop de peine à s'accommoder pour le profit, si vous m'en voulez assurer un certain, et quant et quant[2] aussi mon sort principal, qu'il ne coure fortune, nous tomberions bien plus tôt d'accord, et vous ferai toucher argent dans cette heure.* N'est-ce pas là un moyen bien aisé de gagner de l'argent sans pécher ? Et le P. Bauny n'a-t-il pas raison de

dire ces paroles, par lesquelles il conclut cette méthode :
*Voilà, à mon avis, le moyen par lequel quantité de personnes dans
le monde qui, par leurs usures, extorsions et contrats illicites, se
provoquent la juste indignation de Dieu, se peuvent sauver en
faisant de beaux, honnêtes et licites profits ?*

Ô mon Père, lui dis-je, voilà des paroles bien puissantes !
Je vous proteste que, si je ne savais qu'elles viennent de
bonne part, je les prendrais pour quelques-uns de ces mots
enchantés qui ont pouvoir de rompre un charme. Sans doute
elles ont quelque vertu occulte pour chasser l'usure, que je
n'entends pas ; car j'ai toujours pensé que ce péché consistait
à retirer plus d'argent qu'on n'en a prêté. Vous l'entendez
bien peu, me dit-il. L'usure ne consiste presque, selon nos
Pères, qu'en l'intention de prendre ce profit comme usuraire.
Et c'est pourquoi notre Père Escobar fait éviter l'usure par un
simple détour d'intention. C'est au tr. 3, ex. 5, n. 4, 33, 44.
Ce serait usure, dit-il, *de prendre du profit de ceux à qui on prête,
si on l'exigeait comme dû par justice, mais si on l'exige comme dû
par reconnaissance, ce n'est point usure.* Et au n. 3 : *Il n'est pas
permis d'avoir l'intention de profiter de l'argent prêté immédiatement, mais de le prétendre par l'entremise de la bienveillance,
mediâ benevolentiâ, ce n'est point usure.*

Voilà de subtiles méthodes ; mais une des meilleures à mon
sens, car nous en avons à choisir, c'est celle du contrat
Mohatra. Le contrat Mohatra, mon Père ! Je vois bien, dit-il,
que vous ne savez ce que c'est. Il n'y a que le nom d'étrange.
Escobar vous l'expliquera au tr. 3, ex. 3, n. 36 : *Le contrat
Mohatra est celui par lequel on achète des étoffes chèrement et à
crédit, pour les revendre au même instant à la même personne
argent comptant et à bon marché.* Voilà ce que c'est que le
contrat Mohatra, par où vous voyez qu'on reçoit une certaine
somme comptant, en demeurant obligé pour davantage.
Mais, mon Père, je crois qu'il n'y a jamais eu qu'Escobar qui
se soit servi de ce mot-là : y a-t-il d'autres livres qui en
parlent ? Que vous savez peu les choses ! me dit le Père. Le
dernier livre de théologie morale qui a été imprimé cette
année même à Paris parle du Mohatra, et doctement. Il est

intitulé *Epilogus Summarum*[3]. C'est *un abrégé de toutes les
Sommes de Théologie, pris de nos Pères Suarez, Sanchez,
Lessius, Fagundez, Hurtado, et d'autres casuistes célèbres*,
comme le titre le dit. Vous y verrez donc en la page 54 : *Le
Mohatra est quand un homme, qui a affaire de vingt pistoles,
achète d'un marchand des étoffes pour trente pistoles, payables
dans un an, et les lui revend à l'heure même pour vingt pistoles
comptant.* Vous voyez bien par là que le Mohatra n'est pas un
mot inouï. Eh bien ! mon Père, ce contrat-là est-il permis ?
Escobar, répondit le Père, dit au même lieu *qu'il y a des lois
qui le défendent sous des peines très rigoureuses.* Il est donc
inutile, mon Père ? Point du tout, dit-il : car Escobar en ce
même endroit donne des expédients de le rendre permis :
encore même, dit-il, *que celui qui vend et rachète ait pour
intention principale le dessein de profiter, pourvu seulement qu'en
vendant il n'excède pas le plus haut prix des étoffes de cette sorte,
et qu'en rachetant il n'en passe pas le moindre, et qu'on n'en
convienne pas auparavant en termes exprès ni autrement.* Mais
Lessius, De Just. l. 2, c. 21, d. 16, dit *qu'encore même qu'on en
fût convenu, on n'est jamais obligé à rendre ce profit, si ce n'est
peut-être par charité, au cas que celui de qui on l'exige fût dans
l'indigence ; et encore pourvu qu'on le pût rendre sans s'incommo-
der ; si commode potest.* Voilà tout ce qui se peut dire. En effet,
mon Père, je crois qu'une plus grande indulgence serait
vicieuse. Nos Pères, dit-il, savent si bien s'arrêter où il faut.
Vous voyez bien par là l'utilité du Mohatra.

J'aurais bien encore d'autres méthodes à vous enseigner ;
mais celles-là suffisent, et j'ai à vous entretenir de ceux qui
sont mal dans leurs affaires. Nos Pères ont pensé à les
soulager selon l'état où ils sont. Car s'ils n'ont pas assez de
bien pour subsister honnêtement, et payer leurs dettes tout
ensemble, on leur permet d'en mettre une partie à couvert,
en faisant banqueroute[4] à leurs créanciers. C'est ce que notre
Père Lessius a décidé, et qu'Escobar confirme au tr. 3, ex. 2,
n. 163 : *Celui qui fait banqueroute, peut-il en sûreté de
conscience retenir de ses biens autant qu'il est nécessaire pour faire
subsister sa famille avec honneur, ne indecore vivat ? Je soutiens*

que oui avec Lessius; et même encore qu'il les eût gagnés par des injustices et des crimes connus de tout le monde, ex injustitia et notorio delicto; quoiqu'en ce cas il n'en puisse pas retenir en une aussi grande quantité qu'autrement. Comment! mon Père, par quelle étrange charité voulez-vous que ces biens demeurent plutôt à celui qui les a volés par ses concussions, pour le faire subsister avec honneur, qu'à ses créanciers à qui ils appartiennent légitimement et que vous réduisez par là dans la pauvreté[5]? On ne peut pas, dit le Père, contenter tout le monde, et nos Pères ont pensé particulièrement à soulager ces misérables. Et c'est encore en faveur des indigents que notre grand Vasquez, cité par Castro Palao, t. 1, tr. 6, p. 6, n. 12, dit que, *quand on voit un voleur résolu et prêt à voler une personne pauvre, on peut, pour l'en détourner, lui assigner quelque personne riche en particulier, pour le voler au lieu de l'autre.* Si vous n'avez pas Vasquez, ni Castro Palao, vous trouverez la même chose dans votre Escobar. Car, comme vous le savez, il n'a presque rien dit qui ne soit pris de vingt-quatre des plus célèbres de nos Pères. C'est au tr. 5, ex. 5, n. 120, dans *La pratique de notre Société pour la charité envers le prochain.*

Cette charité est véritablement grande, mon Père, de sauver la perte de l'un par le dommage de l'autre. Mais je crois qu'il faudrait la faire entière; et qu'on serait ensuite obligé en conscience de rendre à ce riche le bien qu'on lui aurait fait perdre. Point du tout, me dit-il; car on ne l'a pas volé soi-même, on n'a fait que le conseiller à un autre. Or écoutez cette sage résolution de notre P. Bauny sur un cas qui vous étonnera donc bien davantage, et où vous croiriez qu'on serait bien plus obligé de restituer. C'est au ch. 13 de sa *Somme.* Voici ses propres termes français : *Quelqu'un prie un soldat de battre son voisin, ou de brûler la grange d'un homme qui l'a offensé. On demande si, au défaut du soldat, l'autre qui l'a prié de faire tous ces outrages doit réparer du sien le mal qui en sera issu. Mon sentiment est que non. Car à restitution nul n'est tenu, s'il n'a violé la justice. La viole-t-on quand on prie autrui d'une faveur ? Quelque demande qu'on lui en fasse, il demeure toujours libre de l'octroyer ou de la nier. De quelque côté qu'il encline*[6]*, c'est sa volonté qui l'y porte ; rien ne l'y oblige que la bonté, que la douceur et la facilité de son esprit. Si donc ce soldat ne répare le mal qu'il aura fait, il n'y faudra astreindre celui à la prière duquel il aura offensé l'innocent.* Ce passage pensa rompre notre entretien : car je fus sur le point d'éclater de rire de la *bonté* et *douceur* d'un brûleur de granges[7], et de ces étranges raisonnements qui exemptent de restitution le premier et véritable auteur d'un incendie, que les juges n'exempteraient pas de la corde ; mais si je ne me fusse retenu, le bon Père s'en fût offensé, car il parlait sérieusement, et me dit ensuite du même air :

Vous devriez reconnaître par tant d'épreuves combien vos objections sont vaines ; cependant vous nous faites sortir par là de notre sujet. Revenons donc aux personnes incommodées[8], pour le soulagement desquelles nos Pères, comme entre autres Lessius, l. 2, c. 12, n. 12, assurent *qu'il est permis de dérober non seulement dans une extrême nécessité, mais encore dans une nécessité grave, quoique non pas extrême.* Escobar le rapporte aussi au tr. 1, ex. 9, n. 29. Cela est surprenant, mon Père : il n'y a guère de gens dans le monde qui ne trouvent leur nécessité grave, et à qui vous ne donniez par là le pouvoir de dérober en sûreté de conscience. Et quand vous en réduiriez la permission aux seules personnes qui sont effectivement en cet état, c'est ouvrir la porte à une infinité de larcins, que les juges puniraient nonobstant cette nécessité grave, et que vous devriez réprimer à bien plus forte raison, vous qui devez maintenir parmi les hommes non seulement la justice, mais encore la charité, qui est détruite par ce principe. Car enfin n'est-ce pas la violer, et faire tort à son prochain, que de lui faire perdre son bien pour en profiter soi-même ? C'est ce qu'on m'a appris jusqu'ici. Cela n'est pas toujours véritable, dit le Père. Car notre grand Molina nous a appris, t. 2, tr. 2, dis. 328, n. 8, *que l'ordre de la charité n'exige pas qu'on se prive d'un profit pour sauver par là son prochain d'une perte pareille.* C'est ce qu'il dit pour montrer ce qu'il avait entrepris de prouver en cet endroit-là : *Qu'on n'est pas obligé en conscience de rendre les biens qu'un autre nous aurait donnés pour en frustrer ses créanciers.* Et Lessius, qui soutient la même opinion, la confirme par ce même principe au l. 2, c. 20, d. 19, n. 168.

Vous n'avez pas assez de compassion pour ceux qui sont mal à leur aise ; nos Pères ont eu plus de charité que cela. Ils rendent justice aux pauvres aussi bien qu'aux riches. Je dis bien davantage : ils la rendent même aux pécheurs. Car encore qu'ils soient bien opposés à ceux qui commettent des crimes, néanmoins ils ne laissent pas d'enseigner que les biens gagnés par des crimes peuvent être légitimement retenus[9]. C'est ce que dit Lessius l. 2, c. 10, d. 6, n. 46 : *Les biens acquis par l'adultère sont véritablement gagnés par une voie illégitime, mais néanmoins la possession en est légitime ; Quamvis mulier illicite acquirat, licite tamen retinet acquisita*[10]. Et c'est pourquoi les plus célèbres de nos Pères décident formellement que ce qu'un juge prend d'une des parties qui a mauvais droit pour rendre en sa faveur un arrêt injuste, et ce qu'un soldat reçoit pour avoir tué un homme, et ce qu'on gagne par les crimes infâmes, peut être légitimement retenu. C'est ce qu'Escobar ramasse de nos auteurs, et qu'il assemble au tr. 3, ex. 1, n. 23, où il fait cette règle générale : *Les biens acquis par des voies honteuses, comme par un meurtre, une sentence injuste, une action déshonnête, etc., sont légitimement possédés, et on n'est point obligé à les restituer.* Et encore au tr. 5, ex. 5, n. 53 : *On peut disposer de ce qu'on reçoit pour des homicides, des arrêts injustes, des péchés infâmes, etc., parce que la possession en est juste, et qu'on acquiert le domaine et la propriété des choses que l'on y gagne.* Ô mon Père, lui dis-je, je n'avais jamais ouï parler de cette voie d'acquérir, et je doute que la justice l'autorise, et qu'elle prenne pour un juste titre l'assassinat, l'injustice et l'adultère. Je ne sais, dit le Père, ce que les livres du droit en disent ; mais je sais bien que les nôtres, qui sont les véritables règles des consciences, en parlent comme moi. Il est vrai qu'ils en exceptent un cas auquel ils obligent à restituer. C'est *quand on a reçu de l'argent de ceux qui n'ont pas le pouvoir de disposer de leur bien, tels que*

sont les enfants de famille[11] *et les religieux*. Car notre grand
Molina les en excepte au t. 1, *De Just*. tr. 2, disp. 94, *nisi*
mulier accepisset ab eo qui alienare non potest, ut a religioso et
filiofamilias. Car alors il faut leur rendre leur argent. Escobar
cite ce passage au tr. 1, ex. 8, n. 59, et il confirme la même
chose au tr. 3, ex. 1, n. 23.

Mon Révérend Père, lui dis-je, je vois les religieux mieux
traités en cela que les autres. Point du tout, dit le Père, n'en
fait-on pas autant pour tous les mineurs généralement, au
nombre desquels les religieux sont toute leur vie ? Il est juste
de les excepter. Mais à l'égard de tous les autres, on n'est
point obligé de leur rendre ce qu'on reçoit d'eux pour une
mauvaise action. Et Lessius le prouve amplement au l. 2, *De*
Just., c. 14, d. 8, n. 52. *Ce qu'on reçoit*, dit-il, *pour une action*
criminelle n'est point sujet à restitution par aucune justice
naturelle, parce qu'une méchante action peut être estimée pour de
l'argent, en considérant l'avantage qu'en reçoit celui qui la fait
faire, et la peine qu'y prend celui qui l'exécute ; et c'est pourquoi
on n'est point obligé à restituer ce qu'on reçoit pour la faire, de
quelque nature qu'elle soit, homicide, arrêt injuste, action sale, si
ce n'est qu'on eût reçu de ceux qui n'ont pas le pouvoir de disposer
de leur bien. Vous direz peut-être que celui qui reçoit de l'argent
pour un méchant coup pèche, et qu'ainsi il ne peut ni le prendre ni
le retenir ; mais je réponds qu'après que la chose est exécutée, il n'y
a plus aucun péché ni à payer, ni à en recevoir le payement.
Notre grand Filiutius entre plus encore dans le détail de la
pratique. Car il marque *qu'on est obligé en conscience de payer*
différemment les actions de cette sorte, selon les différentes
conditions des personnes qui les commettent, et que les unes valent
plus que les autres. C'est ce qu'il établit sur de solides raisons,
au tr. 31, c. 9, n. 231 : *Occultae fornicariae debetur pretium in*
conscientia et multo majore ratione quam publicae. Copia enim
quam occulta facit mulier sui corporis, multo plus valet quam ea
quam publica facit meretrix ; nec ulla est lex positiva quae reddat
eam incapacem pretii. Idem dicendum de pretio promisso virgini,
conjugatae, moniali, et cuicumque alii. Est enim omnium eadem
ratio[12].

Il me fit voir ensuite dans ses auteurs des choses de cette nature, si infâmes que je n'oserais les rapporter, et dont il aurait eu horreur lui-même (car il est bon homme) sans le respect qu'il a pour ses Pères, qui lui fait recevoir avec vénération tout ce qui vient de leur part. Je me taisais cependant, moins par le dessein de l'engager à continuer cette matière, que par la surprise de voir des livres de religieux pleins de décisions si horribles, si injustes et si extravagantes tout ensemble. Il poursuivit donc en liberté son discours, dont la conclusion fut ainsi. C'est pour cela, dit-il, que notre illustre Molina (je crois qu'après cela vous serez content) décide ainsi cette question : *Quand on a reçu de l'argent pour faire une méchante action, est-on obligé à le rendre ? Il faut distinguer,* dit ce grand homme ; *si on n'a pas fait l'action pour laquelle on a été payé, il faut rendre l'argent ; mais si on l'a faite, on n'y est point obligé : si non fecit hoc malum, tenetur restituere ; secus, si fecit.* C'est ce qu'Escobar rapporte au tr. 3, ex. 2, n. 138.

Voilà quelques-uns de nos principes touchant la restitution. Vous en avez bien appris aujourd'hui ; je veux voir maintenant comment vous en aurez profité. Répondez-moi donc. *Un juge qui a reçu de l'argent d'une des parties pour faire un arrêt en sa faveur, est-il obligé à le rendre ?* Vous venez de me dire que non, mon Père. Je m'en doutais bien, dit-il ; vous l'ai-je dit généralement ? Je vous ai dit qu'il n'est pas obligé de rendre, s'il a fait gagner le procès à celui qui n'a pas bon droit. Mais quand on a bon droit, voulez-vous qu'on achète encore le gain de sa cause qui est dû légitimement ? Vous n'avez pas de raison. Ne comprenez-vous pas que le juge doit la justice, et qu'ainsi il ne la peut pas vendre ; mais qu'il ne doit pas l'injustice, et qu'ainsi il peut en recevoir de l'argent ? Aussi tous nos principaux auteurs, comme Molina, disp. 94 et 99 ; Reginaldus, l. 10, n. 184, 185 et 187 ; Filiutius, tr. 31, n. 220 et 228 ; Escobar tr. 3, ex. 1, n. 21 et 23 ; Lessius, l. 2, c. 14, d. 8, n. 52, enseignent tous uniformément : *Qu'un juge est bien obligé de rendre ce qu'il a reçu pour faire justice, si ce n'est qu'on le lui eût donné par libéralité ; mais qu'il n'est jamais obligé à rendre ce qu'il a reçu d'un homme en faveur duquel il a rendu un arrêt injuste* [13].

Je fus tout interdit par cette fantasque décision ; et pendant que j'en considérais les pernicieuses conséquences, le Père me préparait une autre question, et me dit : Répondez donc une autre fois avec plus de circonspection. Je vous demande maintenant : *Un homme qui se mêle de deviner* [14], *est-il obligé de rendre l'argent qu'il a gagné par cet exercice ?* Ce qu'il vous plaira, mon Révérend Père, lui dis-je. Comment, ce qu'il me plaira ? Vraiment vous êtes admirable ! Il semble, de la façon que vous parlez, que la vérité dépende de notre volonté. Je vois bien que vous ne trouveriez jamais celle-ci de vous-même. Voyez donc résoudre cette difficulté-là à Sanchez ; mais aussi c'est Sanchez. Premièrement il distingue en sa Som., l. 2, c. 38, n. 94, 95 et 96 : *Si ce devin ne s'est servi que de l'astrologie et des autres moyens naturels, ou s'il a employé l'art diabolique. Car il dit qu'il est obligé de restituer en un cas, et non pas en l'autre.* Direz-vous bien maintenant auquel ? Il n'y a pas là de difficulté, lui dis-je. Je vois bien, répliqua-t-il, ce que vous voulez dire. Vous croyez qu'il doit restituer au cas qu'il se soit servi de l'entremise des démons ? Mais vous n'y entendez rien. C'est tout au contraire. Voici la résolution de Sanchez au même lieu : *Si ce devin n'a pas pris la peine et le soin de savoir par le moyen du diable ce qui ne se pouvait savoir autrement, si nullam operam apposuit ut arte diaboli id sciret, il faut qu'il restitue ; mais s'il en a pris la peine, il n'y est point obligé.* Et d'où vient cela, mon Père ? Ne l'entendez-vous pas ? me dit-il. C'est parce qu'on peut bien deviner par l'art du diable, au lieu que l'astrologie est un moyen faux. Mais, mon Père, si le diable ne répond pas la vérité, car il n'est guère plus véritable que l'astrologie, il faudra donc que le devin restitue par la même raison ? Non pas toujours, me dit-il. *Distinguo*, dit Sanchez sur cela. *Car si le devin est ignorant en l'art diabolique, si sit artis diabolicae ignarus, il est obligé à restituer ; mais s'il est habile sorcier, et qu'il ait fait ce qui est en lui pour savoir la vérité, il n'y est point obligé. Car alors la diligence d'un tel sorcier peut être estimée pour de l'argent :*

diligentia a mago apposita est pretio aestimabilis. Cela est de
bon sens, mon Père, lui dis-je : car voilà le moyen d'engager
les sorciers à se rendre savants et experts en leur art, par
l'espérance de gagner du bien légitimement selon vos
maximes, en servant fidèlement le public. Je crois que vous
raillez, dit le Père ; cela n'est pas bien. Car si vous parliez
ainsi en des lieux où vous ne fussiez pas connu, il pourrait se
trouver des gens qui prendraient mal vos discours, et qui
vous reprocheraient de tourner les choses de la religion en
raillerie [15]. Je me défendrais facilement de ce reproche, mon
Père. Car je crois que, si on prend la peine d'examiner le
véritable sens de mes paroles, on n'en trouvera aucune qui ne
marque parfaitement le contraire, et peut-être s'offrira-t-il un
jour dans nos entretiens l'occasion de le faire amplement
paraître. Ho ! ho ! dit le Père, vous ne riez plus. Je vous
avoue, lui dis-je, que ce soupçon que je me voulusse railler
des choses saintes me serait aussi sensible qu'il serait injuste.
Je ne le disais pas tout de bon, repartit le Père ; mais parlons
plus sérieusement. J'y suis tout disposé si vous le voulez,
mon Père ; cela dépend de vous. Mais je vous avoue que j'ai
été surpris de voir que vos Pères ont tellement étendu leurs
soins à toutes sortes de conditions, qu'ils ont voulu même
régler le gain légitime des sorciers. On ne saurait, dit le Père,
écrire pour trop de monde, ni particulariser trop les cas, ni
répéter trop souvent les mêmes choses en différents livres.
Vous le verrez bien par ce passage d'un des plus graves de nos
Pères. Vous le pouvez juger, puisqu'il est aujourd'hui notre
Père Provincial. C'est le R. P. Cellot, en son l. 8 de la
Hiérarch., c. 16, § 2. *Nous savons*, dit-il, *qu'une personne qui
portait une grande somme d'argent pour la restituer par ordre de
son confesseur, s'étant arrêtée en chemin chez un libraire, et lui
ayant demandé s'il n'y avait rien de nouveau, num quid novi ? il
lui montra un nouveau livre de théologie morale, et que, le
feuilletant avec négligence et sans penser à rien, il tomba sur son
cas, et y apprit qu'il n'était point obligé à restituer : de sorte que,
s'étant déchargé du fardeau de son scrupule, et demeurant toujours
chargé du poids de son argent, il s'en retourna bien plus léger en sa*

maison : abjecta scrupuli sarcina, retento auri pondere, levior
domum repetiit.

Eh bien, dites-moi, après cela, s'il est utile de savoir nos
maximes ? En rirez-vous maintenant ? Et ne ferez-vous pas
plutôt avec le P. Cellot cette pieuse réflexion sur le bonheur
de cette rencontre : *Les rencontres de cette sorte sont en Dieu*
l'effet de sa providence, en l'Ange gardien l'effet de sa conduite,
et en ceux à qui elles arrivent, l'effet de leur prédestination. Dieu
de toute éternité a voulu que la chaîne d'or de leur salut dépendît
d'un tel auteur, et non pas de cent autres qui disent la même chose,
parce qu'il n'arrive pas qu'ils les rencontrent. Si celui-là n'avait
écrit, celui-ci ne serait pas sauvé. Conjurons donc par les
entrailles de Jésus-Christ ceux qui blâment la multitude de nos
auteurs, de ne leur pas envier les livres que l'élection éternelle
de Dieu et le sang de Jésus-Christ leur a acquis. Voilà de belles
paroles, par lesquelles ce savant homme prouve si solidement
cette proposition qu'il avait avancée : *Combien il est utile*
qu'il y ait un grand nombre d'auteurs qui écrivent de la théo-
logie morale : Quam utile sit de theologia morali multos scri-
bere.

Mon Père, lui dis-je, je remettrai à une autre fois à vous
déclarer mon sentiment sur ce passage ; et je ne vous dirai
présentement autre chose, sinon que, puisque vos maximes
sont si utiles, et qu'il est si important de les publier, vous
devez continuer à m'en instruire. Car je vous assure que celui
à qui je les envoie les fait voir à bien des gens. Ce n'est pas
que nous ayons autrement l'intention de nous en servir, mais
c'est qu'en effet nous pensons qu'il sera utile que le monde en
soit bien informé. Aussi, me dit-il, vous voyez que je ne les
cache pas, et pour continuer, je pourrai bien vous parler la
première fois des douceurs et des commodités de la vie que
nos Pères permettent pour rendre le salut aisé et la dévotion
facile, afin qu'après avoir vu jusqu'ici ce qui touche les
conditions particulières, vous appreniez ce qui est général
pour toutes, et qu'ainsi il ne vous manque rien pour une
parfaite instruction. Je suis, etc.

J'ai toujours oublié à vous dire qu'il y a des Escobars de différentes impressions. Si vous en achetez, prenez de ceux de Lyon, où à l'entrée il y a une image d'un agneau qui est sur un livre scellé de sept sceaux, ou de ceux de Bruxelles de 1651. Comme ceux-là sont les derniers, ils sont meilleurs et plus amples que ceux des éditions précédentes de Lyon des années 1644 et 1646[16].

NEUVIÈME LETTRE
ÉCRITE À UN PROVINCIAL
PAR UN DE SES AMIS

De Paris, le 3 juillet 1656.

Monsieur,

Je ne vous ferai pas plus de compliment que le bon Père m'en fit la dernière fois que je le vis. Aussitôt qu'il m'aperçut, il vint à moi et me dit, en regardant dans un livre qu'il tenait à la main : *Qui vous ouvrirait le Paradis, ne vous obligerait-il pas parfaitement ? Ne donneriez-vous pas les millions d'or pour en avoir une clef, et entrer dedans quand bon vous semblerait ? Il ne faut point entrer en de si grands frais, en voici une, voire cent, à meilleur compte.* Je ne savais si le bon Père lisait, ou s'il parlait de lui-même. Mais il m'ôta de peine en disant : Ce sont les premières paroles d'un beau livre du P. Barry[1] de notre Société, car je ne dis jamais rien de moi-même. Quel livre, lui dis-je, mon Père ? En voici le titre, dit-il : *Le Paradis ouvert à Philagie, par cent dévotions à la Mère de Dieu, aisées à pratiquer.* Et quoi ! mon Père, chacune de ces dévotions aisées suffit pour ouvrir le ciel ? Oui, dit-il ; voyez-le encore dans la suite des paroles que vous avez ouïes : *Tout autant de dévotions à la Mère de Dieu que vous trouverez en ce livre sont autant de clefs du ciel qui vous ouvriront le Paradis tout entier, pourvu que vous les pratiquiez* : et c'est pourquoi il dit dans la conclusion, *qu'il est content si on en pratique une seule.*

Apprenez-m'en donc quelqu'une des plus faciles, mon

Père. Elles le sont toutes, répondit-il : par exemple, *saluer la sainte Vierge au rencontre de ses images ; dire le petit chapelet des dix plaisirs de la Vierge ; prononcer souvent le nom de Marie ; donner commission aux Anges de lui faire la révérence de notre part ; souhaiter de lui bâtir plus d'églises que n'ont fait tous les monarques ensemble ; lui donner tous les matins le bonjour, et sur le tard le bonsoir ; dire tous les jours l'Ave Maria en l'honneur du cœur de Marie.* Et il dit que cette dévotion-là assure de plus d'obtenir le cœur de la Vierge. Mais, mon Père, lui dis-je, c'est pourvu qu'on lui donne aussi le sien ? Cela n'est pas nécessaire, dit-il, quand on est trop attaché au monde : écoutez-le : *Cœur pour cœur, ce serait bien ce qu'il faut ; mais le vôtre est un peu trop attaché et tient un peu trop aux créatures. Ce qui fait que je n'ose vous inviter à offrir aujourd'hui ce petit esclave que vous appelez votre cœur.* Et ainsi il se contente de l'*Ave Maria*, qu'il avait demandé. Ce sont les dévotions des pages 33, 59, 145[2], 156, 172, 258 et 420 de la première édition. Cela est tout à fait commode, lui dis-je, et je crois qu'il n'y aura personne de damné après cela. Hélas ! dit le Père, je vois bien que vous ne savez pas jusqu'où va la dureté du cœur de certaines gens ! Il y en a qui ne s'attacheraient jamais à dire tous les jours ces deux paroles, *bonjour, bonsoir*, parce que cela ne se peut faire sans quelque application de mémoire. Et ainsi il a fallu que le P. Barry leur ait fourni des pratiques encore plus faciles, *comme d'avoir jour et nuit un chapelet au bras en forme de bracelet, ou de porter sur soi un rosaire, ou bien une image de la Vierge.* Ce sont là les dévotions des pages 14, 326 et 447. *Et puis dites que je ne vous fournis pas des dévotions faciles pour acquérir les bonnes grâces de Marie,* comme dit le P. Barry, p. 106. Voilà, mon Père, lui dis-je, l'extrême facilité. Aussi, dit-il, c'est tout ce qu'on a pu faire. Et je crois que cela suffira. Car il faudrait être bien misérable pour ne vouloir pas prendre un moment en toute sa vie pour mettre un chapelet à son bras, ou un rosaire dans sa poche, et assurer par là son salut avec tant de certitude, que ceux qui en font l'épreuve n'y ont jamais été trompés, de quelque manière qu'ils aient vécu, quoique nous conseillions de ne laisser pas de bien vivre. Je ne vous en rapporterai que l'exemple de la page 34 d'une femme qui, pratiquant tous les jours la dévotion de saluer les images de la Vierge, vécut toute sa vie en péché mortel, et mourut enfin dans cet état, et qui ne laissa pas d'être sauvée par le mérite de cette dévotion. Et comment cela ? m'écriai-je. C'est, dit-il, que Notre-Seigneur la fit ressusciter exprès [3]. Tant il est sûr qu'on ne peut périr quand on pratique quelqu'une de ces dévotions.

En vérité, mon Père, je sais que les dévotions à la Vierge sont un puissant moyen pour le salut, et que les moindres sont d'un grand mérite, quand elles partent d'un mouvement de foi et de charité, comme dans les saints qui les ont pratiquées ; mais de faire accroire à ceux qui en usent sans changer leur mauvaise vie, qu'ils se convertiront à la mort, ou que Dieu les ressuscitera, c'est ce que je trouve bien plus propre à entretenir les pécheurs dans leurs désordres, par la fausse paix que cette confiance téméraire apporte, qu'à les en retirer par une véritable conversion que la grâce seule peut produire. *Qu'importe*, dit le Père, *par où nous entrions dans le Paradis, moyennant que nous y entrions ?* comme dit sur un semblable sujet notre célèbre P. Binet [4], qui a été notre Provincial, en son excellent livre *De la marque de Prédestination*, n. 31, p. 130 de la quinzième édition. *Soit de bond ou de volée, que nous en chaut-il, pourvu que nous prenions la ville de gloire ?* comme dit encore ce Père au même lieu. J'avoue, lui dis-je, que cela n'importe, mais la question est de savoir si on y entrera. La Vierge, dit-il, en répond. Voyez-le dans les dernières lignes du livre du P. Barry : *S'il arrivait qu'à la mort l'ennemi eût quelque prétention sur vous, et qu'il y eût du trouble dans la petite république de vos pensées, vous n'avez qu'à dire que Marie répond pour vous, et que c'est à elle qu'il faut s'adresser.*

Mais, mon Père, qui voudrait pousser cela vous embarrasserait. Car enfin qui nous a assuré que la Vierge en répond ? Le P. Barry, dit-il, en répond pour elle, page 465 : *Quant au profit et bonheur qui vous en reviendra, je vous en réponds, et me rends pleige* [5] *pour la bonne Mère.* Mais, mon Père, qui répondra pour le P. Barry ? Comment ? dit le Père, il est de

notre Compagnie. Et ne savez-vous pas encore que notre
Société répond de tous les livres de nos Pères ? Il faut vous
apprendre cela. Il est bon que vous le sachiez. Il y a un ordre
dans notre Société par lequel il est défendu à toutes sortes de
libraires d'imprimer aucun ouvrage de nos Pères sans
l'approbation des théologiens de notre Compagnie, et sans la
permission de nos supérieurs. C'est un règlement fait par
Henri III, le 10 mai 1583, et confirmé par Henri IV, le
20 décembre 1603, et par Louis XIII, le 14 février 1612. De
sorte que tout notre corps est responsable des livres de
chacun de nos Pères. Cela est particulier à notre Compagnie [6]. Et de là vient qu'il ne sort aucun ouvrage de chez nous
qui n'ait l'esprit de la Société. Voilà ce qu'il était à propos de
vous apprendre. Mon Père, lui dis-je, vous m'avez fait
plaisir, et je suis fâché seulement de ne l'avoir pas su plus tôt.
Car cette connaissance engage à avoir bien plus d'attention
pour vos auteurs. Je l'eusse fait, dit-il, si l'occasion s'en fût
offerte, mais profitez-en à l'avenir, et continuons notre sujet.

Je crois vous avoir ouvert des moyens d'assurer son salut
assez faciles, assez sûrs et en assez grand nombre. Mais nos
Pères souhaiteraient bien qu'on n'en demeurât pas à ce
premier degré, où l'on ne fait que ce qui est exactement
nécessaire pour le salut. Comme ils aspirent sans cesse à la
plus grande gloire de Dieu [7], ils voudraient élever les hommes
à une vie plus pieuse. Et parce que les gens du monde sont
d'ordinaire détournés de la dévotion par l'étrange idée qu'on
leur en a donnée, nos Pères ont cru qu'il était d'une extrême
importance de détruire ce premier obstacle. Et c'est en quoi
le P. Le Moyne [8] a acquis beaucoup de réputation par le livre
de LA DÉVOTION AISÉE [9], qu'il a fait à ce dessein. C'est là
qu'il fait une peinture tout à fait charmante de la dévotion.
Jamais personne ne l'a connue comme lui. Apprenez-le par
les premières paroles de cet ouvrage : *La vertu ne s'est encore
montrée à personne ; on n'en a point fait de portrait qui lui
ressemble. Il n'y a rien d'étrange qu'il y ait eu si peu de presse à
grimper sur son rocher. On en a fait une fâcheuse, qui n'aime que
la solitude ; on lui a associé la douleur et le travail ; et enfin on l'a*

faite ennemie des divertissements et des jeux, qui sont la fleur de la joie et l'assaisonnement de la vie. C'est ce qu'il dit page 92.

Mais, mon Père, je sais bien au moins qu'il y a de grands saints dont la vie a été extrêmement austère. Cela est vrai, dit-il ; mais aussi *il s'est toujours vu des saints polis et des dévots civilisés,* selon ce Père, page 191. Et vous verrez, page 86, que la différence de leurs mœurs vient de celles de leurs humeurs. Écoutez-le. *Je ne nie pas qu'il ne se voie des dévots qui sont pâles et mélancoliques de leur complexion, qui aiment le silence et la retraite, et qui n'ont que du flegme dans les veines et de la terre sur le visage. Mais il s'en voit assez d'autres qui sont d'une complexion plus heureuse, et qui ont abondance de cette humeur douce et chaude, et de ce sang bénin et rectifié qui fait la joie.*

Vous voyez de là que l'amour de la retraite et du silence n'est pas commun à tous les dévots ; et que, comme je vous le disais, c'est l'effet de leur complexion, plutôt que de la piété. Au lieu que ces mœurs austères dont vous parlez sont proprement le caractère d'un sauvage et d'un farouche. Aussi vous les verrez placées entre les mœurs ridicules et brutales d'un fou mélancolique, dans la description que le P. Le Moyne en a faite au 7ᵉ livre de ses *Peintures morales*[10]. En voici quelques traits : *Il est sans yeux pour les beautés de l'art et de la nature. Il croirait s'être chargé d'un fardeau incommode, s'il avait pris quelque matière de plaisir pour soi. Les jours de fête, il se retire parmi les morts. Il s'aime mieux dans un tronc d'arbre ou dans une grotte que dans un palais ou sur un trône. Quant aux affronts et aux injures, il y est aussi insensible que s'il avait des yeux et des oreilles de statue. L'honneur et la gloire sont des idoles qu'il ne connaît point, et pour lesquelles il n'a point d'encens à offrir. Une belle personne lui est un spectre ; et ces visages impérieux et souverains, ces agréables tyrans qui font partout des esclaves volontaires et sans chaînes, ont le même pouvoir sur ses yeux que le soleil sur ceux des hiboux, etc.*

Mon Révérend Père, je vous assure que si vous ne m'aviez dit que le P. Le Moyne est l'auteur de cette peinture, j'aurais dit que c'eût été quelque impie qui l'aurait faite à dessein de tourner les saints en ridicule. Car, si ce n'est là l'image d'un homme tout à fait détaché des sentiments auxquels l'Évangile oblige de renoncer, je confesse que je n'y entends rien. Voyez donc, dit-il, combien vous vous y connaissez peu. Car ce sont là *des traits d'un esprit faible et sauvage, qui n'a pas les affections honnêtes et naturelles qu'il devrait avoir*, comme le P. Le Moyne le dit dans la fin de cette description. C'est par ce moyen qu'il *enseigne la vertu et la philosophie chrétienne*, selon le dessein qu'il en avait dans cet ouvrage, comme il le déclare dans l'avertissement. Et en effet on ne peut nier que cette méthode de traiter de la dévotion n'agrée tout autrement au monde que celle dont on se servait avant nous. Il n'y a point de comparaison, lui dis-je, et je commence à espérer que vous me tiendrez parole. Vous le verrez bien mieux dans la suite, dit-il; je ne vous ai encore parlé de la piété qu'en général. Mais pour vous faire voir en détail combien nos Pères en ont ôté de peines, n'est-ce pas une chose bien pleine de consolation pour les ambitieux, d'apprendre qu'ils peuvent conserver une véritable dévotion, avec un amour désordonné pour les grandeurs ? Et quoi ! mon Père, avec quelque excès qu'ils les recherchent ? Oui, dit-il, car ce ne serait toujours que péché véniel, à moins qu'on désirât les grandeurs pour offenser Dieu ou l'État plus commodément. Or les péchés véniels n'empêchent pas d'être dévot, puisque les plus grands saints n'en sont pas exempts. Écoutez donc Escobar, tr. 2, ex. 2, n. 17 : *L'ambition, qui est un appétit désordonné des charges et des grandeurs, est de soi-même un péché véniel. Mais quand on désire ces grandeurs pour nuire à l'État, ou pour avoir plus de commodité d'offenser Dieu, ces circonstances extérieures le rendent mortel.*

Cela commence bien, mon Père. Et n'est-ce pas encore, continua-t-il, une doctrine bien douce pour les avares, de dire comme fait Escobar au tr. 5, ex. 5, n. 154 : *Je sais que les riches ne pèchent point mortellement quand ils ne donnent point l'aumône de leur superflu dans les grandes nécessités des pauvres : Scio in gravi pauperum necessitate divites non dando superflua, non peccare mortaliter.* En vérité, lui dis-je, si cela est, je vois bien que je ne me connais guère en péchés. Pour vous le

montrer encore mieux, dit-il, ne pensez-vous pas que la
bonne opinion de soi-même, et la complaisance qu'on a
pour ses ouvrages, est un péché des plus dangereux ? Et ne
serez-vous pas bien surpris si je vous fais voir qu'encore
même que cette bonne opinion soit sans fondement, c'est si
peu un péché, que c'est au contraire un don de Dieu ? Est-
il possible, mon Père ? Oui, dit-il, et c'est ce que nous a
appris notre grand P. Garasse[11] dans son livre français
intitulé : *Somme des vérités capitales de la Religion*, p. 2,
p. 419. *C'est un effet, dit-il, de justice commutative*[12], *que tout
travail honnête soit récompensé ou de louange, ou de satisfaction… Quand les bons esprits font un ouvrage excellent, ils sont
justement récompensés par les louanges publiques… Mais quand
un pauvre esprit travaille beaucoup pour ne rien faire qui
vaille, et qu'il ne peut ainsi obtenir de louanges publiques, afin
que son travail ne demeure pas sans récompense, Dieu lui en
donne une satisfaction personnelle, qu'on ne peut lui envier sans
une injustice plus que barbare. C'est ainsi que Dieu, qui est
juste, donne aux grenouilles de la satisfaction de leur chant.*

Voilà, lui dis-je, de belles décisions en faveur de la
vanité, de l'ambition et de l'avarice. Et l'envie, mon Père,
sera-t-elle plus difficile à excuser ? Ceci est délicat, dit le
Père. Il faut user de la distinction du P. Bauny dans sa
Somme des péchés. Car son sentiment, c. 7, p. 123, de la
cinquième et sixième éditions, est que *l'envie du bien
spirituel du prochain est mortelle, mais que l'envie du bien
temporel n'est que vénielle*. Et par quelle raison, mon Père ?
Écoutez-la, me dit-il. *Car le bien qui se trouve ès choses
temporelles est si mince, et de si peu de conséquence pour le
ciel, qu'il est de nulle considération devant Dieu et ses saints.*
Mais, mon Père, si ce bien est si *mince* et de si petite
considération, comment permettez-vous de tuer les
hommes pour le conserver ? Vous prenez mal les choses,
dit le Père. On vous dit que le bien est de nulle considération devant Dieu, mais non pas devant les hommes. Je ne
pensais pas à cela, lui dis-je, et j'espère que par ces
distinctions-là il ne restera plus de péchés mortels au

monde. Ne pensez pas cela, dit le Père, car il y en a qui sont toujours mortels de leur nature, comme par exemple la paresse [13].

Ô mon Père lui dis-je, toutes les commodités de la vie sont donc perdues ? Attendez, dit le Père, quand vous aurez vu la définition de ce vice qu'Escobar en donne tr. 2, ex. 2, num. 81, peut-être en jugerez-vous autrement ; écoutez-la. *La paresse est une tristesse de ce que les choses spirituelles sont spirituelles, comme serait de s'affliger de ce que les sacrements sont la source de la grâce. Et c'est un péché mortel.* Ô mon Père, lui dis-je, je ne crois pas que personne ait jamais été assez bizarre pour s'aviser d'être paresseux en cette sorte. Aussi, dit le Père, Escobar dit ensuite n. 105 : *J'avoue qu'il est bien rare que personne tombe jamais dans le péché de paresse.* Comprenez-vous bien par là combien il importe de bien définir les choses ? Oui, mon Père, lui dis-je ; et je me souviens sur cela de vos autres définitions de l'assassinat, du guet-apens et des biens superflus. Et d'où vient, mon Père, que vous n'étendez pas cette méthode à toutes sortes de cas, et pour donner à tous les péchés des définitions de votre façon, afin qu'on ne péchât plus en satisfaisant ses plaisirs ?

Il n'est pas toujours nécessaire, me dit-il, de changer pour cela les définitions des choses. Vous l'allez voir sur le sujet de la bonne chère, qui est sans doute un des plus grands plaisirs de la vie, et qu'Escobar permet en cette sorte, n. 102, dans la pratique selon notre Société : *Est-il permis de boire et manger tout son saoul sans nécessité, et pour la seule volupté ? Oui certainement, selon notre Père Sanchez* [14], *pourvu que cela ne nuise point à la santé, parce qu'il est permis à l'appétit naturel de jouir des actions qui lui sont propres. An comedere et bibere usque ad satietatem absque necessitate, ob solam voluptatem, sit peccatum ? Cum Sanctio negative respondeo, modo non obsit valetudini, quia licite potest appetitus naturalis suis actibus frui.* Ô mon Père, lui dis-je, voilà le passage le plus complet, et le principe le plus achevé de toute votre morale, et dont on peut tirer d'aussi commodes conclusions. Et quoi ! la gourmandise n'est donc pas même un péché véniel ? Non pas, dit-il, en la manière que je viens de dire. Mais elle serait péché véniel selon Escobar, n. 56, *si sans aucune nécessité on se gorgeait de boire et de manger jusqu'à vomir ; si quis se usque ad vomitum ingurgitet.*

Cela suffit sur ce sujet, et je veux maintenant vous parler des facilités que nous avons apportées pour faire éviter les péchés dans les conversations et dans les intrigues du monde. Une chose des plus embarrassantes qui s'y trouve est d'éviter le mensonge, et surtout quand on voudrait bien faire accroire une chose fausse. C'est à quoi sert admirablement notre doctrine des équivoques, par laquelle *il est permis d'user de termes ambigus, en les faisant entendre en un autre sens qu'on ne les entend soi-même,* comme dit Sanchez, *Op. mor.*, p. 2, l. 3, c. 6, n. 13. Je sais cela, mon Père, lui dis-je. Nous l'avons tant publié, continua-t-il, qu'à la fin tout le monde en est instruit. Mais savez-vous bien comment il faut faire quand on ne trouve point de mots équivoques ? Non, lui dis-je. Je m'en doutais bien, dit-il ; cela est nouveau : c'est la doctrine des restrictions mentales. Sanchez la donne au même lieu : *On peut jurer,* dit-il, *qu'on n'a pas fait une chose, quoiqu'on l'ait faite effectivement, en entendant en soi-même qu'on ne l'a pas faite un certain jour, ou avant qu'on fût né, ou en sous-entendant quelque autre circonstance pareille, sans que les paroles dont on se sert aient aucun sens qui le puisse faire connaître. Et cela est fort commode en beaucoup de rencontres, et est toujours très juste quand cela est nécessaire ou utile pour la santé, l'honneur ou le bien.*

Comment ! mon Père, et n'est-ce pas là un mensonge, et même un parjure ? Non, dit le Père ; Sanchez le prouve au même lieu, et notre P. Filiutius aussi, tr. 25, c. 11, n. 331 ; parce, dit-il, que *c'est l'intention qui règle la qualité de l'action.* Et il y donne encore, n. 328, un autre moyen plus sûr d'éviter le mensonge. C'est qu'après avoir dit tout haut : *Je jure que je n'ai point fait cela,* on ajoute tout bas, *aujourd'hui ;* ou qu'après avoir dit tout haut : *Je jure,* on dise tout bas, *que je dis,* et que l'on continue ensuite tout haut, *que je n'ai point fait cela.* Vous voyez bien que c'est dire la vérité. Je l'avoue, lui dis-je ; mais nous trouverions peut-être que c'est dire la vérité tout bas, et un mensonge tout haut ; outre que je craindrais que bien des gens n'eussent pas assez de présence d'esprit pour se servir de ces méthodes. Nos Pères, dit-il, ont enseigné au même lieu, en faveur de ceux qui ne sauraient trouver ces restrictions, qu'il leur suffit, pour ne point mentir, de dire simplement *qu'ils n'ont point fait* ce qu'ils ont fait, pourvu *qu'ils aient en général l'intention de donner à leurs discours le sens qu'un habile homme y donnerait.*

Dites la vérité : il vous est arrivé bien des fois d'être embarrassé, manque de cette connaissance ? Quelquefois, lui dis-je. Et n'avouerez-vous pas de même qu'il serait souvent bien commode d'être dispensé en conscience de tenir de certaines paroles qu'on donne ? Ce serait, lui dis-je, mon Père, la plus grande commodité du monde ! Écoutez donc Escobar au tr. 3, ex. 3, n. 48, où il donne cette règle générale : *Les promesses n'obligent point, quand on n'a point intention de s'obliger en les faisant. Or il n'arrive guère qu'on ait cette intention, à moins que l'on les confirme par serment ou par contrat ; de sorte que, quand on dit simplement : Je le ferai, on entend qu'on le fera si l'on ne change de volonté : car on ne veut pas se priver par là de sa liberté.* Il en donne d'autres que vous y pouvez voir vous-même ; et il dit à la fin, *que tout cela est pris de Molina et de nos autres auteurs : Omnia ex Molina et aliis.* Et ainsi on n'en peut pas douter.

Ô mon Père, lui dis-je, je ne savais pas que la direction d'intention eût la force de rendre les promesses nulles ! Vous voyez, dit le Père, que voilà une grande facilité pour le commerce du monde. Mais ce qui nous a donné le plus de peine a été de régler les conversations entre les hommes et les femmes ; car nos Pères sont plus réservés sur ce qui regarde la chasteté. Ce n'est pas qu'ils ne traitent des questions assez curieuses et assez indulgentes ; et principalement pour les personnes mariées ou fiancées. J'appris sur cela les questions les plus extraordinaires et les plus brutales qu'on puisse s'imaginer. Il m'en donna de quoi remplir plusieurs lettres ; mais je ne veux pas seulement en marquer les citations, parce que vous faites voir mes lettres à toutes sortes de personnes, et je ne voudrais pas donner l'occasion de cette lecture à ceux qui n'y chercheraient que leur divertissement.

La seule chose que je puis vous marquer de ce qu'il me montra dans leurs livres, même français, est ce que vous pouvez voir dans la *Somme des péchés* du P. Bauny, p. 165, de certaines petites privautés qu'il y explique [15], pourvu qu'on dirige bien son intention, *comme à passer pour galant :* et vous serez surpris d'y trouver, p. 148, un principe de morale touchant le pouvoir qu'il dit que les filles ont de disposer de leur virginité sans leurs parents : voici ses termes : *Quand cela se fait du consentement de la fille, quoique le père ait sujet de s'en plaindre, ce n'est pas néanmoins que ladite fille, ou celui à qui elle s'est prostituée, lui aient fait aucun tort, ou violé pour son égard la justice. Car la fille est en possession de sa virginité, aussi bien que de son corps ; elle en peut faire ce que bon lui semble, à l'exclusion de la mort ou du retranchement de ses membres.* Jugez par là du reste. Je me souvins sur cela d'un passage d'un poète païen, qui a été meilleur casuiste que ces Pères, puisqu'il a dit *que la virginité d'une fille ne lui appartient pas tout entière ; qu'une partie appartient au père, et l'autre à la mère, sans lesquels elle n'en peut disposer même pour le mariage* [16]. Et je doute qu'il y ait aucun juge qui ne prenne pour une loi le contraire de cette maxime du Père Bauny.

Voilà tout ce que je puis dire de tout ce que j'entendis, et qui dura si longtemps que je fus obligé de prier enfin le Père de changer de matière. Il le fit, et m'entretint de leurs règlements pour les habits des femmes en cette sorte. Nous ne parlerons point, dit-il, de celles qui auraient l'intention impure ; mais pour les autres, Escobar dit au tr. 1, ex. 8, n. 5 : *Si on se pare sans mauvaise intention, mais seulement pour satisfaire l'inclination naturelle qu'on a à la vanité,* ob naturalem fastus inclinationem, *ou ce n'est qu'un péché véniel, ou ce n'est point péché du tout.* Et le P. Bauny, en sa *Somme des péchés,* c. 46, p. 1094, dit : *Que bien que la femme eût connaissance du mauvais effet que sa diligence à se parer opérerait et au corps et en l'âme de ceux qui la contempleraient ornée de riches et précieux habits, qu'elle ne pécherait néanmoins en s'en servant.* Et il cite entre autres notre P. Sanchez pour être du même avis.

Mais, mon Père, que répondent donc vos auteurs aux passages de l'Écriture qui parlent avec tant de véhémence contre les moindres choses de cette sorte ? Lessius, dit le Père, y a doctement satisfait, *De Just.*, l. 4, c. 4, d. 14, n. 114, en disant : *Que ces passages de l'Écriture n'étaient des préceptes qu'à l'égard des femmes de ce temps-là, pour donner par leur modestie un exemple d'édification aux païens.* Et d'où a-t-il pris cela, mon Père ? Il n'importe pas d'où il l'ait pris ; il suffit que les sentiments de ces grands hommes-là sont toujours probables d'eux-mêmes. Mais le P. Le Moyne a apporté une modération à cette permission générale. Car il ne le veut point du tout souffrir aux vieilles : c'est dans sa *Dévotion aisée*, et, entre autres, pages 127, 157, 163. *La jeunesse,* dit-il, *peut être parée de droit naturel. Il peut être permis de se parer en un âge qui est la fleur et la verdure des ans. Mais il en faut demeurer là ; le contretemps serait étrange de chercher des roses sur la neige. Ce n'est qu'aux étoiles qu'il appartient d'être toujours au bal, parce qu'elles ont le don de jeunesse perpétuelle. Le meilleur donc en ce point serait de prendre conseil de la raison et d'un bon miroir, de se rendre à la bienséance et à la nécessité, et de se retirer quand la nuit approche* [17]. Cela est tout à fait judicieux, lui dis-je. Mais, continua-t-il, afin que vous voyiez combien nos Pères ont eu soin de tout, je vous dirai que, parce qu'il serait souvent inutile aux jeunes femmes d'avoir la permission de se parer si on ne leur donnait aussi le moyen d'en faire la dépense, on a établi une autre maxime en leur faveur, qui se voit dans Escobar au chapitre du larcin, tr. 1, ex. 9, n. 13. *Une femme,* dit-il, *peut prendre de l'argent à son mari en plusieurs occasions, et entre autres pour jouer, pour avoir des habits, et pour les autres choses qui lui sont nécessaires* [18].

En vérité, mon Père, cela est bien achevé. Il y a bien d'autres choses néanmoins, dit le Père ; mais il faut les laisser pour parler des maximes plus importantes qui facilitent l'usage des choses saintes, comme par exemple la manière d'assister à la Messe. Nos grands théologiens, Gaspard

Hurtado, *De Sacr.*, to. 2, d. 5, dist. 2, et Coninck, q. 83, a. 6,
n. 197, ont enseigné sur ce sujet *qu'il suffit d'être présent à la*
Messe de corps, quoiqu'on soit absent d'esprit, pourvu qu'on
demeure dans une contenance respectueuse extérieurement. Et
Vasquez passe plus avant : car il dit *qu'on satisfait au précepte*
d'ouïr la Messe, encore même qu'on ait l'intention de n'en rien
faire. Tout cela est aussi dans Escobar, tr. 1, ex. 11, n. 74 et
107 ; et encore au tr. 1, ex. 1, n. 116, où il l'explique par
l'exemple de ceux qu'on mène à la Messe par force, et qui ont
l'intention expresse de ne la point entendre. Vraiment, lui
dis-je, je ne le croirais jamais, si un autre me le disait ! En
effet, dit-il, cela a quelque besoin de l'autorité de ces grands
hommes ; aussi bien que ce que dit Escobar au tr. 1, ex. 11,
n. 31 : *Qu'une méchante intention, comme de regarder des*
femmes avec un désir impur, jointe à celle d'ouïr la Messe comme
il faut, n'empêche pas qu'on n'y satisfasse ; nec obest alia prava
intentio, ut aspiciendi libidinose feminas.

Mais on trouve encore une chose commode dans notre
savant Turrianus [19], *Select.*, p. 2, d. 16, dub. 7 : *Qu'on peut*
ouïr la moitié d'une Messe d'un prêtre, et ensuite une autre moitié
d'un autre, et même qu'on peut ouïr d'abord la fin de l'une, et
ensuite le commencement d'une autre. Et je vous dirai de plus
qu'on a permis encore d'*ouïr deux moitiés de Messe en même*
temps de deux différents prêtres, lorsque l'un commence la Messe
quand l'autre en est à l'Élévation, parce qu'on peut avoir
l'attention à ces deux côtés à la fois, et que deux moitiés de Messe
font une Messe entière : Duae medietates unam missam consti-
tuunt. C'est ce qu'ont décidé nos Pères Bauny, tr. 6, q. 9,
p. 312 ; Hurtado, *De Sacr.*, to. 2, *De Missa*, d. 5, diff. 4 ;
Azorius, p. 1, l. 7, c. 3, q. 3 ; Escobar, tr. 1, ex. 11, n. 73,
dans le chapitre *De la Pratique pour ouïr la Messe selon notre*
Société. Et vous verrez les conséquences qu'il en tire dans ce
même livre de l'édition de Lyon, de l'année 1644, et 1646, en
ces termes : *De là je conclus que vous pouvez ouïr la Messe en*
très peu de temps si par exemple vous rencontrez quatre Messes à
la fois, qui soient tellement assorties, que quand l'une commence,
l'autre soit à l'Évangile, une autre à la Consécration, et la

dernière à la Communion. Certainement, mon Père, on entendra la Messe dans Notre-Dame en un instant par ce moyen. Vous voyez donc, dit-il, qu'on ne pouvait pas mieux faire pour faciliter la manière d'ouïr la Messe.

Mais je veux vous faire voir maintenant comment on a adouci l'usage des sacrements, et surtout de celui de la pénitence. Car c'est là où vous verrez la dernière bénignité de la conduite de nos Pères ; et vous admirerez que la dévotion, qui étonnait tout le monde, ait pu être traitée par nos Pères avec une telle prudence, *qu'ayant abattu cet épouvantail que les démons avaient mis à sa porte,* ils l'aient rendue *plus facile que le vice, et plus aisée que la volupté,* en sorte *que le simple vivre est incomparablement plus malaisé que le bien vivre,* pour user des termes du P. Le Moyne, p. 244 et 291 de sa *Dévotion aisée.* N'est-ce pas là un merveilleux changement ? En vérité, lui dis-je, mon Père, je ne puis m'empêcher de vous dire ma pensée. Je crains que vous ne preniez mal vos mesures, et que cette indulgence ne soit capable de choquer plus de monde que d'en attirer. Car la Messe par exemple est une chose si grande et si sainte qu'il suffirait, pour faire perdre à vos auteurs toute créance dans l'esprit de plusieurs personnes, de leur montrer de quelle manière ils en parlent. Cela est bien vrai, dit le Père, à l'égard de certaines gens ; mais ne savez-vous pas que nous nous accommodons à toute sorte de personnes ? Il semble que vous ayez perdu la mémoire de ce que je vous ai dit si souvent sur ce sujet. Je veux donc vous en entretenir la première fois à loisir, en différant pour cela notre entretien des adoucissements de la confession. Je vous le ferai si bien entendre que vous ne l'oublierez jamais. Nous nous séparâmes là-dessus ; et ainsi je m'imagine que notre première conversation sera de leur politique. Je suis, etc.

Depuis que j'ai écrit cette lettre, j'ai vu le livre du *Paradis ouvert par cent dévotions aisées à pratiquer,* par le P. Barry, et celui *de la marque de prédestination,* par le P. Binet. Ce sont des pièces dignes d'être vues [20].

DIXIÈME LETTRE
ÉCRITE À UN PROVINCIAL
PAR UN DE SES AMIS

De Paris ce 2 août 1656.

MONSIEUR,

Ce n'est pas encore ici la politique de la Société ; mais c'en est un des plus grands principes. Vous y verrez les adoucissements de la Confession, qui sont assurément le meilleur moyen que ces Pères aient trouvé pour attirer tout le monde et ne rebuter personne. Il fallait savoir cela, avant que de passer outre. Et c'est pourquoi le Père trouva à propos de m'en instruire en cette sorte.

Vous avez vu, me dit-il, par tout ce que je vous ai dit jusques ici, avec quel succès nos Pères ont travaillé à découvrir par leur lumière qu'il y a un grand nombre de choses permises qui passaient autrefois pour défendues ; mais, parce qu'il reste encore des péchés qu'on n'a pu excuser, et que l'unique remède en est la Confession, il a été bien nécessaire d'en adoucir les difficultés, par les voies que j'ai maintenant à vous dire. Et ainsi, après vous avoir montré dans toutes nos conversations précédentes comment on a soulagé les scrupules qui troublaient les consciences, en faisant voir que ce qu'on croyait mauvais ne l'est pas, il reste à vous montrer en celle-ci la manière d'expier facilement ce qui est véritablement péché, en rendant la Confession aussi aisée qu'elle était difficile autrefois. Et par quel moyen, mon

Père ? C'est, dit-il, par ces subtilités admirables qui sont propres à notre Compagnie, et que nos Pères de Flandres appellent dans l'*Image de notre premier siècle*, l. 3, or. 1, p. 401, et l. 1, c. 2, *de pieuses et saintes finesses ; et un saint artifice de dévotion : piam et religiosam calliditatem. Et pietatis solertiam.* Au l. 3, c. 8[1], c'est par le moyen de ces inventions *que les crimes s'expient aujourd'hui alacrius, avec plus d'allégresse et d'ardeur qu'ils ne se commettaient autrefois ; en sorte que plusieurs personnes effacent leurs taches aussi promptement qu'ils les contractent : plurimi vix citius maculas contrahunt quam eluunt,* comme il est dit au même lieu. Apprenez-moi donc, je vous prie, mon Père, *ces finesses* si salutaires. Il y en a plusieurs, me dit-il, car comme il se trouve beaucoup de choses pénibles dans la Confession, on a apporté des adoucissements à chacune. Et parce que les principales peines qui s'y rencontrent sont la honte de confesser certains péchés, le soin d'en exprimer les circonstances, la pénitence qu'il en faut faire, la résolution de n'y plus tomber, la fuite des occasions prochaines qui y engagent, et le regret de les avoir commis, j'espère vous montrer aujourd'hui qu'il ne reste presque rien de fâcheux en tout cela, tant on a eu soin d'ôter toute l'amertume et toute l'aigreur d'un remède si nécessaire.

Car pour commencer par la peine qu'on a de confesser certains péchés, comme vous n'ignorez pas qu'il est souvent assez important de se conserver dans l'estime de son confesseur, n'est-ce pas une chose bien commode de permettre, comme font nos Pères, et entre autres Escobar, qui cite encore Suarez, tr. 7, a. 4[2], n. 135, *d'avoir deux confesseurs, l'un pour les péchés mortels, et l'autre pour les véniels, afin de se maintenir en bonne réputation auprès de son confesseur ordinaire, uti bonam famam apud ordinarium tueatur, pourvu qu'on ne prenne pas de là occasion de demeurer dans le péché mortel*[3] ? Et il donne ensuite un autre subtil moyen pour se confesser d'un péché à son confesseur ordinaire même, sans qu'il s'aperçoive qu'on l'a commis depuis la dernière confession. *C'est*, dit-il, *de faire une confession générale, et de confondre ce dernier péché avec les autres dont on s'accuse en gros*. Il dit encore la même chose, Princ.[4] ex. 2, n. 73. Et vous avouerez, je m'assure, que cette décision du P. Bauny, *Théol. mor.* tr. 4, q. 15, p. 137, soulage encore bien la honte qu'on a de confesser ses rechutes : *Que hors de certaines occasions, qui n'arrivent que rarement, le confesseur n'a pas droit de demander si le péché dont on s'accuse est un péché d'habitude, et qu'on n'est pas obligé de lui répondre sur cela, parce qu'il n'a pas droit de donner à son pénitent la honte de déclarer ses rechutes fréquentes.*

Comment, mon Père ! j'aimerais autant dire qu'un médecin n'a pas droit de demander à son malade s'il y a longtemps qu'il a la fièvre. Les péchés ne sont-ils pas tous différents selon ces différentes circonstances, et le dessein d'un véritable pénitent ne doit-il pas être d'exposer tout l'état de sa conscience à son confesseur avec la même sincérité et la même ouverture de cœur que s'il parlait à Jésus-Christ, dont le prêtre tient la place ? Et n'est-on pas bien éloigné de cette disposition quand on cache ses rechutes fréquentes, pour cacher la grandeur de son péché ? Je vis le bon Père embarrassé là-dessus : de sorte qu'il pensa à éluder cette difficulté plutôt qu'à la résoudre, en m'apprenant une autre de leurs règles, qui établit seulement un nouveau désordre, sans justifier en aucune sorte cette décision du P. Bauny, qui est, à mon sens, une de leurs plus pernicieuses maximes, et des plus propres à entretenir les vicieux dans leurs mauvaises habitudes. Je demeure d'accord, me dit-il, que l'habitude augmente la malice du péché, mais elle n'en change pas la nature, et c'est pourquoi on n'est pas obligé à s'en confesser, selon la règle de nos Pères, qu'Escobar rapporte, Princ. ex. ⟨2⟩, n. 39 : *Qu'on n'est obligé de confesser que les circonstances qui changent l'espèce du péché, et non pas celles qui l'aggravent.*

C'est selon cette règle que notre Père Granados dit, in 5 part. cont. 7, tr. 9, d. 9, n. 22, *que si on a mangé de la viande en Carême, il suffit de s'accuser d'avoir rompu le jeûne, sans dire si c'est en mangeant de la viande, ou en faisant deux repas maigres.* Et selon notre Père Reginaldus, tr. ⟨1⟩, l. 6, c. 4, n. 114 : *Un devin qui s'est servi de l'art diabolique n'est pas obligé à déclarer cette circonstance, mais il suffit de dire qu'il s'est mêlé de deviner, sans exprimer si c'est par la chiromancie, ou par un pacte avec le démon.* Et Fagundez de notre Société, p. 2, l. 4, c. 3, n. 17, dit aussi : *Le rapt n'est pas une circonstance qu'on soit tenu de découvrir quand la fille y a consenti.* Notre Père Escobar rapporte tout cela au même lieu, n. 41, 61, 62, avec plusieurs autres décisions assez curieuses des circonstances qu'on n'est pas obligé de confesser. Vous pouvez les y voir vous-même. Voilà, lui dis-je, des *artifices de dévotion* bien accommodants.

Tout cela néanmoins, dit-il, ne serait rien, si on n'avait de plus adouci la pénitence, qui est une des choses qui éloignait davantage de la confession. Mais maintenant les plus délicats ne la sauraient plus appréhender, après ce que nous avons soutenu dans nos thèses du Collège de Clermont : *Que si le Confesseur impose une pénitence convenable, convenientem, et qu'on ne veuille pas néanmoins l'accepter, on peut se retirer en renonçant à l'absolution et à la pénitence imposée.* Et Escobar dit encore dans la *Pratique de la Pénitence selon notre Société,* tr. 7, ex. 4, n. 188 : *Que si le pénitent déclare qu'il veut remettre à l'autre monde à faire pénitence, et souffrir en purgatoire toutes les peines qui lui sont dues, alors le confesseur doit lui imposer une pénitence bien légère pour l'intégrité du sacrement, et principalement s'il reconnaît qu'il n'en accepterait pas une plus grande.* Je crois, lui dis-je, que si cela était, on ne devrait plus appeler la Confession le sacrement de pénitence. Vous avez tort, dit-il, car au moins on en donne toujours quelqu'une pour la forme. Mais, mon Père, jugez-vous qu'un homme soit digne de recevoir l'absolution quand il ne veut rien faire de pénible pour expier ses offenses ? Et quand des personnes sont en cet état, ne devriez-vous pas plutôt leur retenir leurs péchés que de les leur remettre ? Avez-vous l'idée véritable de votre ministère, et ne savez-vous pas que vous y exercez le pouvoir de lier et de délier ? Croyez-vous qu'il soit permis de donner l'absolution indifféremment à tous ceux qui la demandent, sans reconnaître auparavant si Jésus-Christ délie dans le ciel ceux que vous déliez sur la terre[5] ? Eh quoi ! dit le Père, pensez-vous que nous ignorions *que le confesseur doit se rendre juge de la disposition de son pénitent, tant parce qu'il est obligé de ne pas dispenser les sacrements à ceux qui en sont indignes, Jésus-Christ lui ayant ordonné d'être dispensateur fidèle, et de ne pas donner les choses saintes aux chiens, que parce qu'il est juge, et que c'est le devoir d'un juge de juger justement, en déliant ceux qui en sont dignes, et liant ceux qui en sont indignes, et aussi parce qu'il ne doit pas absoudre ceux que Jésus-Christ condamne ?* De qui sont ces paroles-là, mon Père ? De notre Père Filiutius, répliqua-t-il, to. 1, tr. 7, n. 354. Vous me surprenez, lui dis-je, je les prenais pour être d'un des Pères de l'Église. Mais, mon Père, ce passage doit bien étonner les confesseurs, et les rendre bien circonspects dans la dispensation de ce sacrement, pour reconnaître si le regret de leurs pénitents est suffisant, et si les promesses qu'ils donnent de ne plus pécher à l'avenir sont recevables. Cela n'est point du tout embarrassant, dit le Père. Filiutius n'avait garde de laisser les confesseurs dans cette peine, et c'est pourquoi il leur donne en suite de ces paroles cette méthode facile pour en sortir : *Le confesseur peut aisément se mettre en repos touchant la disposition de son pénitent. Car s'il ne donne pas des signes suffisants de douleur, le confesseur n'a qu'à lui demander s'il ne déteste pas le péché dans son âme, et s'il répond que oui, il est obligé de l'en croire. Et il faut dire la même chose de la résolution pour l'avenir, à moins qu'il y eût quelque obligation de restituer, ou de quitter quelque occasion prochaine.* Pour ce passage, mon Père, je vois bien qu'il est de Filiutius. Vous vous trompez, dit le Père, car il a pris tout cela mot à mot de Suarez, in 3 part., to. 4, disp. 32, sect. 2, n. 2. Mais, mon Père, ce dernier passage de Filiutius détruit ce qu'il avait établi dans le premier. Car les confesseurs n'auront plus le pouvoir de se rendre juges de la disposition de leurs pénitents, puisqu'ils sont obligés de les en croire sur leur parole, lors même qu'ils ne donnent aucun signe suffisant de douleur. Est-ce qu'il y a tant de certitude dans ces paroles qu'on donne, que ce seul signe soit convaincant ? Je doute que l'expérience ait fait connaître à vos Pères que tous ceux qui leur font ces promesses les tiennent, et je suis trompé s'ils n'éprouvent souvent le contraire. Cela n'importe, dit le Père, on ne laisse pas d'obliger toujours les confesseurs à les croire. Car le P. Bauny, qui a traité cette question à fond dans sa *Somme des péchés*, c. 46, p. 1090, 1091 et 1092, conclut *que toutes les fois que ceux qui récidivent souvent, sans qu'on y voie aucun amendement, se présentent au confesseur, et lui disent qu'ils ont regret du passé et bon dessein pour l'avenir, il les en doit croire sur ce qu'ils le disent, quoiqu'il soit à présumer telles résolutions ne passer pas le bout des lèvres. Et quoiqu'ils se portent ensuite avec plus de liberté et d'excès que jamais dans les mêmes fautes, on peut néanmoins leur donner l'absolution selon mon opinion.* Voilà, je m'assure, tous vos doutes bien résolus.

Mais, mon Père, lui dis-je, je trouve que vous imposez une grande charge aux confesseurs, en les obligeant de croire le contraire de ce qu'ils voient. Vous n'entendez pas cela, dit-il, on veut dire par là qu'ils sont obligés d'agir et d'absoudre, comme s'ils croyaient que cette résolution fût ferme et constante, encore qu'ils ne le croient pas en effet. Et c'est ce que nos PP. Suarez et Filiutius expliquent ensuite des passages de tantôt. Car après avoir dit *que le prêtre est obligé de croire son pénitent sur sa parole*, ils ajoutent *qu'il n'est pas nécessaire que le confesseur se persuade que la résolution de son pénitent s'exécutera, ni qu'il le juge même probablement, mais il suffit qu'il pense qu'il en a à l'heure même le dessein en général, quoiqu'il doive retomber en bien peu de temps. Et c'est ce qu'enseignent tous nos auteurs, ita docent omnes autores.* Doute-rez-vous d'une chose que tous nos auteurs enseignent ? Mais, mon Père, que deviendra donc ce que le P. Pétau a été obligé de reconnaître lui-même dans la préface de la *Pén. Publ.*, p. 4 : *Que les saints Pères, les Docteurs et les Conciles sont d'accord, comme d'une vérité certaine, que la pénitence qui prépare à l'eucharistie doit être véritable, constante, courageuse, et non pas lâche et endormie, ni sujette aux rechutes et aux reprises.* Ne voyez-vous pas, dit-il, que le P. Pétau parle de l'*ancienne Église,* mais cela est maintenant si *peu de saison,* pour user des termes de nos Pères, que selon le P. Bauny le contraire est seul véritable ; c'est au tr. 4, q. 15, p. 95. *Il y a des auteurs qui disent qu'on doit refuser l'absolution à ceux qui retombent souvent dans les mêmes péchés, et principalement lorsqu'après les avoir plusieurs fois absous, il n'en paraît aucun amendement : et d'autres disent que non. Mais la seule véritable opinion est qu'il ne faut point leur refuser l'absolution. Et encore qu'ils ne profitent point de tous les avis qu'on leur a souvent donnés, qu'ils n'aient pas gardé les promesses qu'ils ont faites de changer de vie, qu'ils n'aient pas travaillé à se purifier, il n'importe, et quoi qu'en disent les autres, la véritable opinion, et laquelle on doit suivre, est que même en tous ces cas on les doit absoudre.* Et tr. 4, q. 22, p. 100 : *Qu'on ne doit ni refuser ni différer l'absolution à ceux qui sont dans des péchés d'habitude contre la loi de Dieu, de nature et de l'Église, quoiqu'on n'y voie aucune espérance d'amendement : Etsi emendationis futurae nulla spes appareat.*

Mais, mon Père, lui dis-je, cette assurance d'avoir toujours l'absolution pourrait bien porter les pécheurs... Je vous entends, dit-il en m'interrompant, mais écoutez le P. Bauny, q. 15 : *On peut absoudre celui qui avoue que l'espérance d'être absous l'a porté à pécher avec plus de facilité qu'il n'eût fait sans cette espérance.* Et le P. Caussin[6], défendant cette proposition, dit, page 211 de sa Rép. à la Théol. mor., *Que si elle n'était véritable, l'usage de la confession serait interdite à la plupart du monde, et qu'il n'y aurait plus d'autre remède aux pécheurs, qu'une branche d'arbre et une corde.* Ô mon Père, que ces maximes-là attireront de gens à vos confessionnaux ! Aussi, dit-il, vous ne sauriez croire combien il y en vient, *nous sommes accablés, et comme opprimés sous la foule de nos pénitents : poenitentium numero obruimur,* comme il est dit en l'*Image de notre premier siècle,* l. 3, c. 8. Je sais, lui dis-je, un moyen facile de vous décharger de cette presse. Ce serait seulement, mon Père, d'obliger les pécheurs à quitter les occasions prochaines. Vous vous soulageriez assez par cette seule invention. Nous ne cherchons pas ce soulagement, dit-il ; au contraire : car comme il est dit dans le même livre, l. 3, c. ⟨9⟩, p. 374 : *Notre Société a pour but de travailler à établir les vertus, de faire la guerre aux vices, et de servir un grand nombre d'âmes.* Et comme il y a peu d'âmes qui veuillent quitter les occasions prochaines, on a été obligé de définir ce que c'est qu'occasion prochaine, comme on voit dans Escobar en la *Pratique de notre Société*, tr. 7, ex. 4, n. 226. *On n'appelle pas occasion prochaine celle où l'on ne pèche que rarement, comme de pécher par un transport soudain avec celle avec qui on demeure, trois ou quatre fois par an*; ou selon le P. Bauny, dans son livre français, *une ou deux fois par mois,* p. 1082; et encore p. 1089, où il demande *ce qu'on doit faire entre les maîtres et servantes, cousins et cousines qui demeurent ensemble, et qui se portent mutuellement à pécher par cette occasion.* Il les faut séparer, lui dis-je. C'est ce qu'il dit aussi, *si les rechutes sont fréquentes et presque journalières : mais s'ils n'offensent que rarement par ensemble, comme serait une ou deux fois le mois, et qu'ils ne puissent se séparer sans grande incommodité et dommage, on pourra les absoudre, selon ces auteurs, et entre autres Suarez, pourvu qu'ils promettent bien de ne plus pécher et qu'ils aient un vrai regret du passé.* Je l'entendis bien. Car il m'avait déjà appris de quoi le confesseur se doit contenter pour juger de ce regret. Et le P. Bauny, continua-t-il, permet, p. 1083 et 1084, à ceux qui sont engagés dans les occasions prochaines, *d'y demeurer quand ils ne les pourraient quitter sans bailler sujet au monde de parler, ou sans en recevoir de l'incommodité.* Et il dit de même en sa Théologie morale, tr. 4, *De Pœnit.*, q. 14, p. 94 et q. 13, p. 93 : *Qu'on peut et qu'on doit absoudre une femme qui a chez elle un homme avec qui elle pèche souvent, si elle ne peut le faire sortir honnêtement, ou qu'elle ait quelque cause de le retenir : Si non potest honeste ejicere, aut habeat aliquam causam retinendi; pourvu qu'elle propose bien de ne plus pécher avec lui.* Ô mon Père, lui dis-je, l'obligation de quitter les occasions est bien adoucie, si on en est dispensé aussitôt qu'on en recevrait de l'incommodité ! mais je crois au moins qu'on y est obligé, selon vos Pères, quand il n'y a point de peine. Oui, dit le Père, quoique toutefois cela ne soit pas sans exception. Car le P. Bauny dit au même lieu : *Il est permis à toutes sortes de personnes d'entrer dans des lieux de débauche pour y convertir des femmes perdues, quoiqu'il soit bien vraisemblable qu'on y péchera : comme si on a déjà éprouvé souvent qu'on s'est laissé aller au péché par la vue et les cajoleries de ces femmes. Et encore qu'il y ait des docteurs qui n'approuvent pas cette opinion, et qui croient qu'il n'est pas permis de mettre volontairement son salut en danger pour secourir son prochain, je ne laisse pas d'embrasser très volontiers cette opinion qu'ils combattent.* Voilà, mon Père, une nouvelle sorte de prédicateurs ! Mais sur quoi se fonde le Père Bauny pour leur donner cette mission ? C'est, me dit-il, sur un de ses principes qu'il donne au même lieu après Basile Ponce. Je vous en ai parlé autrefois[7], et je crois que vous vous en souvenez. C'est *qu'on peut rechercher une occasion directement et par elle-même, primo et per se, pour le bien temporel ou spirituel de soi ou du prochain.* Ces passages me firent tant d'horreur, que je pensai rompre là-dessus. Mais je me retins, afin de le laisser aller jusques au bout, et me contentai de lui dire : Quel rapport y a-t-il, mon Père, de cette doctrine à celle de l'Évangile, qui oblige *à s'arracher les yeux, et à retrancher les choses les plus nécessaires, quand elles nuisent au salut*[8] ? Et comment pouvez-vous concevoir qu'un homme qui demeure volontairement dans les occasions des péchés les déteste sincèrement ? N'est-il pas visible, au contraire, qu'il n'en est point touché comme il faut, et qu'il n'est pas encore arrivé à cette véritable conversion de cœur, qui fait autant aimer Dieu qu'on a aimé les créatures ? Comment ! dit-il, ce serait là une véritable contrition ! Il semble que vous ne sachiez pas que, comme dit le P. Pinthereau en la 2 p. p. 50 de l'Abbé de Boisic[9] : *Tous nos Pères enseignent d'un commun accord que c'est une erreur, et presque une hérésie, de dire que la contrition soit nécessaire, et que l'attrition toute seule, et même conçue par* LE SEUL *motif des peines de l'enfer, qui exclut la volonté d'offenser, ne suffit pas avec le sacrement.* Quoi, mon Père, c'est presque un article de foi, que l'attrition conçue par la seule crainte des peines suffit avec le sacrement ? Je crois que cela est particulier à vos Pères. Car les autres qui croient que l'attrition suffit avec le sacrement, veulent au moins qu'elle soit mêlée de quelque amour de Dieu [10]. Et de plus il me semble que vos auteurs mêmes ne tenaient point autrefois que cette dotrine fût si certaine. Car votre Père Suarez en parle de cette sorte, de Pœn. q. 90, art. 4, disp. 15, sect. 4, n. 17. *Encore*, dit-il, *que ce soit une opinion probable que l'attrition suffit avec le Sacrement, toutefois elle n'est pas certaine, et elle peut être fausse : Non est certa, et potest esse falsa. Et si elle est fausse, l'attrition ne suffit pas pour sauver un homme. Donc celui qui meurt sciemment en cet état s'expose volontairement au péril moral de la damnation éternelle. Car cette opinion n'est ni fort ancienne, ni fort commune ; Nec valde antiqua, nec multum communis.* Sanchez ne trouvait pas non plus qu'elle fût si assurée, puisqu'il dit en sa Somme, 1. I, c. 9, n. 34 : *Que le malade et son confesseur qui se contenteraient à la mort de l'attrition avec le sacrement, pécheraient mortellement, à cause du grand péril de damnation où le pénitent s'exposerait, si l'opinion qui assure que l'attrition suffit avec le sacrement ne se trouvait pas véritable.* Ni Comitolus [11] aussi, quand il dit, Resp. Mor. 1. I, q. 32, n. 7, 8 : *Qu'il n'est pas trop sûr que l'attrition suffise avec le sacrement.* Le bon Père m'arrêta là-dessus. Et quoi ! dit-il, vous lisez donc nos auteurs ? Vous faites bien ; mais vous feriez encore mieux de ne les lire qu'avec quelqu'un de nous. Ne voyez-vous pas que, pour les avoir lus tout seul, vous en avez conclu que ces passages font tort à ceux qui soutiennent maintenant notre doctrine de l'attrition, au lieu qu'on vous aurait montré qu'il n'y a rien qui les relève davantage. Car quelle gloire est-ce à nos Pères d'aujourd'hui, d'avoir en moins de rien répandu si généralement leur opinion partout, que hors les théologiens il n'y a presque personne qui ne s'imagine que ce que nous tenons maintenant de l'attrition n'ait été de tout temps l'unique créance des fidèles ? Et ainsi quand vous montrez, par nos Pères mêmes, qu'il y a peu d'années *que cette opinion n'était pas certaine,* que faites-vous autre chose sinon donner à nos derniers auteurs tout l'honneur de cet établissement ?

Aussi Diana notre ami intime a cru nous faire plaisir de marquer par quels degrés on y est arrivé. C'est ce qu'il fait

p. 5, tr. 13, où il dit : *Qu'autrefois les anciens scolastiques soutenaient que la contrition était nécessaire aussitôt qu'on avait fait un péché mortel. Mais que depuis on a cru qu'on n'y était obligé que les jours de fêtes. Et ensuite, que quand quelque grande calamité menaçait tout le peuple ; que selon d'autres on était obligé à ne pas la différer longtemps quand on approche de la mort. Mais que nos Pères Hurtado et Vasquez ont réfuté excellemment toutes ces opinions-là, et établi qu'on n'y était obligé que quand on ne pouvait être absous par une autre voie, ou à l'article de la mort.* Mais pour continuer le merveilleux progrès de cette doctrine, j'ajouterai que nos Pères Fagundez, praec. 2, ⟨ 1 ⟩. 2, c. 4, n. 13 ; Granados, in 3 part. contr. 7, tr. 3, d. 3, sec. 4, n. 17 ; et Escobar, tr. 7, ex. 4, n. 88, dans *la pratique selon notre Société,* ont décidé *que la contrition n'est pas nécessaire même à la mort, parce,* disent-ils, *que si l'attrition avec le sacrement ne suffisait pas à la mort, il s'ensuivrait que l'attrition ne serait pas suffisante avec le sacrement.* Et notre savant Hurtado, de sacr. d. 6, cité par Diana, part. 4, tr. 4, Miscell. r. 193, et par Escobar, tr. 7, ex. 4, n. 91, va encore plus loin, car il dit : *Le regret d'avoir péché qu'on ne conçoit qu'à cause du seul mal temporel qui en arrive, comme d'avoir perdu la santé ou son argent, est-il suffisant ? Il faut distinguer. Si on ne pense pas que ce mal soit envoyé de la main de Dieu, ce regret ne suffit pas ; mais si on croit que ce mal est envoyé de Dieu, comme en effet tout mal,* dit Diana, *excepté le péché, vient de lui, ce regret est suffisant.* C'est ce que dit Escobar en la *Pratique de notre Société.* Notre P. François L'Amy [12] soutient aussi la même chose, T. 8, disp. 3, n. 13. Vous me surprenez, mon Père. Car je ne vois rien en toute cette attrition-là que de naturel ; et ainsi un pécheur se pourrait rendre digne de l'absolution sans aucune grâce surnaturelle : or il n'y a personne qui ne sache que c'est une hérésie condamnée par le Concile. Je l'aurais pensé comme vous, dit-il, et cependant il faut bien que cela ne soit pas. Car nos Pères du Collège de Clermont ont soutenu dans leurs thèses du 23 mai et du 6 juin 1644, col. 4, n. 1, *qu'une attrition peut être sainte et suffisante pour le sacrement, quoiqu'elle ne soit pas surnaturelle.* Et dans celle du mois d'août 1643, *qu'une attrition qui n'est que naturelle suffit pour le sacrement, pourvu qu'elle soit honnête : Ad sacramentum sufficit attritio naturalis, modo honesta.* Voilà tout ce qui se peut dire, si ce n'est qu'on veuille ajouter une conséquence, qui se tire aisément de ces principes : qui est que la contrition est si peu nécessaire au sacrement, qu'elle y serait au contraire nuisible, en ce qu'effaçant les péchés par elle-même, elle ne laisserait rien à faire au sacrement. C'est ce que dit notre Père Valentia, ce célèbre Jésuite, tom. 4, disp. 7, qu. 8, p. 4 : *La contrition n'est point du tout nécessaire pour obtenir l'effet principal du sacrement, et au contraire elle y est plutôt un obstacle : Imo obstat potius quominus effectus sequatur.* On ne peut rien désirer de plus à l'avantage de l'attrition. Je le crois, mon Père ; mais souffrez que je vous en dise mon sentiment, et que je vous fasse voir à quel excès cette doctrine conduit. Lorsque vous dites que *l'attrition conçue par la seule crainte des peines* suffit avec le Sacrement pour justifier les pécheurs, ne s'ensuit-il pas de là qu'on pourra toute sa vie expier ses péchés de cette sorte, et ainsi être sauvé, sans avoir jamais aimé Dieu en sa vie ? Or vos Pères oseraient-ils soutenir cela ? Je vois bien, répondit le Père, par ce que vous me dites, que vous avez besoin de savoir la doctrine de nos Pères touchant l'amour de Dieu. C'est le dernier trait de leur morale, et le plus important de tous. Vous deviez l'avoir compris par les passages que je vous ai cités de la contrition. Mais en voici d'autres, et ne m'interrompez donc pas ; car la suite même en est considérable. Écoutez Escobar, qui rapporte les opinions différentes de nos auteurs sur ce sujet, dans la *Pratique de l'Amour de Dieu selon notre Société*, au tr. 1, ex. 2, n. 21 et tr. 5, ex. 4, n. 8, sur cette question : *Quand est-on obligé d'avoir affection actuellement pour Dieu ? Suarez dit que c'est assez si on l'aime avant l'article de la mort, sans déterminer aucun temps. Vasquez, qu'il suffit encore à l'article de la mort. D'autres, quand on reçoit le Baptême. D'autres, quand on est obligé d'être contrit. D'autres, les jours de fêtes. Mais notre Père Castro Palao combat toutes ces opinions-là et avec raison, merito. Hurtado de Mendoza prétend*

qu'on y est obligé tous les ans, et qu'on nous traite bien
favorablement encore de ne nous y obliger pas plus souvent. Mais
notre Père Coninck croit qu'on y est obligé en trois ou quatre ans;
Henriquez tous les cinq ans. Mais Filiutius dit qu'il est probable
qu'on n'y est pas obligé à la rigueur tous les cinq ans. Et quand
donc? Il le remet au jugement des sages. Je laissai passer tout ce
badinage, où l'esprit de l'homme se joue si insolemment de
l'amour de Dieu. Mais, poursuivit-il, notre P. Antoine
Sirmond [13], qui triomphe sur cette matière dans son admirable livre de la Défense de la vertu, *où il parle français en*
France, comme il dit au lecteur, discourt ainsi au 2ᵉ tr. sect.
1, p. 12, 13, 14, etc. : *Saint Thomas dit qu'on est obligé à aimer*
Dieu aussitôt après l'usage de raison. C'est un peu bien tôt.
Scotus, chaque dimanche. Sur quoi fondé? D'autres, quand on
est grièvement tenté. Oui, en cas qu'il n'y eût que cette voie de fuir
la tentation. Sotus, quand on reçoit un bienfait de Dieu. Bon pour
l'en remercier. D'autres, à la mort. C'est bien tard. Je ne crois pas
non plus que ce soit à chaque réception de quelque sacrement.
L'attrition y suffit avec la confession, si on en a la commodité.
Suarez dit qu'on y est obligé en un temps. Mais en quel temps? Il
vous en fait juge, et il n'en sait rien. Or ce que ce Docteur n'a pas
su, je ne sais qui le sait. Et il conclut enfin qu'on n'est obligé à
autre chose à la rigueur qu'à observer les autres commandements, sans aucune affection pour Dieu, et sans que notre
cœur soit à lui, pourvu qu'on ne le haïsse pas. C'est ce qu'il
prouve en tout son second traité. Vous le verrez à chaque
page, et entre autres aux 16, 19, 24, 28, où il dit ces mots :
Dieu en nous commandant de l'aimer se contente que nous lui
obéissions en ses autres commandements. Si Dieu eût dit : Je vous
perdrai, quelque obéissance que vous me rendiez, si de plus votre
cœur n'est à moi : ce motif, à votre avis, eût-il été bien
proportionné à la fin que Dieu a dû et a pu avoir? Il est donc dit
que nous aimerons Dieu en faisant sa volonté, comme si nous
l'aimions d'affection, comme si le motif de la charité nous y
portait. Si cela arrive réellement, encore mieux : sinon, nous ne
laisserons pas pourtant d'obéir en rigueur au commandement
d'amour, en ayant les œuvres, de façon que (voyez la bonté de

Dieu !) il ne nous est pas tant commandé de l'aimer, que de ne le point haïr.

C'est ainsi que nos Pères ont déchargé les hommes de l'obligation *pénible* d'aimer Dieu actuellement. Et cette doctrine est si avantageuse, que nos Pères Annat, Pinthereau, Le Moyne, et A. Sirmond même, l'ont défendue vigoureusement, quand on a voulu la combattre. Vous n'avez qu'à le voir dans leurs réponses à la Théologie Morale : et celle du P. Pinthereau en la 2 p. de l'Abbé de Boisic, p. 53, vous fera juger de la valeur de cette dispense par le prix qu'il dit qu'elle a coûté, qui est le sang de Jésus-Christ. C'est le couronnement de cette doctrine. Vous y verrez donc que cette dispense de l'obligation *fâcheuse* d'aimer Dieu est le privilège de la loi évangélique par-dessus la judaïque. *Il a été raisonnable,* dit-il, *que dans la loi de grâce du Nouveau Testament Dieu levât l'obligation fâcheuse et difficile, qui était en la loi de rigueur, d'exercer un acte de parfaite contrition pour être justifié, et qu'il instituât des sacrements pour suppléer à son défaut à l'aide d'une disposition plus facile. Autrement, certes, les chrétiens, qui sont les enfants, n'auraient pas maintenant plus de facilité à se remettre aux bonnes grâces de leur Père que les Juifs, qui étaient les esclaves, pour obtenir miséricorde de leur Seigneur.*

Ô mon Père, il n'y a point de patience que vous ne mettiez à bout, et on ne peut ouïr sans horreur les choses que je viens d'entendre. Ce n'est pas de moi-même, dit-il. Je le sais bien, mon Père. Mais vous n'en avez point d'aversion et bien loin de détester les auteurs de ces maximes, vous avez de l'estime pour eux. Ne craignez-vous pas que votre consentement ne vous rende participant de leur crime ? Et pouvez-vous ignorer que saint Paul juge *dignes de mort non seulement les auteurs des maux, mais aussi ceux qui y consentent* [14] ?

Ne suffisait-il pas d'avoir permis aux hommes tant de choses défendues, par les palliations que vous y avez apportées ? Fallait-il encore leur donner l'occasion de commettre les crimes mêmes que vous n'avez pu excuser, par la facilité et l'assurance de l'absolution que vous leur en offrez, en détruisant à ce dessein la puissance des prêtres, et les obligeant d'absoudre plutôt en esclaves qu'en juges les pécheurs les plus envieillis, sans aucun amour de Dieu, sans changement de vie ; sans aucun signe de regret, que des promesses cent fois violées ; sans pénitence, *s'ils n'en veulent point accepter ;* et sans quitter les occasions des vices, *s'ils en reçoivent de l'incommodité ?* Mais on passe encore au-delà, et la licence qu'on a prise d'ébranler les règles les plus saintes de la conduite chrétienne se porte jusqu'au renversement entier de la loi de Dieu. On viole *le grand commandement, qui comprend la loi et les prophètes* [15] ; on attaque la piété dans le cœur ; on en ôte l'esprit qui donne la vie ; on dit que l'amour de Dieu n'est pas nécessaire au salut ; et on va même jusqu'à prétendre que *cette dispense d'aimer Dieu est l'avantage que Jésus-Christ a apporté au monde.* C'est le comble de l'impiété. Le prix du sang de *Jésus-Christ* sera de nous obtenir la dispense de l'aimer. Avant l'Incarnation on était obligé d'aimer Dieu ; mais depuis que *Dieu a tant aimé le monde qu'il lui a donné son Fils unique* [16], le monde, racheté par lui, sera déchargé de l'aimer. Étrange théologie de nos jours ! On ose lever *l'anathème* que saint Paul prononce *contre ceux qui n'aiment pas le Seigneur Jésus* [17] ! On ruine ce que dit saint Jean, que *qui n'aime point demeure en la mort* [18] ; et ce que dit Jésus-Christ même, que *qui ne l'aime point, ne garde point ses préceptes* [19] ! Ainsi on rend dignes de jouir de Dieu dans l'éternité ceux qui n'ont jamais aimé Dieu en toute leur vie ! Voilà le mystère d'iniquité accompli. Ouvrez enfin les yeux, mon Père et si vous n'avez point été touché par les autres égarements de vos casuistes, que ces derniers vous en retirent par leurs excès. Je le souhaite de tout mon cœur pour vous et pour tous vos Pères, et prie Dieu qu'il daigne leur faire connaître combien est fausse la lumière qui les a conduits jusqu'à de tels précipices, et qu'il remplisse de son amour ceux qui en dispensent les hommes.

Après quelques discours de cette sorte, je quittai le Père. Et je ne vois guère d'apparence d'y retourner ; mais n'y ayez pas de regret ; car s'il était nécessaire de vous entretenir encore de leurs maximes, j'ai assez lu leurs livres pour pouvoir vous en dire à peu près autant de leur morale, et peut-être plus de leur politique, qu'il n'eût fait lui-même. Je suis, etc.

ONZIÈME LETTRE
ÉCRITE PAR L'AUTEUR
DES LETTRES AU PROVINCIAL
AUX RÉVÉRENDS PÈRES JÉSUITES

Du 18 août 1656.

MES RÉVÉRENDS PÈRES,

J'ai vu les lettres que vous débitez contre celles que j'ai écrites à un de mes amis sur le sujet de votre morale, où l'un des principaux points de votre défense est que je n'ai pas parlé assez sérieusement de vos maximes ; c'est ce que vous répétez dans tous vos écrits, et que vous poussez jusqu'à dire *que j'ai tourné les choses saintes en raillerie* [1].

Ce reproche, mes Pères, est bien surprenant et bien injuste. Car en quel lieu trouvez-vous que je tourne les choses saintes en raillerie ? Vous marquez en particulier *le contrat Mohatra*, et *l'histoire de Jean d'Alba* [2]. Mais est-ce cela que vous appelez des choses saintes ?

Vous semble-t-il que le Mohatra soit une chose si vénérable, que ce soit un blasphème de n'en pas parler avec respect ? Et les leçons du P. Bauny pour le larcin, qui portèrent Jean d'Alba à le pratiquer contre vous-mêmes, sont-elles si sacrées que vous ayez droit de traiter d'impies ceux qui s'en moquent ?

Quoi ! mes Pères, les imaginations de vos écrivains passeront pour les vérités de la foi, et on ne pourra se moquer des passages d'Escobar, et des décisions si fantasques et si peu chrétiennes de vos autres auteurs, sans qu'on soit accusé de rire de la religion ? Est-il possible que vous ayez osé redire si souvent une chose si peu raisonnable ? Et ne craignez-vous point, en me blâmant de m'être moqué de vos égarements, de me donner un nouveau sujet de me moquer de ce reproche, et de le faire retomber sur vous-mêmes en montrant que je n'ai pris sujet de rire que de ce qu'il y a de ridicule dans vos livres ; et qu'ainsi, en me moquant de votre morale, j'ai été aussi éloigné de me moquer des choses saintes, que la doctrine de vos casuistes est éloignée de la doctrine sainte de l'Evangile ?

En vérité, mes Pères, il y a bien de la différence entre rire de la religion, et rire de ceux qui la profanent par leurs opinions extravagantes. Ce serait une impiété de manquer de respect pour les vérités que l'esprit de Dieu a révélées, mais ce serait une autre impiété de manquer de mépris pour les faussetés que l'esprit de l'homme leur oppose.

Car, mes Pères, puisque vous m'obligez d'entrer en ce discours, je vous prie de considérer que, comme les vérités chrétiennes sont dignes d'amour et de respect, les erreurs qui leur sont contraires sont dignes de mépris et de haine, parce qu'il y a deux choses dans les vérités de notre religion : une beauté divine qui les rend aimables, et une sainte majesté qui les rend vénérables ; et qu'il y a aussi deux choses dans les erreurs : l'impiété qui les rend horribles, et l'impertinence qui les rend ridicules. Et c'est pourquoi, comme les saints ont toujours pour la vérité ces deux sentiments d'amour et de crainte, et que leur sagesse est toute comprise entre la crainte, qui en est le principe, et l'amour, qui en est la fin, les saints ont aussi pour l'erreur ces deux sentiments de haine et de mépris, et leur zèle s'emploie également à repousser avec force la malice des impies et à confondre avec risée leur égarement et leur folie.

Ne prétendez donc pas, mes Pères, de faire accroire au monde que ce soit une chose indigne d'un chrétien de traiter les erreurs avec moquerie, puisqu'il est aisé de faire connaître à ceux qui ne le sauraient pas que cette pratique est juste, qu'elle est commune aux Pères de l'Église, et qu'elle est autorisée par l'Écriture, et par l'exemple des plus grands saints, et de Dieu même[3].

Car ne voyons-nous pas que Dieu hait et méprise les pécheurs tout ensemble, jusques là même qu'à l'heure de leur mort, qui est le temps où leur état est le plus déplorable et le plus triste, la sagesse divine joindra la moquerie et la risée à la vengeance et à la fureur qui les condamnera à des supplices éternels ? *In interitu vestro ridebo et subsannabo.* Et les saints, agissant par le même esprit, en useront de même, puisque, selon David, quand ils verront la punition des méchants, *ils en trembleront et en riront en même temps : Videbunt justi, et timebunt, et super eum ridebunt*[4]. Et Job en parle de même : *Innocens subsannabit eos*[5].

Mais c'est une chose bien remarquable sur ce sujet, que dans les premières paroles que Dieu a dites à l'homme depuis sa chute, on trouve un discours de moquerie, et *une ironie piquante*, selon les Pères. Car après qu'Adam eut désobéi dans l'espérance que le démon lui avait donnée d'être fait semblable à Dieu, il paraît par l'Écriture que Dieu en punition le rendit sujet à la mort, et qu'après l'avoir réduit à cette misérable condition, qui était due à son péché, il se moqua de lui en cet état par ces paroles de risée : *Voilà l'homme qui est devenu comme l'un de nous : Ecce Adam quasi unus ex nobis.* Ce qui est *une ironie sanglante et sensible*, dont Dieu le *piquait vivement*, selon saint Chrysostome et les interprètes. *Adam*, dit Rupert, *méritait d'être raillé par cette ironie, et on lui faisait sentir sa folie bien plus vivement par cette expression ironique que par une expression sérieuse.* Et Hugues de Saint-Victor, ayant dit la même chose, ajoute *que cette ironie était due à sa sotte crédulité, et que cette espèce de raillerie est une action de justice, lorsque celui envers qui on en use l'a méritée*[6].

Vous voyez donc, mes Pères, que la moquerie est quelquefois plus propre à faire revenir les hommes de leurs égarements, et qu'elle est alors une action de justice ; parce que, comme dit Jérémie, *les actions de ceux qui errent sont dignes de risée à cause de leur vanité : vana sunt et risu digna*[7]. Et c'est si peu une impiété de s'en rire, que c'est l'effet d'une sagesse divine selon cette parole de saint Augustin : *Les sages rient des insensés, parce qu'ils sont sages, non pas de leur propre sagesse, mais de cette sagesse divine qui rira de la mort des méchants*[8].

Aussi les Prophètes remplis de l'esprit de Dieu ont usé de ces moqueries, comme nous voyons par les exemples de Daniel et d'Elie[9]. Enfin les discours de Jésus-Christ même n'en sont pas sans exemple ; et saint Augustin remarque que, quand il voulut humilier Nicodème[10], qui se croyait habile dans l'intelligence de la loi : *Comme il le voyait enflé d'orgueil par sa qualité de Docteur des Juifs, il exerce et étonne sa présomption par la hauteur de ses demandes, et l'ayant réduit à l'impuissance de répondre : Quoi ! lui dit-il, vous êtes Maître en Israël, et vous ignorez ces choses ? Ce qui est le même que s'il eût dit : Prince superbe, reconnaissez que vous ne savez rien.* Et saint Chrysostome et saint Cyrille disent sur cela *qu'il méritait d'être joué de cette sorte*[11].

Vous voyez donc, mes Pères, que s'il arrivait aujourd'hui que des personnes qui feraient les maîtres envers les Chrétiens, comme Nicodème et les Pharisiens envers les Juifs, ignoraient les principes de la religion, et soutenaient, par exemple, *qu'on peut être sauvé sans avoir jamais aimé Dieu en toute sa vie*[12], on suivrait en cela l'exemple de Jésus-Christ, en se jouant de leur vanité et de leur ignorance.

Je m'assure, mes Pères, que ces exemples sacrés suffisent pour vous faire entendre que ce n'est pas une conduite contraire à celle des Saints, de rire des erreurs et des égarements des hommes ; autrement il faudrait blâmer celle des plus grands Docteurs de l'Église qui l'ont pratiquée, comme saint Jérôme dans ses lettres et dans ses écrits contre Jovinien, Vigilance, et les Pélagiens ; Tertullien, dans son Apologétique contre les folies des idolâtres ; saint Augustin contre les religieux d'Afrique, qu'il appelle les Chevelus ; saint Irénée contre les Gnostiques ; saint Bernard et les autres Pères de l'Église, qui, ayant été les imitateurs des Apôtres, doivent être imités par les fidèles dans toute la suite des temps, puisqu'ils sont proposés, quoi qu'on en dise, comme le véritable modèle des chrétiens mêmes d'aujourd'hui.

Je n'ai donc pas cru faillir en les suivant. Et comme je pense l'avoir assez montré, je ne dirai plus sur ce sujet que ces excellentes paroles de Tertullien [13], qui rendent raison de tout mon procédé. *Ce que j'ai fait n'est qu'un jeu avant un véritable combat. J'ai montré les blessures qu'on vous peut faire, plutôt que je ne vous en ai fait. Que s'il se trouve des endroits où l'on soit excité à rire, c'est parce que les sujets mêmes y portaient. Il y a beaucoup de choses qui méritent d'être moquées et jouées de la sorte, de peur de leur donner du poids en les combattant sérieusement. Rien n'est plus dû à la vanité que la risée, et c'est proprement à la vérité à qui il appartient de rire, parce qu'elle est gaie, et de se jouer de ses ennemis, parce qu'elle est assurée de la victoire. Il est vrai qu'il faut prendre garde que les railleries ne soient pas basses et indignes de la vérité. Mais à cela près, quand on pourra s'en servir avec adresse, c'est un devoir que d'en user.* Ne trouvez-vous pas, mes Pères, que ce passage est bien juste à notre sujet : *Ce que j'ai fait n'est qu'un jeu avant un véritable combat ?* Je n'ai fait encore que me jouer, *et vous montrer plutôt les blessures qu'on vous peut faire, que je ne vous en ai fait.* J'ai exposé simplement vos passages sans y faire presque de réflexion. *Que si on y a été excité à rire, c'est parce que les sujets y portaient d'eux-mêmes.* Car qu'y a-t-il de plus propre à exciter à rire, que de voir une chose aussi grave que la morale chrétienne remplie d'imaginations aussi grotesques que les vôtres ? On conçoit une si haute attente de ces maximes, qu'on dit *que Jésus-Christ a lui-même révélées à des Pères de la Société* [14], que quand on y trouve *qu'un prêtre qui a reçu de l'argent pour dire une messe peut outre cela en prendre d'autres personnes en leur cédant toute la part qu'il a au sacrifice* [15] ; *qu'un religieux n'est pas excommunié pour quitter son habit, lorsque c'est pour danser, pour filouter, ou pour aller incognito en des lieux de débauche* [16] ; *et qu'on satisfait au précepte d'ouïr la messe en entendant quatre quarts de messe à la fois de différents prêtres* [17] ; lors, dis-je, qu'on entend ces décisions, et autres semblables, il est impossible que cette surprise ne fasse rire, parce que rien n'y porte davantage qu'une disproportion surprenante entre ce qu'on attend et ce qu'on voit. Et comment aurait-on pu traiter autrement la plupart de ces matières, puisque ce serait *les autoriser, que de les traiter sérieusement,* selon Tertullien ? Quoi ! faut-il employer la force de l'Écriture et de la Tradition pour montrer que c'est tuer son ennemi en trahison que de lui donner des coups d'épée par derrière et dans une embûche ? et que c'est acheter un bénéfice que de donner de l'argent comme un motif pour se le faire résigner ? Il y a donc des matières qu'il faut mépriser, et *qui méritent d'être jouées et moquées.* Enfin ce que dit cet ancien auteur, *que rien n'est plus dû à la vanité que la risée,* et le reste de ces paroles s'applique ici avec tant de justesse et avec une force si convaincante, qu'on ne saurait plus douter qu'on peut bien rire des erreurs sans blesser la bienséance. Et je vous dirai aussi, mes Pères, qu'on en peut rire sans blesser la charité, quoique ce soit une des choses que vous me reprochez encore dans vos écrits. Car *la charité oblige quelquefois à rire des erreurs des hommes pour les porter eux-mêmes à en rire et à les fuir,* selon cette parole de saint Augustin [18] : *Haec tu misericorditer irride, ut eis ridenda ac fugienda commendes.* Et la même charité oblige aussi quelquefois à les repousser avec colère, selon cette autre parole de saint Grégoire de Nazianze [19] : *L'esprit de charité et de douceur a ses émotions et ses colères.* En effet, comme dit saint Augustin [20] : *Qui oserait dire que la vérité doit demeurer désarmée contre le mensonge, et qu'il sera permis aux ennemis de la foi d'effrayer les fidèles par des paroles fortes, et de les réjouir par des rencontres d'esprit agréables ; mais que les catholiques ne doivent écrire qu'avec une froideur de style qui endorme les lecteurs ?*

Ne voit-on pas que selon cette conduite on laisserait introduire dans l'Église les erreurs les plus extravagantes et les plus pernicieuses, sans qu'il fût permis de s'en moquer avec mépris, de peur d'être accusé de blesser la bienséance, ni de les confondre avec véhémence, de peur d'être accusé de manquer de charité ?

Quoi ! mes Pères, il vous sera permis de dire *qu'on peut tuer pour éviter un soufflet et une injure* [21], et il ne sera pas permis de réfuter publiquement une erreur publique d'une telle conséquence ? Vous aurez la liberté de dire *qu'un juge peut en conscience retenir ce qu'il a reçu pour faire une injustice* [22], sans qu'on ait la liberté de vous contredire ? Vous imprimerez, avec privilège et approbation de vos docteurs, *qu'on peut être sauvé sans avoir jamais aimé Dieu* [23], et vous fermerez la bouche à ceux qui défendront la vérité de la foi, en leur disant qu'ils blesseraient la charité de frères en vous attaquant, la modestie de chrétiens en riant de vos maximes ? Je doute, mes Pères, qu'il y ait des personnes à qui vous ayez pu le faire accroire. Mais néanmoins, s'il s'en trouvait qui en fussent persuadés, et qui crussent que j'aurais blessé la charité que je vous dois, en décriant votre morale, je voudrais bien qu'ils examinassent avec attention d'où naît en eux ce sentiment. Car encore qu'ils s'imaginent qu'il part de leur zèle, qui n'a pu souffrir sans scandale de voir accuser leur prochain, je les prierais de considérer qu'il n'est pas impossible qu'il vienne d'ailleurs, et qu'il est même assez vraisemblable qu'il vient du déplaisir secret et souvent caché à nous-mêmes, que le malheureux fond qui est en nous ne manque jamais d'exciter contre ceux qui s'opposent au relâchement des mœurs. Et pour leur donner une règle qui leur en fasse reconnaître le véritable principe, je leur demanderais si, en même temps qu'ils se plaignent de ce qu'on a traité de la sorte des religieux, ils se plaignent encore davantage de ce que des religieux ont traité la vérité de la sorte. Que s'ils sont irrités non seulement contre les Lettres, mais encore plus contre les maximes qui y sont rapportées, j'avouerai qu'il se peut faire que leur ressentiment part de quelque zèle, mais peu éclairé ; et alors les passages qui sont ici suffiront pour les éclaircir. Mais s'ils s'emportent seulement contre les répréhensions, et non pas contre les choses qu'on a reprises, en vérité, mes Pères, je ne m'empêcherai jamais de leur dire qu'ils sont grossièrement abusés, et que leur zèle est bien aveugle.

Étrange zèle qui s'irrite contre ceux qui accusent des fautes publiques, et non pas contre ceux qui les commettent! Quelle nouvelle charité qui s'offense de voir confondre des erreurs manifestes par la seule exposition que l'on en fait, et qui ne s'offense point de voir renverser la morale par ces erreurs! Si ces personnes étaient en danger d'être assassinées, s'offenseraient-elles de ce qu'on les avertirait de l'embûche qu'on leur dresse et, au lieu de se détourner de leur chemin pour l'éviter, s'amuseraient-elles à se plaindre du peu de charité qu'on aurait eu de découvrir le dessein criminel de ces assassins? S'irritent-ils lorsqu'on leur dit de ne manger pas d'une viande, parce qu'elle est empoisonnée[24], ou de n'aller pas dans une ville, parce qu'il y a de la peste?

D'où vient donc qu'ils trouvent qu'on manque de charité quand on découvre des maximes nuisibles à la religion, et qu'ils croient au contraire qu'on manquerait de charité de ne pas découvrir les choses nuisibles à leur santé et à leur vie, sinon parce que l'amour qu'ils ont pour la vie leur fait recevoir favorablement tout ce qui contribue à la conserver, et que l'indifférence qu'ils ont pour la vérité fait que non seulement ils ne prennent aucune part à sa défense, mais qu'ils voient même avec peine qu'on s'efforce de détruire le mensonge?

Qu'ils considèrent donc devant Dieu combien la morale que vos casuistes répandent de toutes parts est honteuse et pernicieuse à l'Église; combien la licence qu'ils introduisent dans les mœurs est scandaleuse et démesurée; combien la hardiesse avec laquelle vous les soutenez est opiniâtre et violente. Et s'ils ne jugent qu'il est temps de s'élever contre de tels désordres, leur aveuglement sera aussi à plaindre que le vôtre, mes Pères, puisque et vous et eux avez un pareil sujet de craindre cette parole de saint Augustin sur celle de Jésus-Christ dans l'Évangile[25]: *Malheur aux aveugles qui conduisent! malheur aux aveugles qui sont conduits! vae coecis ducentibus! vae coecis sequentibus!*

Mais afin que vous n'ayez plus lieu de donner ces impressions aux autres, ni de les prendre vous-mêmes, je vous dirai, mes Pères (et je suis honteux de ce que vous

m'engagez à vous dire ce que je devrais apprendre de vous),
je vous dirai donc quelles marques les Pères de l'Église nous
ont données pour juger si les répréhensions partent d'un
esprit de piété et de charité, ou d'un esprit d'impiété et de
haine.

La première de ces règles est que l'esprit de piété porte
toujours à parler avec vérité et sincérité, au lieu que l'envie et
la haine emploient le mensonge et la calomnie : *splendentia et
vehementia, sed rebus veris*, dit saint Augustin[26]. Quiconque
se sert du mensonge agit par l'esprit du diable. Il n'y a point
de direction d'intention qui puisse rectifier la calomnie, et
quand il s'agirait de convertir toute la terre, il ne serait pas
permis de noircir des personnes innocentes ; parce qu'on ne
doit pas faire le moindre mal pour en faire réussir le plus
grand bien[27], et *que la vérité de Dieu n'a pas besoin de notre
mensonge*[28], selon l'Écriture. *Il est du devoir des défenseurs de
la vérité*, dit saint Hilaire, *de n'avancer que des choses
véritables*. Aussi, mes Pères, je puis dire devant Dieu qu'il n'y
a rien que je déteste davantage que de blesser tant soit peu la
vérité ; et que j'ai toujours pris un soin très particulier, non
seulement de ne pas falsifier, ce qui serait horrible, mais de
ne pas altérer ou détourner le moins du monde le sens d'un
passage. De sorte que, si j'osais me servir en cette rencontre
des paroles du même saint Hilaire, je pourrais bien vous dire
avec lui : *Si nous disons des choses fausses, que nos discours
soient tenus pour infâmes ; mais si nous montrons que celles que
nous produisons sont publiques et manifestes, ce n'est point sortir
de la modestie et de la liberté apostolique de les reprocher*[29].

Mais ce n'est pas assez, mes Pères, de ne dire que des
choses véritables, il faut encore ne pas dire toutes celles qui
sont véritables ; parce qu'on ne doit rapporter que les choses
qu'il est utile de découvrir, et non pas celles qui ne
pourraient que blesser sans apporter aucun fruit. Et ainsi,
comme la première règle est de parler avec vérité, la seconde
est de parler avec discrétion. *Les méchants*, dit saint Augustin, *persécutent les bons en suivant aveuglément la passion qui les
anime ; au lieu que les bons persécutent les méchants avec une sage*

discrétion, de même que les chirurgiens considèrent ce qu'ils coupent, au lieu que les meurtriers ne regardent point où ils frappent[30]. Vous savez bien, mes Pères, que je n'ai pas rapporté des maximes de vos auteurs celles qui vous auraient été les plus sensibles, quoique j'eusse pu le faire, et même sans pécher contre la discrétion, non plus que de savants hommes et très catholiques, mes Pères, qui l'ont fait autrefois[31]. Et tous ceux qui ont lu vos auteurs savent aussi bien que vous combien en cela je vous ai épargnés : outre que je n'ai parlé en aucune sorte contre ce qui vous regarde chacun en particulier, et je serais fâché d'avoir rien dit des fautes secrètes et personnelles, quelque preuve que j'en eusse[32]. Car je sais que c'est le propre de la haine et de l'animosité, et qu'on ne doit jamais le faire, à moins qu'il y en ait une nécessité bien pressante pour le bien de l'Église. Il est donc visible que je n'ai manqué en aucune sorte à la discrétion dans ce que j'ai été obligé de dire touchant les maximes de votre morale, et que vous avez plus de sujet de vous louer de ma retenue que de vous plaindre de mon indiscrétion.

La troisième règle, mes Pères, est que quand on est obligé d'user de quelques railleries, l'esprit de piété porte à ne les employer que contre les erreurs, et non pas contre les choses saintes ; au lieu que l'esprit de bouffonnerie, d'impiété et d'hérésie se rit de ce qu'il y a de plus sacré. Je me suis déjà justifié sur ce point. Et on est bien éloigné d'être exposé à ce vice quand on n'a qu'à parler des opinions que j'ai rapportées de vos auteurs.

Enfin, mes Pères, pour abréger ces règles, je ne vous dirai plus que celle-ci, qui est le principe et la fin de toutes les autres. C'est que l'esprit de charité porte à avoir dans le cœur le désir du salut de ceux contre qui on parle, et à adresser ses prières à Dieu en même temps qu'on adresse ses reproches aux hommes. *On doit toujours*, dit saint Augustin, *conserver la charité dans le cœur, lors même qu'on est obligé de faire au-dehors des choses qui paraissent rudes aux hommes, et de les frapper avec une âpreté dure, mais bienfaisante, leur utilité devant être préférée à leur satisfaction*[33]. Je crois, mes Pères, qu'il n'y a rien dans mes Lettres qui témoigne que je n'aie pas eu ce désir pour vous. Et ainsi la charité vous oblige à croire que je l'ai eu en effet, lorsque vous n'y voyez rien de contraire. Il paraît donc par là que vous ne pouvez montrer que j'aie péché contre cette règle, ni contre aucune de celles que la charité oblige de suivre ; et c'est pourquoi vous n'avez aucun droit de dire que je l'aie blessée en ce que j'ai fait.

Mais si vous voulez, mes Pères, avoir maintenant le plaisir de voir en peu de mots une conduite qui pèche contre chacune de ces règles, et qui porte véritablement le caractère de l'esprit de bouffonnerie, d'envie et de haine, je vous en donnerai des exemples. Et afin qu'ils vous soient plus connus et plus familiers, je les prendrai de vos écrits mêmes.

Car pour commencer par la manière dont vos auteurs parlent des choses saintes, soit dans leurs railleries, soit dans leurs galanteries, soit dans leurs discours sérieux, trouvez-vous que tant de contes ridicules de votre P. Binet, dans sa *Consolation des malades*[34], soient fort propres au dessein qu'il avait pris de consoler chrétiennement ceux que Dieu afflige ? Direz-vous que la manière si profane et si coquette dont votre P. Le Moyne a parlé de la piété dans sa *Dévotion Aisée*[35], soit plus propre à donner du respect que du mépris pour l'idée qu'il forme de la vertu chrétienne ? Tout son livre des *Peintures Morales* respire-t-il autre chose, et dans sa prose et dans ses vers, qu'un esprit plein de la vanité et des folies du monde ? Est-ce une pièce digne d'un prêtre que cette ode du 7e livre intitulée : *Éloge de la pudeur, où il est montré que toutes les belles choses sont rouges ou sujettes à rougir* ? C'est ce qu'il fit pour consoler une dame, qu'il appelle Delphine, de ce qu'elle rougissait souvent. Il dit donc, à chaque stance, que quelques-unes des choses les plus estimées sont rouges, comme les roses, les grenades, la bouche, la langue[36] ; et c'est parmi ces galanteries, honteuses à un religieux, qu'il ose mêler insolemment ces esprits bienheureux qui assistent devant Dieu, et dont les Chrétiens ne doivent parler qu'avec vénération :

> *Les Chérubins, ces glorieux,*
> *Composés de tête et de plume,*
> *Que Dieu de son esprit allume,*
> *Et qu'il éclaire de ses yeux ;*
> *Ces illustres faces volantes*
> *Sont toujours rouges et brûlantes,*
> *Soit du feu de Dieu, soit du leur,*
> *Et dans leurs flammes mutuelles*
> *Font du mouvement de leurs ailes*
> *Un éventail à leur chaleur.*
> *Mais la rougeur éclate en toi,*
> DELPHINE, *avec plus d'avantage,*
> *Quand l'honneur est sur ton visage*
> *Vêtu de pourpre comme un roi, etc.*

Qu'en dites-vous, mes Pères ? Cette préférence de la rougeur de Delphine à l'ardeur de ces esprits, qui n'en ont point d'autre que la charité, et la comparaison d'un éventail avec ces ailes mystérieuses, vous paraît-elle fort chrétienne dans une bouche qui consacre le Corps adorable de Jésus-Christ ? Je sais qu'il ne l'a dit que pour faire le galant et pour rire : mais c'est cela qu'on appelle rire des choses saintes. Et n'est-il pas véritable que, si on lui faisait justice, il ne se garantirait pas d'une censure, quoique pour s'en défendre il se servît de cette raison, qui n'est pas elle-même moins censurable, qu'il rapporte au livre I [37] : *Que la Sorbonne n'a point de juridiction sur le Parnasse, et que les erreurs de ce pays-là ne sont sujettes ni aux Censures ni à l'Inquisition*, comme s'il n'était défendu d'être blasphémateur et impie qu'en prose. Mais au moins on n'en garantirait pas par là cet autre endroit de l'avant-propos du même livre : *Que l'eau de la rivière au bord de laquelle il a composé ses vers est si propre à faire des poètes que, quand on en ferait de l'eau bénite, elle ne chasserait pas le démon de la poésie* [38] : non plus que celui-ci de votre P. Garasse dans sa Somme des Vérités Capitales de la Religion [39], p. 649, où il joint le blasphème à l'hérésie, en parlant du mystère sacré de l'Incarnation en cette sorte : *La*

personnalité humaine a été comme entée ou mise à cheval sur la
personnalité du Verbe. Et cet autre endroit du même auteur,
p. 510, sans en rapporter beaucoup d'autres, où il dit sur le
sujet du nom de Jésus, figuré ordinairement ainsi IHS : *Que*
quelques-uns en ont ôté la croix pour prendre les seuls caractères en
cette sorte, IHS, qui est un Jésus dévalisé.

C'est ainsi que vous traitez indignement les vérités de la
religion contre la règle inviolable qui oblige à n'en parler
qu'avec révérence. Mais vous ne péchez pas moins contre
celle qui oblige à ne parler qu'avec vérité et discrétion. Qu'y
a-t-il de plus ordinaire dans vos écrits que la calomnie ? Ceux
du P. Brisacier [40] sont-ils sincères, et parle-t-il avec vérité
quand il dit, 4ᵉ part., p. 24 et 25 [41], que les religieuses de
Port-Royal ne prient pas les saints, et qu'elles n'ont point
d'images dans leur église ? Ne sont-ce pas des faussetés bien
hardies, puisque le contraire paraît à la vue de tout Paris ? Et
parle-t-il avec discrétion, quand il déchire l'innocence de ces
filles, dont la vie est si pure et si austère, quand il les appelle
des *Filles impénitentes, asacramentaires, incommuniantes, des*
vierges folles, fantastiques, Calaganes, désespérées, et tout ce qu'il
vous plaira, et qu'il les noircit par tant d'autres médisances,
qui ont mérité la censure de feu M. l'archevêque de Paris [42] ?
Quand il calomnie des prêtres dont les mœurs sont irrépro-
chables, jusqu'à dire, 1ᵉ part., p. 22 : *Qu'ils pratiquent des*
nouveautés dans les confessions, pour attraper les belles et
les innocentes, et qu'il aurait horreur de rapporter les crimes
abominables qu'ils commettent, n'est-ce pas une témérité
insupportable d'avancer des impostures si noires, non seulement sans preuve, mais sans la moindre ombre et sans la
moindre apparence ? Je ne m'étendrai pas davantage sur ce
sujet, et je remets à vous en parler plus au long une autre
fois : car j'ai à vous entretenir sur cette matière, et ce que j'ai
dit suffit pour faire voir combien vous péchez contre la vérité
et la discrétion tout ensemble.

Mais on dira peut-être que vous ne péchez pas au moins
contre la dernière règle, qui oblige d'avoir le désir du salut de
ceux qu'on décrie, et qu'on ne saurait vous en accuser sans

violer le secret de votre cœur, qui n'est connu que de Dieu seul. C'est une chose étrange, mes Pères, qu'on ait néanmoins de quoi vous en convaincre ; que, votre haine contre vos adversaires ayant été jusqu'à souhaiter leur perte éternelle, votre aveuglement ait été jusqu'à découvrir un souhait si abominable ; que, bien loin de former en secret des désirs de leur salut, vous ayez fait en public des vœux pour leur damnation ; et qu'après avoir produit ce malheureux souhait dans la ville de Caen [43] avec le scandale de toute l'Église, vous ayez osé depuis soutenir encore à Paris dans vos livres imprimés une action si diabolique. Il ne se peut rien ajouter à ces excès contre la piété. Railler et parler indignement des choses les plus sacrées ; calomnier les vierges et les prêtres faussement et scandaleusement ; et enfin former des désirs, des vœux, pour leur damnation. Je ne sais, mes Pères, si vous n'êtes point confus, et comment vous avez pu avoir la pensée de m'accuser d'avoir manqué de charité, moi qui n'ai parlé qu'avec tant de vérité et de retenue, sans faire de réflexion sur les horribles violements de la charité que vous faites vous-mêmes par de si déplorables excès.

Enfin, mes Pères, pour conclure par un autre reproche que vous me faites, de ce qu'entre un si grand nombre de vos maximes que je rapporte, il y en a quelques-unes qu'on vous avait déjà objectées, sur quoi vous vous plaignez de ce que *je redis contre vous ce qui avait déjà été dit* [44], je réponds que c'est au contraire parce que vous n'avez pas profité de ce qu'on vous l'a déjà dit, que je vous le redis encore. Car quel fruit a-t-il paru de ce que de savants docteurs et l'Université entière vous en ont repris par tant de livres ? Qu'ont fait vos Pères Annat, Caussin, Pinthereau et Le Moyne, dans les réponses qu'ils y ont faites, sinon de couvrir d'injures ceux qui leur avaient donné ces avis si salutaires ? Avez-vous supprimé les livres où ces méchantes maximes sont enseignées ? En avez-vous réprimé les auteurs ? En êtes-vous devenus plus circonspects ? Et n'est-ce pas depuis ce temps-là qu'Escobar a tant été imprimé de fois en France et aux Pays-Bas [45] ; et que vos Pères Cellot, Bagot [46], Bauny, L'Amy, Le Moyne, et les autres, ne cessent de publier tous les jours les mêmes choses, et de nouvelles encore aussi licencieuses que jamais ? Ne vous plaignez donc plus, mes Pères, ni de ce que je vous ai reproché des maximes que vous n'avez point quittées, ni de ce que je vous en ai objecté de nouvelles, ni de ce que j'ai ri de toutes. Vous n'avez qu'à les considérer pour y trouver votre confusion et ma défense. Qui pourra voir, sans en rire, la décision du Père Bauny pour celui qui fait brûler une grange [47] : celle du Père Cellot pour la restitution [48] : le règlement de Sanchez en faveur des sorciers [49] : la manière dont Hurtado fait éviter le péché du duel, en se promenant dans un champ et y attendant un homme [50] : les compliments du P. Bauny pour éviter l'usure [51] : la manière d'éviter la simonie pour un détour d'intention [52], et celle d'éviter le mensonge en parlant tantôt haut, tantôt bas [53], et le reste des opinions de vos docteurs les plus graves ? En faut-il davantage, mes Pères, pour me justifier, et y a-t-il rien de mieux *dû à la vanité et à la faiblesse de ces opinions que la risée* [54], selon Tertullien ? Mais, mes Pères, la corruption des mœurs que vos maximes apportent est digne d'une autre considération, et nous pouvons bien faire cette demande avec le même Tertullien [55] : *Faut-il rire de leur folie, ou déplorer leur aveuglement ? Rideam vanitatem, an exprobrem caecitatem ?* Je crois, mes Pères, *qu'on peut en rire et en pleurer à son choix : Haec tolerabilius vel ridentur, vel flentur*, dit saint Augustin [56]. Reconnaissez donc *qu'il y a un temps de rire et un temps de pleurer*, selon l'Écriture [57]. Et je souhaite, mes Pères, que je n'éprouve pas en vous la vérité de ces paroles des Proverbes [58] : *Qu'il y a des personnes si peu raisonnables, qu'on n'en peut avoir de satisfaction, de quelque manière qu'on agisse avec eux, soit qu'on rie, soit qu'on se mette en colère.*

En achevant cette lettre j'ai vu un écrit que vous avez publié, où vous m'accusez d'imposture sur le sujet de six de vos maximes que j'ai rapportées, et d'intelligence avec les hérétiques ; j'espère que vous y verrez une réponse exacte et dans peu de temps, mes Pères, en suite de laquelle je crois que vous n'aurez pas envie de continuer cette sorte d'accusation [59].

DOUZIÈME LETTRE
ÉCRITE PAR L'AUTEUR
DES LETTRES AU PROVINCIAL
AUX RÉVÉRENDS PÈRES JÉSUITES

Du 9 septembre 1656.

Mes révérends Pères,

J'étais prêt à vous écrire sur le sujet des injures que vous me dites depuis si longtemps dans vos écrits, où vous m'appelez *impie, bouffon, ignorant, farceur, imposteur, calomniateur, fourbe, hérétique, calviniste déguisé, disciple de Du Moulin* [1], *possédé d'une légion de diables* [2], et tout ce qu'il vous plaît. Je voulais faire entendre au monde pourquoi vous me traitez de la sorte, car je serais fâché qu'on crût tout cela de moi ; et j'avais résolu de me plaindre de vos calomnies et de vos impostures, lorsque j'ai vu vos réponses, où vous m'en accusez moi-même. Vous m'avez obligé par là de changer mon dessein et néanmoins, mes Pères, je ne laisserai pas de le continuer en quelque sorte, puisque j'espère en me défendant vous convaincre de plus d'impostures véritables que vous ne m'en avez imputé de fausses. En vérité, mes Pères, vous en êtes plus suspects que moi. Car il n'est pas vraisemblable qu'étant seul, comme je suis, sans force et sans aucun appui humain, contre un si grand corps, et n'étant soutenu que par la vérité et la sincérité, je me sois exposé à tout perdre, en m'exposant à être convaincu d'impostures [3]. Il est trop aisé de découvrir les faussetés dans les questions de fait comme celles-ci. Je ne manquerais pas de gens pour m'en accuser, et la justice ne leur en serait pas refusée. Pour vous, mes Pères, vous n'êtes pas en ces termes, et vous pouvez dire contre moi ce que vous voulez, sans que je trouve à qui m'en plaindre. Dans cette différence de nos conditions je ne dois pas être peu retenu, quand d'autres considérations ne m'y engageraient pas. Cependant vous me traitez comme un imposteur insigne, et ainsi vous me forcez à repartir : mais vous savez que cela ne se peut faire sans exposer de nouveau, et même sans découvrir plus à fond les points de votre morale ; en quoi je doute que vous soyez bons politiques[4]. La guerre se fait chez vous et à vos dépens ; et quoique vous ayez pensé qu'en embrouillant les questions par des termes d'École, les réponses en seraient si longues, si obscures, et si épineuses, qu'on en perdrait le goût, cela ne sera peut-être pas tout à fait ainsi, car j'essaierai de vous ennuyer le moins qu'il se peut en ce genre d'écrire. Vos maximes ont je ne sais quoi de divertissant, qui réjouit toujours le monde. Souvenez-vous au moins que c'est vous qui m'engagez d'entrer dans cet éclaircissement, et voyons qui se défendra le mieux.

La première de vos impostures[5] est sur *l'opinion de Vasquez touchant l'aumône*[6]. Souffrez donc que je l'explique nettement, pour ôter toute obscurité de nos disputes. C'est une chose assez connue, mes Pères, que selon l'esprit de l'Église il y a deux préceptes touchant l'aumône : *l'un, de donner de son superflu dans les nécessités ordinaires des pauvres ; l'autre, de donner même de ce qui est nécessaire selon sa condition dans les nécessités extrêmes.* C'est ce que dit Cajetan[7] après saint Thomas : de sorte que, pour faire voir l'esprit de Vasquez touchant l'aumône, il faut montrer comment il a réglé, tant celle qu'on doit faire du superflu, que celle qu'on doit faire du nécessaire.

Celle du superflu, qui est le plus ordinaire secours des pauvres, est entièrement abolie par cette seule maxime De El. c. 4, n. 14, que j'ai rapportée dans mes Lettres : *Ce que les gens du monde gardent pour relever leur condition et celle de leurs parents n'est pas appelé superflu. Et ainsi à peine trouvera-t-on qu'il y ait jamais de superflu dans les gens du monde, et non pas même dans les Rois.* Vous voyez bien, mes Pères, par cette définition, que tous ceux qui auront de l'ambition n'auront point de superflu, et qu'ainsi l'aumône est anéantie à l'égard de la plupart du monde. Mais quand il arriverait même qu'on en aurait, on serait encore dispensé d'en donner dans les nécessités communes, selon Vasquez, qui s'oppose à ceux qui veulent y obliger les riches. Voici ses termes, c. 1, n. 32 : *Corduba,* dit-il, *enseigne que, lorsqu'on a du superflu, on est obligé d'en donner à ceux qui sont dans une nécessité ordinaire, au moins une partie, afin d'accomplir le précepte en quelque chose ;* MAIS CELA NE ME PLAÎT PAS : SED HOC NON PLACET. CAR NOUS AVONS MONTRÉ LE CONTRAIRE *contre Cajetan et Navarre.* Ainsi, mes Pères, l'obligation de cette aumône est absolument ruinée, selon ce *qu'il plaît* à Vasquez.

Pour celle du nécessaire, qu'on est obligé de faire dans les nécessités extrêmes et pressantes, vous verrez, par les conditions qu'il apporte pour former cette obligation, que les plus riches de Paris peuvent n'y être pas engagés une seule fois en leur vie. Je n'en rapporterai que deux. L'une, QUE L'ON SACHE *que le pauvre ne sera secouru d'aucun autre : haec intelligo et caetera omnia, quando* SCIO *nullum alium opem laturum,* c. 1, n. 28. Qu'en dites-vous, mes Pères ? arrivera-t-il souvent que dans Paris, où il y a tant de gens charitables, on puisse savoir qu'il ne se trouvera personne pour secourir un pauvre qui s'offre à nous ? Et cependant si on n'a pas cette connaissance, on pourra le renvoyer sans secours, selon Vasquez. L'autre est que la nécessité de ce pauvre soit telle, *qu'il soit menacé de quelque accident mortel, ou de perdre sa réputation,* n. 24 et 26. Ce qui est bien peu commun. Mais ce qui en marque encore la rareté, c'est qu'il dit, n. 45, que le pauvre qui est en cet état, où il dit qu'on est obligé à lui donner l'aumône, *peut voler le riche en conscience.* Et ainsi il faut que cela soit bien extraordinaire, si ce n'est qu'il veuille qu'il soit ordinairement permis de voler. De sorte qu'après avoir détruit l'obligation de donner l'aumône du superflu, qui est la plus grande source des charités, il n'oblige les riches d'assister les pauvres de leur nécessaire que lorsqu'il permet aux pauvres de voler les riches. Voilà la doctrine de Vasquez, où vous renvoyez les lecteurs pour leur édification.

Je viens maintenant à vos impostures. Vous vous étendez d'abord sur l'obligation que Vasquez impose aux ecclésiastiques de faire l'aumône. Mais je n'en ai point parlé, et j'en parlerai quand il vous plaira. Il n'en est donc pas question ici. Pour les laïques, desquels seuls il s'agit, il semble que vous vouliez faire entendre que Vasquez ne parle en l'endroit que j'ai cité que selon le sens de Cajetan, et non pas selon le sien propre. Mais comme il n'y a rien de plus faux, et que vous ne l'avez pas dit nettement, je veux croire pour votre honneur que vous ne l'avez pas voulu dire.

Vous vous plaignez ensuite hautement de ce qu'après avoir rapporté cette maxime de Vasquez : *À peine se trouvera-t-il que les gens du monde, et même les Rois, aient jamais de superflu*, j'en ai conclu *que les riches sont donc à peine obligés de donner l'aumône de leur superflu*. Mais que voulez-vous dire, mes Pères ? S'il est vrai que les riches n'ont presque jamais de superflu, n'est-il pas certain qu'ils ne seront presque jamais obligés de donner l'aumône de leur superflu ? Je vous en ferais un argument en forme, si Diana, qui estime tant Vasquez qu'il l'appelle *le Phénix des esprits*, n'avait tiré la même conséquence du même principe. Car après avoir rapporté cette maxime de Vasquez, il en conclut : *Que dans la question, savoir si les riches sont obligés de donner l'aumône de leur superflu, quoique l'opinion qui les y oblige fût véritable, il n'arriverait jamais, ou presque jamais, qu'elle oblige dans la pratique.* Je n'ai fait que suivre mot à mot tout ce discours. Que veut donc dire ceci, mes Pères ? Quand Diana rapporte avec éloge les sentiments de Vasquez, quand il les trouve probables, *et très commodes pour les riches*, comme il le dit au même lieu, il n'est ni calomniateur ni faussaire, et vous ne vous plaignez point qu'il lui impose : au lieu que, quand je représente ces mêmes sentiments de Vasquez, mais sans le traiter *de phénix*, je suis un imposteur, un faussaire et un corrupteur de ses maximes. Certainement, mes Pères, vous avez sujet de craindre que la différence de vos traitements envers ceux qui ne diffèrent pas dans le rapport, mais seulement dans l'estime qu'ils font de votre doctrine, ne découvre le fond de votre cœur, et ne fasse juger que vous avez pour principal objet de maintenir le crédit et la gloire de votre Compagnie ; puisque, tandis que votre théologie accommodante passe pour une sage condescendance, vous ne désavouez point ceux qui la publient, et vous les louez au contraire comme contribuant à votre dessein ; mais quand on la fait passer pour un relâchement pernicieux, alors le même intérêt de votre Société vous engage à désavouer des maximes qui vous font tort dans le monde : et ainsi vous les reconnaissez ou les renoncez, non pas selon la vérité, qui ne change jamais, mais selon les divers changements des temps, suivant cette parole d'un ancien : *Omnia pro tempore, nihil pro veritate*[8]. Prenez-y garde, mes Pères, et afin que vous ne puissiez plus m'accuser d'avoir tiré du principe de Vasquez une conséquence qu'il eût désavouée, sachez qu'il la tire lui-même, c. 1, n. 27 : *À peine est-on obligé de donner l'aumône, quand on n'est obligé à la donner que de son superflu, selon l'opinion de Cajetan* ET SELON LA MIENNE, *et secundum nostram*. Confessez donc, mes Pères, par le propre témoignage de Vasquez, que j'ai suivi exactement sa pensée, et considérez avec quelle conscience vous avez osé dire, *que si l'on allait à la source, on verrait avec étonnement qu'il y enseigne tout le contraire.*

Enfin vous faites valoir par-dessus tout ce que vous dites que Vasquez a obligé en récompense les riches de donner l'aumône *de leur nécessaire.* Mais vous avez oublié de marquer l'assemblage des conditions nécessaires pour former cette obligation, et vous dites généralement qu'il oblige les riches à donner même ce qui est nécessaire à leur condition. C'est en dire trop, mes Pères, la règle de l'Évangile ne va pas si avant, ce serait une autre erreur, dont Vasquez est bien éloigné. Pour couvrir son relâchement vous lui attribuez un excès de sévérité qui le rendrait répréhensible, et par là vous vous ôtez la créance de l'avoir rapporté fidèlement. Mais il n'est pas digne de ce reproche, après avoir établi, comme il l'a fait, par un si visible renversement de l'Évangile, que les riches ne sont point obligés ni par justice ni par charité de donner de leur superflu, et encore moins du nécessaire, dans tous les besoins ordinaires des pauvres, et qu'ils ne sont obligés de donner du nécessaire qu'en des rencontres si rares qu'elles n'arrivent presque jamais.

Vous ne m'objectez rien davantage ; de sorte qu'il ne me reste qu'à faire voir combien est faux ce que vous prétendez, que Vasquez est plus sévère que Cajetan. Et cela sera bien facile, puisque ce cardinal enseigne *qu'on est obligé par justice de donner l'aumône de son superflu, même dans les communes nécessités des pauvres : parce que selon les saints Pères, les riches sont seulement dispensateurs de leur superflu, pour le donner à qui ils veulent d'entre ceux qui en ont besoin.* Et ainsi, au lieu que Diana dit des maximes de Vasquez *qu'elles seront bien commodes et bien agréables aux riches et à leurs confesseurs*, ce cardinal, qui n'a pas une pareille consolation à leur donner, déclare, De Eleem., c. 6, *qu'il n'a rien à dire aux riches que ces paroles de Jésus-Christ : Qu'il est plus facile qu'un chameau passe par le trou d'une aiguille, que non pas qu'un riche entre dans le ciel ; et à leurs confesseurs que cette parole du même Sauveur : Si un aveugle en conduit un autre, ils tomberont tous deux dans le précipice.* Tant il a trouvé cette obligation indispensable ! Aussi c'est ce que les Pères et tous les saints ont établi comme une vérité constante. *Il y a deux cas*, dit saint Thomas, 2, 2, q. 118, art. 4, *où l'on est obligé de donner l'aumône par un devoir de justice, ex debito legali : l'un quand les pauvres sont en danger, l'autre quand nous possédons des biens superflus.* Et q. 87, a. 1 : *Les troisièmes décimes que les Juifs devaient manger avec les pauvres ont été augmentées dans la loi nouvelle, parce que Jésus-Christ veut que nous donnions aux pauvres non seulement la dixième partie, mais tout notre superflu.* Et cependant il ne plaît pas à Vasquez qu'on soit obligé d'en donner une partie seulement, tant il a de complaisance pour les riches, de dureté pour les pauvres, et d'opposition à ces sentiments de charité qui font trouver douce la vérité de ces paroles de saint Grégoire, laquelle paraît si dure aux riches du monde : *Quand nous donnons aux pauvres ce qui leur est nécessaire, nous ne leur donnons pas tant ce qui est à nous que nous leur rendons ce qui est à eux : et c'est un devoir de justice plutôt qu'une œuvre de miséricorde*[9].

C'est de cette sorte que les saints recommandent aux riches de partager avec les pauvres les biens de la terre, s'ils veulent posséder avec eux les biens du ciel. Et au lieu que vous travaillez à entretenir dans les hommes l'ambition, qui fait qu'on n'a jamais de superflu, et l'avarice, qui refuse d'en donner quand on en aurait, les saints ont travaillé au contraire à porter les hommes à donner leur superflu, et à leur faire connaître qu'ils en auront beaucoup, s'ils le mesurent, non par la cupidité, qui ne souffre point de bornes, mais par la piété, qui est ingénieuse à se retrancher pour avoir de quoi se répandre dans l'exercice de la charité. *Nous avons beaucoup de superflu*, dit saint Augustin[10], *si nous ne gardons que le nécessaire ; mais, si nous recherchons les choses vaines, rien ne nous suffira. Recherchez, mes frères, ce qui suffit à l'ouvrage de Dieu*, c'est-à-dire à la nature, *et non pas ce qui suffit à votre cupidité*, qui est l'ouvrage du démon. *Et souvenez-vous que le superflu des riches est le nécessaire des pauvres.*

Je voudrais bien, mes Pères, que ce que je vous dis servît non seulement à me justifier, ce serait peu, mais encore à vous faire sentir et abhorrer ce qu'il y a de corrompu dans les maximes de vos casuistes, afin de nous unir sincèrement dans les saintes règles de l'Évangile, selon lesquelles nous devons tous être jugés[11].

Pour le second point, qui regarde la simonie[12], avant que de répondre aux reproches que vous me faites, je commencerai par l'éclaircissement de votre doctrine sur ce sujet. Comme vous vous êtes trouvés embarrassés entre les Canons de l'Église qui imposent d'horribles peines aux simoniaques, et l'avarice de tant de personnes qui recherchent cet infâme trafic, vous avez suivi votre méthode ordinaire, qui est d'accorder aux hommes ce qu'ils désirent, et donner à Dieu des paroles et des apparences. Car qu'est-ce que demandent les simoniaques, sinon d'avoir de l'argent en donnant leurs bénéfices ? Et c'est cela que vous avez exempté de simonie. Mais parce qu'il faut que le nom de simonie demeure, et qu'il y ait un sujet où il soit attaché, vous avez choisi pour cela une idée imaginaire, qui ne vient jamais dans l'esprit des simoniaques, et qui leur serait inutile, qui est d'estimer l'argent considéré en lui-même autant que le bien spirituel considéré en lui-même. Car qui s'aviserait de comparer des choses si disproportionnées et d'un genre si différent ? Et cependant pourvu qu'on ne fasse pas cette comparaison métaphysique, on peut donner son bénéfice à un autre et en recevoir de l'argent sans simonie selon vos auteurs.

C'est ainsi que vous vous jouez de la religion, pour suivre la passion des hommes ; et voyez néanmoins avec quelle gravité votre Père Valentia débite ses songes à l'endroit cité dans mes Lettres, t. 3, disp. 16, p. 3, p. 2044 : *On peut*, dit-il, *donner un bien temporel pour un spirituel en deux manières : l'une en prisant davantage le temporel que le spirituel, et ce serait simonie ; l'autre en prenant le temporel comme le motif et la fin qui porte à donner le spirituel, sans que néanmoins on prise le temporel plus que le spirituel, et alors ce n'est point simonie. Et la raison en est, que la simonie consiste à recevoir un temporel comme le juste prix d'un spirituel. Donc, si on demande le temporel, si petatur temporale, non pas comme le prix, mais comme le motif qui détermine à le conférer, ce n'est point du tout simonie, encore qu'on ait pour fin et attente principale la possession du temporel : minime erit simonia, etiamsi temporale principaliter intendatur et expectetur.* Et votre grand Sanchez n'a-t-il pas eu une pareille révélation, au rapport d'Escobar, tr. 6, ex. 2, n. 40 ? Voici ses mots : *Si on donne un bien temporel pour un bien spirituel, non pas comme* PRIX, *mais comme un* MOTIF *qui porte le collateur à le donner, ou comme une reconnaissance si on l'a déjà reçu, est-ce simonie ? Sanchez assure que non.* Vos thèses de Caen de 1644 : *C'est une opinion probable enseignée par plusieurs catholiques, que ce n'est pas simonie de donner un bien temporel pour un spirituel, quand on ne le donne pas comme prix* [13]. Et quant à Tannerus, voici sa doctrine, pareille à celle de Valentia, qui fera voir combien vous avez tort de vous plaindre de ce que j'ai dit qu'elle n'est pas conforme à celle de saint Thomas, puisque lui-même l'avoue au lieu cité dans ma Lettre, t. 3, d. 5, p. 1519 : *Il n'y a point*, dit-il, *proprement et véritablement de simonie, sinon à prendre un bien temporel comme le prix d'un spirituel : mais, quand on le prend comme un motif qui porte à donner le spirituel, ou comme en reconnaissance de ce qu'on l'a donné, ce n'est point simonie, au moins en conscience.* Et un peu après : *Il faut dire la même chose, encore qu'on regarde le temporel comme sa fin principale, et qu'on le préfère même au spirituel, quoique saint Thomas et d'autres semblent dire le contraire, en ce qu'ils assurent que c'est absolument simonie de donner un bien spirituel pour un temporel, lorsque le temporel en est la fin.*

Voilà, mes Pères, votre doctrine de la simonie enseignée par vos meilleurs auteurs, qui se suivent en cela bien exactement. Il ne me reste donc qu'à répondre à vos impostures. Vous n'avez rien dit sur l'opinion de Valentia ; et ainsi sa doctrine subsiste après votre réponse. Mais vous vous arrêtez sur celle de Tannerus, et vous dites qu'il a seulement décidé que ce n'était pas une simonie de droit divin ; et vous voulez faire croire que j'ai supprimé de ce passage ces paroles, *de droit divin.* Vous n'êtes pas raisonnables, mes Pères, car ces termes, *de droit divin*, ne furent jamais dans ce passage. Vous ajoutez ensuite que Tannerus déclare que c'est une simonie *de droit positif.* Vous vous trompez, mes Pères, il n'a pas dit cela généralement, mais sur des cas particuliers, *in casibus a jure expressis*, comme il le dit en cet endroit. En quoi il fait une exception de ce qu'il avait établi en général dans ce passage, *que ce n'est pas simonie en conscience* ; ce qui enferme que ce n'en est pas aussi une de droit positif, si vous ne voulez faire Tannerus assez impie pour soutenir qu'une simonie de droit positif n'est pas simonie en conscience. Mais vous recherchez à dessein ces mots *de droit divin, droit positif, droit naturel, tribunal intérieur et extérieur, cas exprimés dans le droit, présomption externe*, et les autres qui sont peu connus, afin d'échapper sous cette obscurité, et de faire perdre la vue de vos égarements. Vous n'échapperez pas néanmoins, mes Pères, par ces vaines subtilités, car je vous ferai des questions si simples qu'elles ne seront point sujettes au *distinguo*. Je vous demande donc, sans parler de *droit positif*, ni de *présomption de tribunal extérieur*, si un bénéficier sera simoniaque, selon vos auteurs, en donnant un bénéfice de quatre mille livres de rente, et recevant dix mille francs argent comptant, non pas comme prix du bénéfice, mais comme un motif qui le porte à le donner ? Répondez-moi nettement, mes Pères, que faut-il conclure sur ce cas selon vos auteurs ? Tannerus ne dira-t-il pas formellement *que ce n'est point simonie en conscience, puisque le temporel n'est pas le prix du bénéfice, mais seulement le motif qui le fait donner ?* Valentia, vos thèses de Caen, Sanchez et Escobar ne décideront-ils pas de même *que ce n'est pas simonie*, par la même raison ? En faut-il davantage pour excuser ce bénéficier de simonie, et oserez-vous le traiter autrement dans vos confessionnaux, quelque sentiment que vous en ayez par vous-mêmes, puisqu'il aurait droit de vous y obliger, ayant agi selon l'avis de tant de docteurs graves ? Confessez donc qu'un tel bénéficier est excusé de simonie selon vous ; et défendez maintenant cette doctrine si vous le pouvez.

Voilà, mes Pères, comment il faut traiter les questions pour les démêler, au lieu de les embrouiller, ou par des termes d'École, ou en changeant l'état de la question, comme vous faites dans votre dernier reproche en cette sorte. Tannerus, dites-vous, déclare au moins qu'un tel échange est un grand péché ; et vous me reprochez d'avoir supprimé malicieusement cette circonstance, *qui le justifie entièrement*, à ce que vous prétendez. Mais vous avez tort, et en plusieurs manières. Car quand ce que vous dites serait véritable, il ne s'agissait pas, au lieu où j'en parlais, de savoir s'il y avait en cela du péché, mais seulement s'il y avait de la simonie. Or, ce sont deux questions fort séparées ; les péchés n'obligent qu'à se confesser, selon vos maximes ; la simonie oblige à restituer, et il y a des personnes à qui cela paraîtrait assez différent. Car vous avez bien trouvé des expédients pour rendre la confession douce, au lieu que vous n'en avez point trouvé pour rendre la restitution agréable. J'ai à vous dire de plus que le cas que Tannerus accuse de péché n'est pas simplement celui où l'on donne un bien spirituel pour un temporel, qui en est le motif même principal, mais il ajoute encore *que l'on prise le temporel plus que le spirituel*, ce qui est ce cas imaginaire dont nous avons parlé. Et il ne fait pas mal de charger celui-là de péché, puisqu'il faudrait être bien méchant, ou bien stupide, pour ne vouloir pas éviter un péché par un moyen aussi facile qu'est celui de s'abstenir de comparer les prix de ces deux choses, lorsqu'il est permis de donner l'une pour l'autre. Outre que Valentia, examinant au lieu déjà cité s'il y a du péché à donner un bien spirituel pour un temporel qui en est le motif, rapporte les raisons de ceux qui disent que oui, en ajoutant : *Sed hoc non videtur mihi satis certum ; cela ne me paraît pas assez certain.*

Mais depuis, votre P. Erade Bille, professeur des cas de conscience à Caen, a décidé qu'il n'y a aucun péché : car les opinions probables vont toujours en mûrissant. C'est ce qu'il déclare dans ses écrits de 1644, contre lesquels M. Dupré, docteur et professeur à Caen, fit cette belle harangue imprimée, qui est assez connue [14]. Car, quoique ce P. Erade Bille reconnaisse que la doctrine de Valentia, suivie par le P. Milhard, et condamnée en Sorbonne, *soit contraire au sentiment commun, suspecte de simonie en plusieurs choses, et punie en justice, quand la pratique en est découverte*, il ne laisse pas de dire que c'est une opinion probable, et par conséquent sûre en conscience, et qu'il n'y a en cela ni simonie ni péché. *C'est*, dit-il, *une opinion probable et enseignée par beaucoup de docteurs catholiques, qu'il n'y a aucune simonie,* NI AUCUN PÉCHÉ, *à donner de l'argent ou une autre chose temporelle pour un bénéfice, soit par forme de reconnaissance, soit comme un motif sans lequel on ne le donnerait pas, pourvu qu'on ne le donne pas comme un prix égal au bénéfice.* C'est là tout ce qu'on peut désirer. Et selon toutes ces maximes, vous voyez, mes Pères, que la simonie sera si rare, qu'on en aurait exempté Simon même le magicien, qui voulait acheter le Saint-Esprit, en quoi

il est l'image des simoniaques qui achètent; et Giezi, qui
reçut de l'argent pour un miracle, en quoi il est la figure des
simoniaques qui vendent. Car il est sans doute que, quand
Simon, dans les Actes, *offrit de l'argent aux apôtres pour avoir*
leur puissance [15], il ne se servit ni des termes d'acheter, ni de
vendre, ni de prix, et qu'il ne fit autre chose que d'offrir de
l'argent comme un motif pour se faire donner ce bien
spirituel. Ce qui étant exempt de simonie selon vos auteurs, il
se fût bien garanti de l'anathème de saint Pierre, s'il eût su
leurs maximes. Et cette ignorance fit aussi grand tort à Giezi,
quand il fut frappé de la lèpre par Élisée [16]; car n'ayant reçu
l'argent de ce prince guéri miraculeusement que comme une
reconnaissance, et non pas comme un prix égal à la vertu
divine qui avait opéré ce miracle, il eût obligé Élisée à le
guérir, sur peine de péché mortel, puisqu'il aurait agi selon
tant de docteurs graves, et que vos confesseurs sont obligés
d'absoudre leurs pénitents en pareil cas, et de les laver de la
lèpre spirituelle, dont la corporelle n'est que la figure.

Tout de bon, mes Pères, il serait aisé de vous tourner là-
dessus en ridicules : je ne sais pourquoi vous vous y exposez.
Car je n'aurais qu'à rapporter vos autres maximes, comme
celle-ci d'Escobar *dans la pratique de la simonie selon la Société*
de Jésus : Est-ce simonie, lorsque deux religieux s'engagent l'un à
l'autre en cette sorte : Donnez-moi votre voix pour me faire élire
Provincial, et je vous donnerai la mienne pour vous faire Prieur?
Nullement. Et cet autre : *Ce n'est pas simonie de se faire donner*
un bénéfice en promettant de l'argent, quand on n'a pas dessein de
payer en effet; parce que ce n'est qu'une simonie feinte, qui n'est
non plus véritable que du faux or n'est pas du véritable or [17].
C'est par cette subtilité de conscience qu'il a trouvé le moyen,
en ajoutant la fourbe à la simonie, de faire avoir des bénéfices
sans argent et sans simonie. Mais je n'ai pas le loisir d'en dire
davantage : car il faut que je pense à me défendre contre
votre troisième calomnie sur le sujet des banqueroutiers [18].

Pour celle-ci, mes Pères, il n'y a rien de plus grossier. Vous
me traitez d'imposteur sur le sujet d'un sentiment de
Lessius, que je n'ai point cité de moi-même, mais qui se

trouve allégué par Escobar dans un passage que j'en rapporte ; et ainsi, quand il serait véritable que Lessius ne serait
pas de l'avis qu'Escobar lui attribue, qu'y a-t-il de plus
injuste que de s'en prendre à moi ? Quand je cite Lessius et
vos autres auteurs de moi-même, je consens d'en répondre.
Mais comme Escobar a ramassé les opinions des 24 de vos
Pères, je vous demande si je dois être garant d'autre chose
que de ce que je cite de lui, et s'il faut outre cela que je
réponde des citations qu'il fait lui-même dans les passages
que j'en ai pris ? Cela ne serait pas raisonnable. Or c'est de
quoi il s'agit en cet endroit. J'ai rapporté dans ma Lettre ce
passage d'Escobar, traduit fort fidèlement, et sur lequel aussi
vous ne dites rien : *Celui qui fait banqueroute peut-il en sûreté
de conscience retenir de ses biens autant qu'il est nécessaire pour
vivre avec honneur, ne indecore vivat ?* JE RÉPONDS QUE OUI
AVEC LESSIUS, CUM LESSIO ASSERO POSSE, etc. Sur cela vous
me dites que Lessius n'est pas de ce sentiment. Mais pensez
un peu où vous vous engagez. Car s'il est vrai qu'il en est, on
vous appellera imposteurs, d'avoir assuré le contraire ; et s'il
n'en est pas, Escobar sera l'imposteur : de sorte qu'il faut
maintenant, par nécessité, que quelqu'un de la Société soit
convaincu d'imposture. Voyez un peu quel scandale ! Aussi
vous ne savez pas prévoir la suite des choses. Il vous semble
qu'il n'y a qu'à dire des injures au monde, sans penser sur qui
elles retombent. Que ne faisiez-vous savoir votre difficulté à
Escobar, avant que de la publier ? Il vous eût satisfait. Il n'est
pas si malaisé d'avoir des nouvelles de Valladolid, où il est en
parfaite santé, et où il achève sa grande Théologie morale en
six volumes, sur les premiers desquels je vous pourrai dire un
jour quelque chose. On lui a envoyé les dix premières
Lettres ; vous pouviez aussi lui envoyer votre objection ; et je
m'assure qu'il y eût bien répondu : car il a vu sans doute dans
Lessius ce passage, d'où il a pris le *ne indecore vivat*. Lisez-le
bien, mes Pères, et vous l'y trouverez comme moi, lib. 2,
c. 16, n. 45 : *Idem colligitur aperte ex juribus citatis, maxime
quoad ea bona quae post cessionem acquirit, de quibus is qui
debitor est etiam ex delicto, potest retinere quantum necessarium*

est, ut pro sua conditione NON INDECORE VIVAT. *Petes an leges id permittant de bonis quae tempore instantis cessionis habebat? Ita videtur colligi ex DD* [19], etc.

Je ne m'arrêterai pas à vous montrer que Lessius pour autoriser cette maxime abuse de la loi qui n'accorde que le simple vivre aux banqueroutiers, et non pas de quoi subsister avec honneur : il suffit d'avoir justifié Escobar contre une telle accusation. C'est plus que je ne devais faire. Mais vous, mes Pères, vous ne faites pas ce que vous devez : car il est question de répondre au passage d'Escobar, dont les décisions sont commodes en ce qu'étant indépendantes du devant et de la suite, et toutes renfermées en de petits articles, elles ne sont pas sujettes à vos distinctions. Je vous ai cité son passage entier, qui permet *à ceux qui font cession de retenir de leurs biens, quoique acquis injustement, pour faire subsister leur famille avec honneur.* Sur quoi je me suis écrié dans mes Lettres : *Comment! mes Pères, par quelle étrange charité voulez-vous que les biens appartiennent plutôt à ceux qui les ont mal acquis qu'aux créanciers légitimes?* C'est à quoi il faut répondre : mais c'est ce qui vous met dans un fâcheux embarras, que vous essayez en vain d'éluder en détournant la question, et citant d'autres passages de Lessius, desquels il ne s'agit point. Je vous demande donc si cette maxime d'Escobar peut être suivie en conscience par ceux qui font banqueroute ; et prenez garde à ce que vous direz. Car si vous répondez que non, que deviendra votre docteur et votre doctrine de la probabilité? Et si vous dites que oui, je vous renvoie au Parlement.

Je vous laisse dans cette peine, mes Pères, car je n'ai plus ici de place pour entreprendre l'imposture suivante sur le passage de Lessius touchant l'homicide ; ce sera pour la première fois, et le reste ensuite.

Je ne vous dirai rien cependant sur les Avertissements pleins de faussetés scandaleuses par où vous finissez chaque imposture : je repartirai à tout cela dans la Lettre où j'espère montrer la source de vos calomnies [20]. Je vous plains, mes Pères, d'avoir recours à de tels remèdes. Les injures que vous me dites n'éclairciront pas nos différends, et les menaces que vous me faites en tant de façons ne m'empêcheront pas de me défendre. Vous croyez avoir la force et l'impunité : mais je crois avoir la vérité et l'innocence. C'est une étrange et longue guerre, que celle où la violence essaie d'opprimer la vérité. Tous les efforts de la violence ne peuvent affaiblir la vérité, et ne servent qu'à la relever davantage. Toutes les lumières de la vérité ne peuvent rien pour arrêter la violence, et ne font que l'irriter encore plus. Quand la force combat la force, la plus puissante détruit la moindre : quand l'on oppose les discours aux discours, ceux qui sont véritables et convaincants confondent et dissipent ceux qui n'ont que la vanité et le mensonge : mais la violence et la vérité ne peuvent rien l'une sur l'autre. Qu'on ne prétende pas de là néanmoins que les choses soient égales : car il y a cette extrême différence, que la violence n'a qu'un cours borné par l'ordre de Dieu, qui en conduit les effets à la gloire de la vérité qu'elle attaque ; au lieu que la vérité subsiste éternellement, et triomphe enfin de ses ennemis, parce qu'elle est éternelle et puissante comme Dieu même [21].

TREIZIÈME LETTRE
ÉCRITE PAR L'AUTEUR
DES LETTRES AU PROVINCIAL
AUX RÉVÉRENDS PÈRES JÉSUITES

Du 30 septembre 1656

MES RÉVÉRENDS PÈRES,

Je viens de voir votre dernier écrit, où vous continuez vos impostures jusqu'à la vingtième[1], en déclarant que vous finissez par là cette sorte d'accusation qui faisait votre première partie, pour en venir à la seconde, où vous devez prendre une nouvelle manière de vous défendre, en montrant qu'il y a bien d'autres casuistes que les vôtres qui sont dans le relâchement aussi bien que vous[2]. Je vois donc maintenant, mes Pères, à combien d'impostures j'ai à répondre : et puisque la quatrième où nous en sommes demeurés est sur le sujet de l'homicide, il sera à propos en y répondant de satisfaire en même temps aux 11e, 13e, 14e, 15e, 16e, 17e et 18e, qui sont sur le même sujet.

Je justifierai donc dans cette lettre la vérité de mes citations contre les faussetés que vous m'imposez. Mais parce que vous avez osé avancer dans vos écrits, *que les sentiments de vos auteurs sur le meurtre sont conformes aux décisions des Papes et des lois ecclésiastiques,* vous m'obligerez à renverser dans ma lettre suivante une proposition si téméraire et si injurieuse à l'Église. Il importe de faire voir qu'elle est pure de vos corruptions, afin que les hérétiques ne puissent pas se prévaloir de vos égarements pour en tirer des conséquences qui la déshonorent. Et ainsi, en voyant d'une part vos pernicieuses maximes, et de l'autre les Canons de l'Église qui les ont toujours condamnées, on trouvera tout ensemble et ce qu'on doit éviter, et ce qu'on doit suivre.

Votre quatrième imposture[3] est sur une maxime touchant le meurtre, que vous prétendez que j'ai faussement attribuée à Lessius. C'est celle-ci : *Celui qui a reçu un soufflet peut poursuivre à l'heure même son ennemi, et même à coups d'épée, non pas pour se venger, mais pour réparer son honneur.* Sur quoi vous dites que cette opinion-là est du casuiste Victoria. Et ce n'est pas encore le sujet de la dispute. Car il n'y a point de répugnance à dire qu'elle soit tout ensemble de Victoria et de Lessius, puisque Lessius dit lui-même qu'elle est aussi de Navarre et de votre Père Henriquez, qui enseignent : *Que celui qui a reçu un soufflet peut à l'heure même poursuivre son homme, et lui donner autant de coups qu'il jugera nécessaire pour réparer son honneur.* Il est donc seulement question de savoir si Lessius est aussi du sentiment de ces auteurs, aussi bien que son confrère. Et c'est pourquoi vous ajoutez : *Que Lessius ne rapporte cette opinion que pour la réfuter, et qu'ainsi je lui attribue un sentiment qu'il n'allègue que pour le combattre, qui est l'action du monde la plus lâche et la plus honteuse à un écrivain.* Et je soutiens, mes Pères, qu'il ne la rapporte que pour la suivre. C'est une question de fait qu'il sera bien facile de décider. Voyons donc comment vous prouvez ce que vous dites ; et vous verrez ensuite comment je prouve ce que je dis.

Pour montrer que Lessius n'est pas de ce sentiment, vous dites qu'il en condamne la pratique. Et pour prouver cela, vous rapportez un de ses passages, liv. 2, c. 9, n. 82, où il dit ces mots : *J'en condamne la pratique.* Je demeure d'accord que, si on cherche ces paroles dans Lessius au nombre 82, où vous les citez, on les y trouvera. Mais que dira-t-on, mes Pères, quand on verra au même temps qu'il traite en cet endroit d'une question toute différente de celle dont nous parlons, et que l'opinion dont il dit en ce lieu-là qu'il en condamne la pratique n'est en aucune sorte celle dont il s'agit ici, mais une autre toute séparée ? Cependant il ne faut pour en être éclairci qu'ouvrir le livre au lieu même où vous renvoyez. Car on y trouvera toute la suite de son discours en cette manière.

Il traite la question, *savoir si on peut tuer pour un soufflet*, au n. 79, et il la finit au nombre 80, sans qu'il y ait en tout cela un seul mot de condamnation. Cette question étant terminée, il en commence une nouvelle en l'article 81, *savoir si on peut tuer pour des médisances*. Et c'est sur celle-là qu'il dit, au n. 82, ces paroles que vous avez citées : *J'en condamne la pratique.*

N'est-ce donc pas une chose honteuse, mes Pères, que vous osiez produire ces paroles, pour faire croire que Lessius condamne l'opinion qu'on peut tuer pour un soufflet ? Et que, n'en ayant rapporté en tout que cette seule preuve, vous triomphiez là-dessus en disant comme vous faites : *Plusieurs personnes d'honneur dans Paris ont déjà reconnu cette insigne fausseté par la lecture de Lessius, et ont appris par là quelle créance on doit avoir à ce calomniateur.* Quoi ! mes Pères, est-ce ainsi que vous abusez de la créance que ces personnes d'honneur ont en vous ? Pour leur faire entendre que Lessius n'est pas d'un sentiment, vous leur ouvrez son livre en un endroit où il en condamne un autre. Et comme ces personnes n'entrent pas en défiance de votre bonne foi, et ne pensent pas à examiner s'il s'agit en ce lieu-là de la question contestée, vous trompez ainsi leur crédulité. Je m'assure, mes Pères, que pour vous garantir d'un si honteux mensonge, vous avez eu recours à votre doctrine des équivoques, et que lisant ce passage *tout haut*, vous disiez *tout bas* qu'il s'y agissait d'une autre matière. Mais je ne sais si cette raison, qui suffit bien pour satisfaire votre conscience, suffira pour satisfaire la juste plainte que vous feront ces gens d'honneur, quand ils verront que vous les avez joués de cette sorte.

Empêchez-les donc bien, mes Pères, de voir mes lettres, puisque c'est le seul moyen qui vous reste pour conserver encore quelque temps votre crédit. Je n'en use pas ainsi des vôtres. J'en envoie à tous mes amis, je souhaite que tout le monde les voie. Et je crois que nous avons tous raison. Car enfin, après avoir publié cette quatrième imposture avec tant d'éclat, vous voilà décriés si on vient à savoir que vous y avez supposé un passage pour un autre. On jugera facilement que, si vous eussiez trouvé ce que vous demandiez au lieu même où Lessius traitait cette matière, vous ne l'eussiez pas été chercher ailleurs ; et que vous n'y avez eu recours que parce que vous n'y voyiez rien qui fût favorable à votre dessein. Vous vouliez faire trouver dans Lessius ce que vous dites dans votre imposture, p. 10, ligne 12, *qu'il n'accorde pas que cette opinion soit probable dans la spéculation ;* et Lessius dit expressément en sa conclusion, n. 80 : *Cette opinion, qu'on peut tuer pour un soufflet reçu, est probable dans la spéculation.* N'est-ce pas là mot à mot le contraire de votre discours ? Et qui peut assez admirer avec quelle hardiesse vous produisez en propres termes le contraire d'une vérité de fait ? De sorte qu'au lieu que vous concluiez de votre passage supposé que Lessius n'était pas de ce sentiment, il se conclut fort bien de son véritable passage qu'il est de ce même sentiment.

Vous vouliez encore faire dire à Lessius *qu'il en condamne la pratique.* Et comme je l'ai déjà dit, il ne se trouve pas une seule parole de condamnation en ce lieu-là ; mais il parle ainsi : *Il semble qu'on n'en doit pas* FACILEMENT *permettre la pratique : in praxi non videtur* FACILE PERMITTENDA. Est-ce là le langage d'un homme qui *condamne* une maxime ? Diriez-vous, mes Pères, qu'il ne faut pas *permettre facilement* dans la pratique les adultères ou les incestes ? Ne doit-on pas conclure au contraire, puisque Lessius ne dit autre chose, sinon que la pratique n'en doit pas être facilement permise, que la pratique même en peut être quelquefois permise, quoique rarement. Et comme s'il eût voulu apprendre à tout le monde quand on la doit permettre, et ôter aux personnes offensées les scrupules qui les pourraient troubler mal à propos, ne sachant en quelles occasions il leur est permis de tuer dans la pratique, il a eu soin de leur marquer ce qu'ils doivent éviter pour pratiquer cette doctrine en conscience. Écoutez-le, mes Pères. *Il semble,* dit-il, *qu'on ne doit pas le permettre facilement,* À CAUSE *du danger qu'il y a qu'on agisse en cela par haine, ou par vengeance, ou avec excès, ou que cela ne causât trop de meurtres.* De sorte qu'il est clair que ce meurtre restera tout permis dans la pratique selon Lessius, si on évite ces inconvénients, c'est-à-dire si l'on peut agir sans haine, sans vengeance, et dans des circonstances qui n'attirent pas beaucoup de meurtres. En voulez-vous un exemple, mes Pères ? En voici un assez nouveau. C'est celui du soufflet de Compiègne[4]. Car vous avouerez que celui qui l'a reçu a témoigné, par la manière dont il s'est conduit, qu'il était assez maître des mouvements de haine et de vengeance. Il ne lui restait donc qu'à éviter un trop grand nombre de meurtres : et vous savez, mes Pères, qu'il est si rare que des Jésuites donnent des soufflets aux officiers de la maison du roi, qu'il n'y avait pas à craindre qu'un meurtre en cette occasion en eût tiré beaucoup d'autres en conséquence. Et ainsi vous ne sauriez nier que ce Jésuite ne fût tuable en sûreté de conscience, et que l'offensé ne pût en cette rencontre pratiquer en son endroit la doctrine de Lessius. Et peut-être, mes Pères, qu'il l'eût fait, s'il eût été instruit dans votre école, et s'il eût appris d'Escobar *qu'un homme qui a reçu un soufflet est réputé sans honneur jusqu'à ce qu'il ait tué celui qui le lui a donné.* Mais vous avez sujet de croire que les instructions fort contraires qu'il a reçues d'un curé que vous n'aimez pas trop[5] n'ont pas peu contribué en cette occasion à sauver la vie à un Jésuite.

Ne nous parlez donc plus de ces inconvénients qu'on peut éviter en tant de rencontres, et hors lesquels le meurtre est permis selon Lessius dans la pratique même. C'est ce qu'ont bien reconnu vos auteurs cités par Escobar dans la *pratique de l'homicide selon votre Société* : *Est-il permis,* dit-il, *de tuer celui qui a donné un soufflet ? Lessius dit que cela est permis dans la spéculation, mais qu'on ne le doit pas conseiller dans la pratique, non consulendum in praxi, à cause du danger de la haine ou des meurtres nuisibles à l'État qui en pourraient arriver.* MAIS LES AUTRES ONT JUGÉ QU'EN ÉVITANT CES INCONVÉNIENTS CELA EST PERMIS ET SÛR DANS LA PRATIQUE : *in praxi probabilem et tutam judicarunt Henriquez*[6], *etc.* Voilà comment les opinions s'élèvent peu à peu jusqu'au comble de la probabilité. Car vous y avez porté celle-ci en la permettant enfin sans aucune distinction de spéculation ni de pratique, en ces termes : *Il est permis, lorsqu'on a reçu un soufflet, de donner incontinent un coup d'épée, non pas pour se venger, mais pour conserver son honneur.* C'est ce qu'ont enseigné vos Pères à Caen en 1644, dans leurs écrits publics[7], que l'Université produisit au Parlement dans sa troisième requête contre votre doctrine de l'homicide, p. 339.

Remarquez donc, mes Pères, que vos propres auteurs ruinent d'eux-mêmes cette vaine distinction de spéculation et de pratique que l'Université avait traitée de ridicule, et dont l'invention est un secret de votre politique qu'il est bon de faire entendre. Car, outre que l'intelligence en est nécessaire pour les 15e, 16e, 17e et 18e impostures[8], il est toujours à propos de découvrir peu à peu les principes de cette politique mystérieuse.

Quand vous avez entrepris de décider les cas de conscience d'une manière favorable et accommodante, vous en avez trouvé où la religion seule était intéressée, comme les questions de la contrition, de la pénitence, de l'amour de Dieu, et toutes celles qui ne touchent que l'intérieur des consciences. Mais vous en avez rencontré d'autres où l'État a intérêt aussi bien que la religion, comme sont celles de l'usure, des banqueroutes, de l'homicide, et autres semblables. Et c'est une chose bien sensible à ceux qui ont un véritable amour pour l'Église, de voir qu'en une infinité d'occasions où vous n'avez eu que la religion à combattre, comme ce n'est pas ici le lieu où Dieu exerce visiblement sa justice, vous en avez renversé les lois sans aucune crainte, sans réserve et sans distinction, comme il se voit dans vos opinions si hardies contre la pénitence et l'amour de Dieu.

Mais dans celles où la religion et l'État ont part, vous avez partagé vos décisions, et formé deux questions sur ces matières : l'une que vous appelez *de spéculation*, dans laquelle en considérant ces crimes en eux-mêmes sans regarder à l'intérêt de l'État, mais seulement à la loi de Dieu qui les défend, vous les avez permis sans hésiter, en renversant ainsi la loi de Dieu qui les condamne ; l'autre que vous appelez *de pratique*, dans laquelle en considérant le dommage que l'État en recevrait, et la présence des magistrats qui maintiennent la sûreté publique, vous n'approuvez pas toujours dans la pratique ces meurtres et ces crimes que vous trouvez permis dans la spéculation, pour vous mettre par là à couvert du côté des juges. C'est ainsi par exemple que sur cette question, s'il est permis de tuer pour des médisances, vos auteurs, Filiutius, tr. 29, cap. 3, num. 52 ; Reginaldus, l. 21, cap. 5, num. 63, et les autres, répondent : *Cela est permis dans la spéculation, ex probabili opinione licet ; mais je n'en approuve pas la pratique à cause du grand nombre de meurtres qui en arriveraient, et qui feraient tort à l'État, si on tuait tous les médisants ; et qu'aussi on serait puni en justice en tuant pour ce sujet.* Voilà de quelle sorte vos opinions commencent à paraître sous cette distinction, par le moyen de laquelle vous ne ruinez que la religion, sans blesser encore sensiblement l'État. Par là vous croyez être en assurance. Car vous vous imaginez que le crédit que vous avez dans l'Église empêchera qu'on ne punisse vos attentats contre la vérité, et que les précautions que vous apportez pour ne mettre pas facilement ces permissions en pratique vous mettront à couvert de la part des magistrats, qui n'étant pas juges des cas de conscience n'ont proprement intérêt qu'à la pratique extérieure. Ainsi une opinion qui serait condamnée sous le nom de pratique se produit en sûreté sous le nom de spéculation. Mais cette base étant affermie, il n'est pas difficile d'y élever le reste de vos maximes. Il y avait une distance infinie entre la défense que Dieu a faite de tuer, et la permission spéculative que vos auteurs en ont donnée. Mais la distance est bien petite de cette permission à la pratique. Il ne reste seulement qu'à montrer que ce qui est permis dans la spéculative l'est bien aussi dans la pratique. On ne manquera pas de raisons pour cela. Vous en avez bien trouvé en des cas plus difficiles. Voulez-vous voir, mes Pères, par où l'on y arrive ? Suivez ce raisonnement d'Escobar, qui l'a décidé nettement dans le premier des six tomes de sa grande Théologie Morale, dont je vous ai parlé[9], où il est tout autrement éclairé que dans ce recueil qu'il avait fait de vos 24 vieillards ; car au lieu qu'il avait pensé en ce temps-là qu'il pouvait y avoir des opinions probables dans la spéculation qui ne fussent pas sûres dans la pratique, il a connu le contraire depuis, et l'a fort bien établi dans ce dernier ouvrage ; tant la doctrine de la probabilité en général reçoit d'accroissement par le temps, aussi bien que chaque opinion probable en particulier. Écoutez-le donc In praeloq. n. 15. *Je ne vois pas,* dit-il, *comment il se pourrait faire que ce qui paraît permis dans la spéculation ne le fût pas dans la pratique, puisque ce qu'on peut faire dans la pratique dépend de ce qu'on trouve permis dans la spéculation, et que ces choses ne diffèrent l'une de l'autre que comme l'effet de la cause. Car la spéculation est ce qui détermine à l'action.* D'OÙ IL S'ENSUIT QU'ON PEUT EN SÛRETÉ DE CONSCIENCE SUIVRE DANS LA PRATIQUE LES OPINIONS PROBABLES DANS LA SPÉCULATION ; *et même avec plus de sûreté que celles qu'on n'a pas si bien examinées spéculativement.*

En vérité, mes Pères, votre Escobar raisonne assez bien quelquefois. Et en effet il y a tant de liaison entre la spéculation et la pratique que, quand l'une a pris racine, vous ne faites plus difficulté de permettre l'autre sans déguisement. C'est ce qu'on a vu dans la permission de tuer pour un soufflet, qui de la simple spéculation a été portée hardiment par Lessius à une pratique *qu'on ne doit pas facilement accorder ;* et de là par Escobar *à une pratique facile ;* d'où vos Pères de Caen l'ont conduite à une permission pleine, sans distinction de théorie et de pratique, comme vous l'avez déjà vu.

C'est ainsi que vous faites croître peu à peu vos opinions. Si elles paraissaient tout d'un coup dans leur dernier excès, elles causeraient de l'horreur ; mais ce progrès lent et insensible y accoutume doucement les hommes, et en ôte le scandale. Et par ce moyen la permission de tuer, si odieuse à l'État et à l'Église, s'introduit premièrement dans l'Église, et ensuite de l'Église dans l'État.

On a vu un semblable succès de l'opinion de tuer pour des médisances. Car elle est aujourd'hui arrivée à une permission pareille sans aucune distinction. Je ne m'arrêterais pas à vous en rapporter les passages de vos Pères, si cela n'était nécessaire pour confondre l'assurance que vous avez eue de dire deux fois dans votre 15ᵉ imposture, p. 26 et 30, *qu'il n'y a pas un Jésuite qui permette de tuer pour des médisances.* Quand vous dites cela, mes Pères, vous devriez aussi empêcher que je ne le visse, puisqu'il m'est si facile d'y répondre. Car outre que vos Pères Reginaldus, Filiutius, etc., l'ont permis dans la spéculation, comme je l'ai déjà dit, et que de là le principe d'Escobar nous mène sûrement à la pratique, j'ai à vous dire de plus que vous avez plusieurs auteurs qui l'ont permis en mots propres, et entre autres le P. Héreau dans ses leçons publiques, ensuite desquelles le Roi le fit mettre en arrêt en votre maison pour avoir enseigné, outre plusieurs erreurs, *que quand celui qui nous décrie devant des gens d'honneur continue après l'avoir averti de cesser, il nous est permis de le tuer ; non pas en public, de peur de scandale, mais en cachette,* SED CLAM [10].

Je vous ai déjà parlé du P. L'Amy, et vous n'ignorez pas que sa doctrine sur ce sujet a été censurée en 1649 par l'Université de Louvain. Et néanmoins il n'y a pas encore deux mois que votre Père Des Bois a soutenu à Rouen cette doctrine censurée du P. L'Amy, et a enseigné *qu'il est permis à un religieux de défendre l'honneur qu'il a acquis par sa vertu, même en tuant celui qui attaque sa réputation, etiam cum morte invasoris.* Ce qui a causé un tel scandale en cette ville-là, que tous les Curés se sont unis pour lui faire imposer silence et l'obliger à rétracter sa doctrine par les voies canoniques [11]. L'affaire en est à l'Officialité.

Que voulez-vous donc dire, mes Pères ? Comment entreprenez-vous de soutenir après cela *qu'aucun Jésuite n'est d'avis qu'on puisse tuer pour des médisances ?* Et fallait-il autre chose pour vous en convaincre que les opinions mêmes de vos Pères que vous rapportez, puisqu'ils ne défendent pas spéculativement de tuer, mais seulement dans la pratique, à *cause du mal qui en arriverait à l'État ?* Car je vous demande sur cela, mes Pères, s'il s'agit dans nos disputes d'autre chose, sinon d'examiner si vous avez renversé la loi de Dieu qui défend l'homicide. Il n'est pas question de savoir si vous avez blessé l'État, mais la religion. À quoi sert-il donc dans ce genre de dispute de montrer que vous avez épargné l'État, quand vous faites voir en même temps que vous avez détruit la religion, en disant comme vous faites, p. 28, l. 3, *que le sens de Reginaldus sur la question de tuer pour des médisances est qu'un particulier a droit d'user de cette sorte de défense, la considérant simplement en elle-même ?* Je n'en veux pas davantage que cet aveu pour vous confondre. *Un particulier,* dites-vous, *a droit d'user de cette défense,* c'est-à-dire de tuer pour des médisances, *en considérant la chose en elle-même.* Et par conséquent, mes Pères, la loi de Dieu qui défend de tuer est ruinée par cette décision [12].

Et il ne sert de rien de dire ensuite, comme vous faites, *que cela est illégitime et criminel, même selon la loi de Dieu, à raison des meurtres et des désordres qui en arriveraient dans l'État, et qu'on est obligé selon Dieu d'avoir égard au bien de l'État.* C'est sortir de la question. Car, mes Pères, il y a deux lois à observer : l'une qui défend de tuer, l'autre qui défend de nuire à l'État. Reginaldus n'a pas peut-être violé la loi qui défend de nuire à l'État, mais il a violé certainement celle qui défend de tuer. Or il ne s'agit ici que de celle-là seule. Outre que vos autres Pères qui ont permis ces meurtres dans la pratique ont ruiné l'une aussi bien que l'autre. Mais allons plus avant, mes Pères. Nous voyons bien que vous défendez quelquefois de nuire à l'État, et vous dites que votre dessein en cela est d'observer la loi de Dieu qui oblige à le maintenir. Cela peut être véritable, quoiqu'il ne soit pas certain ; puisque vous pourriez faire la même chose par la seule crainte des juges. Examinons donc, je vous prie, de quel principe part ce mouvement.

N'est-il pas vrai, mes Pères, que si vous regardiez véritablement Dieu, et que l'observation de sa loi fût le premier et principal objet de votre pensée, ce respect régnerait uniformément dans toutes vos décisions importantes, et vous engagerait à prendre dans toutes ces occasions l'intérêt de la

religion. Mais si l'on voit au contraire que vous violez en tant
de rencontres les ordres les plus saints que Dieu ait imposés
aux hommes, quand il n'y a que sa loi à combattre ; et que
dans les occasions mêmes dont il s'agit, vous anéantissez la loi
de Dieu, qui défend ces actions comme criminelles en elles-
mêmes, et ne témoignez craindre de les approuver dans la
pratique que par la crainte des juges, ne nous donnez-vous
pas sujet de juger que ce n'est point Dieu que vous
considérez dans cette crainte ? et que si en apparence vous
maintenez sa loi en ce qui regarde l'obligation de ne pas nuire
à l'État, ce n'est pas pour sa loi même, mais pour arriver à vos
fins, comme ont toujours fait les moins religieux politiques ?

Quoi ! mes Pères, vous nous direz qu'on a droit de tuer
pour des médisances, en ne regardant que la loi de Dieu qui
défend l'homicide : et après avoir ainsi violé la loi éternelle de
Dieu, vous croirez lever le scandale que vous avez causé, et
nous persuader de votre respect envers lui, en ajoutant que
vous en défendez la pratique pour des considérations d'État,
et par la crainte des juges ? N'est-ce pas au contraire exciter
un scandale nouveau, non pas par le respect que vous
témoignez en cela pour les juges, car ce n'est pas cela que je
vous reproche, et vous vous jouez ridiculement là-dessus
page 29 [13]. Je ne vous reproche pas de craindre les juges, mais
de ne craindre que les juges, et non pas le juge des juges.
C'est cela que je blâme, parce que c'est faire Dieu moins
ennemi des crimes que les hommes. Si vous disiez qu'on peut
tuer un médisant selon les hommes, mais non pas selon Dieu,
cela serait moins insupportable ; mais que ce qui est trop
criminel pour être souffert par les hommes soit innocent et
juste aux yeux de Dieu qui est la justice même, qu'est-ce faire
autre chose, sinon montrer à tout le monde que, par cet
horrible renversement si contraire à l'esprit des saints, vous
êtes hardis contre Dieu, et timides envers les hommes ? Si
vous aviez voulu condamner sincèrement ces homicides, vous
auriez laissé subsister l'ordre de Dieu qui les défend ; et si
vous aviez osé permettre d'abord ces homicides, vous les
auriez permis ouvertement malgré les lois de Dieu et des

hommes. Mais comme vous avez voulu les permettre insensiblement, et surprendre les magistrats qui veillent à la sûreté publique, vous avez agi finement en séparant vos maximes, et proposant d'un côté *qu'il est permis dans la spéculative de tuer pour des médisances* (car on vous laisse examiner les choses dans la spéculation), et produisant d'un autre côté cette maxime détachée, *que ce qui est permis dans la spéculation l'est bien aussi dans la pratique*. Car quel intérêt l'État semble-t-il avoir dans cette proposition générale et métaphysique ? Et ainsi ces deux principes peu suspects étant reçus séparément, la vigilance des magistrats est trompée ; puisqu'il ne faut plus que rassembler ces maximes pour en tirer cette conclusion où vous tendez, qu'on peut donc tuer dans la pratique pour de simples médisances.

Car c'est encore ici, mes Pères, une des plus subtiles adresses de votre politique, de séparer dans vos écrits les maximes que vous assemblez dans vos avis. C'est ainsi que vous avez établi à part votre doctrine de la probabilité, que j'ai souvent expliquée. Et ce principe général étant affermi, vous avancez séparément des choses qui, pouvant être innocentes d'elles-mêmes, deviennent horribles étant jointes à ce pernicieux principe. J'en donnerai pour exemple ce que vous avez dit, page 11, dans vos impostures [14], et à quoi il faut que je réponde : *Que plusieurs théologiens célèbres sont d'avis qu'on peut tuer pour un soufflet reçu*. Il est certain, mes Pères, que, si une personne qui ne tient point la probabilité avait dit cela, il n'y aurait rien à reprendre, puisqu'on ne ferait alors qu'un simple récit qui n'aurait aucune conséquence. Mais vous, mes Pères, et tous ceux qui tiennent cette dangereuse doctrine, *que tout ce qu'approuvent des auteurs célèbres est probable et sûr en conscience*, quand vous ajoutez à cela *que plusieurs auteurs célèbres sont d'avis qu'on peut tuer pour un soufflet*, qu'est-ce faire autre chose, sinon de mettre à tous les Chrétiens le poignard à la main pour tuer ceux qui les auront offensés, en leur déclarant qu'ils le peuvent faire en sûreté de conscience, parce qu'ils suivront en cela l'avis de tant d'auteurs graves ?

Quel horrible langage qui, en disant que des auteurs tiennent une opinion damnable, est en même temps une décision en faveur de cette opinion damnable, et qui autorise en conscience tout ce qu'il ne fait que rapporter! On l'entend, mes Pères, ce langage de votre école. Et c'est une chose étonnante que vous ayez le front de le parler si haut, puisqu'il marque votre sentiment si à découvert, et vous convainc de tenir pour sûre en conscience cette opinion, *qu'on peut tuer pour un soufflet,* aussitôt que vous nous avez dit que plusieurs auteurs célèbres la soutiennent.

Vous ne pouvez vous en défendre, mes Pères, non plus que vous prévaloir des passages de Vasquez et de Suarez que vous m'opposez, où ils condamnent ces meurtres que leurs confrères approuvent. Ces témoignages séparés du reste de votre doctrine pourraient éblouir ceux qui ne l'entendent pas assez. Mais il faut joindre ensemble vos principes et vos maximes. Vous dites donc ici que Vasquez ne souffre point les meurtres; mais que dites-vous d'un autre côté, mes Pères? *Que la probabilité d'un sentiment n'empêche pas la probabilité du sentiment contraire.* Et en un autre lieu, *qu'il est permis de suivre l'opinion la moins probable et la moins sûre, en quittant l'opinion la plus probable et la plus sûre.* Que s'ensuit-il de tout cela ensemble, sinon que nous avons une entière liberté de conscience pour suivre celui qui nous plaira de tous ces avis opposés? Que devient donc, mes Pères, le fruit que vous espériez de toutes ces citations? Il disparaît, puisqu'il ne faut pour votre condamnation que rassembler ces maximes que vous séparez pour votre justification. Pourquoi produisez-vous donc ces passages de vos auteurs que je n'ai point cités, pour excuser ceux que j'ai cités, puisqu'ils n'ont rien de commun? Que droit cela vous donne-t-il de m'appeler *imposteur?* Ai-je dit que tous vos Pères sont dans un même dérèglement? Et n'ai-je pas fait voir au contraire que votre principal intérêt est d'en avoir de tous avis pour servir à tous vos besoins? À ceux qui voudront tuer, on présentera Lessius; à ceux qui ne le voudront pas, on produira Vasquez, afin que personne ne sorte mal content, et sans avoir pour soi un auteur grave. Lessius parlera en païen de l'homicide, et peut-être en chrétien de l'aumône : Vasquez parlera en païen de l'aumône[15], et en chrétien de l'homicide. Mais par le moyen de la probabilité, que Vasquez et Lessius tiennent, et qui rend toutes vos opinions communes, ils se prêteront leurs sentiments les uns aux autres, et seront obligés d'absoudre ceux qui auront agi selon les opinions que chacun d'eux condamne. C'est donc cette variété qui vous confond davantage. L'uniformité serait plus supportable ; et il n'y a rien de plus contraire aux ordres exprès de saint Ignace et de vos premiers Généraux que ce mélange confus de toutes sortes d'opinions. Je vous en parlerai peut-être quelque jour, mes Pères : et on sera surpris de voir combien vous êtes déchus du premier esprit de votre Institut[16], et que vos propres Généraux ont prévu que le dérèglement de votre doctrine dans la morale pourrait être funeste, non seulement à votre Société, mais encore à l'Église universelle[17].

Je vous dirai cependant que vous ne pouvez pas tirer aucun avantage de l'opinion de Vasquez. Ce serait une chose étrange si, entre tant de Jésuites qui ont écrit, il n'y en avait pas un ou deux qui eussent dit ce que tous les Chrétiens confessent. Il n'y a point de gloire à soutenir qu'on ne peut pas tuer pour un soufflet, selon l'Évangile ; mais il y a une horrible honte à le nier. De sorte que cela vous justifie si peu qu'il n'y a rien qui vous accable davantage ; puisque, ayant eu parmi vous des docteurs qui vous ont dit la vérité, vous n'êtes pas demeurés dans la vérité, et que vous avez mieux aimé les ténèbres que la lumière[18]. Car vous avez appris de Vasquez *que c'est une opinion païenne, et non pas chrétienne, de dire qu'on puisse donner un coup de bâton à celui qui a donné un soufflet. Que c'est ruiner le Décalogue et l'Évangile, de dire qu'on puisse tuer pour ce sujet ; et que les plus scélérats d'entre les hommes le reconnaissent*[19]. Et cependant vous avez souffert que contre ces vérités connues Lessius, Escobar et les autres aient décidé que toutes les défenses que Dieu a faites de l'homicide n'empêchent point qu'on ne puisse tuer pour un soufflet. À quoi sert-il donc maintenant de produire ce passage de

Vasquez contre le sentiment de Lessius, sinon pour montrer
que Lessius est *un païen et un scélérat*, selon Vasquez ? Et c'est
ce que je n'osais dire. Qu'en peut-on conclure, si ce n'est que
Lessius *ruine le Décalogue et l'Évangile* ? Qu'au dernier jour
Vasquez condamnera Lessius sur ce point, comme Lessius
condamnera Vasquez sur un autre ; et que tous vos auteurs
s'élèveront en jugement les uns contre les autres pour se
condamner réciproquement dans leurs effroyables excès
contre la loi de Jésus-Christ ?

   Concluons donc, mes Pères, que puisque votre probabilité
rend les bons sentiments de quelques-uns de vos auteurs
inutiles à l'Église, et utiles seulement à votre politique, ils ne
servent qu'à nous montrer par leur contrariété la duplicité de
votre cœur, que vous nous avez parfaitement découverte, en
nous déclarant d'une part que Vasquez et Suarez sont
contraires à l'homicide, et de l'autre, que plusieurs auteurs
célèbres sont pour l'homicide, afin d'offrir deux chemins aux
hommes, en détruisant la simplicité de l'Esprit de Dieu, qui
maudit ceux qui sont doubles de cœur, et qui se préparent
deux voies : *Vae duplici corde, et ingredienti duabus viis*[20] !

QUATORZIÈME LETTRE

ÉCRITE PAR L'AUTEUR
DES LETTRES AU PROVINCIAL
AUX RÉVÉRENDS PÈRES JÉSUITES

Du 23 octobre 1656.

MES RÉVÉRENDS PÈRES,

Si je n'avais qu'à répondre aux trois impostures qui restent sur l'homicide[1], je n'aurais pas besoin d'un long discours, et vous les verrez ici réfutées en peu de mots ; mais comme je trouve bien plus important de donner au monde de l'horreur de vos opinions sur ce sujet que de justifier la fidélité de mes citations, je serai obligé d'employer la plus grande partie de cette lettre à la réfutation de vos maximes, pour vous représenter combien vous êtes éloignés des sentiments de l'Église, et même de la nature. Les permissions de tuer que vous accordez en tant de rencontres font paraître qu'en cette matière vous avez tellement oublié la loi de Dieu, et tellement éteint les lumières naturelles, que vous avez besoin qu'on vous remette dans les principes les plus simples de la religion et du sens commun. Car qu'y a-t-il de plus naturel que ce sentiment *qu'un particulier n'a pas droit sur la vie d'un autre ? Nous en sommes tellement instruits de nous-mêmes,* dit saint Chrysostome, *que, quand Dieu a établi le précepte de ne point tuer, il n'a pas ajouté que c'est à cause que l'homicide est un mal ; parce,* dit ce Père, *que la loi suppose qu'on a déjà appris cette vérité de la nature.*

Aussi ce commandement a été imposé aux hommes dans

tous les temps : l'Évangile a confirmé celui de la loi, et le Décalogue n'a fait que renouveler celui que les hommes avaient reçu de Dieu avant la loi en la personne de Noé, dont tous les hommes devaient naître. Car dans ce renouvellement du monde Dieu dit à ce patriarche : *Je demanderai compte aux hommes de la vie des hommes, et au frère de la vie de son frère. Quiconque versera le sang humain, son sang sera répandu ; parce que l'homme est créé à l'image de Dieu* [2].

Cette défense générale ôte aux hommes tout pouvoir sur la vie des hommes. Et Dieu se l'est tellement réservé à lui seul, que selon la vérité chrétienne, opposée en cela aux fausses maximes du paganisme, l'homme n'a pas même pouvoir sur sa propre vie. Mais parce qu'il a plu à sa providence de conserver les sociétés des hommes, et de punir les méchants qui les troublent, il a établi lui-même des lois pour ôter la vie aux criminels : et ainsi ces meurtres, qui seraient des attentats punissables sans son ordre, deviennent des punitions louables par son ordre, hors duquel il n'y a rien que d'injuste. C'est ce que saint Augustin a représenté admirablement au 1er l. de la Cité de Dieu, ch. 21 : *Dieu*, dit-il, *a fait lui-même quelques exceptions à cette défense générale de tuer, soit par les lois qu'il a établies pour faire mourir les criminels, soit par les ordres particuliers qu'il a donnés quelquefois pour faire mourir quelques personnes. Et quand on tue en ces cas-là, ce n'est pas l'homme qui tue, mais Dieu, dont l'homme n'est que l'instrument, comme une épée entre les mains de celui qui s'en sert. Mais si on excepte ces cas, quiconque tue se rend coupable d'homicide.*

Il est donc certain, mes Pères, que Dieu seul a le droit d'ôter la vie, et que néanmoins, ayant établi des lois pour faire mourir les criminels, il a rendu les Rois ou les Républiques dépositaires de ce pouvoir. Et c'est ce que saint Paul nous apprend, lorsque, parlant du droit que les souverains ont de faire mourir les hommes, il le fait descendre du ciel, en disant *que ce n'est pas en vain qu'ils portent l'épée, parce qu'ils sont ministres de Dieu pour exécuter ses vengeances contre les coupables* [3].

Mais comme c'est Dieu qui leur a donné ce droit, il les

oblige à l'exercer ainsi qu'il le ferait lui-même, c'est-à-dire avec justice, selon cette parole de saint Paul au même lieu : *Les princes ne sont pas établis pour se rendre terribles aux bons, mais aux méchants. Qui veut n'avoir point sujet de redouter leur puissance n'a qu'à bien faire : car ils sont ministres de Dieu pour le bien*[4]. Et cette restriction rabaisse si peu leur puissance, qu'elle la relève au contraire beaucoup davantage ; parce que c'est la rendre semblable à celle de Dieu, qui est impuissant pour faire le mal, et tout-puissant pour faire le bien ; et que c'est la distinguer de celle des démons, qui sont impuissants pour le bien, et n'ont de puissance que pour le mal. Il y a seulement cette différence entre Dieu et les souverains, que Dieu étant la justice et la sagesse même, il peut faire mourir sur-le-champ qui il lui plaît, quand il lui plaît, et en la manière qu'il lui plaît. Car outre qu'il est le maître souverain de la vie des hommes, il ne peut la leur ôter sans cause, sans connaissance, puisqu'il est aussi incapable d'injustice que d'erreur. Mais les princes ne peuvent pas agir de la sorte, parce qu'ils sont tellement ministres de Dieu qu'ils sont hommes néanmoins, et non pas dieux. Les mauvaises impressions les pourraient surprendre, les faux soupçons les pourraient aigrir, la passion les pourrait emporter ; et c'est ce qui les a engagés eux-mêmes à descendre dans les moyens humains, et à établir dans leurs États des juges, auxquels ils ont communiqué ce pouvoir, afin que cette autorité que Dieu leur a donnée ne soit employée que pour la fin pour laquelle ils l'ont reçue.

Concevez donc, mes Pères, que, pour être exempts d'homicide, il faut agir tout ensemble et par l'autorité de Dieu, et selon la justice de Dieu ; et que si ces deux conditions ne sont jointes, on pèche, soit en tuant avec son autorité, mais sans justice ; soit en tuant avec justice, mais sans son autorité. De la nécessité de cette union il arrive, selon saint Augustin, *que celui qui sans autorité tue un criminel se rend criminel lui-même, par cette raison principale qu'il usurpe une autorité que Dieu ne lui a pas donnée*[5] ; et les juges au contraire, qui ont cette autorité, sont néanmoins homicides, s'ils font mourir un innocent contre les lois qu'ils doivent suivre.

Voilà, mes Pères, les principes du repos et de la sûreté publique qui ont été reçus dans tous les temps et dans tous les lieux, et sur lesquels tous les législateurs du monde, saints et profanes, ont établi leurs lois, sans que jamais les païens mêmes aient apporté d'exception à cette règle, sinon lorsqu'on ne peut autrement éviter la perte de la pudicité ou de la vie ; parce qu'ils ont pensé *qu'alors*, comme dit Cicéron, *les lois mêmes semblent offrir leurs armes à ceux qui sont dans une telle nécessité*[6].

Mais que, hors cette occasion dont je ne parle point ici, il y ait jamais eu de loi qui ait permis aux particuliers de tuer, et qui l'ait souffert, comme vous faites, pour se garantir d'un affront, et pour éviter la perte de l'honneur ou du bien, quand on n'est point en même temps en péril de la vie ; c'est, mes Pères, ce que je soutiens que jamais les infidèles mêmes n'ont fait. Ils l'ont au contraire défendu expressément. Car la loi des 12 Tables de Rome portait : *qu'il n'est pas permis de tuer un voleur de jour, qui ne se défend point avec des armes.* Ce qui avait déjà été défendu dans l'Exode, c. 22. Et la loi *Furem, ad Legem Corneliam*, qui est prise d'Ulpien, *défend de tuer même les voleurs de nuit, qui ne nous mettent pas en péril de mort.* Voyez-le dans Cujas, in tit. dig. de Justit. et Jure, ad l. 3.

Dites-nous donc, mes Pères, par quelle autorité vous permettez ce que les lois divines et humaines défendent, et par quel droit Lessius a pu dire, l. 2, c. 9, n. 66 et 72 : *L'Exode défend de tuer les voleurs de jour qui ne se défendent pas avec des armes ; et on punit en justice ceux qui tueraient de cette sorte. Mais néanmoins on n'en serait pas coupable en conscience, lorsqu'on n'est pas certain de pouvoir recouvrer ce qu'on nous dérobe, et qu'on est en doute, comme dit Sotus, parce qu'on n'est pas obligé de s'exposer au péril de perdre quelque chose pour sauver un voleur. Et tout cela est encore permis aux ecclésiastiques mêmes ?* Quelle étrange hardiesse ! La loi de Moïse punit ceux qui tuent les voleurs, lorsqu'ils n'attaquent pas notre vie ; et la loi de l'Évangile selon vous les absoudra ? Quoi ! mes Pères, Jésus-Christ est-il venu pour détruire la loi, et non pas pour l'accomplir [7] ? *Les juges puniraient*, dit Lessius, *ceux qui tueraient en cette occasion, mais on n'en serait pas coupable en conscience.* Est-ce donc que la morale de Jésus-Christ est plus cruelle et moins ennemie du meurtre que celle des païens, dont les juges ont pris ces lois civiles qui les condamnent ? Les Chrétiens font-ils plus d'état des biens de la terre, ou font-ils moins d'état de la vie des hommes que n'en ont fait les idolâtres et les infidèles ? Sur quoi vous fondez-vous, mes Pères ? Ce n'est sur aucune loi expresse ni de Dieu, ni des hommes, mais seulement sur ce raisonnement étrange : *Les lois*, dites-vous, *permettent de se défendre contre les voleurs et de repousser la force par la force. Or la défense étant permise, le meurtre est aussi réputé permis, sans quoi la défense serait souvent impossible* [8].

Il est faux, mes Pères, que la défense étant permise, le meurtre soit aussi permis. C'est cette cruelle manière de se défendre qui est la source de toutes vos erreurs, et qui est appelée, par la Faculté de Louvain, UNE DÉFENSE MEURTRIÈRE, *defensio occisiva*, dans la Censure de la doctrine de votre P. L'Amy sur l'homicide [9]. Je vous soutiens donc qu'il y a tant de différence selon les lois entre tuer et se défendre que, dans les mêmes occasions où la défense est permise, le meurtre est défendu quand on n'est point en péril de mort. Écoutez-le, mes Pères, dans Cujas, au même lieu : *Il est permis de repousser celui qui vient pour s'emparer de notre possession*, MAIS IL N'EST PAS PERMIS DE LE TUER. Et encore : *Si quelqu'un vient pour nous frapper, et non pas pour nous tuer, il est bien permis de le repousser*, MAIS IL N'EST PAS PERMIS DE LE TUER.

Qui vous a donc donné le pouvoir de dire comme font Molina, Reginaldus, Filiutius, Escobar, Lessius, et les autres : *Il est permis de tuer celui qui vient pour nous frapper* ? Et ailleurs : *Il est permis de tuer celui qui veut nous faire un affront, selon l'avis de tous les casuistes, ex sententia omnium*, comme dit Lessius, n. 74 ? Par quelle autorité, vous qui n'êtes que des particuliers, donnez-vous ce pouvoir de tuer aux particuliers, et aux religieux mêmes ? Et comment osez-vous usurper ce droit de vie et de mort, qui n'appartient essentiellement qu'à Dieu, et qui est la plus glorieuse marque de la puissance souveraine ? C'est sur cela qu'il fallait répondre ; et vous pensez y avoir satisfait en disant simplement dans votre 13ᵉ imposture, *que la valeur pour laquelle Molina permet de tuer un voleur qui s'enfuit sans nous faire aucune violence n'est pas aussi petite que j'ai dit, et qu'il faut qu'elle soit plus grande que six ducats* [10]. Que cela est faible, mes Pères ! Où voulez-vous la déterminer ? À quinze ou seize ducats ? Je ne vous en ferai pas moins de reproches. Au moins vous ne sauriez dire qu'elle passe la valeur d'un cheval ; car Lessius, l. 2, c. 9, n. 74, décide nettement *qu'il est permis de tuer un voleur qui s'enfuit avec notre cheval.* Mais je vous dis de plus que selon Molina cette valeur est déterminée à six ducats, comme je l'ai rapporté : et si vous n'en voulez pas demeurer d'accord, prenons un arbitre que vous ne puissiez refuser. Je choisis donc pour cela votre Père Reginaldus, qui, expliquant ce même lieu de Molina, l. 21, n. 68, déclare *que Molina y* DÉTERMINE *la valeur pour laquelle il n'est pas permis de tuer, à trois ou quatre ou cinq ducats.* Et ainsi, mes Pères, je n'aurai pas seulement Molina, mais encore Reginaldus.

Il ne me sera pas moins facile de réfuter votre 14ᵉ imposture, touchant la permission de *tuer un voleur qui nous veut ôter un écu* selon Molina. Cela est si constant, qu'Escobar vous le témoignera, tr. 1, ex. 7, n. 44, où il dit que *Molina détermine régulièrement la valeur pour laquelle on peut tuer, à un écu.* Aussi vous me reprochez seulement dans la 14ᵉ imposture que j'ai supprimé les dernières paroles de ce passage : *Que l'on doit garder en cela la modération d'une juste défense* [11]. Que ne vous plaignez-vous donc aussi de ce qu'Escobar ne les a point exprimées ? Mais que vous êtes peu fins ! Vous croyez qu'on n'entend pas ce que c'est, selon vous, que se défendre. Ne savons-nous pas que c'est user *d'une défense meurtrière ?* Vous voulez faire entendre que Molina a voulu dire par là que, quand on se trouve en péril de la vie en gardant son écu, alors on peut tuer, puisque c'est pour défendre sa vie. Si cela était vrai, mes Pères, pourquoi Molina dirait-il au même lieu *qu'il est contraire en cela à Carrerus et Bald.*, qui permettent de tuer pour sauver sa vie ? Je vous déclare donc qu'il entend simplement que si l'on peut garder son écu sans tuer le voleur, on ne doit pas le tuer ; mais que, si l'on ne peut le garder qu'en tuant, encore même qu'on ne coure nulle risque de la vie, comme si le voleur n'a point d'armes, qu'il est permis d'en prendre et de le tuer pour garder son écu ; et qu'en cela on ne sort point selon lui de la modération d'une juste défense. Et pour vous le montrer, laissez-le s'expliquer lui-même, tom. 4, tr. 3, d. 11, n. 5 : *On ne laisse pas de demeurer dans la modération d'une juste défense, quoiqu'on prenne des armes contre ceux qui n'en ont point, ou qu'on en prenne de plus avantageuses qu'eux. Je sais qu'il y en a qui sont d'un sentiment contraire : mais je n'approuve point leur opinion, même dans le tribunal extérieur.*

Aussi, mes Pères, il est constant que vos auteurs permettent de tuer pour la défense de son bien et de son honneur, sans qu'on soit en aucun péril de sa vie. Et c'est par ce même principe qu'ils autorisent les duels, comme je l'ai fait voir par tant de passages, sur lesquels vous n'avez rien répondu. Vous n'attaquez dans vos écrits [12] qu'un seul passage de votre Père Layman, qui le permet *lorsque autrement on serait en péril de perdre sa fortune ou son honneur,* et vous dites que j'ai supprimé ce qu'il ajoute : *Que ce cas-là est fort rcre* [13]. Je vous admire, mes Pères ; voilà de plaisantes impostures que vous me reprochez ! Il est bien question de savoir si ce cas-là est rare ; il s'agit de savoir si le duel y est permis. Ce sont deux questions séparées. Layman en qualité de casuiste doit juger si le duel y est permis, et il déclare que oui. Nous jugerons bien sans lui si ce cas-là est rare ; et nous lui déclarerons qu'il est fort ordinaire. Et si vous aimez mieux en croire votre bon ami Diana, il vous dira *qu'il est fort commun,* part. 5, tr. 14, misc. 2, resol. 99. Mais qu'il soit rare ou non, et que Layman suive en cela Navarre, comme vous le faites tant valoir, n'est-

ce pas une chose abominable qu'il consente à cette opinion :
Que pour conserver un faux honneur il soit permis en
conscience d'accepter un duel, contre les édits de tous les
États chrétiens, et contre tous les Canons de l'Église ; sans
que vous ayez encore ici pour autoriser toutes ces maximes
diaboliques, ni lois, ni Canons, ni autorités de l'Écriture ou
des Pères, ni exemple d'aucun saint, mais seulement ce
raisonnement impie : *L'honneur est plus cher que la vie. Or il
est permis de tuer pour défendre sa vie. Donc il est permis de tuer
pour défendre son honneur ?* Quoi ! mes Pères, parce que le
dérèglement des hommes leur a fait aimer ce faux honneur
plus que la vie que Dieu leur a donnée pour le servir, il leur
sera permis de tuer pour le conserver ? C'est cela même qui
est un mal horrible, d'aimer cet honneur-là plus que la vie. Et
cependant cette attache vicieuse, qui serait capable de
souiller les actions les plus saintes, si on les rapportait à cette
fin, sera capable de justifier les plus criminelles, parce qu'on
les rapporte à cette fin ! Quel renversement ! mes Pères ; et
qui ne voit à quels excès il peut conduire ?

Car enfin il est visible qu'il portera jusqu'à tuer pour les
moindres choses, quand on mettra son honneur à les
conserver ; je dis même jusqu'à tuer *pour une pomme.* Vous
vous plaindriez de moi, mes Pères, et vous diriez que je tire
de votre doctrine des conséquences malicieuses, si je n'étais
appuyé sur l'autorité du grave Lessius qui parle ainsi, n. 68 :
*Il n'est pas permis de tuer pour conserver une chose de petite
valeur, comme pour un écu,* OU POUR UNE POMME, AUT PRO
POMO, *si ce n'est qu'il nous fût honteux de la perdre. Car alors on
peut la reprendre et même tuer, s'il est nécessaire, pour la ravoir,
et si opus est, occidere ; parce que ce n'est pas tant défendre son
bien que son honneur.* Cela est net, mes Pères. Et pour finir
votre doctrine par une maxime qui comprend toutes les
autres, écoutez celle-ci de votre P. Héreau, qui l'avait prise
de Lessius : *Le droit de se défendre s'étend à tout ce qui est
nécessaire pour nous garder de toute injure* [14].

Que d'étranges suites enfermées dans ce principe inhu-
main ! et combien tout le monde est-il obligé de s'y opposer,

et surtout les personnes publiques ! Ce n'est pas seulement l'intérêt général qui les y engage, mais encore le leur propre, puisque vos casuistes cités dans mes Lettres étendent leur permission de tuer jusques à eux. Et ainsi les factieux qui craindront la punition de leurs attentats, lesquels ne leur paraissent jamais injustes, se persuadant aisément qu'on les opprime par violence, croiront en même temps *que le droit de se défendre s'étend à tout ce qui leur est nécessaire pour se garder de toute injure.* Ils n'auront plus à vaincre les remords de la conscience qui arrêtent la plupart des crimes dans leur naissance, et ne penseront plus qu'à surmonter les obstacles du dehors.

Je n'en parlerai point ici, mes Pères, non plus que des meurtres que vous avez permis, qui sont encore plus abominables et plus importants aux États que tous ceux-ci, dont Lessius traite si ouvertement dans les doutes 4 et 10, aussi bien que tant d'autres de vos auteurs[15]. Il serait à désirer que ces horribles maximes ne fussent jamais sorties de l'enfer, et que le diable, qui en est le premier auteur, n'eût jamais trouvé des hommes assez dévoués à ses ordres pour les publier parmi les chrétiens.

Il est aisé de juger par tout ce que j'ai dit jusques ici combien le relâchement de vos opinions est contraire à la sévérité des lois civiles, et mêmes païennes. Que sera-ce donc si on les compare avec les lois ecclésiastiques, qui doivent être incomparablement plus saintes, puisqu'il n'y a que l'Église qui connaisse et qui possède la véritable sainteté ? Aussi cette chaste épouse du fils de Dieu qui à l'imitation de son époux sait bien répandre son sang pour les autres, mais non pas répandre pour elle celui des autres, a une horreur toute particulière pour le meurtre, et proportionnée aux lumières particulières que Dieu lui a communiquées. Elle considère les hommes non seulement comme hommes, mais comme images du Dieu qu'elle adore. Elle a pour chacun d'eux un saint respect qui les lui rend tous vénérables, comme rachetés d'un prix infini, pour être faits les temples du Dieu vivant[16]. Et ainsi elle croit que la mort d'un homme que l'on tue sans l'ordre de son Dieu n'est pas seulement un homicide, mais un sacrilège, qui la prive d'un de ses membres, puisque soit qu'il soit fidèle, soit qu'il ne le soit pas, elle le considère toujours ou comme étant l'un de ses enfants, ou comme étant capable de l'être.

Ce sont, mes Pères, ces raisons toutes saintes qui, depuis que Dieu s'est fait homme pour le salut des hommes, ont rendu leur condition si considérable à l'Église, qu'elle a toujours puni l'homicide qui les détruit comme un des plus grands attentats qu'on puisse commettre contre Dieu. Je vous en rapporterai quelques exemples, non pas dans la pensée que toutes ces sévérités doivent être gardées, je sais que l'Église peut disposer diversement de cette discipline extérieure, mais pour faire entendre quel est son esprit immuable sur ce sujet[17]. Car les pénitences qu'elle ordonne pour le meurtre peuvent être différentes selon la diversité des temps, mais l'horreur qu'elle a pour le meurtre ne peut jamais changer par le changement des temps.

L'Église a été longtemps à ne réconcilier qu'à la mort ceux qui étaient coupables d'un homicide volontaire, tels que sont ceux que vous permettez. Le célèbre Concile d'Ancyre les soumet à la pénitence durant toute leur vie ; et l'Église a cru depuis être assez indulgente envers eux en réduisant ce temps à un très grand nombre d'années. Mais pour détourner encore davantage les chrétiens des homicides volontaires, elle a puni très sévèrement ceux mêmes qui étaient arrivés par imprudence, comme on peut voir dans saint Basile, dans saint Grégoire de Nysse, dans les décrets du pape Zacharie et d'Alexandre II. Les canons rapportés par Isaac, évêque de Langres, t. 2, c. 13, *ordonnent sept ans de pénitence pour avoir tué en se défendant.* Et on voit que saint Hildebert, évêque du Mans, répondit à Yves de Chartres : *Qu'il a eu raison d'interdire un prêtre pour toute sa vie, qui avait tué un voleur d'un coup de pierre pour se défendre.*

N'ayez donc plus la hardiesse de dire que vos décisions sont conformes à l'esprit et aux Canons de l'Église. On vous défie d'en montrer aucun qui permette de tuer pour défendre son bien seulement ; car je ne parle pas des occasions où on aurait à défendre aussi sa vie, SE SUAQUE LIBERANDO. Vos propre auteurs confessent qu'il n'y en a point, comme entre autres votre Père L'Amy, tom. 5, disp. 36, num. 136 : *Il n'y a*, dit-il, *aucun droit divin ni humain qui permette expressément de tuer un voleur qui ne se défend pas*. Et c'est néanmoins ce que vous permettez expressément. On vous défie d'en montrer aucun qui permette de tuer pour l'honneur, pour un soufflet, pour une injure et une médisance. On vous défie d'en montrer aucun qui permette de tuer les témoins, les juges et les magistrats, quelque injustice qu'on en appréhende. Son esprit est entièrement éloigné de ces maximes séditieuses qui ouvrent la porte aux soulèvements auxquels les peuples sont si naturellement portés. Elle a toujours enseigné à ses enfants qu'on ne doit point rendre le mal pour le mal ; qu'il faut céder à la colère ; ne point résister à la violence ; rendre à chacun ce qu'on lui doit, honneur, tribut, soumission ; obéir aux magistrats et aux supérieurs même injustes parce qu'on doit toujours respecter en eux la puissance de Dieu qui les a établis sur nous[18]. Elle leur défend encore plus fortement que les lois civiles de se faire justice à eux-mêmes ; et c'est par son esprit que les Rois chrétiens ne se la font pas dans les crimes mêmes de lèse-majesté au premier chef, et qu'ils remettent les criminels entre les mains des juges pour les faire punir selon les lois et dans les formes de la justice, qui sont si contraires à votre conduite que l'opposition qui s'y trouve vous fera rougir. Car puisque ce discours m'y porte, je vous prie de suivre cette comparaison entre la manière dont on peut tuer ses ennemis selon vous, et celle dont les juges font mourir les criminels.

Tout le monde sait, mes Pères, qu'il n'est jamais permis aux particuliers de demander la mort de personne ; et que, quand un homme nous aurait ruinés, estropiés, brûlé nos maisons, tué notre père, et qu'il se disposerait encore à nous assassiner et à nous perdre d'honneur, on n'écouterait point en justice la demande que nous ferions de sa mort. De sorte qu'il a fallu établir des personnes publiques qui la demandent de la part du Roi, ou plutôt de la part de Dieu. À votre avis, mes Pères, est-ce par grimace et par feinte que les juges chrétiens ont établi ce règlement ? Et ne l'ont-ils pas fait pour proportionner les lois civiles à celles de l'Évangile, de peur que la pratique extérieure de la justice ne fût contraire aux sentiments intérieurs que des Chrétiens doivent avoir ? On voit assez combien ce commencement des voies de la justice vous confond, mais le reste vous accablera.

Supposez donc, mes Pères, que ces personnes publiques demandent la mort de celui qui a commis tous ces crimes, que fera-t-on là-dessus ? Lui portera-t-on incontinent le poignard dans le sein ? Non, mes Pères ; la vie des hommes est trop importante ; on y agit avec plus de respect ; les lois ne l'ont pas soumise à toutes sortes de personnes, mais seulement aux juges dont on a examiné la probité et la suffisance. Et croyez-vous qu'un seul suffise pour condamner un homme à mort ? Il en faut sept pour le moins, mes Pères. Il faut que de ces sept il n'y en ait aucun qui ait été offensé par le criminel, de peur que la passion n'altère ou ne corrompe son jugement. Et vous savez, mes Pères, qu'afin que leur esprit soit aussi plus pur, on observe encore de donner les heures du matin à ces fonctions. Tant on apporte de soin pour les préparer à une action si grande, où ils tiennent la place de Dieu, dont ils sont les ministres, pour ne condamner que ceux qu'il condamne lui-même.

Et c'est pourquoi, afin d'y agir comme fidèles dispensateurs de cette puissance divine d'ôter la vie aux hommes, ils n'ont la liberté de juger que selon les dépositions des témoins, et selon toutes les autres formes qui leur sont prescrites ; ensuite desquelles ils ne peuvent en conscience prononcer que selon les lois, ni juger dignes de mort que ceux que les lois y condamnent. Et alors, mes Pères, si l'ordre de Dieu les oblige d'abandonner au supplice les corps de ces misérables, le même ordre de Dieu les oblige de prendre soin de leurs âmes criminelles ; et c'est même parce qu'elles sont criminelles qu'ils sont plus obligés à en prendre soin ; de sorte qu'on ne les envoie à la mort qu'après leur avoir donné moyen de pourvoir à leur conscience. Tout cela est bien pur et bien innocent, et néanmoins l'Église abhorre tellement le sang, qu'elle juge encore incapables du ministère de ses autels ceux qui auraient assisté [19] à un arrêt de mort, quoique accompagné de toutes ces circonstances si religieuses : par où il est aisé de concevoir quelle idée l'Église a de l'homicide.

Voilà, mes Pères, de quelle sorte on dispose en justice de la vie des hommes ; voyons maintenant comment vous en disposez. Dans vos nouvelles lois il n'y a qu'un juge : et ce juge est celui-là même qui est offensé. Il est tout ensemble le juge, la partie et le bourreau. Il se demande à lui-même la mort de son ennemi ; il l'ordonne, il l'exécute sur-le-champ, et sans respect ni du corps ni de l'âme de son frère, il tue et damne celui pour qui Jésus-Christ est mort, et tout cela pour éviter un soufflet, ou une médisance, ou une parole outrageuse, ou d'autres offenses semblables, pour lesquelles un juge qui a l'autorité légitime serait criminel d'avoir condamné à la mort ceux qui les auraient commises, parce que les lois sont très éloignées de les y condamner. Et enfin pour comble de ces excès on ne contracte ni péché ni irrégularité en tuant de cette sorte sans autorité et contre les lois, quoiqu'on soit religieux, et même prêtre. Où en sommes-nous, mes Pères ? Sont-ce des religieux et des prêtres qui parlent de cette sorte ? sont-ce des chrétiens ? sont-ce des Turcs ? sont-ce des hommes ? Sont-ce des démons ? Et sont-ce là des *mystères révélés par l'Agneau à ceux de sa Société*[20], ou des abominations suggérées par le Dragon à ceux qui suivent son parti ?

Car enfin, mes Pères, pour qui voulez-vous qu'on vous prenne : pour des enfants de l'Évangile, ou pour des ennemis de l'Évangile ? On ne peut être que d'un parti ou de l'autre ; il n'y a point de milieu. *Qui n'est point avec Jésus-Christ est contre lui*[21]. Ces deux genres d'hommes partagent tous les hommes. Il y a deux peuples et deux mondes répandus sur toute la terre, selon saint Augustin[22] : le monde des enfants de Dieu, qui forme un corps dont Jésus-Christ est le Chef et le Roi ; et le monde ennemi de Dieu, dont le diable est le Chef et le Roi. Et c'est pourquoi Jésus-Christ est appelé le Roi et le

Dieu du monde, parce qu'il a partout des sujets et des adorateurs ; et le diable est aussi appelé dans l'Écriture le Prince du monde [23] et le Dieu de ce siècle [24], parce qu'il a partout des suppôts et des esclaves. Jésus-Christ a mis dans l'Église, qui est son empire, les lois qu'il lui a plu selon sa sagesse éternelle ; et le diable a mis dans le monde, qui est son royaume, les lois qu'il a voulu y établir. Jésus-Christ a mis l'honneur à souffrir ; le diable, à ne point souffrir. Jésus-Christ a dit à ceux qui reçoivent un soufflet, de tendre l'autre joue [25] ; et le diable a dit à ceux à qui on veut donner un soufflet, de tuer ceux qui leur voudront faire cette injure. Jésus-Christ déclare heureux ceux qui participent à son ignominie et le diable déclare malheureux ceux qui sont dans l'ignominie. Jésus-Christ dit : Malheur à vous quand les hommes diront du bien de vous [26] ; et le diable dit : Malheur à ceux dont le monde ne parle pas avec estime.

Voyez donc maintenant, mes Pères, duquel de ces deux royaumes vous êtes. Vous avez ouï le langage de la ville de paix, qui s'appelle la Jérusalem mystique, et vous avez ouï le langage de la ville de trouble, que l'Écriture appelle *la spirituelle Sodome* [27] : lequel de ces deux langages entendez-vous ? lequel parlez-vous ? Ceux qui sont à Jésus-Christ ont les mêmes sentiments que Jésus-Christ, selon saint Paul [28], et ceux qui sont enfants du diable, *ex patre diabolo*, qui a été homicide dès le commencement du monde, suivent les maximes du diable, selon la parole de Jésus-Christ [29]. Écoutons donc le langage de votre École, et demandons à vos auteurs : Quand on nous donne un soufflet, doit-on l'endurer plutôt que de tuer celui qui le veut donner ? ou bien est-il permis de tuer pour éviter cet affront ? *Il est permis*, disent Lessius, Molina, Escobar, Reginaldus, Filiutius, Baldellus, et autres Jésuites, *de tuer celui qui nous veut donner un soufflet.* Est-ce là le langage de Jésus-Christ ? Répondez-nous encore : Serait-on sans honneur en souffrant un soufflet sans tuer celui qui l'a donné ? *N'est-il pas véritable*, dit Escobar, *que tandis qu'un homme laisse vivre celui qui lui a donné un soufflet, il demeure sans honneur ?* Oui, mes Pères, *sans cet honneur* que le diable a transmis de son esprit superbe en celui de ses superbes enfants. C'est cet honneur qui a toujours été l'idole des hommes possédés par l'esprit du monde. C'est pour se conserver cette gloire, dont le démon est le véritable distributeur, qu'ils lui sacrifient leur vie par la fureur des duels à laquelle ils s'abandonnent ; leur honneur, par l'ignominie des supplices auxquels ils s'exposent ; et leur salut, par le péril de la damnation auquel ils s'engagent, et qui les a fait priver de la sépulture même par les Canons ecclésiastiques. Mais on doit louer Dieu de ce qu'il a éclairé l'esprit du Roi par des lumières plus pures que celles de votre théologie. Ses édits si sévères sur ce sujet n'ont pas fait que le duel fût un crime, ils n'ont fait que punir le crime qui est inséparable du duel. Il a arrêté, par la crainte de la rigueur de sa justice, ceux qui n'étaient pas arrêtés par la crainte de la justice de Dieu ; et sa piété lui a fait connaître que l'honneur des Chrétiens consiste dans l'observation des ordres de Dieu et des règles du Christianisme ; et non pas dans ce fantôme d'honneur que vous prétendez, tout vain qu'il soit, être une excuse légitime pour les meurtres. Ainsi vos décisions meurtrières sont maintenant en aversion à tout le monde, et vous seriez mieux conseillés de changer de sentiments, si ce n'est par principe de religion, au moins par maxime de politique. Prévenez, mes Pères, par une condamnation volontaire de ces opinions inhumaines, les mauvais effets qui en pourraient naître, et dont vous seriez responsables. Et pour concevoir plus d'horreur de l'homicide, souvenez-vous que le premier crime des hommes corrompus a été un homicide en la personne du premier juste[30] ; que leur plus grand crime a été un homicide en la personne du chef de tous les justes ; et que l'homicide est le seul crime qui détruit tout ensemble l'État, l'Église, la nature et la piété.

Je viens de voir la réponse de votre Apologiste à la treizième Lettre[31]. Mais s'il ne répond pas mieux à celle-ci, qui satisfait à la plupart de ses difficultés, il ne méritera pas de réplique. Je le plains de le voir sortir à toute heure hors du sujet, pour s'étendre en des calomnies et des injures contre les vivants et contre les morts[32]. Mais pour donner créance aux mémoires que vous lui fournissez, vous ne deviez pas lui faire désavouer publiquement une chose aussi publique qu'est le soufflet de Compiègne. Il est constant, mes Pères, par l'aveu de l'offensé, qu'il a reçu sur sa joue un coup de la main d'un Jésuite ; et tout ce qu'ont pu faire vos amis a été de mettre en doute s'il l'a reçu de l'avant-main ou de l'arrière-main, et d'agiter la question si un coup du revers de la main sur la joue doit être appelé soufflet ou non. Je ne sais à qui il appartient d'en décider ; mais je crois cependant que c'est au moins un soufflet *probable*. Cela me met en sûreté de conscience.

QUINZIÈME LETTRE

ÉCRITE PAR L'AUTEUR
DES LETTRES AU PROVINCIAL
AUX RÉVÉRENDS PÈRES JÉSUITES

Du 25 novembre 1656.

MES RÉVÉRENDS PÈRES,

Puisque vos impostures croissent tous les jours[1], et que vous vous en servez pour outrager si cruellement toutes les personnes de piété qui sont contraires à vos erreurs, je me sens obligé, pour leur intérêt et pour celui de l'Église, de découvrir un mystère de votre conduite, que j'ai promis il y a longtemps[2], afin qu'on puisse reconnaître par vos propres maximes quelle foi l'on doit ajouter à vos accusations et à vos injures.

Je sais que ceux qui ne vous connaissent pas assez ont peine à se déterminer sur ce sujet, parce qu'ils se trouvent dans la nécessité ou de croire les crimes incroyables dont vous accusez vos ennemis, ou de vous tenir pour des imposteurs, ce qui leur paraît aussi incroyable. Quoi ! disent-ils, si ces choses-là n'étaient, des religieux les publieraient-ils, et voudraient-ils renoncer à leur conscience, et se damner par ces calomnies ? Voilà la manière dont ils raisonnent ; et ainsi les preuves visibles par lesquelles on ruine vos faussetés rencontrant l'opinion qu'ils ont de votre sincérité, leur esprit demeure en suspens entre l'évidence de la vérité qu'ils ne peuvent démentir, et le devoir de la charité qu'ils appréhendent de blesser. De sorte que, comme la seule chose qui les empêche de rejeter vos médisances est l'estime qu'ils ont de vous, si on leur fait entendre que vous n'avez pas de la calomnie l'idée qu'ils s'imaginent et que vous croyez faire votre salut en calomniant vos ennemis, il est sans doute que le poids de la vérité les déterminera incontinent à ne plus croire vos impostures. Ce sera donc, mes Pères, le sujet de cette lettre. Je ne ferai pas voir seulement que vos écrits sont remplis de calomnies, je veux passer plus avant. On peut bien dire des choses fausses en les croyant véritables ; mais la qualité de menteur enferme l'intention de mentir. Je ferai donc voir, mes Pères, que votre intention est de mentir et de calomnier ; et que c'est avec connaissance et avec dessein que vous imposez à vos ennemis des crimes dont vous savez qu'ils sont innocents ; parce que vous croyez le pouvoir faire sans déchoir de l'état de grâce. Et quoique vous sachiez aussi bien que moi ce point de votre morale, je ne laisserai pas de vous le dire, mes Pères, afin que personne n'en puisse douter, en voyant que je m'adresse à vous pour vous le soutenir à vous-mêmes[3], sans que vous puissiez avoir l'assurance de le nier, qu'en confirmant par ce désaveu même le reproche que je vous en fais. Car c'est une doctrine si commune dans vos écoles que vous l'avez soutenue non seulement dans vos livres, mais encore dans vos thèses publiques, ce qui est la dernière hardiesse, comme entre autres dans vos thèses de Louvain de l'année 1645, en ces termes : *Ce n'est qu'un péché véniel de calomnier et d'imposer de faux crimes pour ruiner de créance ceux qui parlent mal de nous. Quidni non nisi veniale sit, detrahentis autoritatem magnam, tibi noxiam, falso crimine elidere*[4] ? Et cette doctrine est si constante parmi vous, que quiconque l'ose attaquer, vous le traitez d'ignorant et de téméraire.

C'est ce qu'a éprouvé depuis peu le P. Quiroga, Capucin allemand[5], lorsqu'il voulut s'y opposer. Car votre Père Dicastillus[6] l'entreprit incontinent ; et il parle de cette dispute en ces termes, *De Just.*, l. 2, tr. 2, disp. 12, n. 404 : *Un certain religieux grave, pied nu et encapuchonné, cucullatus gymnopoda, que je ne nomme point, eut la témérité de décrier cette*

*opinion parmi des femmes et des ignorants, et de dire qu'elle était
pernicieuse et scandaleuse, contre les bonnes mœurs, contre la paix
des États et des sociétés, et enfin contraire non seulement à tous les
docteurs catholiques, mais à tous ceux qui peuvent être catholiques. Mais je lui ai soutenu, comme je soutiens encore, que la
calomnie, lorsqu'on en use contre un calomniateur, quoiqu'elle soit
un mensonge, n'est point néanmoins un péché mortel ni contre la
justice ni contre la charité; et pour le prouver je lui ai fourni en
foule nos Pères et les Universités entières qui en sont composées,
que j'ai tous consultés, et entre autres le R. Père Jean Gans,
confesseur de l'Empereur; le R. P. Daniel Bastèle, confesseur de
l'Archiduc Léopold; le P. Henri, qui a été précepteur de ces deux
Princes, tous les professeurs publics et ordinaires de l'Université
de Vienne* (toute composée de Jésuites); *tous les professeurs de
l'Université de Gratz* (toute de Jésuites); *tous les professeurs de
l'Université de Prague* (dont les Jésuites sont les maîtres); *de
tous lesquels j'ai en main les approbations de mon opinion, écrites
et signées de leur main; outre que j'ai encore pour moi le P. de
Pennalossa, Jésuite, Prédicateur de l'Empereur et du Roi
d'Espagne, le P. Pilliceroli, Jésuite, et bien d'autres qui avaient
tous jugé cette opinion probable avant notre dispute.* Vous voyez
bien, mes Pères, qu'il y a peu d'opinions que vous ayez pris si
à tâche d'établir, comme il y en avait peu dont vous eussiez
tant de besoin. Et c'est pourquoi vous l'avez tellement
autorisée que les casuistes s'en servent comme d'un principe
indubitable. *Il est constant*, dit Caramuel, n. 1151, *que c'est
une opinion probable qu'il n'y a point de péché mortel à calomnier
faussement pour conserver son honneur. Car elle est soutenue par
plus de vingt docteurs graves, par Gaspard Hurtado et Dicastillus, Jésuites, etc., de sorte que, si cette doctrine n'était probable, à
peine y en aurait-il aucune qui le fût en toute la théologie.*

Ô théologie abominable, et si corrompue en tous ses chefs
que s'il n'était probable et sûr en conscience qu'on peut
calomnier sans crime pour conserver son honneur, à peine y
aurait-il aucune de ses décisions qui le fût! Qu'il est
vraisemblable, mes Pères, que ceux qui tiennent ce principe
le mettent quelquefois en pratique! L'inclination corrompue

des hommes s'y porte d'elle-même avec tant d'impétuosité qu'il est incroyable qu'en levant l'obstacle de la conscience, elle ne se répande avec toute sa véhémence naturelle. En voulez-vous un exemple ? Caramuel vous le donnera au même lieu : *Cette maxime*, dit-il, *du P. Dicastillus, Jésuite, touchant la calomnie ayant été enseignée par une Comtesse d'Allemagne aux filles de l'Impératrice, la créance qu'elles eurent de ne pécher au plus que véniellement par des calomnies en fit tant naître en peu de jours, et tant de médisances, et tant de faux rapports, que cela mit toute la Cour en combustion et en alarme. Car il est aisé de s'imaginer l'usage qu'elles en surent faire : de sorte que pour apaiser ce tumulte, on fut obligé d'appeler un bon Père Capucin d'une vie exemplaire, nommé le P. Quiroga* (et ce fut sur quoi le P. Dicastillus le querella tant), *qui vint leur déclarer que cette maxime était très pernicieuse, principalement parmi des femmes, et il eut un soin particulier de faire que l'Impératrice en abolît tout à fait l'usage.* On ne doit pas être surpris des mauvais effets que causa cette doctrine. Il faudrait admirer au contraire qu'elle ne produisît pas cette licence. L'amour-propre nous persuade toujours assez que c'est avec injustice qu'on nous attaque ; et à vous principalement, mes Pères, que la vanité aveugle de telle sorte que vous voulez faire croire en tous vos écrits que c'est blesser l'honneur de l'Église que de blesser celui de votre Société. Et ainsi, mes Pères, il y aurait lieu de trouver étrange que vous ne missiez pas cette maxime en pratique. Car il ne faut plus dire de vous, comme font ceux qui ne vous connaissent pas : Comment voudraient-ils calomnier leurs ennemis, puisqu'ils ne le pourraient faire que par la perte de leur salut ? Mais il faut dire au contraire : Comment voudraient-ils perdre l'avantage de décrier leurs ennemis, puisqu'ils le peuvent faire sans hasarder leur salut ? Qu'on ne s'étonne donc plus de voir les Jésuites calomniateurs : ils le sont en sûreté de conscience, et rien ne les en peut empêcher, puisque par le crédit qu'ils ont dans le monde, ils peuvent calomnier sans craindre la justice des hommes, et que par celui qu'ils se sont donné sur les cas de conscience, ils ont établi des maximes pour le pouvoir faire sans craindre la justice de Dieu.

Voilà, mes Pères, la source d'où naissent tant de noires
impostures. Voilà ce qui en a fait répandre à votre P. Brisacier, jusqu'à s'attirer la censure de feu M. l'Archevêque de
Paris[7]. Voilà ce qui a porté votre P. d'Anjou[8] à décrier en
pleine chaire, dans l'église de Saint-Benoît, le 8 mars 1655,
les personnes de qualité qui recevaient les aumônes pour les
pauvres de Picardie et de Champagne, auxquelles ils contri-
buaient tant eux-mêmes[9] ; et de dire, par un mensonge
horrible et capable de faire tarir ces charités, si on eût eu
quelque créance en vos impostures : *Qu'il savait de science
certaine que ces personnes avaient détourné cet argent pour
l'employer contre l'Église et contre l'État.* Ce qui obligea le curé
de cette paroisse, qui est un docteur de Sorbonne, de monter
le lendemain en chaire pour démentir ces calomnies[10]. C'est
par ce même principe que votre P. Crasset[11] a tant prêché
d'impostures dans Orléans, qu'il a fallu que M. l'évêque
d'Orléans l'ait interdit comme un imposteur public par son
mandement du 9 septembre, où il déclare *qu'il défend à Frère
Jean Crasset, prêtre de la Compagnie de Jésus, de prêcher dans
son diocèse ; et à tout son peuple de l'ouïr, sous peine de se rendre
coupable d'une désobéissance mortelle, sur ce qu'il a appris que
ledit Crasset avait fait un discours en chaire rempli de fausseté et
de calomnie contre les ecclésiastiques de cette ville, leur imposant
faussement et malicieusement qu'ils soutenaient ces propositions
hérétiques et impies : Que les commandements de Dieu sont
impossibles ; que jamais on ne résiste à la grâce intérieure ; et que
Jésus-Christ n'est pas mort pour tous les hommes ; et autres
semblables condamnées par Innocent X.* Car c'est là, mes Pères,
votre imposture ordinaire, et la première que vous reprochez
à tous ceux qu'il vous est important de décrier. Et quoiqu'il
vous soit aussi impossible de le prouver de qui que ce soit,
qu'à votre P. Crasset de ces ecclésiastiques d'Orléans, votre
conscience néanmoins demeure en repos ; *parce que vous
croyez que cette manière de calomnier ceux qui vous attaquent est
si certainement permise,* que vous ne craignez point de le
déclarer publiquement et à la vue de toute une ville.

En voici un insigne témoignage dans le démêlé que vous

eûtes avec M. Puys, curé de S. Nizier à Lyon [12] ; et comme
cette histoire marque parfaitement votre esprit, j'en rapporterai les principales circonstances. Vous savez, mes Pères,
qu'en 1649 M. Puys traduisit en français un excellent livre
d'un autre Capucin *touchant le devoir des Chrétiens à leur
paroisse contre ceux qui les en détournent,* sans user d'aucune
invective, et sans désigner aucun religieux, ni aucun ordre en
particulier. Vos Pères néanmoins prirent cela pour eux ; et,
sans avoir aucun respect pour un ancien pasteur, juge en la
Primatie de France, et honoré de toute la ville, votre
P. Alby [13] fit un livre sanglant contre lui, que vous vendîtes
vous-mêmes dans votre propre église le jour de l'Assomption,
où il l'accusait de plusieurs choses, et entre autres de *s'être
rendu scandaleux par ses galanteries, et d'être suspect d'impiété,
d'être hérétique, excommunié et enfin digne du feu* [14]. À cela
M. Puys répondit [15], et le P. Alby soutint par un second
livre [16] ses premières accusations. N'est-il donc pas vrai, mes
Pères, ou que vous étiez des calomniateurs, ou que vous
croyiez tout cela de ce bon prêtre, et qu'ainsi il fallait que
vous le vissiez hors de ses erreurs pour le juger digne de votre
amitié ? Écoutez donc ce qui se passa dans l'accommodement
qui fut fait en présence d'un grand nombre des premières
personnes de la ville, dont les noms sont en bas de cette page,
comme ils sont marqués dans l'acte qui en fut dressé le 25
sept. 1650*. Ce fut en présence de tout ce monde que M.
Puys ne fit autre chose que déclarer *que ce qu'il avait écrit ne
s'adressait point aux Pères Jésuites ; qu'il avait parlé en général
contre ceux qui éloignent les fidèles des paroisses, sans avoir
pensée d'attaquer en cela la Société, et qu'au contraire il*

---

* *Monsieur de Ville, vicaire général de M. le cardinal de Lyon ; M.
Scarron, chanoine et curé de Saint-Paul ; M. Marget, chantre ; Messieurs
Bouvaud, Sève, Aubert et Dervieu, chanoines de Saint-Nizier ; M. du Gué,
président des trésoriers de France ; M. Groslier, prévôt des marchands ; M. de
Fléchère, président et lieutenant général ; Messieurs de Boissat, de Saint-
Romain et de Bartoly, gentilshommes ; M. Bourgeois, premier avocat du roi au
bureau des trésoriers de France ; Messieurs de Cotton père et fils ; M. Boniel ;
qui ont tous signé à l'original de la déclaration, avec M. Puys et le P. Alby.*

l'honorait avec amour. Par ces seules paroles il revint de son apostasie, de ses scandales et de son excommunication, sans rétractation et sans absolution ; et le P. Alby lui dit ensuite ces propres paroles : *Monsieur, la créance que j'ai eue que vous attaquiez la Compagnie dont j'ai l'honneur d'être m'a fait prendre la plume pour y répondre ; et j'ai cru que la manière dont j'ai usé* M'ÉTAIT PERMISE. *Mais connaissant mieux votre intention, je viens vous déclarer* QU'IL N'Y A PLUS RIEN *qui me puisse empêcher de vous tenir pour un homme d'esprit très éclairé, de doctrine profonde* et ORTHODOXE, *de mœurs* IRRÉPRÉHENSIBLES, *et en un mot pour digne pasteur de votre église. C'est une déclaration que je fais avec joie, et je prie ces Messieurs de s'en souvenir.*

Ils s'en sont souvenus, mes Pères, et on fut plus scandalisé de la réconciliation que de la querelle. Car qui n'admirerait ce discours du P. Alby ? Il ne dit pas qu'il vient se rétracter, parce qu'il a appris le changement des mœurs et de la doctrine de M. Puys ; mais seulement *parce que connaissant que son intention n'a pas été d'attaquer votre Compagnie, il n'y a plus rien qui l'empêche de le tenir pour catholique.* Il ne croyait donc pas qu'il fût hérétique en effet ? Et néanmoins, après l'en avoir accusé contre sa connaissance, il ne déclare pas qu'il a failli ; et il ose dire au contraire *qu'il croit que la manière dont il en a usé lui était permise.*

À qui songez-vous, mes Pères, de témoigner ainsi publiquement que vous ne mesurez la foi et la vertu des hommes que par l'intention qu'on a pour votre Société ? Comment n'avez-vous point appréhendé de vous faire passer vous-mêmes, et par votre propre aveu, pour des imposteurs et des calomniateurs ? Quoi ! mes Pères, un même homme, sans qu'il se passe aucun changement en lui, selon que vous croyez qu'il honore ou qu'il attaque votre Compagnie, sera *pieux*, ou *impie* ; *irrépréhensible*, ou *excommunié* ; *digne pasteur de l'Église*, ou *digne d'être mis au feu* ; et enfin *catholique*, ou *hérétique* [17] ? C'est donc une même chose dans votre langage d'attaquer votre Société et d'être hérétique ? Voilà une plaisante hérésie, mes Pères ! Et ainsi quand on voit dans vos écrits que tant de personnes catholiques y sont appelées hérétiques, cela ne veut dire autre chose, sinon *que vous croyez qu'ils vous attaquent.* Il est bon, mes Pères, qu'on entende cet étrange langage, selon lequel il est sans doute que je suis un grand hérétique. Aussi c'est en ce sens que vous me donnez si souvent ce nom. Vous ne me retranchez de l'Église que parce que vous croyez que mes Lettres vous font tort ; et ainsi il ne me reste pour devenir catholique, ou que d'approuver les excès de votre morale, ce que je ne pourrais faire sans renoncer à tout sentiment de piété ; ou de vous persuader que je ne recherche en cela que votre véritable bien, et il faudrait que vous fussiez bien revenus de vos égarements pour le reconnaître. De sorte que je me trouve étrangement engagé dans l'hérésie, puisque la pureté de ma foi étant inutile pour me retirer de cette sorte d'erreur, je n'en puis sortir, ou qu'en trahissant ma conscience, ou qu'en réformant la vôtre. Jusques là je serai toujours un méchant et un imposteur, et quelque fidèle que j'aie été à rapporter vos passages, vous irez crier partout : *Qu'il faut être organe du démon pour vous imputer* des choses dont il *n'y a ni marque ni vestige* [18] dans vos livres ; et vous ne ferez rien en cela que de conforme à votre maxime et à votre pratique ordinaire, tant le privilège que vous avez de mentir a d'étendue. Souffrez que je vous en donne un exemple, que je choisis à dessein, parce que je répondrai en même temps à la neuvième de vos impostures [19] ; aussi bien elles ne méritent d'être réfutées qu'en passant.

Il y a dix ou douze ans [20] qu'on vous reprocha cette maxime du P. Bauny : *Qu'il est permis de rechercher directement,* PRIMO ET PER SE, *une occasion prochaine de pécher pour le bien spirituel ou temporel de nous ou de notre prochain,* tr. 4. q. 14, dont il apporte pour exemple : *Qu'il est permis à chacun d'aller en des lieux publics pour convertir des femmes perdues, encore qu'il soit vraisemblable qu'on y péchera, pour avoir déjà expérimenté souvent qu'on est accoutumé de se laisser aller au péché par les caresses de ces femmes.* Que répondit à cela votre P. Caussin en 1644, dans son Apologie pour la Compagnie de Jésus,

p. 128 [21] ? *Qu'on voie l'endroit du P. Bauny, qu'on lise la page, les marges, les avant-propos, les suites, tout le reste, et même tout le livre, on n'y trouvera pas un seul vestige de cette sentence, qui ne pourrait tomber que dans l'âme d'un homme extrêmement perdu de conscience, et qui semble ne pouvoir être supposée que par l'organe du démon.* Et votre P. Pinthereau, en même style, I[e] part., p. 24 : *Il faut être bien perdu de conscience pour enseigner une si détestable doctrine, mais il faut être pire qu'un démon pour l'attribuer au P. Bauny. Lecteur, il n'y en a ni marque ni vestige dans tout son livre* [22]. Qui ne croirait que des gens qui parlent de ce ton-là eussent sujet de se plaindre, et qu'on aurait en effet imposé au P. Bauny ? Avez-vous rien assuré contre moi en de plus forts termes ? Et comment oserait-on s'imaginer qu'un passage fût en mots propres au lieu même où l'on le cite, quand on dit *qu'il n'y en a ni marque ni vestige dans tout le livre* ?

En vérité, mes Pères, voilà le moyen de vous faire croire jusqu'à ce qu'on vous réponde ; mais c'est aussi le moyen de faire qu'on ne vous croie jamais plus, après qu'on vous aura répondu. Car il est si vrai que vous mentiez alors, que vous ne faites aujourd'hui aucune difficulté de reconnaître dans vos Réponses que cette maxime est dans le P. Bauny au lieu même qu'on avait cité ; et, ce qui est admirable, c'est qu'au lieu qu'elle était *détestable* il y a douze ans, elle est maintenant si innocente que, dans votre 9e imposture, p. 10, vous m'accusez *d'ignorance et de malice de quereller le P. Bauny sur une opinion qui n'est point rejetée dans l'École.* Qu'il est avantageux, mes Pères, d'avoir affaire à ces gens qui disent le pour et le contre ! Je n'ai besoin que de vous-mêmes pour vous confondre. Car je n'ai à montrer que deux choses : l'une, que cette maxime ne vaut rien ; l'autre, qu'elle est du P. Bauny. Et je prouverai l'un et l'autre par votre propre confession. En 1644 vous avez reconnu qu'elle est *détestable,* et en 1656 vous avouez qu'elle est du P. Bauny. Cette double reconnaissance me justifie assez, mes Pères. Mais elle fait plus : elle découvre l'esprit de votre politique. Car, dites-moi, je vous prie, quel est le but que vous vous proposez dans

vos écrits ? Est-ce de parler avec sincérité ? Non, mes Pères,
puisque vos réponses s'entre-détruisent. Est-ce de suivre la
vérité de la foi ? Aussi peu, puisque vous autorisez une
maxime qui est *détestable* selon vous-mêmes. Mais considé-
rons que, quand vous avez dit que cette maxime est
détestable, vous avez nié en même temps qu'elle fût du
P. Bauny ; et ainsi il était innocent ; et quand vous avouez
qu'elle est de lui, vous soutenez en même temps qu'elle est
bonne ; et ainsi il est innocent encore. De sorte que,
l'innocence de ce Père étant la seule chose commune à vos
deux réponses, il est visible que c'est aussi la seule chose que
vous y recherchez, et que vous n'avez pour objet que la
défense de vos Pères, en disant d'une même maxime qu'elle
est dans vos livres, et qu'elle n'y est pas ; qu'elle est bonne, et
qu'elle est mauvaise ; non pas selon la vérité, qui ne change
jamais ; mais selon votre intérêt, qui change à toute heure.
Que ne pourrais-je vous dire là-dessus, car vous voyez bien
que cela est convaincant ? Cependant cela vous est tout
ordinaire. Et pour en omettre une infinité d'exemples, je
crois que vous vous contenterez que je vous en rapporte
encore un.

On vous a reproché en divers temps une autre proposition
du même P. Bauny, tr. 4, q. 22, p. 100 : *On ne doit ni dénier
ni différer l'absolution à ceux qui sont dans les habitudes de
crimes contre la loi de Dieu, de la nature et de l'Église, encore
qu'on n'y voie aucune espérance d'amendement : etsi emendationis futurae spes nulla appareat.* Je vous prie sur cela, mes
Pères, de me dire lequel y a le mieux répondu selon votre
goût, ou de votre P. Pinthereau, ou de votre P. Brisacier, qui
défendent le P. Bauny en vos deux manières : l'un en
condamnant cette proposition, mais en désavouant aussi
qu'elle soit du P. Bauny ; l'autre en avouant qu'elle est du
P. Bauny, mais en la justifiant en même temps. Écoutez-les
donc discourir. Voici le P. Pinthereau, p. 18 : *Qu'appelle-t-on
franchir les bornes de toute pudeur, et passer au-delà de toute
impudence, sinon d'imposer au P. Bauny comme une chose avérée
une si damnable doctrine ? Jugez, lecteur, de l'indignité de cette*

calomnie, et voyez à qui les Jésuites ont affaire, et si l'auteur d'une si noire supposition ne doit pas passer désormais pour le truchement du père des mensonges. Et voici maintenant votre P. Brisacier, 4ᵉ p., page 21 : *En effet le P. Bauny dit ce que vous rapportez.* C'est démentir le P. Pinthereau bien nettement. *Mais,* ajoute-t-il pour justifier le P. Bauny, *vous qui reprenez cela, attendez, quand un pénitent sera à vos pieds, que son ange gardien hypothèque tous les droits qu'il a au ciel pour être sa caution. Attendez que Dieu le Père jure par son chef que David a menti quand il a dit par le Saint-Esprit que tout homme est menteur, trompeur et fragile ; et que ce pénitent ne soit plus menteur, fragile, changeant, ni pécheur comme les autres, et vous n'appliquerez le sang de Jésus-Christ sur personne*[23].

Que vous semble-t-il, mes Pères, de ces expressions extravagantes et impies ; que s'il fallait attendre *qu'il y eût quelque espérance d'amendement* dans les pécheurs pour les absoudre, il faudrait attendre *que Dieu le Père jurât par son chef* qu'ils ne tomberaient jamais plus ? Quoi ! mes Pères, n'y a-t-il point de différence entre *l'espérance* et la certitude ? Quelle injure est-ce faire à la grâce de Jésus-Christ de dire qu'il est si peu possible que les Chrétiens sortent jamais des crimes contre la loi de Dieu, de la nature et de l'Église, qu'on ne pourrait l'espérer *sans que le Saint-Esprit eût menti ?* de sorte que selon vous si on ne donnait l'absolution à ceux *dont on n'espère aucun amendement,* le sang de Jésus-Christ demeurerait inutile, et on ne *l'appliquerait jamais sur personne.* À quel état, mes Pères, vous réduit le désir immodéré de conserver la gloire de vos auteurs, puisque vous ne trouvez que deux voies pour les justifier, l'imposture ou l'impiété ; et qu'ainsi la plus innocente manière de vous défendre est de désavouer hardiment les choses les plus évidentes !

De là vient que vous en usez si souvent. Mais ce n'est pas encore là tout ce que vous savez faire. Vous forgez des écrits pour rendre vos ennemis odieux, comme *la Lettre d'un ministre à M. Arnauld*[24], que vous débitâtes dans tout Paris, pour faire croire que le livre de la Fréquente Communion, approuvé par tant de docteurs et tant d'évêques, mais qui à la vérité vous était un peu contraire, avait été fait par une intelligence secrète avec les ministres de Charenton. Vous attribuez d'autres fois à vos adversaires des écrits pleins d'impiété, comme *la Lettre circulaire des Jansénistes*[25], dont le style impertinent rend cette fourbe trop grossière, et découvre trop clairement la malice ridicule de votre P. Meynier[26], qui ose s'en servir, p. 28, pour appuyer ses plus noires impostures. Vous citez quelquefois des livres qui ne furent jamais au monde, comme *les Constitutions du Saint-Sacrement*, d'où vous rapportez des passages que vous fabriquez à plaisir, et qui font dresser les cheveux à la tête des simples, qui ne savent pas quelle est votre hardiesse à inventer et publier des mensonges. Car il n'y a sorte de calomnie que vous n'ayez mise en usage. Jamais la maxime qui l'excuse ne pouvait être en meilleures mains.

Mais celles-là sont trop aisées à détruire ; et c'est pourquoi vous en avez de plus subtiles, où vous ne particularisez rien, afin d'ôter toute prise et tout moyen d'y répondre, comme quand le P. Brisacier dit *que ses ennemis commettent des crimes abominables, mais qu'il ne les veut pas rapporter*[27]. Ne semble-t-il pas qu'on ne peut convaincre d'imposture un reproche si indéterminé ? Mais néanmoins un habile homme en a trouvé le secret ; et c'est encore un Capucin, mes Pères : vous êtes aujourd'hui malheureux en Capucins, et je prévois qu'une autre fois vous le pourriez bien être en Bénédictins[28]. Ce Capucin s'appelle le P. Valérien, de la maison des Comtes de Magnis[29]. Vous apprendrez par cette petite histoire comment il répondit à vos calomnies. Il avait heureusement réussi à la conversion du Landgrave de Darmstadt[30]. Mais vos Pères, comme s'ils eussent eu quelque peine de voir convertir un Prince souverain sans les y appeler, firent incontinent un livre contre lui (car vous persécutez les gens de bien partout), où falsifiant un de ses passages, ils lui imputent une doctrine *hérétique* : et certes vous aviez grand tort, car il n'avait pas attaqué votre Compagnie. Ils firent aussi courir une lettre contre lui, où ils lui disaient : *Oh ! que nous avons de choses à découvrir*, sans dire quoi, *dont vous serez bien affligé ! Car si vous n'y donnez ordre, nous serons obligés d'en avertir le Pape et les Cardinaux.* Cela n'est pas maladroit, et je ne doute point, mes Pères, que vous ne leur parliez ainsi de moi : mais prenez garde de quelle sorte il y répond dans son livre imprimé à Prague l'année dernière, p. 112 et suiv. *Que ferai-je,* dit-il, *contre ces injures vagues et indéterminées ? Comment convaincrai-je des reproches qu'on n'explique point ? En voici néanmoins le moyen. C'est que je déclare hautement et publiquement à ceux qui me menacent que ce sont des imposteurs insignes, et de très habiles et de très impudents menteurs, s'ils ne découvrent ces crimes à toute la terre. Paraissez donc, mes accusateurs, et publiez ces choses sur les toits, au lieu que vous les avez dites à l'oreille, et que vous avez menti en assurance en les disant à l'oreille. Il y en a qui s'imaginent que ces disputes sont scandaleuses. Il est vrai que c'est exciter un scandale horrible que de m'imputer un crime tel que l'hérésie, et de me rendre suspect de plusieurs autres. Mais je ne fais que remédier à ce scandale en soutenant mon innocence.*

En vérité, mes Pères, vous voilà malmenés ; et jamais homme n'a été mieux justifié. Car il a fallu que les moindres apparences de crime vous aient manqué contre lui, puisque vous n'avez point répondu à un tel défi. Vous avez quelquefois de fâcheuses rencontres à essuyer ; mais cela ne vous rend pas plus sages. Car quelque temps après vous l'attaquâtes encore de la même sorte sur un autre sujet ; et il se défendit aussi de même, p. 151, en ces termes : *Ce genre d'hommes qui se rend insupportable à toute la chrétienté aspire sous le prétexte des bonnes œuvres aux grandeurs et à la domination, en détournant à leurs fins presque toutes les lois divines, humaines, positives et naturelles. Ils attirent, ou par leur doctrine, ou par crainte, ou par espérance, tous les grands de la terre, de l'autorité desquels ils abusent pour faire réussir leurs détestables intrigues. Mais leurs attentats, quoique si criminels, ne sont ni punis, ni arrêtés ; ils sont récompensés au contraire ; et ils les commettent avec la même hardiesse que s'ils rendaient un service à Dieu. Tout le monde le reconnaît, tout le monde en parle avec exécration ; mais il y en a peu qui soient capables de s'opposer à une si puissante tyrannie. C'est ce que j'ai fait néanmoins. J'ai arrêté leur impudence, et je l'arrêterai encore par le même moyen. Je déclare donc qu'ils ont menti très impudemment,* MENTIRIS IMPUDENTISSIME. *Si les choses qu'ils m'ont reprochées sont véritables, qu'ils les prouvent donc, ou qu'ils passent pour convaincus d'un mensonge plein d'impudence. Leur procédé sur cela découvrira qui a raison. Je prie tout le monde de l'observer, et de remarquer cependant que ce genre d'hommes, qui ne souffrent pas la moindre des injures qu'ils peuvent repousser, font semblant de souffrir très patiemment celles dont ils ne se peuvent défendre, et couvrent d'une fausse vertu leur véritable impuissance. C'est pourquoi j'ai voulu irriter plus vivement leur pudeur, afin que les plus grossiers reconnaissent que, s'ils se taisent, leur patience ne sera pas un effet de leur douceur, mais du trouble de leur conscience.*

Voilà ce qu'il dit, mes Pères. Et il finit ainsi : *Ces gens-là, dont on sait les histoires par tout le monde, sont si évidemment injustes, et si insolents dans leur impunité, qu'il faudrait que j'eusse renoncé à Jésus-Christ et à son Église, si je ne détestais leur conduite, et même publiquement, autant pour me justifier que pour empêcher les simples d'en être séduits.*

Mes Révérends Pères, il n'y a plus moyen de reculer. Il faut passer pour des calomniateurs convaincus, et recourir à votre maxime, que cette sorte de calomnie n'est pas un crime. Ce Père a trouvé le secret de vous fermer la bouche ; c'est ainsi qu'il faut faire toutes les fois que vous accusez les gens sans preuves. On n'a qu'à répondre à chacun de vous, comme le Père Capucin, *mentiris impudentissime*. Car que répondrait-on autre chose, quand votre Père Brisacier dit, par exemple, que ceux contre qui il écrit *sont des portes d'enfer, des pontifes du diable, des gens déchus de la foi, de l'espérance et de la charité, qui bâtissent le trésor de l'Antéchrist ? Ce que je ne dis pas* (ajoute-t-il) *par forme d'injure, mais par la force de la vérité.* S'amuserait-on à prouver qu'on n'est pas *porte d'enfer*, et qu'on ne bâtit pas le trésor de l'Antéchrist [31] ?

Que doit-on répondre de même à tous les discours vagues de cette sorte qui sont dans vos livres et dans vos Avertissements sur mes Lettres ? par exemple : *Qu'on s'applique les restitutions, en réduisant les créanciers dans la pauvreté* [32] ; *qu'on a offert des sacs d'argent à de savants religieux qui les ont refusés* [33] ; *qu'on donne des bénéfices pour faire semer des hérésies contre la foi* [34] ; *qu'on a des pensionnaires parmi les plus illustres ecclésiastiques et dans les Cours souveraines ; que je suis aussi pensionnaire de Port-Royal* [35] *et que je faisais des romans avant mes Lettres* [36], moi qui n'en ai jamais lu aucun [37], et qui ne sais pas seulement le nom de ceux qu'a faits votre apologiste [38] ? Qu'y a-t-il à dire à tout cela, mes Pères, sinon *Mentiris impudentissime*, si vous ne marquez toutes ces personnes, leurs paroles, le temps, le lieu ? Car il faut se taire, ou rapporter et prouver toutes les circonstances, comme je fais quand je vous conte les histoires de Jean d'Alba et du P. Alby. Autrement vous ne ferez que vous nuire à vous-mêmes. Toutes ces fables pouvaient peut-être vous servir avant qu'on sût vos principes, mais à présent que tout est découvert, quand vous penserez dire à l'oreille *qu'un homme d'honneur, qui désire cacher son nom, vous a appris de terribles choses de ces gens-là,* on vous fera souvenir incontinent du *mentiris impudentissime* du bon Père Capucin. Il n'y a que trop longtemps que vous trompez le monde, et que vous abusez de la créance qu'on avait en vos impostures. Il est temps de rendre la réputation à tant de personnes calomniées. Car quelle innocence peut être si généralement reconnue, qu'elle ne souffre quelque atteinte par les impostures si hardies d'une Compagnie répandue par toute la terre, et qui sous des habits religieux couvre des âmes si irréligieuses, qu'ils commettent des crimes tels que la calomnie, non pas contre leurs maximes, mais selon leurs propres maximes ? Ainsi l'on ne me blâmera point d'avoir détruit la créance qu'on pouvait avoir en vous ; puisqu'il est bien plus juste de conserver à tant de personnes que vous avez décriées la réputation de piété qu'ils ne méritent pas de perdre, que de vous laisser la réputation de sincérité que vous ne méritez pas d'avoir. Et comme l'un ne se pouvait faire sans l'autre, combien était-il important de faire entendre qui vous êtes ! C'est ce que j'ai commencé de faire ici; mais il faut bien du temps pour achever. On le verra, mes Pères, et toute votre politique ne vous en peut garantir; puisque les efforts que vous pourriez faire pour l'empêcher ne serviraient qu'à faire connaître aux moins clairvoyants que vous avez eu peur, et que votre conscience vous reprochant ce que j'avais à vous dire, vous avez tout mis en usage pour le prévenir.

SEIZIÈME LETTRE

ÉCRITE PAR L'AUTEUR
DES LETTRES AU PROVINCIAL
AUX RÉVÉRENDS PÈRES JÉSUITES

Du 4 décembre 1656.

MES RÉVÉRENDS PÈRES,

Voici la suite de vos calomnies, où je répondrai d'abord à celles qui restent de vos *Avertissements*[1]. Mais comme tous vos autres livres en sont également remplis, ils me fourniront assez de matière pour vous entretenir sur ce sujet autant que je le jugerai nécessaire. Je vous dirai donc en un mot, sur cette fable que vous avez semée dans tous vos écrits contre Mr d'Ypres[2], que vous abusez malicieusement de quelques paroles ambiguës d'une de ses lettres, qui, étant capables d'un bon sens, doivent être prises en bonne part selon l'esprit charitable de l'Église, et ne peuvent être prises autrement que selon l'esprit malin de votre Société. Car pourquoi voulez-vous qu'en disant à son ami : *Ne vous mettez point tant en peine de votre neveu, je lui fournirai ce qui est nécessaire de l'argent qui est entre mes mains*[3], il ait voulu dire par là qu'il prenait cet argent pour ne le point rendre, et non pas qu'il l'avançait seulement pour le remplacer ? Mais ne faut-il pas que vous soyez bien impudents, puisque vous avez fourni vous-mêmes la conviction de votre mensonge par les autres lettres de Mr d'Ypres que vous avez imprimées[4], qui marquent parfaitement que ce n'était en effet que des *avances* qu'il devait remplacer ? C'est ce qui paraît dans celle que vous rapportez, du 30 juillet 1619[5], en ces termes qui vous confondent : *Ne vous souciez pas* DES AVANCES ; *il ne lui manquera rien tant qu'il sera ici.* Et par celle du 6 janvier 1620[6], où il dit : *Vous avez trop de hâte ; et quand il serait question de rendre compte, le peu de crédit que j'ai ici me ferait trouver de l'argent au besoin.*

Vous êtes donc des imposteurs, mes Pères, aussi bien sur ce sujet que sur votre conte ridicule du tronc de Saint-Merry[7]. Car quel avantage pouvez-vous tirer de l'accusation qu'un de vos bons amis suscita à cet ecclésiastique que vous voulez déchirer[8] ? Doit-on conclure qu'un homme est coupable, parce qu'il est accusé ? Non, mes Pères. Des gens de piété comme lui pourront toujours être accusés, tant qu'il y aura au monde des calomniateurs comme vous. Ce n'est donc pas par l'accusation, mais par l'arrêt qu'il en faut juger. Or l'arrêt qui en fut rendu le 23 février 1656 le justifie pleinement ; outre que celui qui s'était engagé témérairement dans cette injuste procédure fut désavoué par ses collègues, et forcé lui-même à la rétracter. Et quant à ce que vous dites au même lieu de ce *fameux directeur qui se fit riche en un moment de neuf cent mille livres*[9], il suffit de vous renvoyer à Messieurs les Curés de Saint-Roch et de Saint-Paul, qui rendront témoignage à tout Paris de son parfait désintéressement dans cette affaire, et de votre malice inexcusable dans cette imposture. C'en est assez pour des faussetés si vaines. Ce ne sont là que les coups d'essai de vos novices, et non pas les coups d'importance de vos grands profès. J'y viens donc, mes Pères, je viens à cette calomnie, l'une des plus noires qui soient sorties de votre esprit. Je parle de cette audace insupportable avec laquelle vous avez osé imputer à de saintes religieuses et à leurs directeurs *de ne pas croire le mystère de la Transsubstantiation, ni la présence réelle de Jésus-Christ dans l'Eucharistie.* Voilà, mes Pères, une imposture digne de vous. Voilà un crime que Dieu seul est capable de punir, comme vous seuls êtes capables de le commettre. Il faut être aussi humble que ces humbles calomniées pour le souffrir avec patience ; et il faut être aussi méchant que de si

méchants calomniateurs pour le croire. Je n'entreprends
donc pas de les en justifier ; elles n'en sont point suspectes. Si
elles avaient besoin de défenseurs, elles en auraient de
meilleurs que moi. Ce que j'en dirai ici ne sera pas pour
montrer leur innocence, mais pour montrer votre malice. Je
veux seulement vous en faire horreur à vous-mêmes, et faire
entendre à tout le monde qu'après cela il n'y a rien dont vous
ne soyez capables.

Vous ne manquerez pas néanmoins de dire que je suis de
Port-Royal [10] ; car c'est la première chose que vous dites à
quiconque combat vos excès ; comme si on ne trouvait qu'à
Port-Royal des gens qui eussent assez de zèle pour défendre
contre vous la pureté de la morale chrétienne ! Je sais, mes
Pères, le mérite de ces pieux solitaires qui s'y étaient retirés,
et combien l'Église est redevable à leurs ouvrages si édifiants
et si solides. Je sais combien ils ont de piété et de lumière.
Car encore que je n'aie jamais eu d'établissement avec eux,
comme vous le voulez faire croire sans que vous sachiez qui je
suis, je ne laisse pas d'en connaître quelques-uns et d'honorer
la vertu de tous. Mais Dieu n'a pas renfermé dans ce nombre
seul tous ceux qu'il veut opposer à vos désordres. J'espère
avec son secours, mes Pères, de vous le faire sentir ; et s'il me
fait la grâce de me soutenir dans le dessein qu'il me donne
d'employer pour lui tout ce que j'ai reçu de lui, je vous
parlerai de telle sorte que je vous ferai peut-être regretter de
n'avoir pas affaire à un homme de Port-Royal. Et pour vous
le témoigner, mes Pères, c'est qu'au lieu que ceux que vous
outragez par cette insigne calomnie se contentent d'offrir à
Dieu leurs gémissements, pour vous en obtenir le pardon [11],
je me sens obligé, moi qui n'ai point de part à cette injure, de
vous en faire rougir à la face de toute l'Église, pour vous
procurer cette confusion salutaire dont parle l'Écriture, qui
est presque l'unique remède d'un endurcissement tel que le
vôtre : *Imple facies eorum ignominia, et quaerent nomen tuum,
Domine* [12].

Il faut arrêter cette insolence qui n'épargne point les lieux
les plus saints. Car qui pourra être en sûreté après une

calomnie de cette nature ? Quoi ! mes Pères, afficher vous-mêmes dans Paris un livre si scandaleux avec le nom de votre Père Meynier à la tête, et sous cet infâme titre : *Le Port-Royal et Genève d'intelligence contre le très Saint-Sacrement de l'Autel*, où vous accusez de cette apostasie non seulement M. de Saint-Cyran et M. Arnauld, mais aussi la Mère Agnès sa sœur, et toutes les religieuses de ce monastère, dont vous dites, pag. 96, *que leur foi est aussi suspecte touchant l'Eucharistie que celle de M. Arnauld*, lequel vous soutenez pag. 4 être *effectivement calviniste*. Je demande là-dessus à tout le monde s'il y a dans l'Église des personnes sur qui vous puissiez faire tomber un si abominable reproche avec moins de vraisemblance. Car, dites-moi, mes Pères, si ces religieuses et leurs directeurs étaient *d'intelligence avec Genève contre le très Saint-Sacrement de l'Autel*, ce qui est horrible à penser, pourquoi auraient-elles pris pour le principal objet de leur piété ce Sacrement qu'elles auraient en abomination ? Pourquoi auraient-elles joint à leur règle l'institution du Saint-Sacrement [13] ? Pourquoi auraient-elles pris l'habit du Saint-Sacrement [14], pris le nom de filles du Saint-Sacrement, appelé leur église l'Église du Saint-Sacrement ? Pourquoi auraient-elles demandé et obtenu de Rome la confirmation de cette institution, et le pouvoir de dire tous les jeudis l'office du Saint-Sacrement, où la foi de l'Église est si parfaitement exprimée, si elles avaient conjuré avec Genève d'abolir cette foi de l'Église ? Pourquoi se seraient-elles obligées par une dévotion particulière approuvée aussi par le Pape, d'avoir sans cesse nuit et jour des religieuses en présence de cette sainte Hostie, pour réparer par leurs adorations perpétuelles envers ce sacrifice perpétuel l'impiété de l'hérésie qui l'a voulu anéantir ? Dites-moi donc, mes Pères, si vous le pouvez, pourquoi de tous les mystères de notre religion elles auraient laissé ceux qu'elles croient pour choisir celui qu'elles ne croiraient pas ? Et pourquoi elles se seraient dévouées d'une manière si pleine et si entière à ce mystère de notre foi, si elles le prenaient, comme les hérétiques, pour le mystère d'iniquité ? Que répondez-vous, mes Pères, à des témoignages si évidents, non pas seulement de paroles, mais d'actions ; et non pas de quelques actions particulières, mais de toute la suite d'une vie entièrement consacrée à l'adoration de Jésus-Christ résidant sur nos autels ? Que répondez-vous de même aux livres que vous appelez de Port-Royal, qui sont tout remplis des termes les plus précis dont les Pères et les Conciles se soient servis pour marquer l'essence de ce mystère ? C'est une chose ridicule, mais horrible, de vous y voir répondre dans tout votre libelle en cette sorte : M. Arnauld, dites-vous, parle bien de *transsubstantiation ;* mais il entend peut-être une *transsubstantiation significative.* Il témoigne bien croire *la présence réelle ;* mais qui nous a dit qu'il ne l'entend pas *d'une figure vraie et réelle ?* Où en sommes-nous, mes Pères ? et qui ne ferez-vous point passer pour Calviniste quand il vous plaira, si on vous laisse la licence de corrompre les expressions les plus canoniques et les plus saintes par les malicieuses subtilités de vos nouvelles équivoques ? Car qui s'est jamais servi d'autres termes que de ceux-là, et surtout dans de simples discours de piété, où il ne s'agit point de controverses ? Et cependant l'amour et le respect qu'ils ont pour ce saint mystère leur en a tellement fait remplir tous leurs écrits, que je vous défie, mes Pères, quelque artificieux que vous soyez, d'y trouver la moindre ombre d'ambiguïté et de convenance avec les sentiments de Genève.

Tout le monde sait, mes Pères, que l'hérésie de Genève consiste essentiellement, comme vous le rapportez vous-mêmes, à croire que Jésus-Christ n'est point enfermé dans ce Sacrement ; qu'il est impossible qu'il soit en plusieurs lieux ; qu'il n'est vraiment que dans le Ciel ; et que ce n'est que là où on le doit adorer, et non pas sur l'autel ; que la substance du pain demeure ; que le corps de Jésus-Christ n'entre point dans la bouche ni dans la poitrine ; qu'il n'est mangé que par la foi, et qu'ainsi les méchants ne le mangent point ; et que la Messe n'est point un sacrifice, mais une abomination. Écoutez donc, mes Pères, de quelle manière *Port-Royal est d'intelligence avec Genève dans leurs livres.* On y lit, à votre confusion, *que la chair et le sang de Jésus-Christ sont contenus sous les espèces du pain et du vin*, 2ᵉ lettre de M. Arnauld, p. 259[15]. *Que le Saint des Saints est présent dans le Sanctuaire, et qu'on l'y doit adorer*, ibid., p. 243. Que *Jésus-Christ habite dans les pécheurs qui communient, par la présence réelle et véritable de son corps dans leur poitrine, quoique non par la présence de son esprit dans leur cœur*, Fréq. Com.[16], 3ᵉ part., ch. 16. Que *les cendres mortes des corps des saints tirent leur principale dignité de cette semence de vie qui leur reste de l'attouchement de la chair immortelle et vivifiante de Jésus-Christ*, 1ʳᵉ part., ch. 40. Que *ce n'est par aucune puissance naturelle, mais par la toute-puissance de Dieu, à laquelle rien n'est impossible, que le corps de Jésus-Christ est enfermé sous l'hostie et sous la moindre partie de chaque hostie*, Théolog. fam.[17], leç. 15. Que *la vertu divine est présente pour produire l'effet que les paroles de la consécration signifient*, ibid. Que *Jésus-Christ, qui est rabaissé et couché sur l'autel, est en même temps élevé dans sa gloire ; qu'il est par lui-même et par sa puissance ordinaire en divers lieux en même temps, au milieu de l'Église triomphante, et au milieu de l'Église militante et voyagère*, De la suspension[18], rais. 21. Que *les espèces sacramentales demeurent suspendues, et subsistent extraordinairement sans être appuyées d'aucun sujet, et que le corps de Jésus-Christ est aussi suspendu sous les espèces ; qu'il ne dépend point d'elles comme les substances dépendent des accidents*, ibid., 23. Que *la substance du pain se change en laissant les accidents immuables*, Heures dans la prose du S. Sacrement[19]. Que *Jésus-Christ repose dans l'Eucharistie avec la même gloire qu'il a dans le Ciel*, Lettres de M. de Saint-Cyran[20], tom. I, let. 93. Que *son humanité glorieuse réside dans les tabernacles de l'Église sous les espèces du pain qui le couvrent visiblement ; et que, sachant que nous sommes grossiers, il nous conduit ainsi à l'adoration de sa divinité présente en tous lieux par celle de son humanité présente en un lieu particulier*, ibid. : Que *nous recevons le corps de Jésus-Christ sur la langue, et qu'il la sanctifie par son divin attouchement*, Lettre 32. *Qu'il entre dans la bouche du prêtre*, Lettre 72[21]. Que, *quoique Jésus-Christ se soit*

*rendu accessible dans le Saint-Sacrement par un effet de son
amour et de sa clémence, il ne laisse pas d'y conserver son
inaccessibilité comme une condition inséparable de sa nature
divine ; parce qu'encore que le seul corps et le seul sang y soient
par la vertu des paroles, vi verborum, comme parle l'École, cela
n'empêche pas que toute sa divinité aussi bien que toute son
humanité n'y soit par une suite et une conjonction nécessaire,*
Défense du Chapelet du S. Sacrement, p. 217. Et enfin *que
l'Eucharistie est tout ensemble sacrement et sacrifice,* Théol.
fam., leç. 15, *et qu'encore que ce Sacrifice soit une commémora-
tion de celui de la Croix, toutefois il y a cette différence, que celui
de la Messe n'est offert que pour l'Église seule et pour les fidèles
qui sont dans sa communion, au lieu que celui de la Croix a été
offert pour tout le monde, comme l'Écriture parle,* ibid., p. 15.
Cela suffit, mes Pères, pour faire voir clairement qu'il n'y eut
peut-être jamais une plus grande impudence que la vôtre.
Mais je veux encore vous faire prononcer cet arrêt à vous-
mêmes contre vous-mêmes. Car que demandez-vous afin
d'ôter toute apparence qu'un homme soit d'intelligence avec
Genève ? *Si M. Arnauld,* dit votre Père Meynier, p. 83, *eût
dit qu'en cet adorable mystère il n'y a aucune substance du pain
sous les espèces, mais seulement la chair et le sang de Jésus-
Christ, j'eusse avoué qu'il se serait déclaré entièrement contre
Genève.* Avouez-le donc, imposteurs, et faites-lui une répara-
tion publique de cette injure publique. Combien de fois
l'avez-vous vu dans les passages que je viens de citer ? Mais
de plus la *Théologie familière* de M. de Saint-Cyran étant
approuvée par M. Arnauld, elle contient les sentiments de
l'un et de l'autre. Lisez donc toute la Leçon 15, et surtout
l'article second, et vous y trouverez les paroles que vous
demandez, encore plus formellement que vous-mêmes ne les
exprimez. *Y a-t-il du pain dans l'hostie, et du vin dans le calice ?
Non, car toute la substance du pain et celle du vin sont ôtées pour
faire place à celle du corps et du sang de Jésus-Christ, laquelle y
demeure seule, couverte des qualités et des espèces du pain et du
vin.*

Eh bien ! mes Pères, direz-vous encore que le Port-Royal

n'enseigne rien *que Genève ne reçoive*, et que M. Arnauld n'a rien dit en sa seconde Lettre *qui ne pût être dit par un ministre de Charenton* ? Faites donc parler Mestrezat [22] comme parle M. Arnauld dans cette lettre, pag. 237 et suiv. Faites-lui dire *Que c'est un mensonge infâme de l'accuser de nier la transsubstantiation ; qu'il prend pour fondement de ses livres la vérité de la présence réelle du Fils de Dieu, opposée à l'hérésie des Calvinistes ; qu'il se tient heureux d'être en un lieu où l'on adore continuellement le Saint des Saints présent dans le Sanctuaire*, ce qui est beaucoup plus contraire à la créance des Calvinistes que la présence réelle même ; puisque, comme dit le cardinal de Richelieu dans ses Controverses [23], p. 536 : *Les nouveaux Ministres de France s'étant unis avec les Luthériens qui la croient, ils ont déclaré qu'ils ne demeurent séparés de l'Église, touchant ce mystère, qu'à cause de l'adoration que les Catholiques rendent à l'Eucharistie*. Faites signer à Genève tous les passages que je vous ai rapportés des livres de Port-Royal, et non pas seulement les passages, mais les traités entiers touchants ce mystère, comme le livre de la Fréquente Communion, l'Explication des Cérémonies de la messe, l'Exercice durant la messe, les Raisons de la suspension du Saint-Sacrement, la traduction des Hymnes dans les Heures de Port-Royal, etc. Et enfin faites établir à Charenton cette institution sainte d'adorer sans cesse Jésus-Christ enfermé dans l'Eucharistie, comme on fait à Port-Royal, et ce sera le plus signalé service que vous puissiez rendre à l'Église, puisque alors le Port-Royal ne sera pas d'*intelligence avec Genève*, mais Genève d'intelligence avec le Port-Royal et toute l'Église.

En vérité, mes Pères, vous ne pouviez plus mal choisir que d'accuser le Port-Royal de ne pas croire l'Eucharistie ; mais je veux faire voir ce qui vous y a engagés. Vous savez que j'entends un peu votre politique. Vous l'avez bien suivie en cette rencontre. Si M. de Saint-Cyran et M. Arnauld n'avaient fait que dire ce qu'on doit croire touchant ce mystère, et non pas ce qu'on doit faire pour s'y préparer, ils auraient été les meilleurs catholiques du monde, et il ne se serait point trouvé d'équivoques dans leurs termes de *présence réelle* et de *transsubstantiation*. Mais parce qu'il faut que tous ceux qui combattent vos relâchements soient hérétiques, et dans le point même où ils les combattent, comment M. Arnauld ne le serait-il pas sur l'Eucharistie, après avoir fait un livre exprès contre les profanations que vous faites de ce sacrement[24] ? Quoi ! mes Pères, il aurait dit impunément *qu'on ne doit point donner le corps de Jésus-Christ à ceux qui retombent toujours dans les mêmes crimes, et auxquels on ne voit aucune espérance d'amendement ; et qu'on doit les séparer quelque temps de l'autel, pour se purifier par une pénitence sincère, afin de s'en approcher ensuite avec fruit*[25] ? Ne souffrez pas qu'on parle ainsi, mes Pères ; vous n'auriez pas tant de gens dans vos confessionnaux. Car votre P. Brisacier dit *que si vous suiviez cette méthode vous n'appliqueriez le sang de Jésus-Christ sur personne*[26]. Il vaut bien mieux pour vous qu'on suive la pratique de votre Société, que votre P. Mascarenhas rapporte dans un livre approuvé par vos docteurs, et même par votre R. P. Général, qui est : *Que toutes sortes de personnes et même les prêtres peuvent recevoir le Corps de Jésus-Christ le jour même qu'ils se sont souillés par des péchés abominables ; que, bien loin qu'il y ait de l'irrévérence en ces communions, on est louable au contraire d'en user de la sorte ; que les confesseurs ne les en doivent point détourner, et qu'ils doivent au contraire conseiller à ceux qui viennent de commettre ces crimes de communier à l'heure même, parce qu'encore que l'Église l'ait défendu, cette défense est abolie par la pratique universelle de toute la terre*[27].

Voilà ce que c'est, mes Pères, d'avoir des Jésuites par toute la terre. Voilà la pratique universelle que vous y avez introduite, et que vous y voulez maintenir. Il n'importe que les tables de Jésus-Christ soient remplies d'abomination, pourvu que vos églises soient pleines de monde. Rendez donc ceux qui s'y opposent hérétiques sur le Saint-Sacrement. Il le faut à quelque prix que ce soit. Mais comment le pourrez-vous faire après tant de témoignages invincibles qu'ils ont donnés de leur foi ? N'avez-vous point de peur que je rapporte les quatre grandes preuves que vous donnez de leur hérésie ? Vous le devriez, mes Pères, et je ne dois point vous en épargner la honte. Examinons donc la première.

M. de Saint-Cyran, dit le P. Meynier, *en consolant un de ses amis sur la mort de sa mère, tom. I, Lettre 14, dit que le plus agréable sacrifice qu'on puisse offrir à Dieu dans ces rencontres est celui de la patience. Donc il est Calviniste.* Cela est bien subtil, mes Pères ; et je ne sais si personne en voit la raison. Apprenons-la donc de lui : *Parce*, dit ce grand controversiste, *qu'il ne croit donc pas le sacrifice de la Messe : car c'est celui-là qui est le plus agréable à Dieu de tous.* Que l'on dise maintenant que les Jésuites ne savent pas raisonner ! Ils le savent de telle sorte qu'ils rendront hérétiques tels discours qu'ils voudront, et même l'Écriture sainte. Car n'est-ce pas une hérésie de dire, comme fait l'Ecclésiastique : *Il n'y a rien de pire que d'aimer l'argent, nihil est iniquius quam amare pecuniam* [28] ; comme si les adultères, les homicides et l'idolâtrie n'étaient pas de plus grands crimes ? Et à qui n'arrive-t-il point de dire à toute heure des choses semblables, et que par exemple le sacrifice d'un cœur contrit et humilié est le plus agréable aux yeux de Dieu [29] ; parce qu'en ces discours on ne pense qu'à comparer quelques vertus intérieures les unes aux autres, et non pas au sacrifice de la Messe, qui est d'un ordre tout différent et infiniment plus relevé ? N'êtes-vous donc pas ridicules, mes Pères, et faut-il, pour achever de vous confondre, que je vous représente les termes de cette même Lettre où M. de Saint-Cyran parle du sacrifice de la Messe comme du *plus excellent* de tous, en disant : *Qu'on offre à Dieu tous les jours et en tous lieux le sacrifice du corps de son fils, qui n'a point trouvé* DE PLUS EXCELLENT MOYEN *que celui-là pour honorer son Père ?* Et ensuite : *Que Jésus-Christ nous a obligés de prendre en mourant son corps sacrifié, pour rendre plus agréable à Dieu le sacrifice du nôtre et pour se joindre à nous lorsque nous mourons, afin de nous fortifier en sanctifiant par sa présence le dernier sacrifice que nous faisons à Dieu de notre vie et de notre corps.* Dissimulez tout cela, mes Pères, et ne laissez pas de dire qu'il détournait de communier à la mort, comme vous faites, p. 33 [30], et qu'il ne croyait pas le sacrifice de la Messe. Car rien n'est trop hardi pour des calomniateurs de profession.

Votre seconde preuve en est un grand témoignage. Pour rendre calviniste feu M. de Saint-Cyran, à qui vous attribuez le livre de *Petrus Aurelius* [31], vous vous servez d'un passage où Aurelius explique, pag. 89, de quelle manière l'Église se conduit à l'égard des prêtres, et même des évêques qu'elle veut déposer ou dégrader. *L'Église*, dit-il, *ne pouvant pas leur ôter la puissance de l'Ordre, parce que le caractère est ineffaçable, elle fait ce qui est en elle : elle ôte de sa mémoire ce caractère qu'elle ne peut ôter de l'âme de ceux qui l'ont reçu. Elle les considère comme s'ils n'étaient plus prêtres ou évêques. De sorte que, selon le langage ordinaire de l'Église, on peut dire qu'ils ne le sont plus, quoiqu'ils le soient toujours quant au caractère : ob indelebilitatem characteris.* Vous voyez, mes Pères, que cet auteur, approuvé par trois Assemblées générales du Clergé de France, dit clairement que le caractère de la Prêtrise est ineffaçable ; et cependant vous lui faites dire tout au contraire, en ce lieu même, *que le caractère de la Prêtrise n'est pas ineffaçable.* Voilà une insigne calomnie, c'est-à-dire, selon vous, un petit péché véniel. Car ce livre vous avait fait tort, ayant réfuté les hérésies de vos confrères d'Angleterre [32] touchant l'autorité épiscopale. Mais voici une insigne extravagance, et un gros péché mortel contre la raison. C'est qu'ayant faussement supposé que M. de Saint-Cyran tient que ce caractère est effaçable, vous en concluez qu'il ne croit donc pas la présence réelle de Jésus-Christ dans l'Eucharistie.

N'attendez pas que je vous réponde là-dessus, mes Pères. Si vous n'avez pas de sens commun, je ne puis pas vous en donner. Tous ceux qui en ont se moqueront assez de vous, aussi bien que de votre troisième preuve, qui est fondée sur ces paroles de la Fréq. Comm., 3ᵉ p., ch. 11 : *Que Dieu nous donne dans l'Eucharistie* LA MÊME VIANDE *qu'aux saints dans le Ciel, sans qu'il y ait d'autre différence, sinon qu'ici il nous en ôte la vue et le goût sensible, réservant l'un et l'autre pour le ciel.* En vérité, mes Pères, ces paroles expriment si naïvement le sens de l'Église, que j'oublie à toute heure par où vous vous y prenez pour en abuser. Car je n'y vois autre chose, sinon ce que le Concile de Trente enseigne, Sess. 13, c. 8, qu'il n'y a point d'autre différence entre Jésus-Christ dans l'Eucharistie et Jésus-Christ dans le ciel, sinon qu'il est ici voilé, et non pas là. M. Arnauld ne dit pas qu'il n'y a point d'autre différence en la manière de recevoir Jésus-Christ, mais seulement qu'il n'y en a point d'autre en Jésus-Christ que l'on reçoit. Et cependant vous voulez contre toute raison lui faire dire par ce passage qu'on ne mange non plus ici Jésus-Christ de bouche que dans le ciel : d'où vous concluez son hérésie.

Vous me faites pitié, mes Pères. Faut-il vous expliquer cela davantage ? Pourquoi confondez-vous cette nourriture divine avec la manière de la recevoir ? Il n'y a qu'une seule différence, comme je le viens de dire, dans cette nourriture sur la terre et dans le ciel, qui est qu'elle est ici cachée sous des voiles qui nous en ôtent la vue et le goût sensible. Mais il y a plusieurs différences dans la manière de la recevoir ici et là, dont la principale est que, comme dit M. Arnauld, 3ᵉ part., ch. 16 [33], *il entre ici dans la bouche et dans la poitrine et des bons et des méchants*, ce qui n'est pas dans le ciel.

Et si vous ignorez la raison de cette diversité, je vous dirai, mes Pères, que la cause pour laquelle Dieu a établi ces différentes manières de recevoir une même viande, est la différence qui se trouve entre l'état des chrétiens en cette vie et celui des bienheureux dans le ciel. L'état des chrétiens, comme dit le cardinal Du Perron après les Pères, tient le milieu entre l'état des bienheureux et l'état des Juifs. Les bienheureux possèdent Jésus-Christ réellement sans figures et sans voiles. Les Juifs n'ont possédé de Jésus-Christ que les figures et les voiles, comme étaient la manne et l'agneau pascal. Et les chrétiens possèdent Jésus-Christ dans l'Eucharistie véritablement et réellement, mais encore couvert de voiles. *Dieu*, dit saint Eucher, *s'est fait trois tabernacles : la Synagogue, qui n'a eu que les ombres sans vérité ; l'Église, qui a la vérité et les ombres ; et le Ciel, où il n'y a point d'ombres, mais la seule vérité.* Nous sortirions de l'état où nous sommes, qui est l'état

de foi, que saint Paul oppose tant à la loi qu'à la claire vision,
si nous ne possédions que les figures sans Jésus-Christ ; parce
que c'est le propre de la loi de n'avoir que l'ombre, et non la
substance des choses. Et nous en sortirions encore, si nous le
possédions visiblement ; parce que la foi, comme dit le même
Apôtre [34], n'est point des choses qui se voient. Et ainsi
l'Eucharistie est parfaitement proportionnée à notre état de
foi, parce qu'elle enferme véritablement Jésus-Christ, mais
voilé. De sorte que cet état serait détruit, si Jésus-Christ
n'était pas réellement sous les espèces du pain et du vin,
comme le prétendent les hérétiques ; et il serait détruit
encore, si nous le recevions à découvert comme dans le ciel ;
puisque ce serait confondre notre état avec l'état du Judaïsme
ou avec celui de la gloire. Voilà, mes Pères, la raison
mystérieuse et divine de ce mystère tout divin. Voilà ce qui
nous fait abhorrer les Calvinistes, comme nous réduisant à la
condition des Juifs ; et ce qui nous fait aspirer à la gloire des
bienheureux, qui nous donnera la pleine et éternelle jouis-
sance de Jésus-Christ. Par où vous voyez qu'il y a plusieurs
différences entre la manière dont il se communique aux
chrétiens et aux bienheureux, et qu'entre autres on le reçoit
ici de bouche, et non dans le ciel ; mais qu'elles dépendent
toutes de la seule différence qui est entre l'état de la foi, où
nous sommes, et l'état de la claire vision, où ils sont. Et c'est,
mes Pères, ce que M. Arnauld a dit si clairement en ces
termes : *Qu'il faut qu'il n'y ait point d'autre différence entre la
pureté de ceux qui reçoivent Jésus-Christ dans l'Eucharistie, et
celle des bienheureux, qu'autant qu'il y en a entre la foi et la claire
vision de Dieu, de laquelle seule dépend la différente manière dont
on le mange dans la terre et dans le Ciel* [35]. Vous devriez, mes
Pères, avoir révéré dans ces paroles ces saintes vérités, au lieu
de les corrompre pour y trouver une hérésie qui n'y fut
jamais et qui n'y saurait être, qui est qu'on ne mange Jésus-
Christ que par la foi, et non par la bouche, comme le disent
malicieusement vos Pères Annat et Meynier, qui en font le
capital de leur accusation.

Vous voilà donc bien mal en preuves, mes Pères ; et c'est

pourquoi vous avez eu recours à un nouvel artifice, qui a été
de falsifier le Concile de Trente, afin de faire que M. Arnauld
n'y fût pas conforme : tant vous avez de moyens de rendre le
monde hérétique. C'est ce que fait le P. Meynier en
cinquante endroits de son livre, et huit ou dix fois en la seule
p. 54, où il prétend que, pour s'exprimer en catholique, ce
n'est pas assez de dire : je crois que Jésus-Christ est présent
réellement dans l'Eucharistie ; mais qu'il faut dire : *Je crois*
AVEC LE CONCILE *qu'il y est présent d'une vraie* PRÉSENCE
LOCALE, *ou localement.* Et sur cela il cite le Concile, Sess. 13,
can. 3, can. 4, can. 6. Qui ne croirait en voyant le mot de
présence locale cité de trois canons d'un Concile universel,
qu'il y serait effectivement ? Cela vous a pu servir avant ma
quinzième Lettre ; mais à présent, mes Pères, on ne s'y prend
plus. On va voir le Concile, et on trouve que vous êtes des
imposteurs. Car ces termes de *présence locale, localement,
localité,* n'y furent jamais. Et je vous déclare de plus, mes
Pères, qu'ils ne sont dans aucun autre lieu de ce Concile, ni
dans aucun autre Concile précédent, ni dans aucun Père de
l'Église. Je vous prie donc sur cela, mes Pères, de dire si vous
prétendez rendre suspects de calvinisme tous ceux qui n'ont
point usé de ce terme. Si cela est, le Concile de Trente en est
suspect, et tous les Pères sans exception. Vous êtes trop
équitables pour faire un si grand fracas dans l'Église pour une
querelle particulière. N'avez-vous point d'autre voie pour
rendre M. Arnauld hérétique, sans offenser tant de gens qui
ne vous ont point fait de mal, et entre autres saint Thomas,
qui est un des plus grands défenseurs de l'Eucharistie, et qui
s'est si peu servi de ce terme, qu'il l'a rejeté au contraire, 3 p,
q. 76, a 5, où il dit : *Nullo modo corpus Christi est in hoc
sacramento localiter* [36] ? Qui êtes-vous donc, mes Pères, pour
imposer de votre autorité de nouveaux termes, dont vous
ordonnez de se servir pour bien exprimer sa foi : comme si la
profession de foi dressée par les Papes selon l'ordre du
Concile, où ce terme ne se trouve point, était défectueuse, et
laissait une ambiguïté dans la créance des fidèles, que vous
seuls eussiez découverte ? Quelle témérité de les prescrire aux

docteurs mêmes ! Quelle fausseté de les imposer à des Conciles généraux ! Et quelle ignorance de ne savoir pas les difficultés que les saints les plus éclairés ont fait de les recevoir ! *Rougissez*, mes Pères, *de vos impostures ignorantes*, comme dit l'Écriture aux imposteurs ignorants comme vous : *De mendacio ineruditionis tuae confundere* [37].

N'entreprenez donc plus de faire les maîtres. Vous n'avez ni le caractère ni la suffisance pour cela. Mais si vous voulez faire vos propositions plus modestement, on pourra les écouter. Car encore que ce mot de *présence locale* ait été rejeté par saint Thomas, comme vous avez vu, à cause que le corps de Jésus-Christ n'est pas en l'Eucharistie dans l'étendue ordinaire des corps en leur lieu, néanmoins ce terme a été reçu par quelques nouveaux auteurs de controverses, parce qu'ils entendent seulement par là que le corps de Jésus-Christ est vraiment sous les espèces, lesquelles étant en un lieu particulier, le corps de Jésus-Christ y est aussi. Et en ce sens M. Arnauld ne fera point de difficulté de l'admettre, puisque M. de Saint-Cyran et lui ont déclaré tant de fois que Jésus-Christ dans l'Eucharistie est véritablement en un lieu particulier, et miraculeusement en plusieurs lieux à la fois. Ainsi tous vos raffinements tombent par terre, et vous n'avez pu donner la moindre apparence à une accusation qu'il n'eût été permis d'avancer qu'avec des preuves invincibles.

Mais à quoi sert, mes Pères, d'opposer leur innocence à vos calomnies ? Vous ne leur attribuez pas ces erreurs dans la créance qu'ils les soutiennent, mais dans la créance qu'ils vous font tort. C'en est assez, selon votre théologie, pour les calomnier sans crime ; et vous pouvez sans confession ni pénitence dire la messe en même temps que vous imputez à des prêtres qui la disent tous les jours de croire que c'est une pure idolâtrie, ce qui serait un si horrible sacrilège, que vous-mêmes avez fait pendre en effigie votre propre Père Jarrige [38], sur ce qu'il avait dit la messe *étant d'intelligence avec Genève*.

Je m'étonne donc, non pas de ce que vous leur imposez avec si peu de scrupule des crimes si grands et si faux, mais de ce que vous leur imposez avec si peu de prudence des crimes si peu vraisemblables. Car vous disposez bien des péchés à votre gré, mais pensez-vous disposer de même de la créance des hommes ? En vérité, mes Pères, s'il fallait que le soupçon de calvinisme tombât sur eux ou sur vous, je vous trouverais en mauvais termes. Leurs discours sont aussi catholiques que les vôtres, mais leur conduite confirme leur foi, et la vôtre la dément. Car si vous croyez aussi bien qu'eux que ce pain est réellement changé au corps de Jésus-Christ, pourquoi ne demandez-vous pas comme eux que le cœur de pierre et de glace de ceux à qui vous conseillez d'en approcher soit sincèrement changé en un cœur de chair et d'amour ? Si vous croyez que Jésus-Christ y est dans un état de mort, pour apprendre à ceux qui s'en approchent à mourir au monde, au péché et à eux-mêmes, pourquoi portez-vous à en approcher ceux en qui les vices et les passions criminelles sont encore toutes vivantes ? Et comment jugez-vous dignes de manger le pain du ciel ceux qui ne le seraient pas de manger celui de la terre ?

Ô grands vénérateurs de ce saint mystère, dont le zèle s'emploie à persécuter ceux qui l'honorent par tant de communions saintes, et à flatter ceux qui le déshonorent par tant de communions sacrilèges ! Qu'il est digne de ces défenseurs d'un si pur et si adorable sacrifice d'environner la table de Jésus-Christ de pécheurs envieillis tout sortant de leurs infamies, et de placer au milieu d'eux un prêtre que son confesseur même envoie de ses impudicités à l'autel, pour y offrir en la place de Jésus-Christ cette victime toute sainte au Dieu de sainteté, et la porter de ces mains souillées en ces bouches toutes souillées ! Ne sied-il pas bien à ceux qui pratiquent cette conduite *par toute la terre,* selon des maximes approuvées de leur propre Général, d'imputer à l'auteur de la Fréquente Communion et aux Filles du Saint-Sacrement de ne pas croire le Saint-Sacrement ?

Cependant cela ne leur suffit pas encore. Il faut pour satisfaire leur passion qu'ils les accusent enfin d'avoir renoncé à Jésus-Christ et à leur baptême. Ce ne sont pas là, mes Pères, des contes en l'air comme les vôtres. Ce sont les funestes emportements par où vous avez comblé la mesure de vos calomnies. Une si insigne fausseté n'eût pas été en des mains dignes de la soutenir, en demeurant en celles de votre bon ami Filleau [39], par qui vous l'avez fait naître : votre Société se l'est attribuée ouvertement, et votre P. Meynier vient de soutenir, *comme une vérité certaine,* que Port-Royal forme une cabale secrète depuis trente-cinq ans, dont M. de Saint-Cyran et M. d'Ypres ont été les chefs, *pour ruiner le mystère de l'Incarnation, faire passer l'Évangile pour une histoire apocryphe, exterminer la religion chrétienne, et élever le Déisme sur les ruines du Christianisme.* Est-ce là tout, mes Pères ? Serez-vous satisfaits si l'on croit tout cela de ceux que vous haïssez ? Votre animosité serait-elle enfin assouvie, si vous les aviez mis en horreur, non seulement à tous ceux qui sont dans l'Église, par *l'intelligence avec Genève* dont vous les accusez, mais encore à tous ceux qui croient en Jésus-Christ, quoique hors l'Église, par le *Déisme* que vous leur imputez ?

Mais qui ne sera surpris de l'aveuglement de votre conduite ? Car à qui prétendez-vous persuader, sur votre seule parole sans la moindre apparence de preuve, et avec toutes les contradictions imaginables, que des évêques et des prêtres qui n'ont fait autre chose que prêcher la grâce de Jésus-Christ, la pureté de l'Évangile et les obligations du baptême, avaient renoncé à leur baptême, à l'Évangile et à Jésus-Christ ; qu'ils n'ont travaillé que pour établir cette apostasie ; et que le Port-Royal y travaille encore ? Qui le croira, mes Pères ? Le croyez-vous vous-mêmes, misérables que vous êtes ? Et à quelle extrémité êtes-vous réduits, puisqu'il faut nécessairement ou que vous prouviez cette accusation, ou que vous passiez pour les plus abandonnés calomniateurs qui furent jamais ! Prouvez-le donc, mes Pères ; nommez *cet ecclésiastique de mérite,* que vous dites avoir assisté à cette assemblée de Bourg-Fontaine en 1621, et avoir découvert à votre Filleau le dessein qui y fut pris de détruire la religion chrétienne. Nommez ces six personnes que vous dites y avoir formé cette conspiration. Nommez celui *qui est désigné par ces lettres A. A.,* que vous dites, p. 15, *n'être pas Antoine Arnauld,* parce qu'il vous a convaincus qu'il n'avait alors que neuf ans, *mais un autre qui est encore en vie, et qui est trop bon ami de M. Arnauld pour lui être inconnu*[40]. Vous le connaissez donc, mes Pères, et par conséquent, si vous n'êtes vous-mêmes sans religion, vous êtes obligés de déférer cet impie au Roi et au Parlement, pour le faire punir comme il le mériterait. Il faut parler, mes Pères : il faut le nommer, ou souffrir la confusion de n'être plus regardés que comme des menteurs indignes d'être jamais crus. C'est en cette manière que le bon P. Valérien nous a appris qu'il fallait *mettre à la gêne* et pousser à bout de tels imposteurs. Votre silence là-dessus sera une pleine et entière conviction de cette calomnie diabolique. Les plus aveugles de vos amis seront contraints d'avouer *que ce ne sera point un effet de votre vertu, mais de votre impuissance,* et d'admirer que vous ayez été si méchants que de l'étendre jusques aux religieuses de Port-Royal, et de dire, comme vous faites, p. 14, que *le Chapelet secret du Saint-Sacrement,* composé par l'une d'elles[41], a été le premier fruit de cette conspiration contre Jésus-Christ ; et dans la page 95, *qu'on leur a inspiré toutes les détestables maximes de cet écrit,* qui est selon vous une instruction *de Déisme.* On a déjà ruiné invinciblement vos impostures sur cet écrit, dans la *défense de la Censure de feu M. l'archevêque de Paris* contre votre P. Brisacier. Vous n'avez rien à y repartir, et vous ne laissez pas d'en abuser encore d'une manière plus honteuse que jamais, pour attribuer à des filles d'une piété connue de tout le monde le comble de l'impiété. Cruels et lâches persécuteurs, faut-il donc que les cloîtres les plus retirés ne soient pas des asiles contre vos calomnies ? Pendant que ces saintes vierges adorent nuit et jour Jésus-Christ au Saint-Sacrement, selon leur institution, vous ne cessez nuit et jour de publier qu'elles ne croient pas qu'il soit ni dans l'Eucharistie, ni même à la droite de son Père ; et vous les retranchez publiquement de l'Église, pendant qu'elles prient dans le secret pour vous et pour toute l'Église. Vous calomniez celles qui n'ont point d'oreilles pour vous ouïr ni de bouche pour vous répondre. Mais Jésus-Christ, en qui elles sont cachées pour ne paraître qu'un jour avec lui, vous écoute et répond pour elles. On l'entend aujourd'hui, cette voix sainte et terrible, qui étonne la nature, et qui console l'Église[42]. Et je crains, mes Pères, que ceux qui endurcissent leurs cœurs, et qui refusent avec opiniâtreté de l'ouïr quand il parle en Dieu, ne soient forcés de l'ouïr avec effroi quand il leur parlera en Juge.

Car enfin, mes Pères, quel compte lui pourrez-vous rendre de tant de calomnies, lorsqu'il les examinera, non sur les fantaisies de vos Pères Discastillus, Gans et Pennalossa, mais sur les règles de sa vérité éternelle et sur les saintes ordonnances de son Église, qui, bien loin d'excuser ce crime, l'abhorre tellement qu'elle l'a puni de même qu'un homicide volontaire ? Car elle a différé aux calomniateurs, aussi bien qu'aux meurtriers, la communion jusques à la mort, par le Ier et IInd Concile d'Arles. Le Concile de Latran a jugé indignes de l'état ecclésiastique ceux qui en ont été convaincus, quoiqu'ils s'en fussent corrigés. Les Papes ont même menacé ceux qui auraient calomnié des évêques, des prêtres ou des diacres, de ne leur point donner la communion à la mort. Et les auteurs d'un écrit diffamatoire, qui ne peuvent prouver ce qu'ils ont avancé, sont condamnés par le Pape Adrien *à être fouettés*, mes Révérends Pères, *flagellentur*. Tant l'Église a toujours été éloignée des erreurs de votre Société si corrompue, qu'elle excuse d'aussi grands crimes que la calomnie, pour les commettre elle-même avec plus de liberté.

Certainement, mes Pères, vous seriez capables de produire par là beaucoup de maux, si Dieu n'avait permis que vous ayez fourni vous-mêmes les moyens de les empêcher et de rendre toutes vos impostures sans effet. Car il ne faut que publier cette étrange maxime qui les exempte de crime, pour vous ôter toute créance. La calomnie est inutile, si elle n'est jointe à une grande réputation de sincérité : un médisant ne peut réussir s'il n'est en estime d'abhorrer la médisance comme un crime dont il est incapable. Et ainsi, mes Pères, votre propre principe vous trahit. Vous l'avez établi pour assurer votre conscience. Car vous vouliez médire sans être

damnés, et être *de ces saints et pieux calomniateurs* dont parle
saint Athanase. Vous avez donc embrassé, pour vous sauver
de l'enfer, cette maxime qui vous en sauve sur la foi de vos
docteurs : mais cette maxime même, qui vous garantit selon
eux des maux que vous craignez en l'autre vie, vous ôte en
celle-ci l'utilité que vous en espériez : de sorte qu'en pensant
éviter le vice de la médisance, vous en avez perdu le fruit ;
tant le mal est contraire à soi-même, et tant il s'embarrasse et
se détruit par sa propre malice.

Vous calomnieriez donc plus utilement pour vous, en
faisant profession de dire avec saint Paul que les simples
médisants, *maledici*, sont indignes de voir Dieu[43], puisque au
moins vos médisances en seraient plutôt crues, quoique à la
vérité vous vous condamneriez vous-mêmes ; mais en disant,
comme vous faites, que la calomnie contre vos ennemis n'est
pas un crime, vos médisances ne seront point crues, et vous
ne laisserez pas de vous damner. Car il est certain, mes Pères,
et que vos auteurs graves n'anéantiront pas la justice de Dieu,
et que vous ne pouviez donner une preuve plus certaine que
vous n'êtes pas dans la vérité qu'en recourant au mensonge.
Si la vérité était pour vous, elle combattrait pour vous ; elle
vaincrait pour vous et, quelques ennemis que vous eussiez, *la
vérité vous en délivrerait*[44], selon sa promesse. Vous n'avez
recours au mensonge que pour soutenir les erreurs dont vous
flattez les pécheurs du monde, et pour appuyer les calomnies
dont vous opprimez les personnes de piété qui s'y opposent.
La vérité étant contraire à vos fins, il a fallu mettre *votre
confiance au mensonge*, comme dit un prophète : *Vous avez
dit : Les malheurs qui affligent les hommes ne viendront pas
jusques à nous ; car nous avons espéré au mensonge, et le
mensonge nous protégera*[45]. Mais que leur répond le prophète ?
D'autant, dit-il, *que vous avez mis votre espérance en la calomnie
et au tumulte*, sperastis in calumnia et in tumultu, *cette iniquité
vous sera imputée, et votre ruine sera semblable à celle d'une
haute muraille qui tombe d'une chute imprévue, et à celle d'un
vaisseau de terre qu'on brise et qu'on écrase en toutes ses parties
par un effort si puissant et si universel qu'il n'en restera pas un test*

où l'on puisse puiser un peu d'eau ou porter un peu de feu[46] :
parce que, comme dit un autre prophète, *vous avez affligé le
cœur du juste, que je n'ai point affligé moi-même ; et vous avez
flatté et fortifié la malice des impies. Je retirerai donc mon peuple
de vos mains, et je ferai connaître que je suis leur seigneur et le
vôtre*[47].

Oui, mes Pères, il faut espérer que, si vous ne changez
d'esprit, il retirera de vos mains ceux que vous trompez
depuis si longtemps, soit en les laissant dans leurs désordres
par votre mauvaise conduite, soit en les empoisonnant par
vos médisances. Il fera concevoir aux uns que les fausses
règles de vos casuistes ne les mettront point à couvert de sa
colère ; et il imprimera dans l'esprit des autres la juste crainte
de se perdre en vous écoutant et en donnant créance à vos
impostures, comme vous vous perdez vous-mêmes en les
inventant et en les semant dans le monde. Car il ne s'y faut
pas tromper : on ne se moque point de Dieu, et on ne viole
point impunément le commandement qu'il nous a fait dans
l'Évangile, de ne point condamner notre prochain sans être
bien assuré qu'il est coupable. Et ainsi, quelque profession de
piété que fassent ceux qui se rendent faciles à recevoir vos
mensonges, et sous quelque prétexte de dévotion qu'ils le
fassent, ils doivent appréhender d'être exclus du royaume de
Dieu pour ce seul crime, d'avoir imputé d'aussi grands
crimes que l'hérésie et le schisme à des prêtres catholiques et
à des religieuses sans autres preuves que des impostures aussi
grossières que les vôtres. *Le démon*, dit M. de Genève, *est sur
la langue de celui qui médit, et dans l'oreille de celui qui
l'écoute*[48]. *Et la médisance*, dit saint Bernard, Serm. 24 in
Cant., *est un poison qui éteint la charité en l'un et en l'autre. De
sorte qu'une seule calomnie peut être mortelle à une infinité
d'âmes, puisqu'elle tue non seulement ceux qui la publient, mais
encore tous ceux qui ne la rejettent pas.*

Mes Révérends Pères, mes Lettres n'avaient pas accoutumé de se
suivre de si près, ni d'être si étendues[49]. Le peu de temps que j'ai eu a été
cause de l'un et de l'autre. Je n'ai fait celle-ci plus longue que parce que je

n'ai pas eu le loisir de la faire plus courte[50]. La raison qui m'a obligé de me hâter vous est mieux connue qu'à moi[51]. Vos réponses vous réussissaient mal. Vous avez bien fait de changer de méthode, mais je ne sais si vous avez bien choisi, et si le monde ne dira pas que vous avez eu peur des Bénédictins.

Je viens d'apprendre que celui que tout le monde faisait auteur de vos Apologies les désavoue, et se fâche qu'on les lui attribue. Il a raison, et j'ai eu tort de l'en avoir soupçonné[52]*. Car quelque assurance qu'on m'en eût donnée, je devais penser qu'il avait trop de jugement pour croire vos impostures, et trop d'honneur pour les publier sans les croire. Il y a peu de gens du monde capables de ces excès, qui vous sont propres, et qui marquent trop votre caractère, pour me rendre excusable de ne vous y avoir pas reconnus. Le bruit commun m'avait emporté. Mais cette excuse, qui serait trop bonne pour vous, n'est pas suffisante pour moi, qui fais profession de ne rien dire sans preuve certaine, et qui n'en ai dit aucune que celle-là. Je m'en repens, je la désavoue, et je souhaite que vous profitiez de mon exemple.*

DIX-SEPTIÈME LETTRE
ÉCRITE PAR L'AUTEUR
DES LETTRES AU PROVINCIAL
AU RÉVÉREND P. ANNAT, JÉSUITE

Du 23 janvier 1657.

MON RÉVÉREND PÈRE,

Votre procédé[1] m'avait fait croire que vous désiriez que nous demeurassions en repos de part et d'autre, et je m'y étais disposé. Mais vous avez depuis produit tant d'écrits en peu de temps[2], qu'il paraît bien qu'une paix n'est guère assurée quand elle dépend du silence des Jésuites. Je ne sais si cette rupture vous sera fort avantageuse ; mais pour moi je ne suis pas fâché qu'elle me donne le moyen de détruire ce reproche ordinaire d'hérésie dont vous remplissez tous vos livres.

Il est temps que j'arrête une fois pour toutes cette hardiesse que vous prenez de me traiter d'hérétique, qui s'augmente tous les jours. Vous le faites dans ce livre que vous venez de publier, d'une manière qui ne se peut plus souffrir, et qui me rendrait enfin suspect, si je ne vous y répondais comme le mérite un reproche de cette nature. J'avais méprisé cette injure dans les écrits de vos confrères, aussi bien qu'une infinité d'autres qu'ils y mêlent indifféremment. Ma 15ᵉ lettre y avait assez répondu ; mais vous en parlez maintenant d'un autre air : vous en faites sérieusement le capital de votre défense ; c'est presque la seule chose que vous y employez. Car vous dites *que, pour toute réponse à mes 15 lettres, il suffit de dire 15 fois que je suis hérétique, et qu'étant déclaré tel, je ne mérite aucune créance.* Enfin vous ne mettez pas mon apostasie en question, et vous la supposez comme un principe ferme, sur lequel vous bâtissez hardiment. C'est donc tout de bon, mon Père, que vous me traitez d'hérétique, et c'est aussi tout de bon que je vous y vas répondre.

Vous savez bien, mon Père, que cette accusation est si importante, que c'est une témérité insupportable de l'avancer, si on n'a pas de quoi la prouver. Je vous demande quelles preuves vous en avez. Quand m'a-t-on vu à Charenton ? Quand ai-je manqué à la messe et aux devoirs des chrétiens à leurs paroisses ? Quand ai-je fait quelque action d'union avec les hérétiques, ou de schisme avec l'Église ? Quel Concile ai-je contredit ? Quelle Constitution de Pape ai-je violée ? Il faut répondre, mon Père, ou... vous m'entendez bien. Et que répondez-vous ? Je prie tout le monde de l'observer. Vous supposez premièrement *que celui qui écrit les Lettres est de Port-Royal.* Vous dites ensuite *que le Port-Royal est déclaré hérétique ;* d'où vous concluez *que celui qui écrit les Lettres est déclaré hérétique*[3]. Ce n'est donc pas sur moi, mon Père, que tombe le fort de cette accusation, mais sur le Port-Royal ; et vous ne m'en chargez que parce que vous supposez que j'en suis. Ainsi je n'aurai pas grande peine à m'en défendre, puisque je n'ai qu'à vous dire que je n'en suis pas, et à vous renvoyer à mes Lettres, où j'ai dit *que je suis seul*[4], et en propres termes, *que je ne suis point de Port-Royal*, comme j'ai fait dans la 16ᵉ qui a précédé votre livre.

Prouvez donc d'une autre manière que je suis hérétique, ou tout le monde reconnaîtra votre impuissance. Prouvez que je ne reçois pas la Constitution par mes écrits[5]. Ils ne sont pas en si grand nombre. Il n'y a que 16 Lettres à examiner, où je vous défie, et vous et toute la terre, d'en produire la moindre marque. Mais je vous y ferai bien voir le contraire. Car quand j'ai dit par exemple dans la 14ᵉ : *Qu'en tuant, selon vos maximes, ses frères en péché mortel, on damne ceux pour qui Jésus-Christ est mort*, n'ai-je pas visiblement reconnu que Jésus-Christ est mort pour ces damnés, et qu'ainsi il est faux *qu'il ne soit mort que pour les seuls prédestinés*, ce qui est condamné dans la cinquième proposition[6] ? Il est donc sûr, mon Père, que je n'ai rien dit pour soutenir ces propositions impies, que je déteste de tout mon cœur. Et quand le Port-Royal les tiendrait, je vous déclare que vous n'en pouvez rien conclure contre moi, parce que, grâces à Dieu, je n'ai d'attache sur la terre qu'à la seule Église Catholique, Apostolique et Romaine, dans laquelle je veux vivre et mourir, et dans la communion avec le Pape son souverain chef, hors de laquelle je suis très persuadé qu'il n'y a point de salut.

Que ferez-vous à une personne qui parle de cette sorte, et par où m'attaquerez-vous, puisque ni mes discours ni mes écrits ne donnent aucun prétexte à vos accusations d'hérésie, et que je trouve ma sûreté contre vos menaces dans l'obscurité qui me couvre ? Vous vous sentez frappés par une main invisible qui rend vos égarements visibles à toute la terre. Et vous essayez en vain de m'attaquer en la personne de ceux auxquels vous me croyez uni. Je ne vous crains ni pour moi, ni pour aucun, n'étant attaché ni à quelque communauté, ni à quelque particulier que ce soit. Tout le crédit que vous pouvez avoir est inutile à mon égard. Je n'espère rien du monde ; je n'en appréhende rien ; je n'en veux rien ; je n'ai besoin par la grâce de Dieu ni du bien, ni de l'autorité de personne. Ainsi, mon Père, j'échappe à toutes vos prises. Vous ne pouvez me saisir de quelque côté que vous le tentiez. Vous pouvez bien toucher le Port-Royal[7], mais non pas moi. On a bien délogé des gens de Sorbonne[8], mais cela ne me déloge pas de chez moi. Vous pouvez bien préparer des violences contre des prêtres et des docteurs, mais non pas contre moi qui n'ai point ces qualités[9]. Et ainsi peut-être n'eûtes-vous jamais affaire à une personne qui fût si hors de vos atteintes, et si propre à combattre vos erreurs, étant libre, sans engagement, sans attachement, sans liaison, sans relation, sans affaires, assez instruit de vos maximes, et bien résolu de les pousser autant que je croirai que Dieu m'y engagera, sans qu'aucune considération humaine puisse arrêter ni ralentir mes poursuites.

À quoi vous sert-il donc, mon Père, lorsque vous ne pouvez rien contre moi, de publier tant de calomnies contre des personnes qui ne sont point mêlées dans nos différends, comme font tous vos Pères ? Vous n'échapperez pas par ces fuites. Vous sentirez la force de la vérité que je vous oppose [10]. Je vous dis que vous anéantissez la morale chrétienne en la séparant de l'amour de Dieu, dont vous dispensez les hommes ; et vous me parlez de *la mort du P. Mester* [11], que je n'ai vu de ma vie. Je vous dis que vos auteurs permettent de tuer pour une pomme, quand il est honteux de la laisser perdre ; et vous me dites *qu'on a ouvert un tronc à Saint-Merri* [12]. Que voulez-vous dire de même de me prendre tous les jours à partie sur le livre *De la sainte Virginité* [13], fait par un P. de l'Oratoire, que je ne vis jamais, non plus que son livre ? Je vous admire, mon Père, de considérer ainsi tous ceux qui vous sont contraires comme une seule personne. Votre haine les embrasse tous ensemble, et en forme comme un corps de réprouvés [14], dont vous voulez que chacun réponde pour tous les autres.

Il y a bien de la différence entre les Jésuites et ceux qui les combattent. Vous composez véritablement un corps uni sous un seul chef ; et vos règles, comme je l'ai fait voir, vous défendent de rien imprimer sans l'aveu de vos supérieurs, qui sont rendus responsables des erreurs de tous les particuliers, *sans qu'ils puissent s'excuser en disant qu'ils n'ont pas remarqué les erreurs qui y sont enseignées, parce qu'ils les doivent remarquer,* selon vos ordonnances, et selon les lettres de vos Généraux Aquaviva, Vittelleschi, etc. C'est donc avec raison qu'on vous reproche les égarements de vos confrères, qui se trouvent dans leurs ouvrages approuvés par vos supérieurs et par les théologiens de votre Compagnie. Mais quant à moi, mon Père, il en faut juger autrement. Je n'ai pas souscrit le livre *De la sainte Virginité.* On ouvrirait tous les troncs de Paris sans que j'en fusse moins catholique [15]. Et enfin je vous déclare hautement et nettement que personne ne répond de mes Lettres que moi, et que je ne réponds de rien que de mes Lettres.

Je pourrais en demeurer là, mon Père, sans parler de ces autres personnes que vous traitez d'hérétiques pour me comprendre dans cette accusation. Mais comme j'en suis l'occasion, je me trouve engagé en quelque sorte à me servir de cette même occasion pour en tirer trois avantages. Car c'en est un bien considérable de faire paraître l'innocence de tant de personnes calomniées. C'en est un autre et bien propre à mon sujet, de montrer toujours les artifices de votre politique dans cette accusation. Mais celui que j'estime le plus est que j'apprendrai par là à tout le monde la fausseté de ce bruit scandaleux que vous semez de tous côtés, *que l'Église est divisée par une nouvelle hérésie*. Et comme vous abusez une infinité de personnes en leur faisant accroire que les points sur lesquels vous essayez d'exciter un si grand orage sont essentiels à la foi, je trouve d'une extrême importance de détruire ces fausses impressions, et d'expliquer ici nettement en quoi ils consistent, pour montrer qu'en effet il n'y a point d'hérétiques dans l'Église.

Car n'est-il pas véritable que, si l'on demande en quoi consiste l'hérésie de ceux que vous appelez Jansénistes, on répondra incontinent que c'est en ce que ces gens-là disent : *Que les commandements de Dieu sont impossibles ; qu'on ne peut résister à la grâce, et qu'on n'a pas la liberté de faire le bien et le mal ; que Jésus-Christ n'est pas mort pour tous les hommes, mais seulement pour les prédestinés ; et enfin qu'ils soutiennent les cinq propositions condamnées par le Pape* [16] ? Ne faites-vous pas entendre que c'est pour ce sujet que vous persécutez vos adversaires ? N'est-ce pas ce que vous dites dans vos livres, dans vos entretiens, dans vos catéchismes, comme vous fîtes encore aux fêtes de Noël à Saint-Louis, en demandant à une de vos petites bergères : *Pour qui est venu Jésus-Christ, ma fille ? Pour tous les hommes, mon Père. Eh quoi ! ma fille, vous n'êtes donc pas de ces nouveaux hérétiques qui disent qu'il n'est venu que pour les prédestinés ?* Les enfants vous croient là-dessus, et plusieurs autres aussi ; car vous les entretenez de ces mêmes fables dans vos sermons, comme votre Père Crasset à Orléans [17], qui en a été interdit. Et je vous avoue

que je vous ai cru aussi autrefois. Vous m'aviez donné cette
même idée de toutes ces personnes-là. De sorte que, quand
vous commençâtes à les accuser de tenir ces propositions,
j'observais avec attention quelle serait leur réponse ; et j'étais
fort disposé à ne les voir jamais, s'ils n'eussent déclaré qu'ils
y renonçaient comme à des impiétés visibles. Mais ils le firent
bien hautement. Car M. de Sainte-Beuve [18], professeur du roi
en Sorbonne, censura dans ses écrits publics ces cinq
propositions longtemps avant le Pape ; et ces docteurs firent
paraître plusieurs écrits, et entre autres celui *De la Grâce
victorieuse* [19], qu'ils produisirent en même temps, où ils
rejettent ces propositions et comme hérétiques et comme
étrangères. Car ils disent dans la préface *que ce sont des propositions hérétiques et Luthériennes, fabriquées et forgées à plaisir,
qui ne se trouvent ni dans Jansénius ni dans ses défenseurs ;* ce sont leurs termes. Ils se plaignent de ce qu'on les
leur attribue, et vous adressent pour cela ces paroles de saint
Prosper, le premier disciple de saint Augustin leur maître, à
qui les Semi-Pélagiens de France en imputèrent de pareilles
pour le rendre odieux. *Il y a,* dit ce saint, *des personnes qui ont
une passion si aveugle de nous décrier, qu'ils en ont pris un moyen
qui ruine leur propre réputation. Car ils ont fabriqué à dessein de
certaines propositions pleines d'impiétés et de blasphèmes, qu'ils
envoient de tous côtés, pour faire croire que nous les soutenons au
même sens qu'ils ont exprimé par leur écrit. Mais on verra par
cette réponse et notre innocence et la malice de ceux qui nous ont
imputé ces impiétés dont ils sont les uniques inventeurs* [20].

En vérité, mon Père, lorsque je les ouïs parler de la sorte
avant la Constitution ; quand je vis qu'ils la reçurent ensuite
avec tout ce qui se peut de respect ; qu'ils offrirent de la
souscrire ; et que M. Arnauld eut déclaré tout cela plus
fortement que je ne le puis rapporter, dans toute sa seconde
lettre, j'eusse cru pécher de douter de leur foi. Et en effet
ceux qui avaient voulu refuser l'absolution à leurs amis avant
la lettre de M. Arnauld ont déclaré depuis qu'après qu'il avait
si nettement condamné ces erreurs qu'on lui imputait, il n'y
avait aucune raison de le retrancher, ni lui ni ses amis, de

l'Église. Mais vous n'en avez pas usé de même. Et c'est sur quoi je commençai à me défier que vous agissiez avec passion.

Car au lieu que vous les aviez menacés de leur faire signer cette Constitution quand vous pensiez qu'ils y résisteraient, lorsque vous vîtes qu'ils s'y portaient d'eux-mêmes, vous n'en parlâtes plus. Et quoiqu'il semblât que vous dussiez après cela être satisfaits de leur conduite, vous ne laissâtes pas de les traiter encore d'hérétiques, *parce*, disiez-vous, *que leur cœur démentait leur main, et qu'ils étaient catholiques extérieurement, et hérétiques intérieurement,* comme vous-même l'avez dit dans votre Rép. à quelques demandes, p. 27 et 47.

Que ce procédé me parut étrange, mon Père ! Car de qui n'en peut-on pas dire autant ? Et quel trouble n'exciterait-on point par ce prétexte ? *Si l'on refuse,* dit saint Grégoire, Pape, *de croire la confession de foi de ceux qui la donnent conforme aux sentiments de l'Église, on remet en doute la foi de toutes les personnes catholiques.* Je craignis donc, mon Père, *que votre dessein ne fût de rendre ces personnes hérétiques sans qu'ils le fussent,* comme parle le même Pape sur une dispute pareille de son temps ; *parce,* dit-il, *que ce n'est pas s'opposer aux hérésies, mais c'est faire une hérésie, que de refuser de croire ceux qui par leur confession témoignent d'être dans la véritable foi :* Hoc non est haeresim purgare, sed facere[21]. Mais je connus en vérité qu'il n'y avait point en effet d'hérétiques dans l'Église, quand je vis qu'ils étaient si bien justifiés de toutes ces hérésies, que vous ne pûtes plus les accuser d'aucune erreur contre la foi ; et que vous fûtes réduits à les entreprendre seulement sur les questions de fait touchant Jansénius, qui ne pouvaient être matière d'hérésie. Car vous les voulûtes obliger à reconnaître *que ces propositions étaient dans Jansénius, mot à mot toutes, et en propres termes,* comme vous l'écrivîtes encore vous-mêmes : *Singulares, individuae, todidem verbis apud Jansenium contentae,* dans vos *Cavilli,* p. 39[22].

Dès lors votre dispute commença à me devenir indifférente. Quand je croyais que vous disputiez de la vérité ou de la fausseté des propositions, je vous écoutais avec attention ;

car cela touchait la foi ; mais, quand je vis que vous ne disputiez plus que pour savoir si elles étaient *mot à mot* dans Jansénius ou non, comme la religion n'y était plus intéressée, je ne m'y intéressai plus aussi. Ce n'est pas qu'il n'y eût bien de l'apparence que vous disiez vrai ; car de dire que des paroles sont *mot à mot* dans un auteur, c'est à quoi l'on ne peut se méprendre. Aussi je ne m'étonne pas que tant de personnes, et en France et à Rome, aient cru, sur une expression si peu suspecte, que Jansénius les avait enseignées en effet[23]. Et c'est pourquoi je ne fus pas peu surpris d'apprendre que ce point de fait même que vous aviez proposé comme si certain et si important était faux, et qu'on vous défia de citer les pages de Jansénius où vous aviez trouvé ces propositions *mot à mot*, sans que vous l'ayez jamais pu faire.

Je rapporte toute cette suite[24], parce qu'il me semble que cela découvre assez l'esprit de votre Société en toute cette affaire, et qu'on admirera de voir que, malgré tout ce que je viens de dire, vous n'ayez pas cessé de publier qu'ils étaient toujours hérétiques ; mais vous avez seulement changé leur hérésie selon le temps. Car à mesure qu'ils se justifiaient de l'une, vos Pères en substituaient une autre, afin qu'ils n'en fussent jamais exempts. Ainsi en 1653, leur hérésie était sur la qualité des propositions. Ensuite elle fut sur le *mot à mot*. Depuis vous la mîtes dans le cœur. Mais aujourd'hui on ne parle plus de tout cela ; et l'on veut qu'ils soient hérétiques, s'ils ne signent *que le sens de la doctrine de Jansénius se trouve dans le sens de ces cinq propositions*[25].

Voilà le sujet de votre dispute présente. Il ne vous suffit pas qu'ils condamnent les cinq propositions, et encore tout ce qu'il y aurait dans Jansénius qui pourrait y être conforme et contraire à saint Augustin. Car ils font tout cela. De sorte qu'il n'est pas question de savoir, par exemple, *si Jésus-Christ n'est mort que pour les prédestinés*. Ils condamnent cela aussi bien que vous ; mais si Jansénius est de ce sentiment-là, ou non. Et c'est sur quoi je vous déclare plus que jamais que votre dispute me touche peu, comme elle touche peu l'Église.

Car, encore que je ne sois pas docteur, non plus que vous, mon Père, je vois bien néanmoins qu'il n'y va point de la foi, puisqu'il n'est question que de savoir quel est le sens de Jansénius. S'ils croyaient que sa doctrine fût conforme au sens propre et littéral de ces propositions, ils la condamneraient ; et ils ne refusent de le faire que parce qu'ils sont persuadés qu'elle en est bien différente ; ainsi, quand ils l'entendraient mal, ils ne seraient pas hérétiques, puisqu'ils ne l'entendent qu'en un sens catholique.

Et pour expliquer cela par un exemple, je prendrai la diversité de sentiments qui fut entre saint Basile et saint Athanase touchant les écrits de saint Denis d'Alexandrie, dans lesquels saint Basile croyant trouver le sens d'Arius contre l'égalité du Père et du Fils, il les condamna comme hérétiques ; mais saint Athanase au contraire y croyant trouver le véritable sens de l'Église, il les soutint comme catholiques[26]. Pensez-vous donc, mon Père, que saint Basile, qui tenait ces écrits pour ariens, eût droit de traiter saint Athanase d'hérétique, parce qu'il les défendait ? Et quel sujet en eût-il eu, puisque ce n'était pas l'Arianisme qu'il défendait, mais la vérité de la foi, qu'il pensait y être ? Si ces deux saints fussent convenus du véritable sens de ces écrits, et qu'ils y eussent tous deux reconnu cette hérésie, sans doute saint Athanase n'eût pu les approuver sans hérésie ; mais, comme ils étaient en différend touchant ce sens, saint Athanase était catholique en les soutenant, quand même il les eût mal entendus ; puisque ce n'eût été qu'une erreur de fait, et qu'il ne défendait dans cette doctrine que la foi catholique qu'il y supposait.

Je vous en dis de même, mon Père. Si vous conveniez du sens de Jansénius, et qu'ils fussent d'accord avec vous qu'il tient, par exemple, *qu'on ne peut résister à la grâce*, ceux qui refuseraient de le condamner seraient hérétiques. Mais lorsque vous disputez de son sens, et qu'ils croient que selon sa doctrine *on peut résister à la grâce*, vous n'avez aucun sujet de les traiter d'hérétiques, quelque hérésie que vous lui attribuiez vous-même ; puisqu'ils condamnent le sens que vous y supposez, et que vous n'oseriez condamner le sens qu'ils y supposent. Si vous voulez donc les convaincre, montrez que le sens qu'ils attribuent à Jansénius est hérétique : car alors ils le seront eux-mêmes. Mais comment le pourriez-vous faire, puisqu'il est constant selon votre propre aveu que celui qu'ils lui donnent n'est point condamné ?

Pour vous le montrer clairement, je prendrai pour principe ce que vous reconnaissez vous-mêmes *que la doctrine de la grâce efficace n'a point été condamnée, et que le Pape n'y a point touché par sa Constitution.* Et en effet quand il voulut juger des cinq propositions, le point de la grâce efficace fut mis à couvert de toute censure. C'est ce qui paraît parfaitement par les Avis des Consulteurs auxquels le Pape les donna à examiner. J'ai ces Avis entre mes mains, aussi bien que plusieurs personnes dans Paris, et entre autres M. l'évêque de Montpellier[27], qui les apporta de Rome. On y voit que leurs opinions furent partagées, et que les principaux d'entre eux, comme le Maître du sacré Palais, le commissaire du Saint-Office, le Général des Augustins, et d'autres, croyant que ces propositions pouvaient être prises au sens de la grâce efficace, furent d'avis qu'elles ne devaient point être censurées ; au lieu que les autres, demeurant d'accord qu'elles n'eussent pas dû être condamnées si elles eussent eu ce sens, estimèrent qu'elles le devaient être, parce que, selon ce qu'ils déclarent, leur sens propre et naturel en était très éloigné. Et c'est pourquoi le Pape les condamna, et tout le monde s'est rendu à son jugement.

Il est donc sûr, mon père, que la grâce efficace n'a point été condamnée. Aussi est-elle si puissamment soutenue par saint Augustin, par saint Thomas et toute son École, par tant de Papes et de Conciles, et par toute la Tradition, que ce serait une impiété de la taxer d'hérésie. Or tous ceux que vous traitez d'hérétiques déclarent qu'ils ne trouvent aucune chose dans Jansénius que cette doctrine de la grâce efficace. Et c'est la seule chose qu'ils ont soutenue dans Rome. Vous-mêmes l'avez reconnu, *Cavill.,* p. 35, où vous avez déclaré *qu'en parlant devant le Pape ils ne dirent aucun mot des propositions, ne verbum quidem, et qu'ils employèrent tout le temps à parler de la grâce efficace.* Et ainsi, soit qu'ils se trompent ou non dans cette supposition, il est au moins sans doute que le sens qu'ils supposent n'est point hérétique, et que par conséquent ils ne le sont point. Car pour dire la chose en deux mots, ou Jansénius n'a enseigné que la grâce efficace, et en ce cas il n'a point d'erreurs ; ou il a enseigné autre chose, et en ce cas il n'a point de défenseurs. Toute la question est donc de savoir si Jansénius a enseigné en effet autre chose que la grâce efficace, et si l'on trouve que oui, vous aurez la gloire de l'avoir mieux entendu ; mais ils n'auront point le malheur d'avoir erré dans la foi [28].

Il faut donc louer Dieu, mon Père, de ce qu'il n'y a point en effet d'hérésie dans l'Église, puisqu'il ne s'agit en cela que d'un point de fait, qui n'en peut former. Car l'Église décide les points de foi avec une autorité divine, et elle retranche de son corps tous ceux qui refusent de les recevoir ; mais elle n'en use pas de même pour les choses de fait. Et la raison en est que notre salut est attaché à la foi qui nous a été révélée, et qui se conserve dans l'Église par la tradition, mais qu'il ne dépend point des autres faits particuliers qui n'ont point été révélés de Dieu. Ainsi on est obligé de croire que les commandements de Dieu ne sont pas impossibles, mais on n'est pas obligé de savoir ce que Jansénius a enseigné sur ce sujet. C'est pourquoi Dieu conduit l'Église dans la détermination des points de la foi, par l'assistance de son esprit qui ne peut errer ; au lieu que dans les choses de fait, il la laisse agir par les sens et par la raison, qui en sont naturellement les juges [29]. Car il n'y a que Dieu qui ait pu instruire l'Église de la foi ; mais il n'y a qu'à lire Jansénius pour savoir si des propositions sont dans son livre. Et de là vient que c'est une hérésie de résister aux décisions de foi, parce que c'est opposer son esprit propre à l'esprit de Dieu. Mais ce n'est pas une hérésie, quoique ce puisse être une témérité, que de ne pas croire certains faits particuliers, parce que ce n'est qu'opposer la raison, qui peut être claire, à une autorité qui est grande, mais qui en cela n'est pas infaillible.

C'est ce que tous les théologiens reconnaissent[30], comme il paraît par cette maxime du Cardinal Bellarmin[31], de votre Société : *Les Conciles généraux et légitimes ne peuvent errer en définissant les dogmes de foi ; mais ils peuvent errer en des questions de fait.* Et ailleurs : *Le Pape comme Pape, et même à la tête d'un Concile universel, peut errer dans les controverses particulières de fait, qui dépendent principalement de l'information et du témoignage des hommes.* Et le Cardinal Baronius de même : *Il faut se soumettre entièrement aux décisions des Conciles dans les points de foi ; mais pour ce qui concerne les personnes et leurs écrits, les censures qui en ont été faites ne se trouvent pas avoir été gardées avec tant de rigueur, parce qu'il n'y a personne à qui il ne puisse arriver d'y être trompé.* C'est aussi pour cette raison que M. l'Archevêque de Toulouse[32] a tiré cette règle des lettres de deux grands Papes, saint Léon et Pélage II : *Que le propre objet des Conciles est la foi, et tout ce qui s'y résout hors de la foi peut être revu et examiné de nouveau ; au lieu qu'on ne doit plus examiner ce qui a été décidé en matière de foi, parce que, comme dit Tertullien, la règle de la foi est seule immobile et irrétractable.*

De là vient qu'au lieu qu'on n'a jamais vu les Conciles généraux et légitimes contraires les uns aux autres dans les points de foi, *parce que,* comme dit M. de Toulouse, *il n'est pas seulement permis d'examiner de nouveau ce qui a été déjà décidé en matière de foi,* on a vu quelquefois ces mêmes Conciles opposés sur des points de fait où il s'agissait de l'intelligence du sens d'un auteur, *parce que,* comme dit encore M. de Toulouse après les Papes qu'il cite, *tout ce qui se résout dans les Conciles hors de la foi peut être revu et examiné de nouveau.* C'est ainsi que le IVe et Ve Conciles paraissent contraires l'un à l'autre en l'interprétation des mêmes auteurs[33] ; et la même chose arriva entre deux Papes sur une proposition de certains moines de Scythie ; car, après que le Pape Hormisdas l'eut condamnée en l'entendant en un mauvais sens, le Pape Jean II, son successeur, l'examinant de nouveau et l'entendant en un bon sens, l'approuva et la déclara catholique[34]. Diriez-vous pour cela qu'un de ces

Papes fût hérétique ? Et ne faut-il donc pas avouer que, pourvu que l'on condamne le sens hérétique qu'un Pape aurait supposé dans un écrit, on n'est pas hérétique pour ne pas condamner cet écrit en le prenant en un sens qu'il est certain que le Pape n'a pas condamné, puisque autrement l'un de ces deux Papes serait tombé dans l'erreur ?

J'ai voulu, mon Père, vous accoutumer à ces contrariétés qui arrivent entre les catholiques sur des questions de fait touchant l'intelligence du sens d'un auteur, en vous montrant sur cela un Père de l'Église contre un autre, un Pape contre un Pape, et un Concile contre un Concile, pour vous mener de là à d'autres exemples d'une pareille opposition, mais plus disproportionnée ; car vous y verrez des Conciles et des Papes d'un côté, et des Jésuites de l'autre [35], qui s'opposeront à leurs décisions touchant le sens d'un auteur, sans que vous accusiez vos confrères, je ne dis pas d'hérésie, mais non pas même de témérité.

Vous savez bien, mon Père, que les écrits d'Origène furent condamnés par plusieurs Conciles et par plusieurs Papes, et même par le Ve Concile général, comme contenant des hérésies, et entre autres celle *de la réconciliation des démons au jour du jugement*. Croyez-vous sur cela qu'il soit d'une nécessité absolue pour être catholique, de confesser qu'Origène a tenu en effet ces erreurs, et qu'il ne suffise pas de les condamner sans les lui attribuer ? Si cela était, que deviendrait votre Père Halloix [36], qui a soutenu la pureté de la foi d'Origène, aussi bien que plusieurs autres catholiques qui ont entrepris la même chose, comme Pic de la Mirande et Genebrard, docteur de Sorbonne ? Et n'est-il pas certain encore que ce même Ve Concile général condamne les écrits de Théodoret contre saint Cyrille *comme impies, contraires à la vraie foi, et contenant l'hérésie nestorienne* [37] ? Et cependant le P. Sirmond [38], Jésuite, n'a pas laissé de le défendre, et de dire dans la vie de ce Père *que ces mêmes écrits sont exempts de cette hérésie nestorienne*.

Vous voyez donc, mon Père, que quand l'Église condamne des écrits, elle y suppose une erreur qu'elle y condamne ; et alors il est de foi que cette erreur est condamnée ; mais qu'il n'est pas de foi que ces écrits contiennent en effet l'erreur que l'Église y suppose. Je crois que cela est assez prouvé ; et ainsi je finirai ces exemples par celui du pape Honorius, dont l'histoire est si connue. On sait qu'au commencement du septième siècle l'Église étant troublée par l'hérésie des Monothélites [39], ce Pape pour terminer ce différend fit un décret qui semblait favoriser ces hérétiques, de sorte que plusieurs en furent scandalisés. Cela se passa néanmoins avec peu de bruit sous son Pontificat : mais cinquante ans après, l'Église étant assemblée dans le sixième Concile général, où le Pape Agathon présidait par ses légats, ce décret y fut déféré ; et après avoir été lu et examiné, il fut condamné comme contenant l'hérésie des Monothélites, et brûlé en cette qualité en pleine assemblée avec les autres écrits de ces hérétiques. Et cette décision fut reçue avec tant de respect et d'uniformité dans toute l'Église, qu'elle fut confirmée ensuite par deux autres Conciles généraux, et même par les Papes Léon II et par Adrien II, qui vivait deux cents ans après, sans que personne ait troublé ce consentement si universel et si paisible durant sept ou huit siècles. Cependant quelques auteurs de ces derniers temps, et entre autres le Cardinal Bellarmin, n'ont pas cru se rendre hérétiques pour avoir soutenu contre tant de Papes et de Conciles que les écrits d'Honorius sont exempts de l'erreur qu'ils avaient déclaré y être : *Parce*, dit-il, *que, des Conciles généraux pouvant errer dans les questions de fait, on peut dire en toute assurance que le VIe Concile s'est trompé en ce fait-là, et que, n'ayant pas bien entendu le sens des lettres d'Honorius, il a mis à tort ce Pape au nombre des hérétiques.*

Remarquez donc bien, mon Père, que ce n'est pas être hérétique de dire que le pape Honorius ne l'était pas, encore que plusieurs Papes et plusieurs Conciles l'eussent déclaré, et même après l'avoir examiné. Je viens donc maintenant à notre question ; et je vous permets de faire votre cause aussi bonne que vous le pourrez. Que direz-vous, mon Père, pour rendre vos adversaires hérétiques ? *Que le Pape Innocent X a*

déclaré que l'erreur des cinq propositions est dans Jansénius ? Je
vous laisse dire tout cela. Qu'en concluez-vous ? *Que c'est être
hérétique de ne pas reconnaître que l'erreur des cinq propositions
est dans Jansénius ?* Que vous en semble-t-il, mon Père ?
N'est-ce donc pas ici une question de fait de même nature
que les précédentes ? Le Pape a déclaré que l'erreur des cinq
propositions est dans Jansénius, de même que ses prédéces-
seurs avaient déclaré que l'erreur des Nestoriens et des
Monothélites était dans les écrits de Théodoret et d'Honorius. Sur quoi vos Pères ont écrit qu'ils condamnent bien ces
hérésies, mais qu'ils ne demeurent pas d'accord que ces
auteurs les aient tenues ; de même que vos adversaires disent
aujourd'hui qu'ils condamnent bien ces cinq propositions,
mais qu'ils ne sont pas d'accord que Jansénius les ait
enseignées. En vérité, mon Père, ces cas-là sont bien
semblables ; et s'il s'y trouve quelque différence, il est aisé de
voir combien elle est à l'avantage de la question présente, par
la comparaison de plusieurs circonstances particulières qui
sont visibles d'elles-mêmes, et que je ne m'arrête pas à
rapporter. D'où vient donc, mon Père, que, dans une même
cause, vos Pères sont catholiques, et vos adversaires hérétiques ? Et par quelle étrange exception les privez-vous d'une
liberté que vous donnez à tout le reste des fidèles ?

Que direz-vous sur cela, mon Père ? *Que le Pape a confirmé
sa Constitution par un Bref*[40] ? Je vous répondrai que deux
Conciles généraux et deux Papes ont confirmé la condamnation des lettres d'Honorius. Mais quelle force prétendez-vous
faire sur les paroles de ce Bref par lesquelles le Pape déclare
*qu'il a condamné la doctrine de Jansénius dans ces cinq
propositions* ? Qu'est-ce que cela ajoute à la Constitution, et
que s'ensuit-il de là, sinon que, comme le VIe Concile
condamna la doctrine d'Honorius, parce qu'il croyait qu'elle
était la même que celle des Monothélites, de même le Pape a
dit qu'il a condamné la doctrine de Jansénius dans ces cinq
propositions, parce qu'il a supposé qu'elle était la même que
ces cinq propositions ? Et comment ne l'eût-il pas cru ? Votre
Société ne publie autre chose, et vous-même, mon Père, qui

avez dit qu'elles y sont *mot à mot,* vous étiez à Rome au temps de la censure ; car je vous rencontre partout. Se fût-il défié de la sincérité ou de la suffisance de tant de religieux graves ? Et comment n'eût-il pas cru que la doctrine de Jansénius était la même que celle des cinq propositions, dans l'assurance que vous lui aviez donnée qu'elles étaient *mot à mot* de cet auteur ? Il est donc visible, mon Père, que s'il se trouve que Jansénius ne les ait pas tenues, il ne faudra pas dire, comme vos Pères ont fait dans leurs exemples, que le Pape s'est trompé en ce point de fait, ce qu'il est toujours fâcheux de publier : mais il ne faudra que dire que vous avez trompé le Pape ; ce qui n'apporte plus de scandale, tant on vous connaît maintenant.

Ainsi, mon Père, toute cette matière est bien éloignée de pouvoir former une hérésie. Mais comme vous voulez en faire une à quelque prix que ce soit, vous avez essayé de détourner la question du point de fait, pour la mettre en un point de foi ; et c'est ce que vous faites en cette sorte : *Le Pape,* dites-vous, *déclare qu'il a condamné la doctrine de Jansénius dans ces cinq propositions : donc il est de foi que la doctrine de Jansénius touchant ces cinq propositions est hérétique, telle qu'elle soit.* Voilà, mon Père, un point de foi bien étrange, qu'une doctrine est hérétique telle qu'elle puisse être. Et quoi ! si selon Jansénius *on peut résister à la grâce intérieure,* et s'il est faux selon lui *que* Jésus-Christ *ne soit mort que pour les seuls prédestinés,* cela sera-t-il aussi condamné, parce que c'est sa doctrine ? Sera-t-il vrai dans la Constitution du Pape *que l'on a la liberté de faire le bien et le mal ;* et cela sera-t-il faux dans Jansénius ? Et par quelle fatalité sera-t-il si malheureux, que la vérité devienne hérésie dans son livre ? Ne faut-il donc pas confesser qu'il n'est hérétique qu'au cas qu'il soit conforme à ces erreurs condamnées ; puisque la Constitution du Pape est la règle à laquelle on doit appliquer Jansénius, pour juger de ce qu'il est selon le rapport qu'il y aura ; et qu'ainsi on résoudra cette question, *savoir si sa doctrine est hérétique,* par cette autre question de fait, *savoir si elle est conforme au sens naturel de ces propositions ;* étant impossible qu'elle ne soit hérétique, si elle y est conforme ; et qu'elle ne soit catholique, si elle y est contraire ? Car enfin, puisque selon le Pape et les évêques *les propositions sont condamnées en leur sens propre et naturel,* il est impossible qu'elles soient condamnées au sens de Jansénius, sinon au cas que le sens de Jansénius soit le même que le sens propre et naturel de ces propositions, ce qui est un point de fait.

La question demeure donc toujours dans ce point de fait, sans qu'on puisse en aucune sorte l'en tirer pour la mettre dans le droit. Et ainsi on n'en peut faire une matière d'hérésie ; mais vous en pourriez bien faire un prétexte de persécution, s'il n'y avait sujet d'espérer qu'il ne se trouvera point de personnes qui entrent assez dans vos intérêts pour suivre un procédé si injuste, et qui veuillent contraindre de signer, comme vous le souhaitez, *que l'on condamne ces propositions au sens de Jansénius,* sans expliquer ce que c'est que ce sens de Jansénius. Peu de gens sont disposés à signer une confession de foi en blanc. Or ce serait en signer une, que vous rempliriez ensuite de tout ce qu'il vous plairait, puisqu'il vous serait libre d'interpréter à votre gré ce que c'est que ce sens de Jansénius qu'on n'aurait pas expliqué. Qu'on l'explique donc auparavant : autrement vous nous feriez encore ici un pouvoir prochain *abstrahendo ab omni sensu*[41]. Vous savez que cela ne réussit pas dans le monde. On y hait l'ambiguïté, et surtout en matière de foi, où il est bien juste d'entendre pour le moins ce que c'est que l'on condamne. Et comment se pourrait-il faire que des docteurs, qui sont persuadés que Jansénius n'a point d'autre sens que celui de la grâce efficace, consentissent à déclarer qu'ils condamnent sa doctrine sans l'expliquer ; puisque dans la créance qu'ils en ont, et dont on ne les retire point, ce ne serait autre chose que condamner la grâce efficace, qu'on ne peut condamner sans crime ? Ne serait-ce donc pas une étrange tyrannie de les mettre dans cette malheureuse nécessité, ou de se rendre coupables devant Dieu, s'ils signaient cette condamnation contre leur conscience ; ou d'être traités d'hérétiques, s'ils refusaient de le faire ?

Mais tout cela se conduit avec mystère. Toutes vos

démarches sont politiques. Il faut que j'explique pourquoi vous n'expliquez pas ce sens de Jansénius. Je n'écris que pour découvrir vos desseins, et pour les rendre inutiles en les découvrant. Je dois donc apprendre à ceux qui l'ignorent que votre principal intérêt dans cette dispute étant de relever la grâce suffisante de votre Molina, vous ne le pouvez faire sans ruiner la grâce efficace, qui y est tout opposée. Mais comme vous la voyez aujourd'hui autorisée à Rome, et parmi tous les savants de l'Église, ne la pouvant combattre en elle-même, vous vous êtes avisés de l'attaquer sans qu'on s'en aperçoive, sous le nom de la doctrine de Jansénius. Ainsi il a fallu que vous ayez recherché de faire condamner Jansénius sans l'expliquer, et que pour y réussir, vous ayez fait entendre que sa doctrine n'est point celle de la grâce efficace, afin qu'on croie pouvoir condamner l'une sans l'autre. De là vient que vous essayez aujourd'hui de le persuader à ceux qui n'ont aucune connaissance de cet auteur. Et c'est ce que vous faites encore vous-même, mon Père, dans vos *Cavilli*, p. 23, par ce fin raisonnement : *Le Pape a condamné la doctrine de Jansénius. Or le Pape n'a pas condamné la doctrine de la grâce efficace. Donc la doctrine de la grâce efficace est différente de celle de Jansénius.* Si cette preuve était concluante, on montrerait de même qu'Honorius et tous ceux qui le soutiennent sont hérétiques, en cette sorte. Le VI⁰ Concile a condamné la doctrine d'Honorius. Or le Concile n'a pas condamné la doctrine de l'Église. Donc la doctrine d'Honorius est différente de celle de l'Église. Donc tous ceux qui le défendent sont hérétiques. Il est visible que cela ne conclut rien, puisque le Pape n'a condamné que la doctrine des cinq propositions, qu'on lui a fait entendre être celle de Jansénius.

Mais il n'importe : car vous ne voulez pas vous servir longtemps de ce raisonnement. Il durera assez, tout faible qu'il est, pour le besoin que vous en avez. Il ne vous est nécessaire que pour faire que ceux qui ne veulent pas condamner la grâce efficace condamnent Jansénius sans scrupule. Quand cela sera fait, on oubliera bientôt votre argument, et les signatures demeurant en témoignage éternel de la condamnation de Jansénius, vous prendrez l'occasion pour attaquer directement la grâce efficace par cet autre raisonnement bien plus solide, que vous en formerez en son temps : *La doctrine de Jansénius,* direz-vous, *a été condamnée par les souscriptions universelles de toute l'Église. Or cette doctrine est manifestement celle de la grâce efficace ; et vous prouverez cela bien facilement. Donc la doctrine de la grâce efficace est condamnée par l'aveu même de ses défenseurs.* Voilà pourquoi vous proposez de signer cette condamnation d'une doctrine sans l'expliquer. Voilà l'avantage que vous prétendez tirer de ces souscriptions. Mais si vos adversaires y résistent, vous tendez un autre piège à leur refus. Car ayant joint adroitement la question de foi à celle de fait, sans vouloir permettre qu'ils l'en séparent, ni qu'ils signent l'une sans l'autre, comme ils ne pourront souscrire les deux ensemble, vous irez publier partout qu'ils ont refusé les deux ensemble. Et ainsi, quoiqu'ils ne refusent en effet que de reconnaître que Jansénius ait tenu ces propositions qu'ils condamnent, ce qui ne peut faire d'hérésie, vous direz hardiment qu'ils ont refusé de condamner les propositions en elles-mêmes, et que c'est là leur hérésie. Voilà le fruit que vous tirerez de leur refus, qui ne vous sera pas moins utile que celui que vous tirerez de leur consentement. De sorte que si on exige ces signatures, ils tomberont toujours dans vos embûches, soit qu'ils signent, ou qu'ils ne signent pas ; et vous aurez votre compte de part et d'autre : tant vous avez eu d'adresse à mettre les choses en état de vous être toujours avantageuses, quelque pente qu'elles puissent prendre.

Que je vous connais bien, mon Père ; et que j'ai de regret de voir que Dieu vous abandonne jusqu'à vous faire réussir si heureusement dans une conduite si malheureuse ! Votre bonheur est digne de compassion, et ne peut être envié que par ceux qui ignorent quel est le véritable bonheur. C'est être charitable que de traverser celui que vous recherchez en toute cette conduite ; puisque vous ne l'appuyez que sur le mensonge, et que vous ne tendez qu'à faire croire l'une de ces deux faussetés : ou que l'Église a condamné la grâce efficace, ou que ceux qui la défendent soutiennent les cinq erreurs condamnées. Il faut donc apprendre à tout le monde, et que la grâce efficace n'est pas condamnée, par votre propre aveu, et que personne ne soutient ces erreurs ; afin qu'on sache que ceux qui refuseraient de signer ce que vous voudriez qu'on exigeât d'eux ne le refusent qu'à cause de la question de fait ; et qu'étant prêts à signer celle de foi, ils ne sauraient être hérétiques par ce refus ; puisqu'enfin il est bien de foi que ces propositions sont hérétiques, mais qu'il ne sera jamais de foi qu'elles soient de Jansénius. Ils sont sans erreur, cela suffit. Peut-être interprètent-ils Jansénius trop favorablement ; mais peut-être ne l'interprétez-vous pas assez favorablement. Je n'entre pas là-dedans. Je sais au moins que selon vos maximes vous croyez pouvoir sans crime publier qu'il est hérétique contre votre propre connaissance ; au lieu que selon les leurs, ils ne pourraient sans crime dire qu'il est catholique, s'ils n'en étaient persuadés. Ils sont donc plus sincères que vous, mon Père ; ils ont plus examiné Jansénius que vous ; ils ne sont pas moins intelligents que vous : ils ne sont donc pas moins croyables que vous. Mais quoi qu'il en soit de ce point de fait, ils sont certainement catholiques, puisqu'il n'est pas nécessaire pour l'être de dire qu'un autre ne l'est pas, et que sans charger personne d'erreur, c'est assez de s'en décharger soi-même.

ET DANS LA COPIE IMPRIMÉE À OSNABRÜCK
EST EN CE LIEU CE QUI SUIT

Mon R.P., si vous avez peine à lire cette lettre, pour n'être pas en assez beau caractère [42], ne vous en prenez qu'à vous-même. On ne me donne pas des privilèges comme à vous. Vous en avez pour combattre jusqu'aux miracles [43], je n'en ai pas pour me défendre. On court sans cesse les imprimeries. Vous ne me conseilleriez pas vous-même de vous écrire davantage dans cette difficulté. Car c'est un trop grand embarras d'être réduit à l'impression d'Osnabrück [44].

DIX-HUITIÈME LETTRE

ÉCRITE PAR L'AUTEUR
DES LETTRES AU PROVINCIAL
AU RÉVÉREND P. ANNAT, JÉSUITE

Sur la copie imprimée à Cologne,
Le 24 mars 1657.

MON RÉVÉREND PÈRE,

Il y a longtemps que vous travaillez à trouver quelque
erreur dans vos adversaires, mais je m'assure que vous
avouerez à la fin qu'il n'y a peut-être rien de si difficile que de
rendre hérétiques ceux qui ne le sont pas, et qui ne fuient
rien tant que de l'être. J'ai fait voir dans ma dernière Lettre
combien vous leur aviez imputé d'hérésies l'une après l'autre,
manque d'en trouver une que vous ayez pu longtemps
maintenir, de sorte qu'il ne vous était plus resté que de les en
accuser sur ce qu'ils refusaient de condamner le sens de
Jansénius, que vous vouliez qu'ils condamnassent sans qu'on
l'expliquât. C'était bien manquer d'hérésies à leur reprocher
que d'en être réduits là. Car qui a jamais ouï parler d'une
hérésie que l'on ne puisse exprimer ? Aussi on vous a
facilement répondu, en vous représentant que si Jansénius
n'a point d'erreurs, il n'est pas juste de le condamner ; et que
s'il en a, vous deviez les déclarer, afin que l'on sût au moins
ce que c'est que l'on condamne. Vous ne l'aviez néanmoins
jamais voulu faire, mais vous aviez essayé de fortifier votre
prétention par des décrets qui ne faisaient rien pour vous :
car on n'y explique en aucune sorte le sens de Jansénius

qu'on dit avoir été condamné dans ces cinq propositions. Or
ce n'était pas là le moyen de terminer vos disputes. Si vous
conveniez de part et d'autre du véritable sens de Jansénius, et
que vous ne fussiez plus en différend que de savoir si ce sens
est hérétique ou non, alors les jugements qui déclareraient
que ce sens est hérétique toucheraient ce qui est véritablement en question. Mais la grande dispute étant de savoir quel
est ce sens de Jansénius, les uns disant qu'ils n'y voient que le
sens de saint Augustin et de saint Thomas ; et les autres,
qu'ils y en voient un qui est hérétique et qu'ils n'expriment
point, il est clair qu'une Constitution qui ne dit pas un mot
touchant ce différend, et qui ne fait que condamner en
général le sens de Jansénius sans l'expliquer, ne décide rien
de ce qui est en dispute.

C'est pourquoi l'on vous a dit cent fois que votre différend
n'étant que sur ce fait, vous ne le finiriez jamais qu'en
déclarant ce que vous entendez par le sens de Jansénius. Mais
comme vous vous étiez toujours opiniâtrés à le refuser, je
vous ai enfin poussé dans ma dernière Lettre, où j'ai fait
entendre que ce n'est pas sans mystère que vous aviez
entrepris de faire condamner ce sens sans l'expliquer, et que
votre dessein était de faire retomber un jour cette condamnation indéterminée sur la doctrine de la grâce efficace, en
montrant que ce n'est autre chose que celle de Jansénius, ce
qui ne vous serait pas difficile. Cela vous a mis dans la
nécessité de répondre. Car si vous vous fussiez encore
obstinés après cela à ne point expliquer ce sens, il eût paru
aux moins éclairés que vous n'en vouliez en effet qu'à la grâce
efficace, ce qui eût été la dernière confusion pour vous dans
la vénération qu'a l'Église pour une doctrine si sainte.

Vous avez donc été obligé de vous déclarer [1] ; et c'est ce
que vous venez de faire en répondant à ma Lettre, où je vous
avais représenté *que si Jansénius avait sur ces cinq propositions
quelque autre sens que celui de la grâce efficace, il n'avait point de
défenseurs ; mais que s'il n'avait point d'autre sens que celui de la
grâce efficace, il n'avait point d'erreurs.* Vous n'avez pu
désavouer cela, mon Père ; mais vous y faites une distinction

en cette sorte, page 21 : *Il ne suffit pas*, dites-vous, *pour justifier Jansénius, de dire qu'il ne tient que la grâce efficace ; parce qu'on la peut tenir en deux manières : l'une hérétique, selon Calvin, qui consiste à dire que la volonté mue par la grâce n'a pas le pouvoir d'y résister ; l'autre orthodoxe selon les Thomistes et les Sorbonnistes, qui est fondée sur des principes établis par les Conciles ; qui est que la grâce efficace par elle-même gouverne la volonté de telle sorte, qu'on a toujours le pouvoir d'y résister*[2].

On vous accorde tout cela, mon Père ; et vous finissez en disant *que Jansénius serait catholique s'il défendait la grâce efficace selon les Thomistes ; mais qu'il est hérétique, parce qu'il est contraire aux Thomistes et conforme à Calvin, qui nie le pouvoir de résister à la grâce*[3]. Je n'examine pas ici, mon Père, ce point de fait ; savoir si Jansénius est en effet conforme à Calvin. Il me suffit que vous le prétendiez, et que vous nous fassiez savoir aujourd'hui que par le sens de Jansénius vous n'avez entendu autre chose que celui de Calvin. N'était-ce donc que cela, mon Père, que vous vouliez dire ? N'était-ce que l'erreur de Calvin que vous vouliez faire condamner sous le nom du sens de Jansénius ? Que ne le déclariez-vous plus tôt ? Vous vous fussiez bien épargné de la peine. Car sans Bulles ni Brefs tout le monde eût condamné cette erreur avec vous. Que cet éclaircissement était nécessaire, et qu'il lève de difficultés ! Nous ne savions, mon Père, quelle erreur les papes et les évêques avaient voulu condamner sous le nom du sens de Jansénius. Toute l'Église en était dans une peine extrême, et personne ne nous le voulait expliquer. Vous le faites maintenant, mon Père, vous que tout votre parti considère comme le chef et le premier moteur de tous ses conseils, et qui savez le secret de toute cette conduite. Vous nous l'avez donc dit, que ce sens de Jansénius n'est autre chose que le sens de Calvin condamné par le Concile. Voilà bien des doutes résolus. Nous savons maintenant que l'erreur qu'ils ont eu dessein de condamner sous ces termes du *sens de Jansénius* n'est autre chose que le sens de Calvin, et qu'ainsi nous demeurons dans l'obéissance à leurs décrets en condamnant avec eux ce sens de Calvin qu'ils ont voulu condamner.

Nous ne sommes plus étonnés de voir que les Papes et quelques évêques aient été si zélés contre le sens de Jansénius. Comment ne l'auraient-ils pas été, mon Père, ayant créance en ceux qui disent publiquement que ce sens est le même que celui de Calvin ?

Je vous déclare donc, mon Père, que vous n'avez plus rien à reprendre en vos adversaires, parce qu'ils détestent assurément ce que vous détestez. Je suis seulement étonné de voir que vous l'ignoriez, et que vous ayez si peu de connaissance de leurs sentiments sur ce sujet, qu'ils ont tant de fois déclarés dans leurs ouvrages. Je m'assure que si vous en étiez mieux informé, vous auriez du regret de ne vous être pas instruit avec un esprit de paix d'une doctrine si pure et si chrétienne, que la passion vous fait combattre sans la connaître. Vous verriez, mon Père, que non seulement ils tiennent qu'on résiste effectivement à ces grâces faibles, qu'on appelle excitantes ou inefficaces, en n'exécutant pas le bien qu'elles nous inspirent ; mais qu'ils sont encore aussi fermes à soutenir contre Calvin le pouvoir que la volonté a de résister même à la grâce efficace et victorieuse, qu'à défendre contre Molina le pouvoir de cette grâce sur la volonté ; aussi jaloux de l'une de ces vérités que de l'autre. Ils ne savent que trop que l'homme par sa propre nature a toujours le pouvoir de pécher et de résister à la grâce, et que depuis sa corruption il porte un fond malheureux de concupiscence qui lui augmente infiniment ce pouvoir ; mais que néanmoins quand il plaît à Dieu de le toucher par sa miséricorde, il lui fait faire ce qu'il veut, et en la manière qu'il le veut, sans que cette infaillibilité de l'opération de Dieu détruise en aucune sorte la liberté naturelle de l'homme, par les secrètes et admirables manières dont Dieu opère ce changement, que saint Augustin a si excellemment expliquées, et qui dissipent toutes les contradictions imaginaires que les ennemis de la grâce efficace se figurent entre le pouvoir souverain de la grâce sur le libre arbitre et la puissance qu'a le libre arbitre de résister à la grâce. Car selon ce grand saint, que les Papes et l'Église ont donné pour règle en cette matière, Dieu change le cœur de l'homme par une douceur céleste qu'il y répand, qui surmontant la délectation de la chair, fait que l'homme sentant d'un côté sa mortalité et son néant, et découvrant de l'autre la grandeur et l'éternité de Dieu, conçoit du dégoût pour les délices du péché qui le séparent du bien incorruptible, et trouvant sa plus grande joie dans le Dieu qui le charme, il s'y porte infailliblement de lui-même, par un mouvement tout libre, tout volontaire, tout amoureux ; de sorte que ce lui serait une peine et un supplice de s'en séparer. Ce n'est pas qu'il ne puisse toujours s'en éloigner, et qu'il ne s'en éloignât effectivement s'il le voulait ; mais comment le voudrait-il, puisque la volonté ne se porte jamais qu'à ce qui lui plaît le plus, et que rien ne lui plaît tant alors que ce bien unique, qui comprend en soi tous les autres biens [4] ? *Quod enim amplius nos delectat, secundum id operemur, necesse est*, comme dit saint Augustin [5].

C'est ainsi que Dieu dispose de la volonté libre de l'homme sans lui imposer de nécessité ; et que le libre arbitre, qui peut toujours résister à la grâce, mais qui ne le veut pas toujours, se porte aussi librement qu'infailliblement à Dieu, lorsqu'il veut l'attirer par la douceur de ses inspirations efficaces.

Ce sont là, mon Père, les divins principes de saint Augustin et de saint Thomas, selon lesquels il est véritable que *nous pouvons résister à la grâce*, contre l'opinion de Calvin ; et que néanmoins, comme dit le pape Clément VIII, dans son écrit adressé à la Congrégation *De auxiliis* [6] : *Dieu forme en nous le mouvement de notre volonté, et dispose efficacement de notre cœur, par l'empire que sa Majesté suprême a sur les volontés des hommes aussi bien que sur le reste des créatures qui sont sous le ciel, selon saint Augustin.*

C'est encore selon ces principes que nous agissons de nous-mêmes, ce qui fait que nous avons des mérites qui sont véritablement nôtres, contre l'erreur de Calvin ; et que néanmoins, Dieu étant le premier principe de nos actions et *faisant en nous ce qui lui est agréable* [7], comme dit saint Paul, *nos mérites sont des dons de Dieu*, comme dit le Concile de Trente [8].

C'est par là qu'est détruite cette impiété de Luther, condamnée par le même Concile, *que nous ne coopérons en aucune sorte à notre salut non plus que des choses inanimées*[9] *;* et c'est par là qu'est encore détruite l'impiété de l'école de Molina, qui ne veut pas reconnaître que c'est la force de la grâce même qui fait que nous coopérons avec elle dans l'œuvre de notre salut ; par où il ruine ce principe de foi établi par saint Paul, *que c'est Dieu qui forme en nous et la volonté et l'action*[10].

Et c'est enfin par ce moyen que s'accordent tous ces passages de l'Écriture[11], qui semblent le plus opposés : *Convertissez-vous à Dieu*[12] *: Seigneur, convertissez-nous à vous*[13]. *Rejetez vos iniquités hors de vous*[14] *: c'est Dieu qui ôte les iniquités de son peuple*[15]. *Faites des œuvres dignes de pénitence*[16] *: Seigneur, vous avez fait en nous toutes nos œuvres*[17]. *Faites-vous un cœur nouveau et un esprit nouveau*[18] *: Je vous donnerai un esprit nouveau, et je créerai en vous un cœur nouveau*[19], etc.

L'unique moyen d'accorder ces contrariétés apparentes qui attribuent nos bonnes actions tantôt à Dieu et tantôt à nous, est de reconnaître que, comme dit saint Augustin, *nos actions sont nôtres à cause du libre arbitre qui les produit ; et qu'elles sont aussi de Dieu, à cause de sa grâce qui fait que notre libre arbitre les produit*[20]. Et que, comme il dit ailleurs, Dieu nous fait faire ce qu'il lui plaît, en nous faisant vouloir ce que nous pourrions ne vouloir pas : *A Deo factum est ut vellent quod et nolle potuissent*[21].

Ainsi, mon Père, vos adversaires sont parfaitement d'accord avec les nouveaux Thomistes mêmes ; puisque les Thomistes tiennent comme eux, et le pouvoir de résister à la grâce, et l'infaillibilité de l'effet de la grâce, qu'ils font profession de soutenir si hautement, selon cette maxime capitale de leur doctrine, qu'Alvarez[22], l'un des plus considérables d'entre eux, répète si souvent dans son livre, et qu'il exprime, disp. 72, n. 4, en ces termes : *Quand la grâce efficace meut le libre arbitre, il consent infailliblement ; parce que l'effet de la grâce est de faire qu'encore qu'il puisse ne pas consentir, il consente néanmoins en effet :* dont il donne pour raison celle-ci de saint Thomas, son Maître : *Que la volonté de Dieu ne peut manquer d'être accomplie ; et qu'ainsi, quand il veut qu'un homme consente à la grâce, il consent infailliblement, et même nécessairement, non pas d'une nécessité absolue, mais d'une nécessité d'infaillibilité.* En quoi la grâce ne blesse pas *le pouvoir qu'on a de résister si on le veut ;* puisqu'elle fait seulement qu'on ne veut pas y résister, comme votre Père Pétau le reconnaît en ces termes, to. I, p. 602 : *La grâce de Jésus-Christ fait qu'on persévère infailliblement dans la piété, quoique non par nécessité. Car on peut n'y pas consentir si on le veut, comme dit le Concile ; mais cette même grâce fait que l'on ne le veut pas*[23].

C'est là, mon Père, la doctrine constante de saint Augustin, de saint Prosper, des Pères qui les ont suivis, des Conciles, de saint Thomas, de tous les Thomistes en général. C'est aussi celle de vos adversaires, quoique vous ne l'ayez pas pensé ; et c'est enfin celle que vous venez d'approuver vous-même en ces termes : *La doctrine de la grâce efficace, qui reconnaît qu'on a le pouvoir d'y résister, est orthodoxe, appuyée sur les Conciles, et soutenue par les Thomistes et les Sorbonnistes*[24]. Dites la vérité, mon Père, si vous eussiez su que vos adversaires tiennent effectivement cette doctrine, peut-être que l'intérêt de votre Compagnie vous eût empêché d'y donner cette approbation publique : mais vous étant imaginé qu'ils y étaient opposés, ce même intérêt de votre Compagnie vous a porté à autoriser des sentiments que vous croyiez contraires aux leurs ; et par cette méprise, voulant ruiner leurs principes, vous les avez vous-mêmes parfaitement établis. De sorte qu'on voit aujourd'hui par une espèce de prodige les défenseurs de la grâce efficace justifiés par les défenseurs de Molina : tant la conduite de Dieu est admirable pour faire concourir toutes choses à la gloire de sa vérité.

Que tout le monde apprenne donc par votre propre déclaration que cette vérité de la grâce efficace nécessaire à toutes les actions de piété, qui est si chère à l'Église, et qui est le prix du sang de son Sauveur, est si constamment catholique, qu'il n'y a pas un catholique jusques aux Jésuites mêmes qui ne la reconnaisse pour orthodoxe. Et l'on saura en même temps par votre propre confession qu'il n'y a pas le moindre soupçon d'erreur dans ceux que vous en avez tant accusés : car quand vous leur en imputiez de cachées sans les vouloir découvrir, il leur était aussi difficile de s'en défendre qu'il vous était facile de les en accuser de cette sorte ; mais maintenant que vous venez de déclarer que cette erreur qui vous oblige à les combattre est celle de Calvin que vous pensiez qu'ils soutinssent, il n'y a personne qui ne voie clairement qu'ils sont exempts de toute erreur ; puisqu'ils sont si contraires à la seule que vous leur imposez, et qu'ils protestent par leurs discours, par leurs livres, et par tout ce qu'ils peuvent produire pour témoigner leurs sentiments, qu'ils condamnent cette hérésie de tout leur cœur, et de la même manière que font les Thomistes, que vous reconnaissez sans difficulté pour catholiques, et qui n'ont jamais été suspects de ne le pas être.

Que direz-vous donc maintenant contre eux, mon Père ? Qu'encore qu'ils ne suivent pas le sens de Calvin, ils sont néanmoins hérétiques, parce qu'ils ne veulent pas reconnaître que le sens de Jansénius est le même que celui de Calvin ? Oseriez-vous dire que ce soit là une matière d'hérésie ? Et n'est-ce pas une pure question de fait, qui n'en peut former ? C'en serait bien une de dire qu'on n'a pas le pouvoir de résister à la grâce efficace ; mais en est-ce une de douter si Jansénius le soutient ? Est-ce une vérité révélée ? Est-ce un article de foi, qu'il faille croire sur peine de damnation ? Et n'est-ce pas malgré vous un point de fait, pour lequel il serait ridicule de prétendre qu'il y eût des hérétiques dans l'Église ?

Ne leur donnez donc plus ce nom, mon Père, mais quelque autre qui soit proportionné à la nature de votre différend. Dites que ce sont des ignorants et des stupides, et qu'ils entendent mal Jansénius ; ce seront des reproches assortis à votre dispute ; mais de les appeler hérétiques, cela n'y a nul rapport. Et comme c'est la seule injure dont je les veux défendre, je ne me mettrai pas beaucoup en peine de montrer qu'ils entendent bien Jansénius. Tout ce que je vous en dirai est qu'il me semble, mon Père, qu'en le jugeant par vos propres règles, il est difficile qu'il ne passe pour catholique : car voici ce que vous établissez pour l'examiner.

Pour savoir, dites-vous, *si Jansénius est à couvert, il faut savoir s'il défend la grâce efficace à la manière de Calvin, qui nie qu'on ait le pouvoir d'y résister ; car alors il serait hérétique : ou à la manière des Thomistes, qui l'admettent ; car alors il serait catholique*[25]. Voyez donc, mon Père, s'il tient qu'on a le pouvoir de résister, quand il dit dans des traités entiers, et entre autres au to. 3, l. 8, c. 20, *qu'on a toujours le pouvoir de résister à la grâce selon le Concile ;* QUE LE LIBRE ARBITRE PEUT TOUJOURS AGIR ET N'AGIR PAS, *vouloir et ne vouloir pas, consentir et ne consentir pas, faire le bien et le mal, et que l'homme en cette vie a toujours ces deux libertés, que vous appelez de contrariété et de contradiction.* Voyez de même s'il n'est pas contraire à l'erreur de Calvin, telle que vous-même la représentez, lui qui montre dans tout le chap. 21 *que l'Église a condamné cet hérétique, qui soutient que la grâce efficace n'agit pas sur le libre arbitre en la manière qu'on l'a cru si longtemps dans l'Église, en sorte qu'il soit ensuite au pouvoir du libre arbitre de consentir ou de ne consentir pas ; au lieu que selon saint Augustin et le Concile, on a toujours le pouvoir de ne consentir pas si on le veut, et que selon saint Prosper Dieu donne à ses élus mêmes la volonté de persévérer, en sorte qu'il ne leur ôte pas la puissance de vouloir le contraire.* Et enfin jugez s'il n'est pas d'accord avec les Thomistes, lorsqu'il déclare, c. 4, *que tout ce que les Thomistes ont écrit pour accorder l'efficacité de la grâce avec le pouvoir d'y résister est si conforme à son sens, qu'on n'a qu'à voir leurs livres pour y apprendre ses sentiments : Quod ipsi dixerunt, dictum puta*[26].

Voilà comme il parle sur tous ces chefs, et c'est sur quoi je m'imagine qu'il croit le pouvoir de résister à la grâce ; qu'il est contraire à Calvin, et conforme aux Thomistes, parce qu'il le dit, et qu'ainsi il est catholique selon vous. Que si vous avez quelque voie pour connaître le sens d'un auteur autrement que par ses expressions, et que sans rapporter aucun de ses passages vous vouliez soutenir contre toutes ses paroles qu'il nie le pouvoir de résister, et qu'il est pour Calvin contre les Thomistes, n'ayez pas peur, mon Père, que je vous accuse d'hérésie pour cela ; je dirai seulement qu'il semble que vous entendez mal Jansénius, mais nous n'en serons pas moins enfants de la même Église.

D'où vient donc, mon Père, que vous agissez dans ce différend d'une manière si passionnée, et que vous traitez comme vos plus cruels ennemis, et comme les plus dangereux hérétiques, ceux que vous ne pouvez accuser d'aucune erreur, ni d'autre chose, sinon qu'ils n'entendent pas Jansénius comme vous ? Car de quoi disputez-vous, sinon du sens de cet auteur ? Vous voulez qu'ils le condamnent : mais ils vous demandent ce que vous entendez par là. Vous dites que vous entendez l'erreur de Calvin, ils répondent qu'ils la condamnent ; et ainsi, si vous n'en voulez pas aux syllabes, mais à la chose qu'elles signifient, vous devez être satisfait. S'ils refusent de dire qu'ils condamnent le sens de Jansénius, c'est parce qu'ils croient que c'est celui de saint Thomas. Et ainsi ce mot est bien équivoque entre vous : dans votre bouche il signifie le sens de Calvin, dans la leur c'est le sens de saint Thomas ; de sorte que ces différentes idées que vous avez d'un même terme causant toutes vos divisions, si j'étais maître de vos disputes, je vous interdirais le mot de Jansénius de part et d'autre. Et ainsi en n'exprimant que ce que vous entendez par là, on verrait que vous ne demandez autre chose que la condamnation du sens de Calvin, à quoi ils consentent ; et qu'ils ne demandent autre chose que la défense du sens de saint Augustin et de saint Thomas, en quoi vous êtes tous d'accord.

Je vous déclare donc, mon Père, que pour moi je les tiendrai toujours pour catholiques, soit qu'ils condamnent Jansénius s'ils y trouvent des erreurs, soit qu'ils ne le condamnent point quand ils n'y trouvent que ce que vous-même déclarez être catholique ; et que je leur parlerai comme saint Jérôme à Jean évêque de Jérusalem, accusé de tenir huit propositions d'Origène : *Ou condamnez Origène,* disait ce saint, *si vous reconnaissez qu'il a tenu ces erreurs, ou bien niez qu'il les ait tenues. Aut nega hoc dixisse eum qui arguitur; aut, si locutus est talia, eum damna qui dixerit*[27].

Voilà, mon Père, comment agissent ceux qui n'en veulent qu'aux erreurs, et non pas aux personnes; au lieu que vous, qui en voulez aux personnes plus qu'aux erreurs, vous trouvez que ce n'est rien de condamner les erreurs, si on ne condamne les personnes à qui vous les voulez imputer.

Que votre procédé est violent, mon Père, mais qu'il est peu capable de réussir! Je vous l'ai dit ailleurs[28], et je vous le redis encore : la violence et la vérité ne peuvent rien l'une sur l'autre. Jamais vos accusations ne furent plus outrageuses, et jamais l'innocence de vos adversaires ne fut plus connue : jamais la grâce efficace ne fut plus artificieusement attaquée, et jamais nous ne l'avons vue si affermie. Vous employez les derniers efforts pour faire croire que vos disputes sont sur des points de foi, et jamais on ne connut mieux que toute votre dispute n'est que sur un point de fait. Enfin vous remuez toutes choses pour faire croire que ce point de fait est véritable, et jamais on ne fut plus disposé à en douter. Et la raison en est facile. C'est, mon Père, que vous ne prenez pas les voies naturelles pour faire croire un point de fait, qui sont de convaincre les sens, et de montrer dans un livre les mots que l'on dit y être. Mais vous allez chercher des moyens si éloignés de cette simplicité, que cela frappe nécessairement les plus stupides. Que ne preniez-vous la même voie que j'ai tenue dans mes lettres pour découvrir tant de mauvaises maximes de vos auteurs, qui est de citer fidèlement les lieux d'où elles sont tirées? C'est ainsi qu'ont fait les Curés de Paris[29]; et cela ne manque jamais de persuader le monde. Mais qu'auriez-vous dit, et qu'aurait-on pensé, lorsqu'ils vous reprochèrent par exemple cette proposition du P. L'Amy : *Qu'un religieux peut tuer celui qui menace de publier des calomnies contre lui ou contre sa communauté, quand il ne s'en peut défendre autrement*, s'ils n'avaient point cité le lieu où elle est en propres termes; que, quelque demande qu'on leur en eût faite, ils se fussent toujours obstinés à le refuser, et qu'au lieu de cela ils eussent été à Rome obtenir une Bulle qui ordonnât à tout le monde de le reconnaître[30] ? N'aurait-on pas jugé sans doute qu'ils auraient surpris le Pape, et qu'ils n'auraient eu recours à ce moyen extraordinaire que manque des moyens naturels que les vérités de fait mettent en main à tous ceux qui les soutiennent ? Aussi ils n'ont fait que marquer que le P. L'Amy enseigne cette doctrine au *to. 5, disp. 36, n. 118, p. 544 de l'édition de Douai* ; et ainsi tous ceux qui l'ont voulu voir l'ont trouvée, et personne n'en a pu douter. Voilà une manière bien facile et bien prompte de vider les questions de fait où l'on a raison.

D'où vient donc, mon Père, que vous n'en usez pas de la sorte ? Vous avez dit dans vos Cavilli[31] *que les cinq propositions sont dans Jansénius mot à mot, toutes, en propres termes, totidem verbis.* On vous a dit que non. Qu'y avait-il à faire là-dessus, sinon ou de citer la page, si vous les aviez vues en effet, ou de confesser que vous vous étiez trompé ? Mais vous ne faites ni l'un ni l'autre, et au lieu de cela, voyant bien que tous les endroits de Jansénius que vous alléguez quelquefois pour éblouir le monde[32] ne sont point les *Propositions condamnées, individuelles et singulières* que vous vous étiez engagé de faire voir dans son livre, vous nous présentez des Constitutions qui déclarent qu'elles en sont extraites, sans marquer le lieu.

Je sais, mon Père, le respect que les Chrétiens doivent au Saint-Siège, et vos adversaires témoignent assez d'être très résolus à ne s'en départir jamais : mais ne vous imaginez pas que ce fût en manquer que de représenter au Pape, avec toute la soumission que des enfants doivent à leur père, et les membres à leur chef, qu'on peut l'avoir surpris en ce point de fait ; qu'il ne l'a point fait examiner depuis son pontificat[33], et que son prédécesseur Innocent X avait fait seulement examiner si les propositions étaient hérétiques, mais non pas si elles étaient de Jansénius. Ce qui a fait dire au Commissaire du Saint-Office[34], l'un des principaux examinateurs, *qu'elles ne pouvaient être censurées au sens d'aucun auteur : non sunt qualificabiles in sensu proferentis ; parce qu'elles leur avaient été présentées pour être examinées en elles-mêmes, et sans considérer de quel auteur elles pouvaient être :* in abstracto, *et* ut praescindunt ab omni proferente, comme il se voit dans leurs suffrages nouvellement imprimés : que plus de soixante docteurs[35], et un grand nombre d'autres personnes habiles et pieuses ont lu ce livre exactement sans les y avoir jamais vues, et qu'ils y en ont trouvé de contraires ; que ceux qui ont donné cette impression au Pape pourraient bien avoir abusé de la créance qu'il a en eux, étant intéressés, comme ils le sont, à décrier cet auteur, qui a convaincu Molina de plus de cinquante erreurs ; que ce qui rend la chose plus croyable, est qu'ils ont cette maxime, l'une des plus autorisées de leur théologie, *qu'ils peuvent calomnier sans crime ceux dont ils se croient injustement attaqués ;* et qu'ainsi leur témoignage étant si suspect, et le témoignage dès autres étant si considérable, on a quelque sujet de supplier Sa Sainteté, avec toute l'humilité possible, de faire examiner ce fait en présence des docteurs de l'un et de l'autre parti, afin d'en pouvoir former une décision solennelle et régulière. *Qu'on assemble des juges habiles,* disait saint Basile sur un semblable sujet, Ep. 75 ; *que chacun y soit libre ; qu'on examine mes écrits, qu'on voie s'il y a des erreurs contre la foi ; qu'on lise les objections et les réponses, afin que ce soit un jugement rendu avec connaissance de cause et dans les formes, et non pas une diffamation sans examen*[36].

Ne prétendez pas, mon Père, de faire passer pour peu soumis au Saint-Siège ceux qui en useraient de la sorte. Les Papes sont bien éloignés de traiter les Chrétiens avec cet empire que l'on voudrait exercer sous leur nom. L'Église, dit le pape saint Grégoire, *In Job.,* lib. 8, c. 1[37], *qui a été formée dans l'école d'humilité, ne commande pas avec autorité, mais persuade par raison ce qu'elle enseigne à ses enfants qu'elle croit engagés dans quelque erreur :* recta quae errantibus dicit, non quasi ex auctoritate praecipit, sed ex ratione persuadet. Et bien loin de tenir à déshonneur de réformer un jugement où l'on les aurait surpris, ils en font gloire au contraire, comme le témoigne saint Bernard, Ep. 180. *Le Siège Apostolique,* dit-il, *a cela de recommandable, qu'il ne se pique pas d'honneur, et se porte volontiers à révoquer ce qu'on en a tiré par surprise ; aussi*

*est-il bien juste que personne ne profite de l'injustice, et principale-
ment devant le Saint-Siège.* Voilà, mon Père, les vrais
sentiments qu'il faut inspirer aux Papes, puisque tous les
théologiens demeurent d'accord qu'ils peuvent être surpris,
et que cette qualité suprême est si éloignée de les en garantir,
qu'elle les y expose au contraire davantage, à cause du grand
nombre des soins qui les partagent[38]. C'est ce que dit le
même saint Grégoire à des personnes qui s'étonnaient de ce
qu'un autre Pape s'était laissé tromper. *Pourquoi admirez-
vous,* dit-il l. 1, Dial., *que nous soyons trompés, nous qui sommes
des hommes? N'avez-vous pas vu que David, ce roi qui avait
l'esprit de prophétie, ayant donné créance aux impostures de Siba,
rendit un jugement injuste contre le fils de Jonathas? Qui
trouvera donc étrange que des imposteurs nous surprennent
quelquefois, nous qui ne sommes point prophètes? La foule des
affaires nous accable; et notre esprit, qui, étant partagé en tant de
choses, s'applique moins à chacune en particulier, en est plus
aisément trompé en une.* En vérité, mon Père, je crois que les
Papes savent mieux que vous s'ils peuvent être surpris ou
non. Ils nous déclarent eux-mêmes que les Papes et que les
plus grands Rois sont plus exposés à être trompés que les
personnes qui ont moins d'occupations importantes. Il les en
faut croire. Et il est bien aisé de s'imaginer par quelle voie on
arrive à les surprendre. Saint Bernard en fait la description
dans la lettre qu'il écrivit à Innocent II, en cette sorte : *Ce
n'est pas une chose étonnante ni nouvelle que l'esprit de l'homme
puisse tromper et être trompé. Des religieux sont venus à vous dans
un esprit de mensonge et d'illusion. Ils vous ont parlé contre un
évêque qu'ils haïssent, et dont la vie a été exemplaire. Ces
personnes mordent comme des chiens, et veulent faire passer le
bien pour le mal. Cependant, très-saint Père, vous vous mettez en
colère contre votre fils. Pourquoi avez-vous donné un sujet de joie
à ses adversaires? Ne croyez pas à tout esprit, mais éprouvez si les
esprits sont de Dieu. J'espère que, quand vous aurez connu la
vérité, tout ce qui a été fondé sur un faux rapport sera dissipé. Je
prie l'esprit de vérité de vous donner la grâce de séparer la lumière
des ténèbres, et de réprouver le mal pour favoriser le bien.* Vous

voyez donc, mon Père, que le degré éminent où sont les Papes ne les exempte pas de surprise, et qu'il ne fait autre chose que rendre leurs surprises plus dangereuses et plus importantes. C'est ce que saint Bernard représente au Pape Eugène, *De Consid.*, l. 2, c. ult. : *Il y a un autre défaut si général, que je n'ai vu personne des grands du monde qui l'évite. C'est, saint Père, la trop grande crédulité, d'où naissent tant de désordres. Car c'est de là que viennent les persécutions violentes contre les innocents, les préjugés injustes contre les absents, et les colères terribles pour des choses de néant, pro nihilo. Voilà, saint Père, un mal universel, duquel si vous êtes exempt, je dirai que vous êtes le seul qui ayez cet avantage entre tous vos confrères.*

Je m'imagine, mon Père, que cela commence à vous persuader que les Papes sont exposés à être surpris. Mais pour vous le montrer parfaitement, je vous ferai seulement ressouvenir des exemples que vous-même rapportez dans votre livre [39], de Papes et d'Empereurs que des hérétiques ont surpris effectivement. Car vous dites qu'Apollinaire surprit le pape Damase, de même que Célestius surprit Zozime. Vous dites encore qu'un nommé Athanase trompa l'empereur Héraclius, et le porta à persécuter les catholiques ; et qu'enfin Sergius obtint d'Honorius ce décret qui fut brûlé au 6ᵉ Concile, *en faisant*, dites-vous, *le bon valet auprès de ce pape* [40].

Il est donc constant par vous-même que ceux, mon Père, qui en usent ainsi auprès des Rois et des Papes les engagent quelquefois artificieusement à persécuter la vérité de la foi, en pensant persécuter des hérésies. Et de là vient que les Papes, qui n'ont rien tant en horreur que ces surprises, ont fait d'une lettre d'Alexandre III une loi ecclésiastique, insérée dans le droit canonique, pour permettre de suspendre l'exécution de leurs bulles et de leurs décrets quand on croit qu'ils ont été trompés. *Si quelquefois*, dit ce Pape à l'archevêque de Ravenne, *nous envoyons à votre fraternité des décrets qui choquent vos sentiments, ne vous en inquiétez pas. Car ou vous les exécuterez avec révérence, ou vous nous manderez la raison que vous croyez avoir de ne le pas faire, parce que nous trouverons bon*

que vous n'exécutiez pas un décret qu'on aurait tiré de nous par
surprise et par artifice. C'est ainsi qu'agissent les Papes qui ne
cherchent qu'à éclaircir les différends des Chrétiens, et non
pas à suivre la passion de ceux qui veulent y jeter le trouble.
Ils n'usent pas de domination, comme disent saint Pierre [41] et
saint Paul après Jésus-Christ ; mais l'esprit qui paraît en toute
leur conduite est celui de paix et de vérité. Ce qui fait qu'ils
mettent ordinairement dans leurs lettres cette clause qui est
sous-entendue en toutes : *Si ita est ; si preces veritate nitantur :*
Si la chose est comme on nous la fait entendre, si les faits sont
véritables. D'où il se voit que, puisque les Papes ne donnent
de force à leurs Bulles qu'à mesure qu'elles sont appuyées
sur des faits véritables, ce ne sont pas les Bulles seules qui
prouvent la vérité des faits ; mais qu'au contraire, selon les
Canonistes mêmes, c'est la vérité des faits qui rend les Bulles
recevables. D'où apprendrons-nous donc la vérité des faits ?
Ce sera des yeux, mon Père, qui en sont les légitimes juges,
comme la raison l'est des choses naturelles et intelligibles, et
la foi des choses surnaturelles et révélées. Car, puisque vous
m'y obligez, mon Père, je vous dirai que selon les sentiments
de deux des plus grands Docteurs de l'Église, saint Augustin
et saint Thomas, ces trois principes de nos connaissances, les
sens, la raison et la foi, ont chacun leurs objets séparés, et
leur certitude dans cette étendue. Et comme Dieu a voulu se
servir de l'entremise des sens pour donner entrée à la foi,
fides ex auditu [42], tant s'en faut que la foi détruise la certitude
des sens, que ce serait au contraire détruire la foi que de
vouloir révoquer en doute le rapport fidèle des sens. C'est
pourquoi saint Thomas remarque expressément que Dieu a
voulu que les accidents sensibles subsistassent dans l'Eucharistie, afin que les sens, qui ne jugent que de ces accidents, ne
fussent pas trompés : *Ut sensus a deceptione reddantur*
immunes [43].

    Concluons donc de là que, quelque proposition qu'on nous
présente à examiner, il en faut d'abord reconnaître la nature,
pour voir auquel de ces trois principes nous devons nous en
rapporter. S'il s'agit d'une chose surnaturelle, nous n'en

jugerons ni par les sens ni par la raison, mais par l'Écriture et par les décisions de l'Église. S'il s'agit d'une proposition non révélée et proportionnée à la raison naturelle, elle en sera le propre juge ; et s'il s'agit enfin d'un point de fait, nous en croirons les sens, auxquels il appartient naturellement d'en connaître.

Cette règle est si générale que, selon saint Augustin et saint Thomas, quand l'Écriture même nous présente quelque passage, dont le premier sens littéral se trouve contraire à ce que les sens ou la raison reconnaissent avec certitude, il ne faut pas entreprendre de les désavouer en cette rencontre pour les soumettre à l'autorité de ce sens apparent de l'Écriture ; mais il faut interpréter l'Écriture, et y chercher un autre sens qui s'accorde avec cette vérité sensible ; parce que la parole de Dieu étant infaillible dans les faits mêmes, et le rapport des sens et de la raison agissant dans leur étendue étant certain aussi, il faut que ces deux vérités s'accordent ; et comme l'Écriture se peut interpréter en différentes manières, au lieu que le rapport des sens est unique, on doit en ces matières prendre pour la véritable interprétation de l'Écriture celle qui convient au rapport fidèle des sens. *Il faut*, dit saint Thomas, 1 p., q. 68, a. 1, *observer deux choses, selon saint Augustin : l'une, que l'Écriture a toujours un sens véritable ; l'autre que, comme elle peut recevoir plusieurs sens, quand on en trouve un que la raison convainc certainement de fausseté, il ne faut pas s'obstiner à dire que c'en soit le sens naturel, mais en chercher un autre qui s'y accorde* [44].

C'est ce qu'il explique par l'exemple du passage de la Genèse ; où il est écrit *que Dieu créa deux grands luminaires, le soleil et la lune, et aussi les étoiles ;* par où l'Écriture semble dire que la lune est plus grande que toutes les étoiles ; mais parce qu'il est constant par des démonstrations indubitables que cela est faux, on ne doit pas, dit ce saint, s'opiniâtrer à défendre ce sens littéral, mais il faut en chercher un autre conforme à cette vérité de fait, comme en disant *que le mot de grand luminaire ne marque que la*

*grandeur de la lumière de la lune à notre égard, et non pas la
grandeur de son corps en lui-même*[45].

Que si on voulait en user autrement, ce ne serait pas rendre
l'Écriture vénérable, mais ce serait au contraire l'exposer au
mépris des infidèles ; *parce*, comme dit saint Augustin, *que
quand ils auraient connu que nous croyons dans l'Écriture des
choses qu'ils savent parfaitement être fausses, ils se riraient de
notre crédulité dans les autres choses qui sont plus cachées, comme
la résurrection des morts et la vie éternelle*[46]. *Et ainsi*, ajoute
saint Thomas, *ce serait leur rendre notre religion méprisable, et
même leur en fermer l'entrée.*

Et ce serait aussi, mon Père, le moyen d'en fermer l'entrée
aux hérétiques, et de leur rendre l'autorité du Pape méprisable, que de refuser de tenir pour catholiques ceux qui ne
croiraient pas que des paroles sont dans un livre où elles ne se
trouvent point, parce qu'un Pape l'aurait déclaré par surprise. Car ce n'est que l'examen d'un livre qui peut faire
savoir que des paroles y sont. Les choses de fait ne se
prouvent que par les sens. Si ce que vous soutenez est
véritable, montrez-le, sinon ne sollicitez personne pour le
faire croire : ce serait inutilement. Toutes les puissances du
monde ne peuvent par autorité persuader un point de fait,
non plus que le changer ; car il n'y a rien qui puisse faire que
ce qui est ne soit pas.

C'est en vain par exemple que des religieux de Ratisbonne
obtinrent du pape saint Léon IX[47] un décret solennel, par
lequel il déclara que le corps de saint Denis, premier évêque
de Paris, qu'on tient communément être l'Aréopagite[48], avait
été enlevé de France, et porté dans l'église de leur monastère.
Cela n'empêche pas que le corps de ce saint n'ait toujours été
et ne soit encore dans la célèbre abbaye qui porte son nom,
dans laquelle vous auriez peine à faire recevoir cette Bulle,
quoique ce Pape y témoigne avoir examiné la chose *avec toute
la diligence possible*, diligentissime, *et avec le conseil de
plusieurs évêques et prélats ; de sorte qu'il oblige étroitement tous
les Français* districte praecipientes, *de reconnaître et de
confesser qu'ils n'ont plus ces saintes reliques.* Et néanmoins les

Français, qui savaient la fausseté de ce fait par leurs propres yeux, et qui ayant ouvert la châsse, y trouvèrent toutes ces reliques entières, comme le témoignent les historiens de ce temps-là, crurent alors, comme on l'a toujours cru depuis, le contraire de ce que saint Pape leur avait enjoint de croire, sachant bien que même les saints et les prophètes sont sujets à être surpris.

Ce fut aussi en vain que vous obtîntes contre Galilée ce décret de Rome[49] qui condamnait son opinion touchant le mouvement de la terre. Ce ne sera pas cela qui prouvera qu'elle demeure en repos ; et si l'on avait des observations constantes qui prouvassent que c'est elle qui tourne, tous les hommes ensemble ne l'empêcheraient pas de tourner, et ne s'empêcheraient pas de tourner aussi avec elle. Ne vous imaginez pas de même que les lettres du pape Zacharie pour l'excommunication de saint Virgile[50], sur ce qu'il tenait qu'il y avait des antipodes, aient anéanti ce nouveau monde ; et qu'encore qu'il eût déclaré que cette opinion était une erreur bien dangereuse, le roi d'Espagne ne se soit pas bien trouvé d'en avoir plutôt cru Christophe Colomb qui en venait, que le jugement de ce Pape qui n'y avait pas été ; et que l'Église n'en ait pas reçu un grand avantage, puisque cela a procuré la connaissance de l'Évangile à tant de peuples qui fussent péris dans leur infidélité.

Vous voyez donc, mon Père, quelle est la nature des choses de fait, et par quels principes on en doit juger ; d'où il est aisé de conclure sur notre sujet que, si les cinq propositions ne sont point de Jansénius, il est impossible qu'elles en aient été extraites, et que le seul moyen d'en bien juger et d'en persuader le monde est d'examiner ce livre en une conférence réglée, comme on vous le demande depuis si longtemps[51]. Jusques là vous n'avez aucun droit d'appeler vos adversaires opiniâtres : car ils seront sans blâme sur ce point de fait, comme ils sont sans erreurs sur les points de foi ; catholiques sur le droit, raisonnables sur le fait, et innocents en l'un et en l'autre.

Qui ne s'étonnera donc, mon Père, en voyant d'un côté

une justification si pleine, de voir de l'autre des accusations si violentes ? Qui penserait qu'il n'est question entre vous que d'un fait de nulle importance, qu'on veut faire croire sans le montrer ? Et qui oserait s'imaginer qu'on fît par toute l'Église tant de bruit pour rien [52], *pro nihilo*, mon Père, comme le dit saint Bernard ? Mais c'est cela même qui est le principal artifice de votre conduite, de faire croire qu'il y va de tout en une affaire qui n'est de rien ; et de donner à entendre aux personnes puissantes qui vous écoutent qu'il s'agit dans vos disputes des erreurs les plus pernicieuses de Calvin, et des principes les plus importants de la foi, afin que dans cette persuasion ils emploient tout leur zèle et toute leur autorité contre ceux que vous combattez, comme si le salut de la religion catholique en dépendait ; au lieu que, s'ils venaient à connaître qu'il n'est question que de ce petit point de fait, ils n'en seraient nullement touchés, et ils auraient au contraire bien du regret d'avoir fait tant d'efforts pour suivre vos passions particulières en une affaire qui n'est d'aucune conséquence pour l'Église.

Car enfin, pour prendre les choses au pis, quand même il serait véritable que Jansénius aurait tenu ces propositions, quel malheur arriverait-il de ce que quelques personnes en douteraient, pourvu qu'ils les détestent, comme ils le font publiquement ? N'est-ce pas assez qu'elles soient condamnées par tout le monde sans exception, au sens même où vous avez expliqué que vous voulez qu'on les condamne ? En seraient-elles plus censurées, quand on dirait que Jansénius les a tenues ? À quoi servirait donc d'exiger cette reconnaissance, sinon à décrier un docteur et un évêque qui est mort dans la communion de l'Église ? Je ne vois pas que ce soit là un si grand bien, qu'il faille l'acheter par tant de troubles. Quel intérêt y a l'État, le Pape, les évêques, les docteurs, et toute l'Église ? Cela ne les touche en aucune sorte, mon Père, et il n'y a que votre seule Société qui recevrait véritablement quelque plaisir de cette diffamation d'un auteur qui vous a fait quelque tort. Cependant tout se remue, parce que vous faites entendre que tout est menacé. C'est la cause secrète qui donne le branle à tous ces grands mouvements, qui cesseraient aussitôt qu'on aurait su le véritable état de vos disputes. Et c'est pourquoi, comme le repos de l'Église dépend de cet éclaircissement, il était d'une extrême importance de le donner, afin que, tous vos déguisements étant découverts, il paraisse à tout le monde que vos accusations sont sans fondement, vos adversaires sans erreur, et l'Église sans hérésie.

Voilà, mon Père, le bien que j'ai eu pour objet de procurer, qui me semble si considérable pour toute la religion, que j'ai de la peine à comprendre comment ceux à qui vous donnez tant de sujet de parler peuvent demeurer dans le silence. Quand les injures que vous leur faites ne les toucheraient pas, celles que l'Église souffre devraient, ce me semble, les porter à s'en plaindre : outre que je doute que des ecclésiastiques puissent abandonner leur réputation à la calomnie, surtout en matière de foi. Cependant ils vous laissent dire tout ce qu'il vous plaît ; de sorte que, sans l'occasion que vous m'en avez donnée par hasard, peut-être que rien ne se serait opposé aux impressions scandaleuses que vous semez de tous côtés. Ainsi leur patience m'étonne, et d'autant plus qu'elle ne peut m'être suspecte ni de timidité ni d'impuissance, sachant bien qu'ils ne manquent ni de raisons pour leur justification ni de zèle pour la vérité. Je les vois néanmoins si religieux à se taire que je crains qu'il n'y ait en cela de l'excès. Pour moi, mon Père, je ne crois pas le pouvoir faire. Laissez l'Église en paix, et je vous y laisserai de bon cœur. Mais pendant que vous ne travaillerez qu'à y entretenir le trouble, ne doutez pas qu'il ne se trouve des enfants de la paix, qui se croiront obligés d'employer tous leurs efforts pour y conserver la tranquillité.

FRAGMENTS

D'UNE DIX-NEUVIÈME LETTRE

ADRESSÉE AU PÈRE ANNAT [1]

MON RÉVÉREND PÈRE,

Si je vous ai donné quelque déplaisir par mes autres Lettres, en manifestant l'innocence de ceux qu'il vous importait de noircir, je vous donnerai de la joie par celle-ci en vous y faisant paraître la douleur dont vous les avez remplis. Consolez-vous, mon Père, ceux que vous haïssez sont affligés ; et si Messieurs les évêques exécutent dans leurs diocèses les conseils que vous leur donnez de contraindre à jurer et à signer qu'on croit une chose de fait qu'il n'est pas véritable qu'on croie, et qu'on n'est pas obligé de croire, vous réduirez vos adversaires dans la dernière tristesse de voir l'Église en cet état. Je les ai vus, mon Père, et je vous avoue que j'en ai eu une satisfaction extrême, je les ai vus, non pas dans une générosité philosophique ou dans cette fermeté irrespectueuse qui fait faire impérieusement ce qu'on croit être de son devoir, non aussi dans cette lâcheté molle et timide qui empêche ou de voir la vérité ou de la suivre, mais dans une piété douce et solide, pleins de défiance d'eux-mêmes, de respect pour les puissances de l'Église, d'amour pour la paix, de tendresse et de zèle pour la vérité, de désir de la connaître et de la défendre, de crainte pour leur infirmité, de regret d'être mis dans ces épreuves, et d'espérance néanmoins que Dieu daignera les y soutenir par sa lumière et par sa force, et que la grâce de Jésus-Christ qu'ils soutien-

nent, et pour laquelle ils souffrent, sera elle-même leur
lumière et leur force. J'ai vu enfin en eux le caractère de la
piété chrétienne qui fait paraître une force...

Je les ai trouvés environnés des personnes de leur connaissance, qui étaient aussi venues sur ce sujet pour les porter à
ce qu'ils croyaient le meilleur dans l'état présent des choses.
J'ai ouï les conseils qu'on leur a donnés ; j'ai remarqué la
manière dont ils les ont reçus et les réponses qu'ils y ont
faites. En vérité, mon Père, si vous y aviez été présent, je
crois que vous avoueriez vous-même qu'il n'y a rien en tout
leur procédé qui ne soit infiniment éloigné de l'air de révolte
et d'hérésie, comme tout le monde pourra connaître par les
tempéraments qu'ils ont apportés, et que vous allez voir ici,
pour conserver tout ensemble ces deux choses qui leur sont
infiniment chères, la paix et la vérité.

Car après qu'on leur a représenté en général les peines
qu'ils se vont attirer par leur refus si on leur présente cette
nouvelle Constitution à signer, et le scandale qui en pourra
naître dans l'Église, ils ont fait remarquer [2]...

DOSSIER

CHRONOLOGIE
DES PROVINCIALES

1638. *14 mai :* arrestation de Saint-Cyran, sur l'ordre de Richelieu.

1640. Publication à Louvain de l'*Augustinus* de Cornelius Jansénius, mort en 1638.

1641. *6 mars :* condamnation de l'*Augustinus* par la bulle *In eminenti* d'Urbain VIII, qui ne sera publiée en France qu'en 1643.

1643. *De la fréquente communion* et *Théologie morale des Jésuites* d'Antoine Arnauld.

   11 octobre : mort de Saint-Cyran.

1644. *Liber theologiae moralis viginti quatuor Societatis Jesu doctoribus reseratus* d'Escobar.

1649. *1ᵉʳ juillet :* Nicolas Cornet demande la condamnation de sept propositions extraites de l'*Augustinus.*

1652. *4 janvier :* Jacqueline Pascal entre à Port-Royal de Paris.

1653. *31 mai :* bulle *Cum occasione* d'Innocent X, condamnant les cinq propositions[1].

1654. *Début : Cavilli jansenianorum* du P. Annat ; *Les Enluminures du fameux Almanach des RR. PP. Jésuites intitulé La Déroute et la confusion des jansénistes,* d'Isaac Le Maître de Sacy.

   20 mars : Réponse à la Lettre d'une personne de condition touchant les règles de la conduite des saints Pères dans la composition de leurs ouvrages pour la défense des vérités combattues et de l'innocence calomniée, d'Antoine Arnauld.

1655. *1ᵉʳ février :* Charles Picoté, vicaire de Saint-Sulpice, refuse l'absolution au duc de Liancourt.

   24 février : Lettre d'un docteur de Sorbonne à une personne de condition sur ce qui est arrivé depuis peu dans une paroisse de Paris à un seigneur de la cour d'Antoine Arnauld.

   Mars : Réponse à quelques demandes dont l'éclaircissement est nécessaire au temps présent du P. Annat.

   10 juillet : Seconde Lettre à un duc et pair d'Antoine Arnauld.

---

1. Voir la note 16 de la Dix-septième Lettre.

4 novembre : Claude-Denis Guyart, syndic de Sorbonne, fait soumettre à examen la *Seconde Lettre.*

1656. *14 janvier* : vote de la censure d'Arnauld sur la question de fait.

23 janvier : *Lettre écrite à un provincial,* publiée le 27.

29 janvier : *Seconde Lettre écrite à un provincial,* publiée le 5 février.

31 janvier : conclusion de la censure d'Arnauld par la Sorbonne.

9 février : *Troisième Lettre écrite à un provincial,* publiée le 12.

25 février : *Quatrième Lettre écrite à un provincial.*

20 mars : *Cinquième Lettre écrite à un provincial.* Dispersion des Solitaires et des élèves des Petites Écoles de Port-Royal.

24 mars : guérison miraculeuse de Marguerite Périer, la nièce de Pascal, à Port-Royal.

10 avril : *Sixième Lettre écrite à un provincial.*

25 avril : *Septième Lettre écrite à un provincial.*

Avril-mai : *Première Réponse aux Lettres que les Jansénistes publient contre les Jésuites.*

28 mai : *Huitième Lettre écrite à un provincial.*

Juin-juillet : *Lettre écrite à une personne de condition, sur le sujet de celles que les Jansénistes publient contre les Jésuites.*

3 juillet : *Neuvième Lettre écrite à un provincial.*

Juillet-août : *Lettre écrite à une personne de condition, sur la conformité des reproches et des calomnies que les Jansénistes publient contre les Pères de la Compagnie de Jésus, avec celles que le ministre Du Moulin a publiées devant eux contre l'Église romaine, dans son livre Des traditions; Réponse aux Lettres que les Jansénistes publient contre les Jésuites* du P. Nouet (les six premières « Impostures »).

2 août : *Dixième Lettre écrite à un provincial.*

18 août : *Onzième Lettre écrite par l'auteur des Lettres au provincial aux Révérends Pères Jésuites.*

9 septembre : *Douzième Lettre...*

Mi-septembre : *Continuation des impostures* du P. Nouet (VII à XIX).

30 septembre : *Treizième Lettre...*

16 octobre : bulle *Ad sacram beati Petri sedem* d'Alexandre VII[2].

23 octobre : *Quatorzième Lettre...*

Novembre : *Seconde partie des impostures* du P. Nouet (XX à XXIX).

25 novembre : *Quinzième Lettre...*

4 décembre : *Seizième Lettre...*

Décembre : *La Bonne Foi des Jansénistes* du P. Annat.

23 décembre : interdiction de publier sans nom d'auteur ni privilège.

1657. *23 janvier* : *Dix-septième Lettre écrite par l'auteur des Lettres au provincial au Révérend P. Annat, Jésuite,* publiée le 19 février.

_____

2. Voir la note 30 de la Dix-huitième Lettre.

Février-mars : « Avertissement sur les XVII Lettres », de Pierre Nicole.

Mars : Réponse à la plainte que font les Jansénistes de ce qu'on les appelle hérétiques et *Réponse à la XVIIᵉ Lettre des Jansénistes,* du P. Annat.

11 mars : présentation au roi de la bulle *Ad sacram.*

17 mars : l'Assemblée du Clergé impose la signature du Formulaire.

24 mars : Dix-huitième Lettre... au Révérend P. Annat, Jésuite, publiée le 6 mai.

Fin mai : fragments d'une dix-neuvième Lettre adressée au P. Annat.

1ᵉʳ juin : Lettre d'un avocat au parlement à un de ses amis, touchant l'Inquisition qu'on veut établir en France à l'occasion de la nouvelle bulle du Pape Alexandre VII.

Juin-juillet : première édition in-12 des *Provinciales.*

Novembre-décembre : seconde édition in-12 des *Provinciales.*

Décembre : Apologie pour les casuistes contre les calomnies des Jansénistes du P. Georges Pirot.

1658. *25 janvier : Factum pour les Curés de Paris, contre un livre intitulé Apologie pour les casuistes* (c'est le premier des *Écrits des Curés de Paris*).

1ᵉʳ avril : Second Écrit des Curés de Paris.

Printemps : traduction latine des *Provinciales* par Nicole, sous le pseudonyme de Guillaume Wendrock.

11 juin : Cinquième Écrit des Curés de Paris.

24 juillet : Sixième Écrit des Curés de Paris.

1659. Édition in-8° des *Provinciales,* avec *La Théologie morale.*

INDICATIONS
BIBLIOGRAPHIQUES

Éditions

Pour les *Œuvres complètes*, aussi longtemps que ne sera pas achevée l'édition de Jean Mesnard (Paris, Desclée De Brouwer, à partir de 1964), l'édition de référence reste celle de Léon Brunschvicg, Pierre Boutroux et Félix Gazier (Paris, Hachette, « Les grands écrivains de France », 1904-1914) ; Félix Gazier s'est chargé des *Provinciales* (tomes IV à VII), et c'est la meilleure partie de cette édition.

Pour les *Provinciales*, la meilleure des éditions modernes, pour l'introduction et le commentaire, est celle de Louis Cognet (Paris, Garnier, 1965), mais elle donne le texte de 1659, défiguré par de nombreuses corrections auxquelles Pascal n'a eu aucune part.

Études générales sur Pascal

L'étude d'ensemble la plus commode est le *Pascal* de Jean Mesnard (Paris, Boivin, 1951), qu'on complétera par trois ouvrages collectifs :

Blaise Pascal, l'homme et l'œuvre, Cahiers de Royaumont, Philosophie n° 1, Paris, Minuit, 1956.

Pascal, textes du tricentenaire, Paris, Fayard, 1963.

Méthodes chez Pascal, actes du colloque de Clermont-Ferrand 10-13 juin 1976, Paris, P. U. F., 1979 ; on y trouvera cinq communications sur les *Provinciales* (David Jaymes, Jacques Morel, Jacques Plainemaison, Jean Deprun et Roger Duchêne).

Les meilleurs livres sur Pascal parus au cours des dernières années sont ceux d'Henri Gouhier, *Blaise Pascal, commentaires*, Paris, Vrin, 1966, et *Blaise Pascal, conversion et apologétique*, Paris, Vrin, 1986. Voir aussi Philippe Sellier, *Pascal et saint Augustin*, Paris, Armand Colin, 1970.

Sur Port-Royal et le jansénisme

Le *Port-Royal* de Sainte-Beuve est encore indispensable ; on le lira dans l'édition de Maxime Leroy, Paris, Gallimard, « Pléiade », 1953-1955, 3 vol.

Voir aussi Jean Orcibal, « Qu'est-ce que le jansénisme ? », *Cahiers de l'Association internationale des études françaises* », n° 1-2-3, 1953, pp. 39-53 ;

Louis Cognet, *Le Jansénisme*, Paris, P. U. F., « Que sais-je », 1961 ; Jacques Plainemaison, « Qu'est-ce que le jansénisme ? », *Revue historique*, CCLXXIII/1, 1985, pp. 117-130.

Langue et style

Patricia Topliss, *The Rhetoric of Pascal*, Leicester University Press, 1966.

Michel Le Guern, « Tendances constantes du langage de Pascal », *Le Français moderne*, janvier 1969, pp. 41-48.

Michel Le Guern, *L'Image dans l'œuvre de Pascal*, Paris, Armand Colin, 1969, 284 p. ; réédition, Paris, Klincksieck, 1983.

Pierre H. Dubé et Hugh M. Davidson, *A Concordance to Pascal's Les Lettres provinciales*, New York, 1980.

Dominique Maingueneau, *Sémantique de la polémique*, Lausanne, L'Âge d'homme, 1983.

Sur les Provinciales

Léon Parcé, « Un correcteur inattendu des *Lettres provinciales* », *Écrits sur Pascal*, Paris, éd. du Luxembourg, 1959, pp. 21-59.

Michel Le Guern, « Sur la bataille des *Provinciales*, documents inédits », *Revue d'histoire littéraire de la France*, avril-juin 1966, pp. 293-296.

Michel Le Guern, « Propos de Pascal sur les *Provinciales* », *Revue d'histoire littéraire de la France*, juillet-septembre 1967, pp. 606-608.

Gérard Ferreyrolles, *Blaise Pascal, les Provinciales*, Paris, P. U. F., « Études littéraires », 1984.

Roger Duchêne, *L'Imposture littéraire dans les Provinciales de Pascal*, Aix-en-Provence, Publications de l'Université de Provence, 2ᵉ éd., 1985 (1ʳᵉ éd., 1984) ; Roger Duchêne a publié en annexe à cette seconde édition les actes du colloque de Marseille du 10 mars 1984 sur les *Provinciales* : Michel Le Guern, « Les *Provinciales* ou les excès d'un polémiste abusé » ; Philippe Sellier, « Vers l'invention d'une rhétorique : les *Provinciales* » ; Dominique Descotes, « La responsabilité collective dans les *Provinciales* ».

Bibliographie

Albert Maire, *Bibliographie générale des œuvres de Blaise Pascal*, Paris, Giraud-Badin, 1925-1927, 5 vol.

NOTES

AVERTISSEMENT SUR LES XVII LETTRES

Page 29.

1. Cet « Avertissement » a été rédigé par Pierre Nicole en février ou dans la première moitié de mars 1657, à un moment où on pouvait penser que la Dix-septième Lettre allait être la dernière. C'est seulement dans l'édition de 1659 que sera apportée la correction « sur les XVIII Lettres », avec l'addition d'un nouveau paragraphe portant sur la Dix-huitième ; voir n. 4.

2. Outre les dix-huit Lettres, les éditions in-12 de 1657 contiennent la *Réfutation de la Réponse à la Douzième Lettre*, insérée après la Douzième, et une *Lettre au R. P. Annat*, datée du 15 janvier 1657, placée entre la Dix-septième et la Dix-huitième ; elles donnent en fin de volume, avec pagination séparée, l'*Avis de Messieurs les Curés de Paris à Messieurs les Curés des autres diocèses de France sur le sujet des mauvaises maximes de quelques nouveaux casuistes* du 13 septembre 1656, la *Copie de la requête présentée par Messieurs les Curés de Rouen à Monseigneur leur Archevêque*, la *Table des propositions contenues dans l'Extrait de quelques-unes des plus dangereuses propositions de la morale de plusieurs nouveaux casuistes*, la *Lettre d'un Curé de Rouen à un curé de la campagne… pour servir de réfutation à un livre intitulé Réponse d'un théologien*, la *Requête des Curés de Rouen* du 26 octobre 1656, la *Remontrance de Messieurs les Curés de Paris à Nosseigneurs de l'Assemblée générale du Clergé* du 24 novembre 1656, les *Principes et suites de la probabilité expliqués par Caramuel*, la *Table des propositions contenues dans la suite de l'Extrait de plusieurs mauvaises propositions des nouveaux casuistes*, la *Censure des livres de Caramuel pour feu l'Archevêque de Malines*, l'*Extrait de quelques propositions de Mascarenhas*, l'*Extrait de plusieurs dangereuses propositions tirées des nouveaux casuistes, et particulièrement du premier tome in-folio… d'Escobar*, la *Lettre* de Jacques Boonen, archevêque de Malines, aux cardinaux de l'Inquisition de Rome, du 17 juillet 1654, et le jugement de la Faculté de théologie de Louvain

sur 17 propositions tirées des nouveaux casuistes. Ce dossier d'accompagnement des *Provinciales* sera considérablement grossi pour l'édition de 1659 où, sous le titre *La Théologie morale des Jésuites et nouveaux casuistes*, il occupe plus de huit cents pages in-8° en petit caractère.

Page 35.

3. La *Réponse à la seizième lettre des jansénistes* n'a été en effet publiée que bien plus tard, dans le volume in-12 des *Réponses aux Lettres provinciales* (Liège, Jean Mathias Hovius, 1657).

Page 36.

4. L'édition de 1659 insère ici une addition qui porte sur la Dix-huitième Lettre : « Aussi le P. Annat, se voyant si solidement réfuté, entreprit de soutenir la cause de sa Compagnie en répondant à cette 17e Lettre. Mais cela n'a servi qu'à donner un nouveau jour à ce différend par la 18e, qui fait voir que ce Jésuite étant pressé de montrer en quoi consiste l'hérésie qu'ils imputent à leurs adversaires, il ne l'a pu mettre que dans une erreur que tous les catholiques détestent et qui n'est soutenue que par les seuls calvinistes. De sorte qu'il y a sujet de louer Dieu de voir l'Église délivrée de l'appréhension qu'on lui voulait donner d'une nouvelle hérésie : puisqu'il ne se trouve personne dans sa communion qui ne condamne les dogmes qu'il faudrait soutenir selon les Jésuites mêmes pour être du nombre de ces prétendus nouveaux hérétiques. »

5. Cf. *Pensées*, 702 : « Nul ne dit... provincial qu'un provincial, et je gagerais que c'est l'imprimeur qui l'a mis au titre des lettres au provincial. »

Page 38.

6. Il s'agit de l'Assemblée générale du Clergé de France ; la *Remontrance* que lui ont adressée les Curés de Paris est datée du 24 novembre 1656.

PREMIÈRE LETTRE

Page 41.

1. « Téméraire... On le dit aussi en matière de doctrine, et principalement en matière de théologie et de morale, et il signifie : qui choque les principes, et d'où l'on peut tirer de fausses, de pernicieuses conséquences » (*Dictionnaire de Trévoux*, 1704).

Page 42.

2. Les quatre ordres mendiants sont les Carmes, les Jacobins (ou Dominicains), les Cordeliers (ou Franciscains) et les Augustins. Divers arrêts avaient limité à deux par ordre le nombre des religieux qui

pouvaient avoir voix délibérative à chaque scrutin, mais, en pratique, cette règle n'était pas habituellement respectée. La mention des suffrages des « quarante religieux mendiants », alors qu'ils ne disposaient en droit que de huit voix, insinue que la procédure était irrégulière.

3. L'*Augustinus* est un gros in-folio imprimé serré. Il semble que Pascal, au début de 1656, n'en a qu'une connaissance indirecte ; s'il l'avait lu lui-même, sans doute n'aurait-il pas écrit « ni si gros ».

Page 43.

4. Docteur de Navarre : c'est-à-dire qu'il appartenait au Collège de Navarre. Nicolas Cornet, le rédacteur des cinq propositions, était Grand Maître du Collège de Navarre (de 1635 à 1643 et de 1651 à 1663).

5. Une question est problématique quand sa réponse n'est pas évidente et que le pour et le contre ont chacun leur probabilité.

6. Saint Augustin, Lettre 217 *Ad Vitalem* (Ép. 107 des anciennes éditions) ; cette citation, fréquemment utilisée par les auteurs jansénistes, est mise ici dans la bouche d'un de leurs adversaires : Pascal « joue le naïf », comme l'écrit Philippe Sellier (*Pascal et saint Augustin*, p. 273).

Page 44.

7. Les thomistes sont les théologiens qui, surtout sur les matières de la grâce et de la liberté, se réclament de saint Thomas d'Aquin. C'est le cas, au XVIIᵉ siècle, non seulement des Dominicains, mais de beaucoup de docteurs séculiers.

8. Sorbonique : « acte solennel qu'on fait dans la salle de Sorbonne pour y être reçu docteur en théologie » (*Dictionnaire* de Furetière). Le mot désigne aussi bien la thèse elle-même que sa soutenance.

9. Les molinistes se réclament de Louis Molina, jésuite espagnol (1535-1600), qui privilégie le libre arbitre : sans doute l'homme ne peut-il rien sans la grâce, mais, comme Dieu la donne à tous, c'est en définitive la liberté de l'homme qui est déterminante. Les molinistes sont, dans le débat sur la grâce, les adversaires directs des jansénistes, défenseurs de la grâce efficace.

Page 45.

10. Pascal reviendra très longuement dans les *Écrits sur la grâce* sur la notion de « pouvoir prochain ». Il ne s'agit donc pas là d'une expression vide de sens : tout le débat repose sur le fait qu'elle en aurait au moins deux, un pour les molinistes, et un autre pour les thomistes.

11. En réalité, les positions molinistes sont cohérentes, mais Pascal fait une confusion. Pour lui, l'étiquette de « moliniste » s'applique à tous ceux qui, dans le débat de la Faculté de théologie, ont pris parti contre Arnauld. Mais tous ne sont pas molinistes : les néo-thomistes sont opposés aux molinistes dans le débat sur la grâce, c'est donc abusivement que Pascal les range parmi les molinistes. Il semble que l'urgence et la précipitation aient empêché Pascal d'acquérir toute l'information néces-

saire : Arnauld et Nicole lui ont fourni une documentation, mais n'ont pas donné tous les éléments nécessaires à un non-spécialiste. L'objet de la première *Provinciale* est pourtant de montrer que les molinistes et les néo-thomistes, alliés en vue de la condamnation d'Arnauld, sont sur le fond de la question des convictions opposées. L'hostilité des molinistes à Arnauld est dans l'ordre des choses, et on ne peut qu'en prendre acte. Il s'agit donc uniquement de montrer que les néo-thomistes, contrairement aux apparences du débat, sont en désaccord avec les molinistes sur le fond de la question, et d'accord avec Arnauld : pour eux, voter la censure serait se mettre en contradiction avec leurs convictions profondes.

Page 46.

12. Le *Dictionnaire* de Furetière présente « répugnance » comme synonyme de « contradiction » dans ce contexte. Dans le vocabulaire technique de la logique et de la rhétorique, il y a « répugnance » entre deux propositions si la vérité de l'une implique que l'autre n'est pas vraisemblable, et « contradiction » si la vérité de l'une implique que l'autre est impossible : la contradiction est donc une opposition plus forte que la répugnance.

13. Alphonse Le Moyne (vers 1590-1659), docteur de Sorbonne en 1624, avait été chargé par Richelieu de s'opposer au jansénisme et, dans cette intention, nommé en 1642 professeur royal de théologie.

14. Jean Nicolaï (1594-1673), dominicain, docteur en théologie, était accusé par les auteurs jansénistes d'infidélité au texte et aux sentiments de saint Thomas.

15. « Les nouveaux Thomistes sont disciples d'Alvarez : ils soutiennent fortement la grâce efficace, mais ils en admettent encore une autre qu'ils nomment suffisante, à laquelle néanmoins on ne consent jamais sans la grâce efficace. On les appelle nouveaux, parce qu'on ne trouve presque point parmi les anciens ce terme de *grâce suffisante*, quoiqu'on puisse dire qu'ils ont reconnu la chose qu'il signifie » (note de Nicole à la traduction latine des *Provinciales*, traduite en français par Mlle de Joncoux). La situation est si embrouillée que Pascal lui-même s'y perd. Comme Nicole le fait remarquer dans une autre note de sa traduction latine, « Montalte, s'étant laissé aller aux apparences, a mis le P. Nicolaï au rang des Thomistes. » En fait, le principal grief des jansénistes à l'égard du P. Nicolaï est d'avoir abandonné le thomisme pour se rapprocher des molinistes. L'abbé Goujet écrit à son sujet : « Ce Dominicain, faux Thomiste, ayant abandonné les sentiments de son Ordre, s'était lié avec les ennemis de la doctrine de saint Augustin, pour abolir celle de saint Thomas » (*La Vie de M. Nicole*, Luxembourg, 1732, t. I, p. 55). En réalité, l'erreur de Pascal est imputable à Nicole lui-même. La pièce essentielle de la documentation fournie à Pascal pour la Première Lettre est un texte de Nicole, *Défense de la proposition de M. Arnauld, docteur de Sorbonne, touchant le droit, contre la première lettre de M. Chamillard, docteur de Sorbonne et professeur du Roi en théologie.*

Nicole s'y était trompé sur le P. Nicolaï, et il s'en explique ainsi dans l' « Avis au lecteur, touchant le sentiment du P. Nicolaï », dont il a fait précéder lors de sa publication le texte qui avait été communiqué, encore inédit, à Pascal : « Ayant fait cet écrit longtemps avant la publication de l'Avis (cet Avis a été donné à l'assemblée de Sorbonne le 21 janvier 1656) et des thèses du Père Nicolaï, je n'avais pu croire autre chose de ce professeur de théologie de l'ordre de saint Dominique, sinon qu'il suivait la doctrine de son École et qu'il tenait, comme tous ses confrères, qui ont écrit de la grâce contre Molina, la nécessité de la grâce prédéterminante et efficace par elle-même pour toutes les actions de piété. C'est pourquoi je l'ai souvent allégué comme tenant cette doctrine, mais depuis que j'ai lu l'Avis et les thèses qu'il a publiés, j'ai reconnu que je me suis trompé et que j'ai pris pour un thomiste celui qui ne l'est en aucune sorte, et qui ne tend qu'à renverser les principes de saint Thomas et de toute son École. »

16. Le récit des démarches et des entretiens qui commence ici a été suggéré à Pascal par un passage de la *Défense de la proposition de M. Arnauld*, de Nicole : « Supposons donc qu'un de ces prétendus hétérodoxes, qui ne veulent pas avouer ce pouvoir prochain, étant touché de quelque mouvement de repentir, aille trouver M. Le Moyne pour apprendre de lui la foi de l'Église, mais que, retenant toujours une secrète aversion pour le molinisme, il prie le P. Nicolaï d'assister à la conférence, de peur que M. Le Moyne, au lieu de l'instruire de la foi catholique non contestée, ne lui veuille inspirer ses propres opinions. »

17. Pascal emprunte son exemple à un livre de Noël de Lalane et Toussaint Desmares, *Défense de la Constitution du pape Innocent X et de la foi de l'Église, contre deux livres, dont l'un a pour titre Cavilli Janseniano-rum, etc. et l'autre Réponses à quelques demandes, etc.* (1655) : « Comme si un bateau m'est nécessaire pour passer une rivière, il est vrai de dire que je ne la puis passer sans bateau ; ou si je la puis passer à nage, et sans l'aide d'un bateau, on ne peut pas dire absolument parlant qu'un bateau me soit nécessaire pour la passer, mais seulement pour la passer avec plus de facilité » (p. 3).

18. Ici encore, Pascal suit Lalane et Desmares : « Il est vrai de dire d'un homme qui n'est pas aveugle, mais qui a les yeux si malades qu'il ne les peut ouvrir sans être obligé aussitôt de lès refermer, qu'il peut voir, et qu'il ne peut pas voir : on dit qu'il peut voir, en considérant la faculté de voir, qui n'est pas éteinte en lui ; et l'on dit qu'il ne peut pas voir, en considérant la maladie de ses yeux qui l'empêche de voir. Ainsi jusques à ce que les yeux de cet homme soient guéris, la puissance qu'il a de voir n'est qu'une puissance éloignée ; et il en aura une plus proche et plus parfaite lorsqu'on aura guéri sa vue. Néanmoins, ensuite même de cette guérison, s'il est dans les ténèbres, cette puissance de voir ne sera pas en lui toute parfaite et toute accomplie, et rien n'empêchera qu'on ne puisse dire encore de lui qu'il ne peut pas voir, parce qu'outre la faculté de voir et la santé de ses yeux, il lui manque une chose qui est entièrement nécessaire pour voir, qui est la lumière, sans laquelle nul ne peut voir,

quelques bons yeux qu'il ait d'ailleurs. Cette comparaison est d'autant plus propre, que c'est la même dont saint Augustin se sert pour expliquer le besoin qu'ont les justes mêmes du secours actuel de la grâce de Jésus-Christ à chaque bonne action, non seulement pour la faire, mais aussi pour pouvoir la faire : *De même*, dit ce saint Père, *que l'œil du corps, quoiqu'il ait une santé très parfaite, ne peut voir sans le secours de la lumière, ainsi l'homme, quoiqu'il soit très parfaitement justifié, ne peut pas bien vivre si Dieu ne l'aide, et ne le fortifie par la lumière éternelle de sa justice (De nat. et gra., c. 26) »* (*Défense de la Constitution*, p. 4).

Page 47.

19. Pascal, dans les *Écrits sur la grâce*, emploie l'expression « pouvoir prochain » avec le sens que M. Le Moyne et les molinistes lui donnent, sens différent de celui que prennent les néo-thomistes. Ceux-ci seraient donc d'accord pour le mot avec les molinistes, et pour le sens avec les jansénistes.

20. Cf. Pascal, *De l'esprit géométrique* : « D'où il paraît que les définitions sont très libres, et qu'elles ne sont jamais sujettes à être contredites ; car il n'y a rien de plus permis que de donner à une chose qu'on a clairement désignée un nom tel qu'on voudra. Il faut seulement prendre garde qu'on n'abuse de la liberté qu'on a d'imposer des noms, en donnant le même à deux choses différentes. »

Page 49.

21. Cf. Nicole, *Défense de la proposition de M. Arnauld :* « Avec cette décision (de M. Cornet), on reviendra trouver le catéchumène. On lui dira qu'il n'est pas nécessaire qu'il confesse ce pouvoir prochain en aucun de ces deux sens, qu'il suffit de le confesser en général, *en faisant abstraction du pouvoir prochain des thomistes et du pouvoir prochain des molinistes.* »

22. Voir ci-dessus n. 2. Le 19 décembre 1655, la princesse de Guéménée, grande amie de Port-Royal, avait eu avec la reine, au Louvre, un entretien orageux, qu'elle rapporte dans une lettre à Robert Arnauld d'Andilly : « J'ai répondu que tant de Cordeliers et autres moines qui étaient dans la Sorbonne feraient passer la chose comme elle le souhaitait. Elle me dit que l'on en enverra quérir encore d'autres et que l'on avait fait signer des morts » (texte cité dans l'éd. des Grands Écrivains, t. IV, p. 110).

23. L'édition de 1659 apporte une correction bizarre : « si Messieurs de l'Académie, par un coup d'autorité, ne bannissent de la Sorbonne ce mot barbare qui cause tant de divisions » ; l'Académie avait peut-être autorité sur la langue, certainement pas sur la Sorbonne.

Page 50.

24. L'édition originale in-4° comportait un jeu de mots, « j'aime trop mon prochain pour le persécuter », qui sera rétabli dans l'édition de 1659.

SECONDE LETTRE

Page 51.

1. L'argumentation construite par Pascal contre les Dominicains à propos de la grâce suffisante a été analysée avec justesse et précision par Oswald Ducrot (« A propos de la seconde *Provinciale* », *Langue française*, décembre 1971, pp. 90-92 ; article repris dans O. Ducrot, *La Preuve et le dire*, Mame, « Repères », 1973, pp. 179-183). Pour réfuter les Dominicains, Pascal ne prend pas l'expression « Il suffit » au sens du langage ordinaire, mais au sens des mathématiciens, en lui faisant signifier l'implication matérielle.

Page 52.

2. La grâce efficace est, pour les thomistes aussi bien que pour les augustiniens, auxquels se rattachent les jansénistes, la condition nécessaire et suffisante de tout acte méritoire : il y a là implication réciproque.

3. Le débat est résumé dans l'article « Suffisant » du *Dictionnaire de Trévoux* de 1704 : « Quelques théologiens nomment grâce suffisante cette première grâce qui réveille le pécheur par de bons désirs, et qui commence à illuminer le cœur. D'autres disent qu'elle était bien suffisante dans l'état d'innocence, mais qu'elle est devenue insuffisante après la chute de l'homme, qui lui a fait perdre sa première vigueur. Les uns disent qu'elle est suffisante, parce qu'elle suffit pour agir, quoiqu'elle soit soumise au libre arbitre, qui peut la rendre efficace ou inefficace à son choix ; les autres soutiennent qu'il n'y a point de grâce actuellement suffisante, qui ne soit aussi efficace parce qu'elle est insuffisante dès qu'elle ne détermine pas à agir effectivement. »

Page 53.

4. C'est sous les pontificats de Clément VIII (1592-1605) et de Paul V (1605-1621) que se tinrent les Congrégations *De Auxiliis*, où les dominicains cherchèrent à obtenir la condamnation du livre de Molina, *De concordia liberi arbitrii cum divinae gratiae donis* (1588). Molina y soutenait que la prédestination au salut ne se faisait qu'en prévision des mérites de chacun, et y développait l'idée de la grâce suffisante, grâce qui n'a son plein effet que par une libre décision de la part de l'homme. La bulle de condamnation ne fut pas publiée, sans doute par crainte d'affaiblir la Compagnie de Jésus, et le seul résultat fut un décret du Saint-Office, pris en 1611 et renouvelé en 1625, interdisant de rien publier sur ces matières de la grâce et du libre arbitre. Tout ce paragraphe a été considérablement remanié. On lisait dans l'édition originale in-4° et dans la première édition in-12 de 1657 : « Il ne faut pas, me dit-il : il faut ménager davantage ceux qui sont puissants dans l'Église. Les Jésuites se contentent d'avoir gagné sur eux qu'ils admettent au moins le nom de *grâce suffisante*, quoiqu'ils

l'entendent comme il leur plaît. Par là ils ont cet avantage qu'ils font, quand ils veulent, passer leur opinion pour ridicule et insoutenable. Car, supposé que tous les hommes aient des grâces suffisantes, il n'y a rien si facile que d'en conclure que la grâce efficace n'est pas nécessaire, puisque cette nécessité exclurait la suffisance qu'on suppose. Et il ne servirait de rien de dire qu'on l'entend autrement, car l'intelligence publique de ce terme ne donne point de lieu à cette explication. Qui dit *suffisant* dit tout ce qui est nécessaire, c'en est le sens propre et naturel. Or, si vous aviez la connaissance des choses qui se sont passées autrefois, vous sauriez que les Jésuites ont été si éloignés de voir leur doctrine établie que vous admireriez de la voir en si beau train. Si vous saviez combien les Dominicains y ont apporté d'obstacles sous les Papes Clément VIII et Paul V, vous ne vous étonneriez pas de voir qu'ils ne se brouillent pas avec eux et qu'ils consentent qu'ils gardent leur opinion, pourvu que la leur soit libre et principalement quand les Dominicains la favorisent par ces paroles dont ils ont consenti de se servir publiquement. »

Page 54.

5. Le 17 janvier 1656, le syndic de Sorbonne, Claude-Denis Guyart, pour empêcher que les débats ne s'éternisent, avait fait voter une décision limitant à une demi-heure le temps de parole de chaque docteur. On fit donc apporter un sablier, avec lequel certains défenseurs d'Arnauld prirent des libertés. Le 24 janvier, le chancelier Séguier vint assister aux séances et imposer strictement la limitation du temps de parole.

Page 55.

6. « *Cordialement :* sincèrement » (*Dictionnaire* de Richelet, 1680).

Page 56.

7. Jansénius, dans l'*Augustinus*, envisage la nature humaine dans trois états successifs : l'état d'innocence ou de pure nature, dans lequel Dieu a créé l'homme ; l'état de chute, à la suite du péché originel ; l'état de rédemption, procuré par la mort de Jésus sur la croix.

8. Sur cette adaptation de la parabole du bon Samaritain (Luc, X, 30-37), voir Jean Deprun, « La parabole de la seconde *Provinciale* », *Méthodes chez Pascal*, pp. 241-252. Desportes, dans ses *Œuvres chrétiennes*, tirait déjà la parabole de Luc dans un sens analogue à celui qu'on trouve chez Pascal :

> *Je ressemble en mes maux au passant misérable,*
> *Que des brigands pervers la troupe impitoyable*
> *Au val de Jéricho pour mort avait laissé :*
> *Il ne pouvait s'aider, sa fin était certaine*
> *Si le Samaritain d'une âme toute humaine*
> *N'eût étanché sa plaie et ne l'eût redressé.*
> *Ainsi sans toi, Seigneur, vainement je m'essaie :*
> *Donne-m'en donc la force et resserre ma plaie,*

> *Purge et guéris mon cœur que ton ire a touché*
> *et que ta sainte voix qui força la nature,*
> *Le Lazare arrachant hors de la sépulture,*
> *Arrache mon esprit du tombeau de péché.*

(*Les Œuvres de Philippe Desportes*, Lyon, 1599, pp. 687-688). Mais la source la plus vraisemblable est un livre composé par Antoine Arnauld, sans doute dès 1643, et qui ne sera publié qu'en 1701, *De la nécessité de la foi en Jésus-Christ pour être sauvé* : « La foi nous enseigne que par le péché du premier homme toute la nature humaine est devenue semblable à cet homme dont parle l'Évangile, qui descendait de Jérusalem à Jéricho, et qui fut rencontré par des voleurs qui le dépouillèrent, le percèrent de mille plaies, et le laissèrent à demi mort. Or la plus profonde et la plus dangereuse de toutes les blessures que nous ayons tous reçue par le péché originel, c'est l'orgueil, et toutes les autres n'en sont que des suites » (t. I, pp. 61-62) ; la suite du chapitre reprend à plusieurs reprises l'image du médecin. Sur un autre rapprochement possible, voir la note 12 à la Cinquième Lettre.

Page 58.

9. « Les Jacobins de la rue Saint-Honoré ayant fait une thèse vers la fin du mois de juillet (1655), avaient mis une proposition touchant le mérite et le démérite, et avaient ajouté que dans l'énonciation qu'ils en avaient faite en l'exemptant de contrainte, il n'y avait rien de contraire à la constitution d'Innocent X. M. le nonce, ayant été averti par quelques partisans de Molina que cette thèse se devait soutenir, pria M. le chancelier d'interposer son autorité pour empêcher l'exécution de ce dessein. Il envoya aux Jacobins faire défense de la soutenir, et ils se soumirent à cet ordre avec autant de silence et de respect que M. le nonce le pouvait désirer » (Godefroy Hermant, *Mémoires*, t. II, p. 689). Philippe Bourdereau, le dominicain auteur de la thèse, fut néanmoins relégué à Abbeville.

RÉPONSE

Page 61.

1. D'après Sainte-Beuve (*Port-Royal*, Pléiade, t. II, p. 89), « le billet de l'académicien pourrait bien être de quelque Gomberville, ou tout simplement de l'illustre Chapelain ».

2. D'après le témoignage de Racine, qui était élève des Petites Écoles de Port-Royal au moment des *Provinciales*, il s'agirait de Madeleine de Scudéry : « Vous avez même oublié que Mlle de Scudéry avait fait une peinture avantageuse du Port-Royal dans *Clélie*. Cependant j'avais ouï dire que vous aviez souffert patiemment qu'on vous eût loués dans ce livre horrible... Ne lui a-t-on pas même rendu ses louanges dans l'une des

Provinciales, et n'est-ce pas elle que l'auteur entend lorsqu'il parle d'une personne qu'il admire sans la connaître. » (*Lettre à l'auteur des Hérésies imaginaires*, dans *Œuvres complètes*, Pléiade, t. II, p. 21).

TROISIÈME LETTRE

Page 63.

1. La Censure ne fut imprimée que le 17 février, après la publication de la Troisième Lettre, mais des copies manuscrites avaient circulé auparavant. En voici la traduction :

« Censure de la sacrée Faculté de théologie de Paris portée contre l'écrit intitulé *Seconde Lettre de Monsieur Arnauld, docteur de Sorbonne, à un duc et pair de France, pour servir de réponse à plusieurs écrits qui ont été publiés contre sa première Lettre, sur ce qui est arrivé à un seigneur de la Cour dans une paroisse de Paris. À Paris 1655.*

» Comme, il y a quelques mois, Maître Antoine Arnauld, docteur de Sorbonne, avait écrit en français et avait publié une lettre intitulée *Seconde Lettre de Monsieur Arnauld, docteur de Sorbonne, à un duc et pair...,* Maître Denis Guyart, syndic, a déclaré le 4 novembre de cette même année 1655, à l'assemblée générale de la sacrée Faculté de Théologie de Paris en Sorbonne, après la célébration de la messe du Saint-Esprit, comme c'est l'usage, que des hommes savants et pieux avaient relevé dans cette lettre certaines choses qui, d'une part, s'opposaient à l'autorité du Souverain Pontife et des évêques, et, d'autre part, combattaient la foi catholique et les décisions de la Faculté. Pour que la Faculté pourvoie mûrement et sérieusement à cela, le soin de lire et d'examiner cette lettre fut confié à six de nos Maîtres les plus sages, en même temps qu'à Messieurs le Doyen et le Syndic. Ceux-ci, après s'y être appliqués consciencieusement et diligemment pendant le mois de novembre, et après en avoir conféré entre eux longtemps et souvent, rapportèrent à la Faculté, dans son assemblée générale du 1er décembre de cette même année 1655, que, dans cette lettre, entre autres choses tout à fait répréhensibles, ils avaient surtout observé celles qu'il paraissait possible, dans un souci de clarté et de gain de temps, de ramener à deux points, soit à deux questions ou propositions, l'une de fait, l'autre de droit ; la première était contenue dans ces paroles :

» *Page 49. Ce seigneur a fort bien jugé de cette épreuve de l'humilité et de la modération de ses amis justifiait que, n'ayant défendu que la pure doctrine de saint Augustin, et non des propositions condamnées, qu'ils ont toujours regardées comme forgées par les partisans des sentiments contraires à ceux de ce grand Docteur.*

» *Page 130. Mais pourquoi donc, disent-ils, a-t-on fait deux apologies pour Jansénius ? Parce qu'on a cru qu'il y allait de l'intérêt de Dieu et de l'honneur de l'Église de ne pas souffrir que, sous le nom de Jansénius, on fît passer en pleine chaire les plus constantes maximes de la doctrine céleste de saint Augustin pour des impiétés et des hérésies (...).*

» Page 149. *Après tous ces exemples de l'histoire ecclésiastique, se pourra-t-il trouver, Monseigneur, quelqu'un assez déraisonnable et assez injuste pour s'imaginer que, parce que des personnes ayant lu un livre avec soin, et n'y ayant point trouvé des propositions qui sont attribuées à un auteur catholique après sa mort dans l'exposé de la Constitution d'un pape, ne peuvent déclarer contre leur conscience qu'elles s'y trouvent, quoique en même temps ils les condamnent en quelque livre qu'elles se treuvent, ce soit un prétexte suffisant de les traiter d'hérétiques, d'excommuniés, et de retranchés de l'unité de l'Église : comme si un point de fait dont les yeux sont juges pouvait être un point de foi, qui ne peut être établi que sur une révélation divine, et une cause légitime d'accuser d'hérésie des théologiens catholiques qui embrassent tout ce qui concerne la foi dans cette Constitution, et qui dans ce point de fait même ne sont point opiniâtres, étant prêts de se rendre aussitôt qu'on leur aura fait lire ces propositions dans le livre d'où l'on dit qu'elles ont été tirées : ce qui doit être la chose du monde la plus facile, si elles en ont été véritablement tirées (...).*

» Page 152. *Avec quelle justice pourrait-on prétendre que le doute, ou l'humble silence et la retenue d'un catholique à déclarer que des propositions qui sont attribuées dans la Constitution d'un pape à un prélat de l'Église après sa mort soient véritablement de lui, n'ayant pu les y trouver, soit un légitime prétexte de le traiter d'hérétique (...).*

» La dernière était contenue essentiellement dans cette phrase :

» Page 226. *Cependant Monseigneur, cette grande vérité établie par l'Évangile, et attestée par les Pères, qui nous montre un juste en la personne de saint Pierre, à qui la grâce, sans laquelle on ne peut rien, a manqué dans une occasion, où l'on ne peut pas dire qu'il n'ait point péché, est devenue tout d'un coup l'hérésie de Calvin, si nous en croyons les disciples de Molina.*

» Après avoir entendu cela, la sacrée Faculté a délibéré de toute l'affaire pendant deux mois entiers, une assemblée solennelle étant tenue presque tous les jours en Sorbonne ; et après un examen attentif elle a décrété enfin que la première question ou proposition, celle de fait, était téméraire, scandaleuse, injurieuse pour le Souverain Pontife et les évêques de France, et fournissait l'occasion de renouveler l'erreur après la condamnation de la doctrine de Jansénius.

» Quant à la seconde, celle de droit, elle était téméraire, impie, blasphématoire, frappée d'anathème, et hérétique.

» La sacrée Faculté aurait souhaité réellement et sincèrement que, la doctrine de Maître Antoine Arnauld ayant été condamnée, sa personne eût été épargnée, parce qu'elle lui était très chère, comme un fils à sa mère : c'est pourquoi elle l'a souvent exhorté par des amis de venir aux assemblées, de se soumettre à sa mère, d'abjurer cette fausse et pestilente doctrine, d'avoir les mêmes sentiments qu'elle, et *d'honorer Dieu le Père de Notre Seigneur Jésus-Christ d'un même esprit, d'un même cœur et d'une même bouche* avec elle. Mais non seulement il a méprisé les conseils et les exhortations de sa mère très aimante, mais encore, le 27 de ce mois (janvier), il a fait signifier à la même Faculté, par un huissier, qu'il tenait pour nul et sans effet tout ce qu'elle avait fait et ferait dans l'affaire en cours.

» C'est pourquoi la Faculté a jugé qu'il devait être chassé de son sein, rejeté de la liste de ses docteurs, et tout à fait retranché de son corps, et en conséquence le déclare chassé, rejeté et retranché, si d'ici le 15 février prochain il n'a pas changé d'état d'esprit, et n'a pas souscrit à la présente Censure devant Monsieur le Doyen, les très illustres évêques docteurs, et les commissaires déjà mentionnés. Et pour que ne se répande pas davantage cette doctrine d'Arnauld, pour ainsi dire une peste qui s'est emparée de l'esprit de beaucoup, pour ainsi dire une peste qui s'est désormais ne sera admis soit à disputer soit à répondre, dans ses assemblées ou les autres instances qui la concernent, pour les docteurs, et, pour les bacheliers, à aucune soutenance en théologie ; ainsi que, pour les candidats en théologie, à s'inscrire au premier cours ou à passer l'examen, s'il n'a pas aussi souscrit auparavant à cette censure. Et, si quelqu'un osait approuver, asserter, enseigner, prêcher ou écrire ces opinions d'Arnauld, il faudrait le chasser absolument de la Faculté.

» Elle a décrété en outre que cette sienne Censure devait être imprimée et publiée, pour que tous comprennent combien la Faculté exécrait et maudissait cette doctrine pestilente et pernicieuse. Fait à Paris, à l'assemblée générale de la Faculté de théologie en Sorbonne le 31 janvier 1656, et confirmé le 1ᵉʳ février de la même année. »

Page 67.

2. Cf. Antoine Arnauld, *Considérations sur ce qui s'est passé en l'assemblée de la Faculté de théologie de Paris tenue en Sorbonne le 4 novembre 1655* (texte publié dès la fin de novembre 1655), p. 32 : « Il est plus aisé d'avoir dix Cordeliers en réserve pour faire nombre dans une assemblée, que de se justifier par de bons livres des erreurs et des hérésies dont ils ont été convaincus par écrit. »

Page 68.

3. Une note de Nicole à la traduction latine des *Provinciales* explique les allusions à « quatre impertinences des Jésuites » que contient cette phrase : « La première est ce catéchisme comique qu'ils ont accoutumé de faire à Paris dans leur superbe église de Saint Louis, bâtie aux dépens du peuple. Dans ce catéchisme ils empruntent souvent la langue des enfants pour dire des injures à leurs adversaires ; et ils leur enseignent moins la foi que la calomnie. Montalte fait encore mention de ce catéchisme dans sa Dix-septième Lettre » (traduction de Mˡˡᵉ de Joncoux). La « superbe église de Saint Louis » est l'actuelle église Saint-Paul.

4. Commentaire de Nicole : « La seconde est cette procession solennelle, ou pour mieux dire cette mascarade d'écoliers, qu'ils firent au carnaval en 1651 dans la ville de Mâcon. Un jeune homme bien fait déguisé en fille, et orné de tous les ajustements convenables à ce sexe, y

traînait un évêque lié derrière lui, qui suivait dans une triste contenance, le visage couvert d'un crêpe, et une mitre de papier en dérision sur sa tête. Et afin que personne n'ignorât ce qui était marqué par cette nymphe qui paraissait dans un si pompeux appareil, elle avait un écriteau qui apprenait à tout le monde qu'elle était la Grâce suffisante. Une troupe de jeunes gens suivait, dont une partie célébrait son triomphe, et l'autre insultait au malheur de l'évêque infortuné... »

5. Commentaire de Nicole : « La troisième impertinence est du même genre : c'est une tragédie qu'ils firent au Collège de Clermont, où ils représentèrent Jansénius emporté par les diables. »

6. Commentaire de Nicole : « On débite ordinairement en France au mois de janvier un grand nombre d'images avec un calendrier, qu'on appelle des almanachs. Les Jésuites trouvèrent que ce moyen était propre à insinuer leurs calomnies dans l'esprit des simples. Ils firent donc un almanach où Jansénius était représenté habillé en évêque avec des ailes de diable, et escorté de l'Ignorance, de l'Erreur et de la Tromperie. On y voyait d'un côté le pape assisté de la Religion et de la Puissance de l'Église, qui lançait des foudres contre lui ; et de l'autre, le roi environné du Zèle divin, de la Piété, de la Concorde et de la Justice, qui le poursuivait avec son sceptre et l'épée de la justice ; et les malheureux Jansénistes en habits grotesques, qui, désolés et chassés de tous côtés, se réfugiaient chez les Calvinistes. » C'est cet almanach que visaient *Les Enluminures du fameux almanach des R. P. Jésuites*, publiées en 1654 par Isaac Le Maître de Sacy.

Page 69.

7. L'*Apologeticus alter ad sacram Theologiae Facultatem Parisiensem* d'Arnauld, daté du 17 janvier 1656 et immédiatement imprimé, est une réfutation du rapport des commissaires de la Faculté.

8. Voir Seconde Lettre, p. 54 et n. 5.

9. Le fragment 740 des *Pensées* a conservé des notes prises par Pascal en vue de la Troisième Lettre : « Examiner le motif de la censure par les phénomènes ; faire une hypothèse qui convienne à tous... Que ne choisissez-vous quelque grosse hérésie... La censure défend seulement de parler ainsi de saint Pierre, et rien plus... Il y a des gens qui défèrent à la censure, d'autres aux raisons, et tous aux raisons. Je m'étonne que vous n'ayez donc pris la voie générale au lieu de la particulière, ou du moins que vous ne l'y ayez jointe. »

Page 70.

10. Cf. *Pensées*, fr. 740 : « Une proposition est bonne dans un auteur et méchante dans un autre. — Oui, mais il y a donc d'autres mauvaises propositions. »

11. Le semi-pélagianisme était une doctrine, forgée par Cassien, prêtre de Marseille, au début du Vᵉ siècle, qui s'opposait à l'enseignement de saint Augustin sur la grâce. Les semi-pélagiens différaient des pélagiens,

que saint Augustin avait combattus et réfutés, par le fait qu'ils croyaient au péché originel. Mais, contrairement aux positions augustiniennes, les semi-pélagiens croyaient que le péché originel n'avait pas atteint la liberté de l'homme au point de l'empêcher de produire d'elle-même des actions susceptibles de mériter le don de la grâce ; ils pensaient que Dieu ne donnait pas la grâce du salut de manière entièrement gratuite, mais par prévision des mérites obtenus par le seul exercice de la liberté humaine. En fait, il n'y a guère de différence entre le semi-pélagianisme et le molinisme.

12. Cf. *Pensées*, fr. 740 : « Il faut donc que M. Arnauld ait bien des mauvais sentiments pour infecter ceux qu'il embrasse. »

13. Il faut sans doute comprendre : « Et Ancien Ami Blaise Pascal Auvergnat Fils d'Étienne Pascal ».

QUATRIÈME LETTRE

Page 72.

1. Étienne Bauny (1564-1649), jésuite, avait publié en 1634 la *Somme des péchés qui se commettent en tous états*, que la Faculté de théologie de Paris avait censurée en 1641. On trouve le texte de cette censure, dont la publication avait été empêchée en 1641 par une intervention du chancelier, dans *La Théologie morale des Jésuites et nouveaux casuistes*, Cologne, Nicolas Schoute, 1659, qui constitue le tome II de l'édition de 1659 des *Provinciales*. Il semble que Pascal ait surtout connu la *Somme des péchés* par l'intermédiaire de cette censure, qui lui a fourni la plupart de ses citations, ou plus exactement par les extraits du livre qui avaient été imprimés à l'intention des docteurs de la Sorbonne en vue de la censure ; la « cinquième édition » est justement celle sur laquelle porte la censure : « Censure de la Faculté de théologie de Paris du livre français intitulé *Somme des péchés qui se commettent en tous états, etc.* composé par Étienne Bauny jésuite. Cinquième édition revue et corrigée par l'auteur. À Paris chez Michel Soly, rue Saint-Jacques au Phénix MDCXXXIX. Cette censure faite le 1er avril 1641. »

Page 73.

2. L'Assemblée du Clergé avait censuré les livres du P. Bauny le 12 avril 1642 : « Pour ceux du P. Bauny (...), ils portent les âmes au libertinage, à la corruption des bonnes mœurs, et violent l'équité naturelle et le droit des gens ; excusent les blasphèmes, usures, simonies, et plusieurs autres péchés des plus énormes, comme légers. »

3. François Hallier (1595-1659), docteur et professeur de Sorbonne, syndic de la Faculté de théologie de Paris, évêque de Cavaillon en 1656, avait d'abord combattu les casuistes jésuites : c'est lui qui avait fait écrire à Antoine Arnauld la *Théologie morale des Jésuites* (Paris, 1643). Il s'était

ensuite opposé aux jansénistes, vers 1650, œuvrant à la condamnation par Rome des cinq propositions.

4. Citation de l'Évangile de Jean, I, 29, reprise par la liturgie de la messe, au moment de la communion.

5. François Annat (1590-1670), jésuite, confesseur de Louis XIV à partir de 1654, venait de publier la *Réponse à quelques demandes dont l'éclaircissement est nécessaire au temps présent. Seconde édition augmentée des réflexions sur la Seconde Lettre du sieur Arnauld* ; c'est ce livre qui est cité ici. Annat, polémiste redoutable et personnage influent, sera dans la bataille des *Provinciales* un des principaux adversaires de Pascal. Les deux dernières Lettres lui sont adressées.

6. « *Oreille de livre*. C'est une petite partie du haut ou du bas d'un feuillet d'un livre qu'on a pliée, ou qu'on plie » (*Dictionnaire* de Richelet, 1680).

Page 74.

7. Le texte cité par Pascal est extrait d'un cours dicté en Sorbonne par Alphonse Le Moyne, qui y enseigna de 1642 à 1654 ; ce cours n'a jamais été publié par Le Moyne, mais Pascal le connaît par la réfutation qu'en fait Antoine Arnauld dans l'*Apologie pour les saints Pères* (Paris, 1651) : « Voici donc encore une fois la doctrine de M. Le Moyne, car il est important de la bien considérer. *On ne commet point*, dit-il, *de péché qui soit proprement péché, et que Dieu puisse punir comme tel, que par un libre consentement de la volonté ; et afin que ce consentement de la volonté soit libre, il faut que ces choses se passent en l'âme avant qu'elle consente au péché : 1. Dieu lui inspire quelque amour envers la chose qui lui est commandée*, comme envers la chasteté, s'il s'agit d'un péché d'incontinence. *2. Il se fait un combat entre cet amour et la concupiscence de la chair. 3. Dieu donne à l'âme la connaissance de sa faiblesse*, c'est-à-dire il lui fait connaître que sans secours elle ne saurait éviter de tomber dans le péché. *4. Il lui donne aussi la connaissance du médecin*, auquel elle doit avoir recours pour trouver remède aux maux qui l'accablent. *5. Il la porte en même temps à désirer sa guérison. 6. Et il lui inspire un mouvement d'implorer le secours divin afin d'être délivrée de la tentation qui la presse. 7. L'âme néglige de prier et d'avoir recours au médecin. 8. Cette négligence fait qu'elle mérite d'être abandonnée de Dieu. 9. Étant abandonnée, elle tombe dans le péché et viole le commandement.* Voilà ce que M. Le Moyne juge nécessaire, afin que ce que fait un homme contre la loi de Dieu *lui puisse être imputé à péché*, parce qu'il prétend que si tout cela ne s'était passé de la sorte dans l'âme de celui qui pèche, et surtout si Dieu ne lui avait donné un mouvement de le prier, son péché n'aurait pas été commis librement... »

Page 75.

8. Cf. *Pensées*, fr. 740 : « Plaisant d'être hérétique pour cela. »

9. Cf. *Pensées*, fr. 740 : « Je croyais bien qu'on fût damné pour n'avoir pas eu de bonnes pensées, mais pour croire que personne n'en a, cela est nouveau. »

Page 76.

10. Cf. *Pensées*, fr. 740 : « Vous confessez tant de gens qui ne se confessent qu'une fois l'an. »

11. Ce paragraphe et les trois suivants reprennent dans un ordre inverse, et en les condensant fortement, des éléments de l'*Apologie pour les saints Pères* d'Arnauld.

12. Résumé de deux citations de Cicéron, *De natura deorum*, I, 3, par Arnauld dans l'*Apologie pour les saints Pères*.

Page 77.

13. *Psaume* CXLVII, 20.

14. *Actes des Apôtres*, XIV, 16.

15. Isaïe, IX, 2.

16. *Première Épître à Timothée*, I, 13 et 15 : « J'ai agi par ignorance, étranger à la foi... Jésus-Christ est venu en ce monde pour sauver les pécheurs, dont je suis le premier. »

17. Luc, XXIII, 34 : « Et Jésus disait : Père, pardonne-leur, car ils ne savent ce qu'ils font. »

18. *Première Épître aux Corinthiens*, II, 8 : « S'ils l'eussent connue, jamais ils n'eussent crucifié le Seigneur de gloire. »

Page 78.

19. Jean, XVI, 2 : « Même le temps vient, où quiconque vous fera mourir pensera rendre service à Dieu. »

20. Luc, XII, 47-48 : « Le serviteur qui, connaissant la volonté de son maître, n'aura rien tenu prêt et n'aura pas agi selon cette volonté, sera battu de beaucoup de coups. Mais celui qui ne l'a pas connue, et qui aura fait des actes méritant des coups, il sera battu de peu de coups. »

21. « *Second :* personne qui en soutient, qui en défend une autre en quelque combat, en quelque affaire » (*Dictionnaire* de Richelet, 1680) ; comme emploi figuré, Richelet cite ce passage de Pascal, qu'il explique ainsi : « *Second :* celui qui appuie et soutient quelqu'un dans quelque dispute ou combat d'esprit. »

22. Pascal suit l'argumentation d'Arnauld dans l'*Apologie pour les saints Pères*. Arnauld, après avoir traité du cas des philosophes païens et « de ceux qui vivant dans l'Église sont pires que les païens et, ayant banni de leur cœur toute crainte de Dieu, s'abandonnent à toutes sortes de vices et de désordres », examine le cas « des justes qui pèchent par ignorance ou par surprise ».

23. *Confessions*, X, 31, n. 44 : « Il arrive même souvent qu'on ne voit pas bien si c'est encore le besoin qui nous fait manger, ou si ce n'est point le plaisir qui nous trompe et qui nous emporte ; et l'âme est assez misérable pour aimer cette incertitude. Car comme elle espère de s'en faire une excuse, elle est bien aise de ne pas voir les bornes de ce qui suffirait pour la santé, afin que le prétexte du besoin lui donne lieu de satisfaire la volupté » (traduction de Goibaud Du Bois).

Page 79.

24. *Psaume* XVIII, 13 : « Seigneur, nettoie-moi de mes péchés secrets. »

25. *Ecclésiaste*, IX, 1.

26. *Épître aux Philippiens*, II, 12 : « Opérez votre salut avec crainte et tremblement » ; le début de ce texte est cité dans le fragment 753 des *Pensées*.

27. *Première Épître aux Corinthiens*, IV, 4 : « Car je ne me sens en rien coupable ; mais par cela je ne suis pas justifié. »

28. *Proverbes*, XXIV, 16 : « Car le juste tombera sept fois le jour et se relèvera. »

Page 80.

29. *Opus imperfectum contra Julianum*, I, 106.

30. « Est volontaire ce qui est fait par un principe connaissant les particularités dans lesquelles consiste l'action » ; résumé de l'*Éthique*, III, I, 14-17.

Page 81.

31. Mérope, d'après la version de la légende développée par Euripide dans *Cresphontès*, tragédie aujourd'hui perdue, n'aurait pas tué son fils Aepytos : c'est au moment où elle allait le tuer, croyant tuer le meurtrier de son fils, qu'elle est détrompée. Pascal suit le texte d'Aristote.

Page 82.

32. Le débat est bien éclairé par un commentaire de Philippe Sellier : « Rappelons-nous ici que le champ du volontaire est infiniment plus vaste dans la pensée augustinienne que dans la pensée moderne. Il inclut tout ce que nous faisons sans contrainte, tout notre passé, dans la mesure où nous nous sommes faits. Sont volontaires tous nos actes irréfléchis ou même inconscients, puisqu'ils procèdent tous de ce dynamisme intérieur qu'est la *voluntas* augustinienne. Or cette volonté a été progressivement rendue bonne ou mauvaise par l'homme lui-même. Chacun est donc responsable de ce qu'il fait, lucidement ou non, parce qu'il est responsable de ce qu'il est » (*Pascal et saint Augustin*, pp. 266-267).

CINQUIÈME LETTRE

Page 84.

1. C'est pour célébrer le centenaire de la Société de Jésus que les Jésuites flamands avaient publié l'*Imago primi saeculi Societatis Jesu a provincia Flandro-Belgica ejusdem Societatis repraesentata*, Anvers, 1640. Ce luxueux in-folio, un des chefs-d'œuvre typographiques de Plantin, orné de nombreuses figures emblématiques gravées sur cuivre par Corneille Galle, fut la célébration des célébrations, arc de triomphe dressé

par les jésuites à la gloire de leur fondateur et à leur propre gloire. On en trouve d'amples extraits, en traduction française, dans le recueil composé par Pontchâteau, *La Morale pratique des Jésuites*, Cologne, Gervinus Quentel, 1669, pp. 1-78.

2. Allusion à un détail du frontispice de l'*Imago*, ainsi décrit dans *La Morale pratique des Jésuites*, p. 18 : « Au bas du pied d'une des colonnes il y a un palmier, pour montrer qu'elle fleurira comme le palmier. Et de l'autre côté un phénix, pour montrer qu'elle fleurira comme un phénix, selon l'interprétation de Tertullien qui traduit le grec des Septante : *Ut phoenix florebit*. Mais c'est une erreur d'équivoque, qui vient de ce que le mot grec signifie phénix et palme, le mot hébreu ne signifiant que palmier, et tous les traducteurs l'ayant ainsi reconnu. Mais il est à remarquer qu'ils citent Ulysse Aldroüandus, auteur célèbre qui a traité des oiseaux, à cause qu'il dit qu'il y a plusieurs phénix, *Avis jam non unica*, ce sont leurs termes, citant cet auteur à la marge, afin que cette Société soit une compagnie de plusieurs phénix. »

Page 86.

3. Denys Pétau (1583-1652), jésuite, professeur au Collège de Clermont, est un des grands théologiens du XVIIᵉ siècle. Pascal emprunte la citation au début de la neuvième *Enluminure* de Sacy ; en fait, les références données par Sacy renvoient à des textes de Pétau où il n'est pas question des Jésuites.

Page 87.

4. Cf. *Première Épître aux Corinthiens*, I, 23 : « Mais quant à nous, nous prêchons Christ crucifié, qui est scandale aux Juifs, et folie aux Grecs. »

5. Pascal aborde ici l'affaire des rites chinois, qui, après plus d'un siècle de violentes controverses, aboutira à la condamnation des Jésuites par le pape Benoît XVI en 1742. Pour faciliter l'implantation du christianisme en Chine, les Jésuites, à la suite du P. Mathieu Ricci, s'efforcèrent d'élaborer une pastorale adaptée aux traditions chinoises, ce qui suscita l'opposition et les dénonciations répétées des dominicains et des franciscains.

6. Chacimchoan : sans doute s'agit-il de Chang-ti Yu-houang, autre nom de Hao-t'ien Chang-ti, « Souverain d'en haut du vaste Ciel ».

7. Keum-fucum : Confucius.

8. Dominique Gravina (1573-1643), dominicain, est cité ici d'après Hurtado.

9. Thomas Hurtado, mort en 1659, célèbre théologien de Tolède, professeur à Rome, à Alcala et à Salamanque. De plus amples détails seront donnés dans le *Neuvième Écrit des Curés de Paris* (25 juin 1659), où il est question du « livre d'un religieux espagnol nommé Thomas Hurtado, docteur et professeur en théologie, intitulé *Resolutiones orthodoxo-morales*, imprimé à Cologne en 1655 » (c'est bien le livre dont parle

Pascal, *Resolutiones orthodoxo-morales... de vero... martyrio fidei*) : « On voit dans ce livre un grand traité pour expliquer le décret de la Congrégation *De propaganda fide*, du 12 septembre 1645, qui fut donné sur la requête que le P. Moralez dominicain présenta à cette Congrégation au nom des Ordres de saint Dominique et de saint François, contre la mauvaise doctrine de vos Pères de la Chine. Dans ce décret tout ce que ces religieux reprochaient à vos Pères (...) est expressément condamné ; et Thomas Hurtado fait voir sur chaque article par un mémorial présenté au roi d'Espagne par les Religieux Déchaussés de saint François des Îles Philippines, *dont j'ai*, dit-il, p. 427, *un exemplaire authentique*, que vos Pères ont véritablement pratiqué dans la Chine tous ces abus, et particulièrement celui d'avoir caché la croix de notre Sauveur, et d'autoriser des coutumes toutes païennes. (...) Nous n'en rapporterons qu'un seul cas qui regarde l'idolâtrie, et qui est dans la p. 488. *Il a été demandé*, dit la Congrégation dans son décret article 9, *si la coutume des Chinois introduite par le philosophe appelé Keum-phuco doit être observée, qui est qu'ils érigent des temples à leurs pères, aïeux, bisaïeux ; qu'ils leur font des sacrifices de diverses choses, comme de chair, de vin, de fleurs, de parfums, lesquels sacrifices ont pour fin parmi ces nations de leur rendre grâces, honneurs et respect pour les bienfaits qu'ils en ont reçus d'eux. La sacrée Congrégation a répondu à cette demande qu'il n'était nullement permis aux chrétiens chinois d'assister par feinte et extérieurement aux sacrifices de leurs ancêtres, ni à leurs prières, ni à toute autre cérémonie superstitieuse des païens, et encore moins sera-t-il permis d'exercer quelque ministère au regard de ces choses.* »

10. En fait, le décret est du 12 septembre 1645, et il est bien signé du cardinal Luigi Capponi (1583-1659), archevêque de Ravenne.

11. *Psaume XVIII, 8.*

Page 88.

12. Antoine Arnauld avait déjà composé sa réponse au livre de La Mothe Le Vayer, *De la vertu des païens* (1642), qui ne sera publiée qu'en 1701 sous le titre *De la nécessité de la foi en Jésus-Christ pour être sauvé, où on examine si les païens et les philosophes qui ont eu la connaissance d'un Dieu, et qui ont moralement bien vécu, ont pu être sauvés sans avoir la foi en Jésus-Christ.* Il est évident que Pascal en a eu communication, et qu'il s'en est inspiré pour ce paragraphe. Voir la note 8 de la Seconde Lettre.

13. Ce n'est donc pas le même jésuite que dans la Quatrième Lettre. Le « bon casuiste » est moins distingué, mais plus naïf et plus drôle que son confrère.

14. C'est le carême ; en 1656, Pâques tombait le 16 avril.

Page 89.

15. Dans la tradition catholique, le jeûne consiste dans le fait de ne prendre qu'un seul repas par jour, en principe à midi ; une légère collation est tolérée le soir.

16. Antoine de Escobar y Mendoza (1589-1669), jésuite espagnol né à

Valladolid, est l'auteur de commentaires sur l'Écriture Sainte et d'une *Théologie morale* en 7 volumes in-folio. Le livre dont parle Pascal est un gros in-8° (898 pages dans l'édition de Lyon, 1659), intitulé *Liber theologiae moralis, viginti quatuor Societatis Jesu doctoribus reseratus*, publié en 1644 et maintes fois réédité. C'est une compilation commode, destinée aux confesseurs. Pascal pouvait y trouver un abrégé de toute la casuistique jésuite sous forme de questions et de réponses, truffé de citations et de références. Dans la déclaration rapportées par sa nièce Marguerite Périer (Pascal, *Œuvres complètes*, éd. Mesnard, t. I, p. 1075), Pascal affirme avoir « lu deux fois Escobar tout entier », alors que, pour les autres casuistes, il les a « fait lire par (ses) amis ». Le choix de Pascal s'est porté sur Escobar en raison de la qualité documentaire de son ouvrage, qui n'est nullement un parangon de casuistique laxiste. Quand Escobar mentionne son avis personnel, il se montre généralement plus rigoureux que les auteurs qu'il cite. Même Littré prend sa défense : mentionnant dans son *Dictionnaire* « escobar », « escobardé », « escobarder », « escobarderie », « escobartin », il écrit à propos d' « escobarder » : « Ce verbe n'a pas été fait d'après le caractère de l'homme, qui fut toujours d'une piété exemplaire. »

17. Cf. *Apocalypse*, V, 1 : « Puis je vis en la main droite de celui qui était assis sur le trône un livre écrit dedans et dehors, scellé de sept sceaux. » L'allégorie de son livre à l'*Apocalypse* figure au début de la préface d'Escobar, *Operis idea*.

18. Cf. *Apocalypse*, IV, 6-7 : « Il y avait à l'entour du trône quatre animaux pleins d'yeux devant et derrière. Et le premier animal était semblable à un lion, et le second semblable à un taureau, et le troisième animal avait la face comme un homme, et le quatrième animal semblable à un aigle volant. » Dans son *Operis idea*, Escobar répartit ainsi les rôles : le taureau est François Suarez (1548-1617), l'aigle est Gabriel Vasquez (1551-1604), l'homme est Louis Molina (1535-1600), l'inventeur de la doctrine moliniste, et le lion est Grégoire de Valentia (1543-1603), tous quatre jésuites espagnols et illustres théologiens.

19. Cf. *Apocalypse*, IV, 4 : « Et à l'entour du trône il y avait vingt-quatre sièges ; et je vis sur les sièges vingt-quatre anciens assis. »

20. Cette référence et les suivantes ne figurent pas dans le premier tirage de la Cinquième Lettre. Voir le premier paragraphe de la Sixième Lettre.

21. « Se passer » signifie ici « se contenter ». Escobar écrit : « *Si sufficit mane collatiunculam sumere, et vesperi coenare.* »

Page 90.

22. « L'hypocras est du vin fait avec du sucre et de la cannelle » (*Dictionnaire* de Richelet, 1680).

23. C'était alors un usage très répandu, et pas seulement parmi les théologiens, de constituer des recueils d'extraits de ses lectures, pour y trouver matière à citations.

24. La suite du texte est présentée à tort comme faisant partie de la citation : en fait, c'est un commentaire de Pascal ; Escobar indique seulement que « le précepte concerne le jour entier ».

25. Filiutius : Vincent Filliucci (1566-1622), jésuite ; la citation est extraite du livre intitulé *Moralium quaestionum de christianis officiis et casibus conscientiae*, Lyon, 1622.

26. Sur le P. Bauny, voir la note 1 de la Quatrième Lettre.

Page 91.

27. Il faut lire 14. Ce traité fait partie du *De sacramentis et personis sacris*, qui est le premier tome, publié en 1640, de la *Theologia moralis* de Bauny. Basile Ponce de Léon (1569-1629) est un religieux augustin, professeur à Alcala.

28. C'est sur cette citation de Bauny que portera la neuvième « Imposture » du P. Nouet ; Pascal y répondra dans la Quinzième Lettre.

29. La présentation que fait Pascal de la doctrine des opinions probables ne peut pas être taxée de falsification ou d'inexactitude. Dans la vingtième « Imposture » (octobre-novembre 1656), le P. Nouet rappellera en quoi consiste cette doctrine : « Chacun sait qu'il est de la théologie des mœurs comme des autres sciences que l'on enseigne dans l'École. Elle a des maximes de deux sortes : les unes dont tous les casuistes conviennent, parce que l'Écriture Sainte ou le consentement des Pères et des Docteurs les a rendues certaines et indubitables, les autres probables, qui tombent en dispute, et sur lesquelles les opinions des auteurs sont partagées. Quant aux premières, personne ne s'en peut départir sans témérité, et il n'y a d'ordinaire que les hérétiques qui nous les contestent. Pour les autres, il est permis à chacun, de plusieurs opinions différentes que les théologiens enseignent, de suivre celle qui lui plaît davantage, pourvu qu'elle soit probable, c'est-à-dire qu'elle soit accompagnée de ces quatre conditions que Suarez jésuite a remarquées. La première, qu'elle ne choque point les vérités universellement reçues dans l'Église. La seconde, qu'elle ne blesse point le sens commun. La troisième, qu'elle soit fondée en raison, et appuyée d'une autorité sans reproche. La quatrième, que si elle n'a pas la voix générale de tous les Docteurs, elle n'en soit pas aussi généralement abandonnée » (*Réponses aux Lettres provinciales publiées par le secrétaire de Port-Royal*, Liège, 1657, pp. 94-95 ; les Impostures XX à XXIX ont d'abord été publiées en octobre-novembre 1656). Pascal ne dit pas autre chose de la probabilité, sinon qu'il en pousse le principe à la limite, avec une rigueur de mathématicien, pourrait-on dire. Ce qu'on pourrait peut-être lui reprocher plus justement, c'est d'assimiler implicitement jésuites et partisans de la probabilité ; en fait, la Compagnie de Jésus comptait en ses rangs des adversaires résolus de la doctrine des opinions probables, mais la documentation fournie à Pascal ne le mentionnait sans doute pas.

30. *In princ. :* il faut dire : « *in prooemio* », dans le préambule.

Page 92.

31. Thomas Sanchez (1551-1610), dit Sanctius, jésuite espagnol, avait publié en 1592 un traité *De matrimonio* auquel on reprochait sa crudité ; l'essentiel de son œuvre est posthume : quatre volumes in-folio sur le Décalogue et les vœux monastiques. Il est très souvent cité par Escobar.

32. Navarre : Martin Azpilcueta, dit le Docteur Navarre (1493-1586), né près de Pampelune, enseigna le droit à Toulouse, Salamanque et Coïmbra ; il était chanoine régulier de saint Augustin. C'est un des grands canonistes du XVIᵉ siècle.

33. Emmanuel Sa : Manoël de Saa (1530-1596), jésuite portugais, auteur de commentaires sur l'Écriture Sainte et d'*Aphorismi confessario-rum* souvent réédités.

34. Antonino Diana (1585-1663), religieux théatin, était sans doute le plus célèbre des casuistes étrangers à la Société de Jésus. Le fragment 742 des *Pensées* est constitué de notes le concernant ; le fait que ces notes n'aient pas été utilisées dans les *Provinciales*, et qu'il soit moins question de Diana après la Sixième Lettre, semble montrer que la controverse, visant d'abord la casuistique en général, se concentre ensuite sur les casuistes jésuites.

Page 93.

35. Paul Laymann (1574-1635), jésuite autrichien, enseigna la théologie morale dans plusieurs villes d'Allemagne. Il avait publié une *Theologia moralis* (Munich, 1625), et s'était opposé aux Bénédictins lors de l'affaire de l'attribution des anciennes abbayes.

Page 94.

36. Ovide, *Tristes*, I, II, 4.

Page 95.

37. Louis Cellot (1588-1658), jésuite, recteur du collège de Rouen, puis de celui de La Flèche, avait publié en 1641 de *De hierarchia et hierarchicis*, qui attaquait Saint-Cyran.

38. Reginaldus : Valère Regnauld (1543-1623), jésuite français, professeur de théologie morale à Dole, auteur du *De prudentia et caeteris in confessario requisitis* (1610) et de la *Praxis fori poenitentialis ad directionem confessarii* (2 vol. in-folio, 1616-1626).

39. « Théologie *positive*. C'est celle qui consiste dans la simple intelligence, ou dans la simple exposition des dogmes de la foi, tels qu'ils sont contenus dans l'Écriture Sainte, ou expliqués par les Pères et par les Conciles. La théologie positive est dégagée des disputes de la controverse et des chicanes de la scolastique » (*Dictionnaire de Trévoux*, 1704). Disons aussi que c'est celle qui a les faveurs de Port-Royal.

40. Henrique Henriquez (1536-1608), jésuite espagnol, avait publié à Salamanque, en 1591, une *Summa theologiae moralis*, souvent citée par Escobar.

Page 96.

41. Il semble que l'idée de cette énumération ait été donnée à Pascal par la liste des « vingt-quatre vieillards » de la préface d'Escobar, même si, chez Escobar, le comique est tout à fait involontaire. L'énumération de Pascal est un morceau de virtuosité sonore et rythmique ; tel était déjà le sentiment de Nicole, qui la recopie telle quelle dans sa traduction latine, sans latiniser les noms propres comme il le fait habituellement.

SIXIÈME LETTRE

Page 98.

1. Le premier tirage de la Cinquième Lettre ne donnait pas les références des textes cités. Ces références ont été ajoutées dans un nouveau tirage in-4° dès 1656, et maintenues dans toutes les éditions suivantes : le passage « Je le ferai plus exactement que l'autre... je vous satisferai facilement », qui avait pour objet de justifier la différence de présentation entre la Sixième et la Cinquième Lettre, n'ayant plus sa raison d'être, la traduction latine de Wendrock (Nicole) et l'édition de 1659 le suppriment.

2. Grégoire XIV : dans une constitution du 28 mai 1591.

3. L'expression « nos vingt-quatre vieillards », comme plus loin « nos vingt-quatre », ou « nos vingt-quatre Pères », renvoie au livre d'Escobar, *Liber theologiae moralis, viginti quatuor Societatis Jesu doctoribus reseratus*. L'édition de 1659 donne ici une référence plus précise : « Tr. 6, ex. 4, n. 27 », que la multiplication des éditions d'Escobar rendait nécessaire.

Page 99.

4. Luc. XI, 41.

5. Ce passage sur l'aumône et le superflu fournira le sujet de la « Première Imposture » du P. Nouet, à laquelle Pascal répondra dans la Douzième Lettre.

Page 100.

6. « S'il quittait son habit pour voler en cachette, ou pour forniquer » (tr. 6, ex. 7, n. 103).

7. « Pour aller incognito au bordel » ; Pascal ajoute « *incognitus* » au texte de Diana (*Resolutiones morales*, pars III, tr. II, r. 115).

8. *Contra sollicitantes* : bulle de Pie IV, du 16 avril 1561, sur le même sujet.

9. Il s'agit de la constitution *Horrendum* de Pie V, du 30 août 1568, contre les clercs qui s'adonnent à la sodomie. Cette constitution prive « de tout privilège de la cléricature, de tout emploi, dignité et bénéfice ecclésiastique tous et chacun des prêtres et autres ecclésiastiques séculiers, de quelque degré et dignité qu'ils soient, qui s'abandonnent à

un crime si détestable ». Voici le passage d'Escobar dont Pascal donne la référence : « Est-ce que la bulle de Pie V contre les clercs sodomites obligerait en conscience ? Henriquez est d'avis, d'une manière probable, qu'elle n'a pas été reçue par l'usage, et qu'elle n'oblige pas en conscience. À supposer qu'elle ait été reçue par l'usage, un clerc qui pénètre une femme par le réceptacle indu ne commet pas à proprement parler une sodomie, parce que, bien qu'il ne conserve pas le réceptacle approprié, il conserve néanmoins le sexe approprié. Et il n'encourt pas d'après Suarez les peines de la bulle s'il n'émet pas sa semence dans le réceptacle d'un homme, parce que le délit n'a pas été consommé. Ni non plus, d'après le même, ceux qui n'ont glissé dans la sodomie que deux ou trois fois, parce que le Pontife a infligé ces peines aux clercs qui exercent la sodomie. Et (encore d'après Suarez) ils n'encourent pas en conscience les peines de la bulle avant la sentence du juge, parce qu'aucune loi pénale n'oblige les hommes à se livrer. Je conclus qu'un clerc qui exerce la sodomie, s'il est contrit, doit être absous totalement, même s'il retient son bénéfice, son emploi et sa dignité » (tr. 1, ex. 8, n. 102).

Page 101.

10. La vie quadragésimale consistait à s'abstenir toute l'année des aliments défendus en carême. Le *Dictionnaire* de Richelet (1680) dit, à propos de « quadragésimal » : « Ce mot se dit assez rarement et je ne me souviens de l'avoir trouvé que dans les provinciales de Monsieur Pascal. »

Page 102.

11. L'ironie a paru excessive à Nicole et aux réviseurs de l'édition de 1659, qui corrigent ainsi : « Mon Révérend Père, lui dis-je, que le monde est heureux de vous avoir pour maître ! »

12. Il sera encore fait référence dans la Neuvième Lettre à ce passage de Bauny, qui indique la possibilité de satisfaire à l'obligation dominicale en assistant à deux moitiés de messe.

Page 103.

13. Jean Caramuel de Lobkowicz (1606-1692), cistercien espagnol, s'était déclaré contre le jansénisme dès 1641 ; sa *Theologia moralis fundamentalis decalogica*, publiée à Francfort en 1652-1653, est dédiée à Diana.

14. « Prévaricateur se dit aussi pour Transgresseur » (*Dictionnaire de Trévoux*, 1704). *Épître aux Romains*, V, 20 : « La loi est intervenue pour que se multipliât la faute. »

15. Bénéficier : celui qui a un bénéfice, « charge spirituelle accompagnée d'un certain revenu que l'Église donne à un homme qui est tonsuré, ou dans les ordres, afin de servir Dieu » (*Dictionnaire* de Richelet, 1680).

Page 104.

16. Pascal donne ainsi le programme des Lettres 6 à 9.

17. « Simoniaque : Qui achète à prix d'argent un bénéfice, ou quelque chose sacrée. Simon le Magicien fut le premier simoniaque, qui voulut acheter de saint Pierre la puissance de faire des miracles » (*Dictionnaire* de Furetière, 1690).

18. La citation latine, qui ne correspond pas au texte de Valentia, sera supprimée dans l'édition de 1659.

19. Adam Tanner (1572-1653), jésuite, professeur à Ingolstadt et à Vienne. L'ouvrage auquel il est fait référence est sa *Theologia scolastica*, Ingolstadt, 1621-1627.

20. Ce passage sur la simonie donnera matière à la deuxième « Imposture » du P. Nouet ; Pascal y répondra très amplement dans la Douzième Lettre.

Page 105.

21. Escobar, tr. I, ex. 11, n. 96.
22. Citation de saint Paul, *Première Épître aux Corinthiens*, IX, 13.
23. *Épître aux Hébreux*, V, 3.

Page 106.

24. Il faut lire « q. 33 ».
25. L'édition de 1659 ajoute : « ou au moins pour un long temps ».
26. L'édition de 1659 précise : « de l'impression de Rouen ».

Page 107.

27. Tr. VI, ex. 7, n. 111.

Page 108.

28. Tr. VII, ex. 4, n. 223.

Page 110.

29. Les Registres du Greffe criminel du Châtelet de Paris donnent une version légèrement différente de la fin de l'histoire : « Du 8 avril 1647. A été arrêté par jugement ordinaire Alba mandé et blâmé de la faute par lui commise, défense de récidiver, et enjoint de se retirer en son pays, et les coffres, hardes étant au Greffe, rendus audit d'Alba ; et le lendemain 9 dudit mois, Messieurs étant assemblés, Alba a été mandé en la Chambre, où la sentence a été prononcée, et ledit Alba blâmé au désir d'icelle, et mis hors des prisons par le Contre-huis, après lui avoir rendu son coffre et hardes. »

SEPTIÈME LETTRE

Page 112.

1. « Point d'honneur » est un euphémisme qui désigne les motifs de duel. Il est significatif que les dictionnaires de l'époque conservent

l'euphémisme dans leurs définitions : « *Point d'honneur*. Chose particulière qui regarde l'honneur » (Richelet, 1680) ; « *Point*, en Morale, et chez la Noblesse, se dit du point d'honneur, de certaines règles et maximes d'où les hommes croient que leur honneur dépend » (Furetière, 1690).

Page 113.

2. Résumé de saint Paul, *Épître aux Romains*, XII, 17-19.

Page 114.

3. Molière s'est souvenu de ce passage :

> *Selon divers besoins, il est une science*
> *D'étendre les liens de notre conscience*
> *Et de rectifier le mal de l'action*
> *Avec la pureté de notre intention.*

> (*Tartuffe*, IV, 5, vers 1489-1493.)

Page 115.

4. Lessius : Léonard Leys (1554-1623), jésuite flamand, professeur à Douai, puis à Louvain, un des plus célèbres théologiens jésuites, avait été censuré par la Faculté de théologie de Louvain et par l'Université de Douai pour des thèses semi-pélagiennes. Son *De justitia et jure actionum humanarum,* dont la première édition est de 1605, est une des sources essentielles d'Escobar.

5. Cette citation de Lessius fournira le sujet de la quatrième « Imposture » du P. Nouet ; Pascal y répondra dans la Treizième Lettre.

6. Pierre Hurtado de Mendoza (1578-1651), jésuite espagnol, auteur d'un traité *De tribus virtutibus theologicis* (Salamanque, 1631), dont fait partie le *De spe.*

Page 116.

7. Gaspard Hurtado (1575-1646), chartreux, puis jésuite, professeur à Alcala.

8. Cf. *Pensées*, fr. 614 : « Oserez-vous ainsi, vous, vous jouer des édits du roi ainsi, en disant que ce n'est pas se battre en duel que d'aller dans un champ en attendant un homme ? Que l'Église a bien défendu le duel, mais non pas de se promener... »

Page 117.

9. Cette citation fournira le sujet de la onzième « Imposture » du P. Nouet, à laquelle Pascal répondra dans la Quatorzième Lettre.

10. « Je le quitte » signifie « j'abandonne, vous avez gagné » ; présenter comme un jeu la discussion entre Montalte et le bon père, c'est souligner par une ironie tragique la gravité réelle du débat sur le duel et l'homicide.

Page 120.

11. Il ne s'agit pas d'écrits à proprement parler, mais d'un cours dicté par le P. Héreau. La source de Pascal est la *Requête présentée à Nosseigneurs de la Cour de Parlement par l'Université de Paris touchant une doctrine pernicieuse enseignée au Collège de Clermont à Paris*, 1644, qui traduit ainsi le texte latin du cours : « Si tu tâches de détracter de mon nom par fausses accusations vers un prince, un juge ou des gens d'honneur, et que je ne puisse en aucune façon détourner cette perte de ma renommée, sinon en te tuant clandestinement et en cachette, si je le puis faire licitement ? Banez l'assure, quest. 64, art. 7, doute 4, ajoutant qu'il faut dire le même quand bien le crime serait véritable, pourvu qu'il fût caché de telle sorte qu'il ne se pût découvrir selon la justice légale. Sa raison est, parce que si tu veux offenser mon honneur ou ma réputation me frappant d'un bâton, ou me donnant un soufflet, je le puis empêcher par les armes ; donc il en est de même si tu tâches de m'offenser par la langue, et que je ne le puisse autrement éviter sinon en te tuant : cela importe peu, ce semble, vu que tu me nuirais également de la langue comme d'un autre instrument. En après le droit de se défendre s'étend à tout ce qui est nécessaire à un homme pour se garantir de toute injure. Il faudrait toutefois avertir auparavant le détracteur de cesser, et s'il ne le voulait pas, à cause du scandale il ne le faudrait pas tuer ouvertement, mais clandestinement et en cachette. » Même s'il ne le cite pas, Héreau s'inspire visiblement du texte de Lessius cité un peu plus loin, comme Pascal le fait d'ailleurs remarquer.

12. En fait, il ne s'agit pas de la *Troisième Requête* de l'Université, du 7 décembre 1644, mais de la *Réponse de l'Université de Paris à l'Apologie pour les Jésuites qu'ils ont mise au jour sous le nom du Père Caussin* de Godefroy Hermant (Paris, 1644). Les PP. Flahaut et Lecourt étaient professeurs au Collège de Caen.

13. L'édition de 1659 donne de ce passage une version entièrement remaniée : « Enfin cela est si généralement soutenu que Lessius le décide comme une chose qui n'est contestée d'aucun casuiste, l. 2, c. 9, n. 76. Car il en apporte un grand nombre qui sont de cette opinion, et aucun qui soit contraire ; et même il allègue n. 77 Pierre Navarre qui, parlant généralement des affronts, dont il n'y en (a) point de plus sensible qu'un soufflet, déclare que selon le consentement de tous les casuistes, *ex sententia omnium licet contumeliosum occidere, si aliter ea injuria arceri nequit*. En voulez-vous davantage ? »

Page 122.

14. Ce passage et le paragraphe précédent fourniront la matière des « Impostures » XV à XVIII du P. Nouet. Pascal y répondra dans la Treizième Lettre.

Page 123.

15. Le ducat était une monnaie d'or, qui valait environ deux écus.

16. Cette citation de Molina fournira la matière de la treizième « Imposture » du P. Nouet, à laquelle Pascal répondra dans la Quatorzième Lettre.

17. Ce sera le sujet de la quatorzième « Imposture » du P. Nouet ; Pascal y répondra dans la Quatorzième Lettre.

Page 124.

18. L'Amy : il s'agit de Francesco Amico, jésuite italien (1578-1651), cité par Escobar, tract. I, ex. VII, n. 45.

19. « Assister » signifie ici « juger avec un autre juge » (Furetière, 1690).

Page 125.

20. Expédier : tuer, faire mourir.

Page 126.

21. Chaque Lettre, jusqu'à la Quinzième incluse, est limitée à 8 pages in-4°. Ce sera encore le cas pour la Dix-septième.

22. La fiction des entretiens avec le bon Père s'efface ici pour laisser percevoir la réalité de la recherche par Pascal et ses amis jansénistes des passages scandaleux des livres des casuistes.

HUITIÈME LETTRE

Page 130.

1. Selon le *Dictionnaire* de Richelet (1680), l'usure « consiste à recevoir plus qu'on n'a donné. Elle consiste à retirer un gain injuste et illégitime du prêt de son argent ». La tradition catholique condamnait le prêt à intérêt. En 1704, le *Dictionnaire de Trévoux* précise que « c'est une usure que de prêter sur gages, d'exiger l'intérêt d'un argent dont on n'abandonne pas le fonds, de stipuler de l'intérêt d'un argent qui n'est point mis dans le commerce, et qui ne doit point rapporter du profit à celui qui le reçoit ». Pour les moralistes les plus rigoureux, c'est tout prêt à intérêt qui est condamné : telle est la position des jansénistes.

2. « Quant et quant » : ensemble, en même temps ; Furetière donne cette expression comme populaire.

Page 132.

3. Il s'agit de l'*Epilogus Summarum, sive amplissimum compendium*, du franciscain espagnol Jean Soria-Butron, dont la première édition avait paru à Concha en 1650.

4. « *Banqueroute :* fuite d'une personne qui, se voyant accablée de dettes, emporte le bien de ses créanciers, et change de pays pour s'échapper aux poursuites qu'on ferait contre lui » (Richelet, 1680).

Page 133.

5. Ce passage sur la banqueroute fournira au P. Nouet la matière de la troisième de ses « Impostures ». à laquelle Pascal répondra dans la dernière partie de la Douzième Lettre.

Page 134.

6. « *Encliner :* ce mot n'est pas usité, en sa place on dit *incliner* » (Richelet, 1680).

7. Cf. *Pensées*, 750 : « Bauny brûleur de granges. »

8. « *Incommodé :* pauvre, n'être pas à son aise » (Richelet, 1680).

Page 135.

9. Pour la question de la restitution, qui constitue le sujet de la dernière partie de la Huitième Lettre, Pascal a utilisé un mémoire inédit d'Antoine Arnauld, qui semble avoir été composé à la seule fin de lui fournir la documentation nécessaire. Voir Michel Le Guern, « Sur la bataille des *Provinciales*. Documents inédits », *Revue d'histoire littéraire de la France*, avril-juin 1966. Ce mémoire, conservé à la Bibliothèque Nationale dans un recueil de pièces (n. a. fr. 1525 ; f°s 161-171), est composé de deux parties, « Que les juges ne sont pas moins obligés de restituer ce qu'on leur aurait donné pour une sentence injuste que pour une juste » et « Des femmes perdues ».

10. Ce passage sera remanié dans l'édition de 1659 : « C'est ce que Lessius enseigne généralement, 1, 2, c. 14, d. 8. *On n'est point*, dit-il, *obligé ni par la loi de nature, ni par les lois positives*, c'est-à-dire par aucune loi, *de rendre ce qu'on a reçu pour avoir commis une action criminelle, comme pour un adultère, encore même que cette action soit contraire à la justice.* Car, comme dit encore Escobar en citant Lessius, tr. I, ex, 8, n. 59 : *Les biens qu'une femme acquiert par l'adultère sont véritablement gagnés par une voie illégitime, mais néanmoins la possession en est légitime.* » Pascal, ne connaissant ce passage de Lessius que par Escobar, n'avait pas vu que le texte d'Escobar était un commentaire, non une citation.

Page 136.

11. « Fils de famille, est celui qui est encore sous la puissance paternelle » (Furetière, 1690).

12. Pascal a pris cette citation latine dans une note marginale du mémoire inédit d'Arnauld (f° 167 v°), dont le texte donne une traduction française : « Filiuce, ayant enseigné qu'une femme publique pouvait recevoir ce qu'on lui donne, ajoute aussitôt *Qu'à plus forte raison on est obligé en conscience de payer à celle qui s'abandonne en secret le prix de son infamie. Car la prostitution, dit-il, d'une femme qui n'est pas publique vaut beaucoup davantage que celle d'une publique ; et il n'y a point de loi positive qui la rende incapable de recevoir cet argent pour prix de s'être abandonnée. On doit dire la même chose d'une vierge, d'une femme mariée, d'une religieuse, et de quelque autre que ce soit, car il y a même raison au regard de toutes.* »

Page 138.

13. Voici le texte du mémoire d'Arnauld : « Que les juges ne sont pas moins obligés de restituer ce qu'on leur aurait donné pour une sentence injuste que pour une juste.

» Les casuistes demandent si un juge qui se laisse corrompre est obligé de restituer ce qu'il a acquis par un moyen si infâme et si illégitime. Sur quoi ils distinguent encore, et par une étrange dépravation d'esprit, fondée sur de faux principes qui les précipitent dans des erreurs incroyables, ils veulent qu'un juge puisse retenir en conscience ce qu'il aura reçu pour faire des injustices, pour opprimer les innocents, et violer les plus saintes lois, mais qu'il soit obligé de restituer s'il a pris de l'argent pour rendre justice, pour protéger ceux que l'on opprime, et empêcher que les lois ne soient violées.

» C'est la doctrine commune de ces casuistes comme on peut voir dans Molina, Lessius, Reginald, Filiuce, et autres.

[Les références sont données dans quatre notes marginales : « Molina, Disp 94 et 99. Lessius, Lib. 2, c. 14, dub. 8 et 9. Reginald, Lib. 10, n. 184, 185 et 178. Filiuc. Tr. 31, n. 228 et 220 » ; ce sont les références fournies par Pascal, qui conserve ainsi l'indication erronée sur Molina.]

» Et non seulement ils veulent que ce juge qui vend l'injustice, ou un homme qui a marchandé de faire un assassinat, puisse retenir cet argent après l'avoir reçu, mais qu'il puisse même, ayant rendu la sentence et commis ce meurtre, demander et recevoir ce qu'on leur a promis pour prix de leurs crimes, et qu'en cela ils ne font qu'une action juste et innocente » (fº 161 rº et vº).

14. « *Deviner :* prédire, découvrir l'avenir » (Richelet, 1680), c'est-à-dire exercer l'activité de devin.

Page 139.

15. Même si la datation des réponses des Jésuites aux *Provinciales* est incertaine, on peut penser que Pascal réagit ici au reproche qui lui était fait dans la *Première Réponse aux lettres que les Jansénistes publient contre les Jésuites*, « de traiter les choses saintes en raillerie » (*Réponses aux Lettres provinciales*, Liège, 1657, p. XVII). Cela permettrait de dater la publication de la *Première Réponse* de mai 1656. Pascal répondra beaucoup plus amplement à ce reproche dans la Onzième Lettre, entièrement consacrée à cette question. Voir la note 1 de la Onzième Lettre.

Page 141.

16. L'édition de 1659 ajoute : « *Depuis tout ceci on en a imprimé une nouvelle édition à Paris chez Piget, plus exacte que toutes les autres. Mais on peut encore bien mieux apprendre les sentiments d'Escobar dans la grande Théologie Morale dont il y a déjà deux volumes in-folio imprimés à Lyon. Ils sont très dignes d'être vus pour connaître l'horrible renversement que les Jésuites font de la morale de l'Église.* »

NEUVIÈME LETTRE

Page 142.

1. Paul Beurrier de Barry (1587-1667), jésuite, professeur à Avignon, Aix et Nîmes, provincial de la province de Lyon, est l'auteur de nombreux ouvrages de piété. *Le Paradis ouvert à Philagie*, publié à Lyon en 1636, a connu de nombreuses rééditions, jusqu'au XIXe siècle : la vingtième édition est de 1868, à Paris.

Page 143.

2. Il faut lire « 143 » ; l'erreur est commune à toutes les éditions.

Page 144.

3. Voici le texte du P. Barry : « Vincent de Beauvais, prélat très dévot, l'une des lumières de l'ordre de saint Dominique, raconte une histoire bien étrange d'une dame mariée au diocèse de Langres ; elle se confessait et communiait souvent ; l'hôpital, les aumônes, les œuvres de charité lui étaient ordinaires ; néanmoins elle avait un péché secret, qu'elle n'osait jamais confesser. À la fin des confessions, en soupirant, elle disait se confesser encore, et demander pardon des péchés omis ; le confesseur ordinaire, se doutant qu'il n'y eût quelque regret en l'âme, secret et important, lui conseille et donne occasion de changer parfois de confesseur. Un jour il la pria pour sa consolation de s'aller confesser à un religieux qu'il lui nomma, qui était en grande estime de sainteté ; elle lui obéit pour cette fois, et n'eut point le courage de tout dire non plus que les autres fois. Voilà comment elle vécut toute sa vie. Tout ce qu'elle avait de bon, et qui enfin lui valut beaucoup, c'était une grande dévotion aux images de la sainte Vierge ; autant qu'elle en rencontrait, elle les saluait toutes, et priait la sainte Vierge de lui impétrer pardon de son péché. La voilà dangereusement malade, elle se confesse, mais à l'ordinaire n'ayant pas le courage de dire sa plaie, et mourut en ce piteux état. Il faut comparaître au jugement de Dieu. Comme elle est sur le point d'être condamnée et d'être enlevée par les démons, la Mère de bonté s'y opposa, et pria son cher Fils de lui pardonner ; le Fils repart qu'elle est morte en péché mortel, qu'à peine y aurait-il remède, néanmoins qu'à sa considération il est content qu'elle revienne au monde ; la voilà donc ressuscitée et, de la bière où elle était encore, demande confession, se confesse, et, de sa bière faisant une chaire, raconte tout ce que dessus, surtout que la dévotion qu'elle avait eue aux images de la sainte Vierge, la saluant à toutes les rencontres, lui avait sauvé son âme, et, un peu après le récit de tout ceci, mourut paisiblement. »

4. Étienne Binet (1569-1639), jésuite, successivement provincial de Paris, Lyon et Champagne, avait publié en 1624, à Lyon, le traité *De la*

dévotion à la glorieuse Vierge Marie, Mère de Dieu, vraie marque de notre prédestination.

5. « *Pleige* : caution judiciaire, qui s'oblige devant le juge de représenter quelqu'un, ou de payer ce qui sera jugé contre lui » (Furetière, 1690).

Page 145.

6. Cela n'est pas particulier aux Jésuites. Louis Cognet signale que l'Oratoire s'était vu accorder un privilège analogue par lettres patentes du 21 juillet 1642. L'approbation des théologiens de l'Ordre et la permission des supérieurs était aussi d'usage chez les Dominicains. Approbation et permission ne portent d'ailleurs pas sur toutes les assertions contenues dans les livres autorisés, mais sur la décision de publication. La Compagnie de Jésus laissait à ses membres une certaine liberté d'opinion ; ce n'était pas le système « totalitaire » que Pascal voudrait nous y faire voir.

7. La devise de la Compagnie est *Ad majorem Dei gloriam.*

8. Pierre Le Moyne (1602-1671), jésuite, est l'auteur d'une œuvre poétique importante — son « poème héroïque » *Saint Louis, ou la sainte couronne reconquise* est sans doute le plus beau poème épique du XVIIᵉ siècle — et de divers ouvrages qui étaient fort estimés : *Les Peintures morales, où les passions sont représentées par tableaux, par caractères et par questions nouvelles et curieuses* (Paris, 1640-1643), *La Galerie des femmes fortes* (Paris, 1647), *De l'art des devises* (Paris, 1666). *La Dévotion aisée* est de 1652.

9. Pascal cite *La Dévotion aisée* en abrégé et par centons, plus que littéralement ; il semble qu'il n'ait du livre qu'une connaissance indirecte, par les *Enluminures* de Le Maître de Sacy (1654), et surtout par la *Lettre d'un ecclésiastique au P. de Lingendes, Provincial des jésuites, touchant la Dévotion aisée du P. Le Moyne*, datée du 23 octobre 1652 ; cette *Lettre*, de l'oratorien Toussaint Desmares, a été rééditée à la fin de l'*Apologie des Lettres provinciales* de Dom Matthieu Petitdidier, Rouen, 1698.

Page 146.

10. Il semble qu'il y ait ici un malentendu. Le P. Le Moyne avait placé dans le livre VII des *Peintures morales* (« De la modération des passions »), à la fin du chapitre II consacré à la tempérance, un développement particulièrement soigné, qu'il intitule « Le sauvage, caractère moral, où sont représentées les mœurs d'un homme insensible aux affections honnêtes et naturelles ». À l'époque des *Provinciales*, on pouvait lire le portrait du sauvage comme une violente satire des Messieurs de Port-Royal, et c'est ainsi que Pascal le comprend. La date de la première édition des *Peintures morales*, 1640, exclut absolument que le P. Le Moyne ait pu songer en le rédigeant aux Solitaires. C'est de toute évidence une œuvre composée à plaisir, où l'imagination se donne libre cours : « Le sauvage est une statue végétale, un fantôme de chair et d'os, un homme artificiel, qui ne se remue que par force, et une idole pareille

aux figures qui sont mises auprès des tombeaux... Il est sans yeux pour les beautés de la nature, et pour celles des arts : les roses et les tulipes n'ont rien de plus agréable pour lui que les épines et les orties...

» Quant aux affronts et aux injures, il y est aussi peu sensible que s'il avait des yeux et des oreilles de statue à la tête. Jamais il ne rougit, ni n'a de honte, quoi qu'on lui dise, ni quoi qu'on lui fasse. Cette belle fièvre n'est pas la maladie des bêtes, ni celle des sauvages : ses esprits sont trop grossiers et trop pesants pour elle, son sang est trop terrestre et trop mêlé de lie ; et le chemin de son cœur à son visage est trop obscur et trop rempli de matière. Ainsi l'honneur et la gloire sont des idoles qu'il ne connaît point, et pour qui il n'a point d'encens à brûler, ni d'offrandes à faire. Il s'aime mieux dans une grotte, ou dans le tronc d'un arbre, que dans un palais ni sur un trône ; et pour son supplice, ou pour celui d'autrui, il recevrait des mains de la Fortune un bâton et une chaîne, plutôt qu'un sceptre ni une couronne.

» Il croirait s'être chargé d'un fardeau fort incommode, s'il avait pris quelque matière de plaisir pour soi, ou de bienfait pour les autres...

» Les jours de fêtes et de réjouissances lui sont des jours de deuil et d'affliction ; et quoiqu'il aime naturellement la nuit et la solitude, et fuie en tout temps la lumière et le public, à ces jours-là pourtant, il en a une aversion particulière ; et pour s'en éloigner davantage, il se retire avec les morts, et s'enferme dans les sépultures... Une belle personne lui est un spectre ; il n'en saurait souffrir la vue ; et ces visages impérieux et souverains, ces agréables tyrans, qui font partout des prisonniers volontaires et sans chaînes, ont le même effet sur ses yeux que le soleil a sur ceux des hiboux. »

Page 148.

11. François Garasse (1584-1631), jésuite, auteur d'ouvrages de controverse contre les calvinistes et contre les libertins, avait publié en 1625 *La Somme théologique des vérités capitales de la religion chrétienne ;* le livre avait été sévèrement critiqué par Saint-Cyran, puis par Antoine Arnauld dans la *Théologie morale des Jésuites,* où Pascal a pris sa citation.

12. « *Justice...* On la divise en deux espèces : justice commutative, qui est une certaine équité naturelle qui met un prix raisonnable aux choses, et qui fait agir d'une manière propre à la société civile. La justice distributive est celle où il faut employer une autorité supérieure contre ceux qui ne veulent pas suivre cette équité naturelle » (Furetière, 1690).

Page 149.

13. Le terme de « paresse » traduit assez mal le mot employé par Escobar, *acedia.* Dans la langue de la théologie morale, il s'agit plutôt d'une attitude d'indifférence et de négligence, qu'on mettrait sans doute aujourd'hui sur le compte de la dépression nerveuse. Pour Escobar, c'est très précisément « le dégoût des choses spirituelles », *fastidium rerum spiritualium.*

14. En fait, il s'agit de Jean Sanchez, qui n'était pas jésuite, mais Pascal confond avec le jésuite Thomas Sanchez, qui sera cité un peu plus loin et dont il a été question dans les quatre lettres précédentes. À partir de l'édition de 1659, le texte est corrigé en « selon Sanchez ».

Page 152.

15. « Quoiqu'on ne puisse approuver ces baisers de pigeon, qui se font en suçotant les lèvres mutuellement l'un de l'autre, toutefois, quand ils ne procèdent d'une volupté lubrique, qu'ils ne se font avec dessein d'en tirer de la délectation sensuelle, mais par légèreté, pour rire, ou acquérir le bruit de galant et complaisant parmi les hommes, ils ne sont que véniels » (Bauny, *Somme des péchés*, 5ᵉ éd., 1639, p. 165).

16. Catulle, *Carmen nuptiale*, LXII, vers 62-64 :

> *Virginitas non tota tua est, ex parte parentum est,*
> *Tertia pars patri, pars data tertia matri,*
> *Tertia sola tua est.*

(« Ta virginité n'est pas tout entière à toi, elle est en partie à tes parents, un tiers a été donné à ton père, un tiers à ta mère, il n'y en a qu'un tiers à toi. ») La visée du poète n'est pas celle que suggère la traduction de Pascal ; il demande à la jeune mariée de ne pas résister à l'époux que ses parents lui ont choisi.

Page 153.

17. Pascal réunit et abrège deux citations de Le Moyne faites par le P. Desmares dans sa *Lettre au P. de Lingendes :* « Et puis en la page 163 : *Mais il en faut demeurer là. Il ne faut plus parler de bouquets, quand les feuilles tombent ; et le contretemps serait étrange, de chercher des roses sur la neige. Il serait encore plus étrange d'ajuster une tête chauve et de parfumer des cheveux gris. Mais ce ne serait plus un contretemps, ce serait un prodige, de peindre et d'ajuster un squelette, de se parer et de se farder sur le bord de la fosse, de se couvrir de mouches et de pourpre, quand on commence à sentir les vers de la pourriture. ... Voici ces évangéliques et édifiantes paroles en la page 127 : On n'a jamais vu en un même jour des fleurs et de la neige sur la terre. Les roses qui sont si belles, et qui sentent si bon encore après leur mort, baissent la tête, et semblent se vouloir cacher dès qu'elles vieillissent ; et ce n'est qu'aux étoiles qu'il appartient d'être toujours en compagnie et toujours au bal, parce qu'il n'y a que les étoiles qui ont le don de jeunesse perpétuelle. Le meilleur donc en ce point serait de prendre conseil de la raison et d'un bon miroir, de se rendre à la bienséance et à la nécessité, et se retirer quand on est averti que la nuit approche. Il y a certes peu de plaisir et il y a encore moins d'honneur à vouloir encore être du monde quand on n'a plus que des ruines à montrer au monde, à courir toutes les ruelles et tous les cercles, quand on ne devrait plus penser qu'aux cimetières et au cercueil ; et une tête doit être bien verte, qui n'est pas encore mûre à un âge qui aurait pourri des chênes et cassé des marbres.* »

18. L'édition de 1659 modifiera la fin de ce paragraphe, où il ne sera plus question de parure, mais de jeu : « je vous dirai que, donnant permission aux femmes de jouer, et voyant que cette permission leur serait souvent inutile si on ne leur donnait aussi le moyen d'avoir de quoi jouer, ils ont établi une autre maxime en leur faveur, qui se voit dans Escobar, au chap. du larcin, tr. 1, ex. 9, n. 13. *Une femme*, dit-il, *peut jouer et prendre pour cela de l'argent à son mari.* »

Page 154.

19. Luis de Torrès, dit Turrianus, jésuite espagnol (1582-1635), auteur des *Selectae disputationes in theologiam* (Lyon, 1634). Pascal le cite d'après Escobar, chez qui il trouvait toutes les références citées sur la manière d'assister à la messe, à l'exception de celle de Bauny.

Page 155.

20. Ce post-scriptum sera supprimé dans l'édition de 1659.

DIXIÈME LETTRE

Page 157.

1. Correction de Louis Cognet. Toutes les éditions anciennes donnent : « *pietatis solertiam, au 1. 3, c. 8.* C'est par le moyen », alors que la référence ne correspond qu'à la citation qui la suit.

2. Il faut lire « ex. 4 ».

3. Traduction erronée. Escobar écrit : « *si ob hanc causam poenitens in occasione peccati mortalis maneret* » (si pour cette raison le pénitent restait dans une occasion de péché mortel).

Page 158.

4. *Princ :* il faut lire « *Prooemium* ». Cette erreur, comme celles qui sont signalées dans les notes précédentes, tient sans doute au fait que Nicole n'a pas revu la Dixième Lettre, alors qu'il a revu, par exemple, la Neuvième et la Onzième, où on ne trouve pas de telles erreurs. Dans la suite de la Lettre, les corrections aux références erronées sont signalées par des crochets obliques.

Page 159.

5. Cf. Matthieu, XVIII, 18 : « En vérité je vous le dis, tout ce que vous lierez sur la terre sera tenu au ciel pour lié, et tout ce que délierez sur la terre sera tenu au ciel pour délié. »

Page 162.

6. Nicolas Caussin (1583-1651), jésuite, avait été confesseur du roi Louis XIII de mars à décembre 1637. Richelieu l'avait exilé à Quimper à

cause de ses opinions défavorables à l'attrition. Sa réputation de probité
et de rigorisme le fit choisir, en 1644, pour répondre à la *Théologie morale
des Jésuites* d'Arnauld par le livre cité ici.

Page 164.

7. Basile Ponce : il en a été question dans la Cinquième Lettre, p. 91.

8. Marc, IX, 43-47 : « Si ta main te scandalise, coupe-la ; il te vaut
mieux entrer manchot en la vie, qu'avoir deux mains et aller en la
géhenne au feu qui jamais ne s'éteint... Et si ton pied te scandalise,
coupe-le... Si aussi ton œil te scandalise, arrache-le ; il te vaut mieux
entrer avec un œil au royaume de Dieu, qu'avoir deux yeux et être jeté en
la géhenne du feu. » Textes parallèles en Matthieu, V, 29-30 et XVIII, 8-
9.

9. François Pinthereau (1605-1664), jésuite, auteur de nombreux
écrits de polémique antijanséniste, avait publié en 1644, sous le
pseudonyme de l'abbé de Boisic, *Les Impostures et les ignorances du libelle
intitulé « La Théologie morale des Jésuites »*.

Page 165.

10. On ne saurait exagérer l'importance de cette question de l'attrition. Un premier débat porte sur sa définition ; on se fera une idée assez
juste des divergences des théologiens sur ce point en comparant la
définition de Richelet avec celle de Furetière : « *Attrition :* douleur qu'on
a de ses péchés, et qui vient d'un amour imparfait qu'on a pour Dieu »
(Richelet, 1680) ; « *Attrition :* c'est le regret qu'on a d'avoir offensé Dieu,
à cause de la crainte qu'on a de ses châtiments » (Furetière, 1690). Le vrai
débat de fond porte, non sur la première, qu'il serait plus juste d'appeler
« contrition imparfaite », mais sur la seconde, l'attrition proprement dite,
qui se réduit à la peur de l'enfer, sans que l'amour de Dieu y ait une
place. L'opinion que l'attrition proprement dite serait suffisante, avec le
sacrement de pénitence, pour que les péchés soient remis, a été
fermement soutenue par Richelieu, pour des raisons qui semblent plus
politiques que théologiques. Louis XIII souffrait d'un trouble psycholo-
gique qui se traduisait par une incapacité d'aimer et une propension à la
crainte. Sa crainte de l'enfer était encore accrue par son incapacité de
ressentir l'amour de Dieu nécessaire pour une vraie contrition. Richelieu
le rassurait, tout en augmentant son ascendant sur lui, par l'affirmation
que l'attrition seule suffisait avec le sacrement. Le P. Caussin, confesseur
du roi, qui ne partageait pas cet avis, fut exilé à Quimper. Quant à Saint-
Cyran, le véritable motif de son emprisonnement au château de
Vincennes semble bien avoir été son opposition à la doctrine de
l'attrition. Cette première persécution contre le directeur spirituel de
Port-Royal est en réalité l'acte de naissance du jansénisme. Sans cette
persécution, les adeptes du retour à l'augustinisme strict regroupés
autour de Saint-Cyran et de l'*Augustinus* de Jansénius n'auraient sans
doute jamais constitué un « parti » ; il n'y aurait pas eu de jansénisme.

11. Paul Comitolo (1544-1626), jésuite italien, auteur des *Responsa moralia* (Lyon, 1609), s'était opposé à la doctrine des opinions probables.

Page 166.

12. L'Amy : Francesco Amico, déjà cité dans la Septième Lettre.

Page 168.

13. Antoine Sirmond (1591-1643), jésuite français, neveu du célèbre érudit jésuite Jacques Sirmond, est surtout connu comme prédicateur. Son livre *La défense de la vertu* (Paris, 1641) avait été attaqué par Antoine Arnauld dès 1641.

Page 169.

14. *Épître aux Romains*, I, 32.

Page 170.

15. Cf. Matthieu, XXII, 37-40 : « Tu aimeras le Seigneur ton Dieu de tout ton cœur, de toute ton âme et de toute ta pensée. Cestui est le premier et le grand commandement. Et le second semblable à icelui est : Tu aimeras ton prochain comme toi-même. De ces deux commandements dépendent toute la loi et les prophètes » (traduction de la Bible de Louvain).

16. Jean, III, 16.

17. *Première Épître aux Corinthiens*, XVI, 22.

18. *Première Épître de Jean*, III, 15.

19. Jean, XIV, 24.

ONZIÈME LETTRE

Page 172.

1. La *Première Réponse aux Lettres que les Jansénistes publient contre les Jésuites* présente une longue série de griefs. Pascal répond ici au cinquième : « Cinquièmement, que l'on fasse réflexion sur la façon d'écrire de cet auteur, qui sur des matières de théologie, de morale, de cas de conscience, et de salut, ne se sert que d'un style railleur et bouffon, indigne, je ne dis pas d'un théologien ou d'un ecclésiastique, mais même d'un chrétien, qui ne doit pas traiter en gausseur et farceur les choses saintes. Il s'appelle, comme le font tous ceux de sa secte, disciple de saint Augustin : qu'il me trouve un endroit dans les écrits de ce grand personnage où il prenne celui de railleur, et de bouffon. C'est l'esprit hérétique, qui n'a rien de sérieux, sinon la rage et la fureur, si toutefois ces cruelles passions méritent ce nom ; c'est l'esprit de l'impie et du blasphémateur, duquel il est parlé dans Job, *imitaris linguam blasphemantium*, tu parles comme un blasphémateur ; l'original porte, *irrisorum*, tu as la langue des moqueurs : aussi est-ce une espèce de blasphème, que de

traiter les choses saintes en raillerie » (*Réponses aux Lettres Provinciales publiées par le Secrétaire du Port-Royal*, Liège, 1657, pp. XVI sq). Pascal avait déjà fait allusion à ce grief à la fin de la Huitième Lettre. Voir la note 15 de la Huitième Lettre.

2. Il a été question du contrat Mohatra dans la Huitième Lettre, et de Jean d'Alba à la fin de la Sixième. Pascal répond maintenant à la *Lettre écrite à une personne de condition, sur le sujet de celles que les Jansénistes publient contre les Jésuites* : « Se peut-il rien dire de plus délicat que le *pouvoir prochain* de sa Première Lettre, de plus surprenant que le Mohatra de la Huitième, de plus falot que le conte de Jean d'Alba, de plus nouveau que la simplicité de ce bon Père Jésuite, qu'il sait si bien entretenir qu'il lui fait croire qu'il ne rit pas, lorsqu'il fait rire tout le monde à ses dépens ? Je dis tout le monde : car, comme tous ne se plaisent pas à même jeu, il n'y a sorte de railleries qui ne se trouve dans ses Lettres, afin de servir au divertissement de toutes sortes de personnes. Il y en a de subtiles pour délasser les bons esprits, d'utiles pour intéresser les riches, de basses pour amuser les valets et les servantes, d'impies pour contenter les libertins, de sacrilèges pour faire danser les sorciers au sabbat » (*Réponses aux Lettres Provinciales*, pp. LXII sq.) ; on reconnaît là un pastiche de la Sixième Lettre, p. 103.

Page 174.

3. À partir de ce paragraphe, Pascal utilise systématiquement un texte d'Antoine Arnauld publié en 1654 pour la défense des *Enluminures* de Sacy, *Réponse à la Lettre d'une personne de condition touchant les règles de la conduite des saints Pères dans la composition de leurs ouvrages, pour la défense des vérités combattues, ou de l'innocence calomniée* : « IV. Première question touchant la raillerie. Qu'il y en a des exemples dans l'Écriture... V. Que les saints Pères se sont servis quelquefois de la raillerie... Saint Jérôme..., saint Augustin..., saint Bernard..., saint Irénée... » On trouvera une comparaison très précise de la Onzième Lettre avec la *Réponse* d'Arnauld dans Roger Duchêne, « Rire avec Pascal : les arguments de la onzième *Provinciale* », *Mélanges Georges Couton*, Lyon, P.U.L., 1981, pp. 311-321 (article repris dans Roger Duchêne, *L'Imposture littéraire dans les Provinciales de Pascal*, Publications de l'Université de Provence », 1984, pp. 145-159).

4. Cf. Arnauld, *Réponse à la Lettre...* : « Cette même sagesse divine déclare (*Prov. c. 1 v. 26*) : *qu'elle usera de moquerie et d'insulte dans la perte des méchants. In interitu vestro RIDEBO ET SUBSANNABO.* Elle inspire aux justes d'en user de même. *Ils riront et se moqueront, SUPER EUM RIDEBUNT*, dit le Saint-Esprit (*Psal. 51, 8*), *en voyant la vengeance divine tomber sur le fou, qui n'a pas mis sa confiance au Seigneur...* » Pascal s'est reporté au texte du psaume, dont il complète la citation : « Les justes le verront, et craindront, et riront de lui. »

5. *Job*, XXII, 19 : « L'innocent se moquera d'eux. » Pascal ajoute cette citation à celles que fournit Arnauld.

6. Cf. Arnauld, *Réponse à la Lettre...* : « C'est la Sagesse de Dieu même qui est le premier modèle de ces ris des prophètes et des saints. Car nous voyons dans la Genèse que Dieu, voulant faire voir à Adam et à Ève combien leur prétention d'être comme des dieux, ou comme Dieu, avait été vaine, dit d'eux en les chassant du paradis : *Voilà l'homme qui est devenu comme l'un de nous.* Ce qui était un *reproche piquant,* dit saint Chrysostome (*In Genes. hom. 18*), *dont Dieu voulait percer profondément les violateurs de son ordonnance. C'est une ironie,* dit le même Père (*hom. 31 in Matth.*), et après lui les interprètes hébreux (*Vatabl. Mercer.*). *C'est une ironie sanglante et sensible,* écrit Rupert (*In Genes. lib. 3 c. 38*)*, telles que sont celles dont use Dieu dans les Écritures. Car en quel état était Adam ? Mort dans l'âme, sujet à mourir dans le corps, et ayant besoin de vivres et de vêtement. Ce n'était donc pas selon la vérité, mais par ironie qu'on le disait semblable à Dieu. Et pourquoi devait-il être raillé par cette ironie ? Pour lui faire sentir avec combien de folie et de vanité il avait ajouté foi aux trompeuses promesses du diable. Et on le lui faisait sentir plus vivement par cette expression ironique et affirmative, que l'on n'eût fait par une sérieuse et négative.* Ce qui est confirmé par Hugues de Saint-Victor (*In Genes, p. 17*), qui dit : *que cette ironie était due à sa sotte crédulité ; et que cette espèce de raillerie est quelquefois une action de justice, comme ici, lorsque celui envers lequel on en use l'a méritée.* » Rupert et Hugues de Saint-Victor, tous deux originaires d'Ypres en Flandres, s'étaient illustrés dans la théologie au XIIᵉ siècle, l'un en Allemagne, le second à Paris.

7. Jérémie, LI, 18. Texte cité par Arnauld dans la *Réponse.*

Page 175.

8. Pascal résume un passage de saint Augustin (*Serm. 93 — de verbis Domini 23,* 8, n. 11) qui n'a pas été utilisé par Arnauld.

9. Daniel (XIV, 19) rit quand il dévoile l'artifice par lequel les prêtres de Bel faisaient croire que leur Dieu venait consommer lui-même les offrandes déposées dans son temple. Quant à Élie, il se moque des prophètes de Baal : « À midi, Élie se moqua d'eux, disant : Criez plus fort, car c'est un dieu : il a des soucis ou des affaires, ou bien il est en voyage ; peut-être il dort et il se réveillera » (*Premier Livre des Rois,* XVIII, 27). Ces deux passages sont cités par Arnauld dans la *Réponse.*

10. Jean, III, 10.

11. Pascal résume un passage de la *Réponse* d'Arnauld, mais donne sa propre traduction du texte de saint Augustin (*Tract. 12 in Joan.,* n. 6), qu'Arnauld avait traduit, donnant le texte latin en note.

12. Rappel de la Dixième Lettre, p. 168.

Page 176.

13. *Contre les Valentiniens,* VI. Dans la *Réponse,* Arnauld donne une traduction beaucoup plus exacte de ce texte de Tertullien : « Ce que je m'en vas faire n'est qu'un jeu et une escarmouche avant un juste combat. Je me contenterai de les effleurer et de leur montrer plutôt les blessures

qu'on leur peut faire, que je ne leur en ferai de véritables. Que s'il se trouve des endroits où le lecteur soit porté à rire, il jugera aisément que c'était les sujets mêmes qui demandaient d'être traités de la sorte. Il y a plusieurs choses qu'on est obligé de réfuter en cette manière ; de peur qu'étant proposées en des termes graves et sérieux, on ne leur donne du poids, et on ne les rende dignes de quelque respect. Il n'y a rien qui soit plus dû à la vanité des hommes que d'être raillée. Et c'est proprement à la Vérité qu'il convient de railler, parce qu'elle est gaie, et de se jouer de ses ennemis, parce qu'elle est assurée de la victoire. Il faut seulement prendre garde qu'elle ne se rende pas ridicule par ses railleries, si elles sont sans esprit et indignes d'elle. Mais partout où l'on pourra s'en servir avec adresse, c'est un devoir et une vertu que d'en user. » Pascal modifie les temps des verbes pour pouvoir s'appliquer à lui-même le texte de Tertullien.

14. L'*Imago primi saeculi Societatis Jesu* (I, 5) affirme que saint Ignace aurait eu des révélations de Jésus et de Marie pour la rédaction des Constitutions ; il n'y est pas question des maximes de morale ; voir la note 1 de la Cinquième Lettre.

15. Voir Sixième Lettre, p. 105.

16. Voir Sixième Lettre, p. 100.

17. Voir Neuvième Lettre, pp. 154-155.

Page 177.

18. Saint Augustin : *Contre Faustus*, XV, 4 ; texte cité par Arnauld dans la *Réponse*.

19. Saint Grégoire de Nazianze : Sermon 41 (44 dans les éditions anciennes) ; citation empruntée à la *Réponse*.

20. *De la doctrine chrétienne*, IV, 2. Pascal suit, en en condensant les longueurs, la traduction quelque peu tendancieuse d'Arnauld dans la *Réponse*. Voici le texte de saint Augustin, dans la traduction publiée en 1701 à Paris, chez Coignard : « Puisque l'art de la rhétorique est tous les jours employé à persuader les choses fausses aussi bien que les vraies, qui oserait dire que les défenseurs de la vérité dussent la laisser désarmée contre le mensonge, de manière que les maîtres de l'erreur eussent le talent par un exorde insinuant de rendre d'auditeur docile, attentif et bien disposé, et que les docteurs de la vérité ne l'eussent pas ; que ceux-là sussent exprimer leurs impostures avec précision, avec clarté et avec vraisemblance, et que ceux-ci dans ce qu'ils disent de vrai ne se fissent écouter qu'avec répugnance, qu'avec obscurité et qu'avec ennui ; que les uns attaquassent la vérité et soutinssent le mensonge par le faux éclat de leurs sophismes séduisants et captieux, et que les autres ne pussent ni défendre la vérité ni réfuter l'erreur ; que les uns en faveur du mensonge sussent émouvoir l'auditeur, l'animer, l'effrayer, l'affliger, le réjouir, l'exhorter avec ardeur et avec force, et que les autres ne défendissent les intérêts de la vérité que froidement et lâchement ? »

Page 178.

21. Voir Septième Lettre, pp. 119-121.
22. Voir Huitième Lettre, pp. 137-138.
23. Voir Dixième Lettre, pp. 167-169.

Page 179

24. Marguerite Périer, la nièce de Pascal, rapporte une déclaration que son oncle aurait faite à propos des *Provinciales* : « On me demande pourquoi j'ai nommé le nom des auteurs où j'ai pris toutes les propositions abominables que je cite. Je réponds que si j'étais dans une ville où il y eût douze fontaines, et que je susse certainement qu'il y en a une qui est empoisonnée, je serais obligé d'avertir tout le monde de n'aller point puiser de l'eau à cette fontaine ; et comme on pourrait croire que ce sont par des imaginations que je crois cela, je serais obligé de nommer celui qui l'a empoisonnée, plutôt que d'exposer toute une ville à s'empoisonner » (Pascal, *Œuvres complètes*, éd. Mesnard, t. I, p. 1075).

25. Matthieu, XV, 14 : « Laissez-les, ils sont aveugles et conducteurs des aveugles ; si un aveugle conduit un autre aveugle, tous deux tomberont dans la fosse », commenté par saint Augustin, *Contre Parménien*, III, 4. Cf. la lettre de Pascal à sa sœur Gilberte, du 26 février 1648 : « J'aurais droit de craindre pour nous dans le malheur qui menace un aveugle conduit par un aveugle » ; la source de Pascal dans cette lettre semble être Saint-Cyran, *Lettres chrétiennes et spirituelles*, t. II, Lettre 32, ch. 6.

Page 180.

26. *De la doctrine chrétienne*, IV, 28. Pascal emprunte à la *Réponse* d'Arnauld cette citation assez rudement tronquée. Voici le texte de saint Augustin : « *verba in submisso genere sufficientia, in temperato splendentia, in grandi vehementia, veris tamen rebus, quas audiri oporteat, adhibere* » (« employer dans le style simple des paroles adéquates, dans le style tempéré des paroles brillantes, dans le style sublime des paroles véhémentes, pour exprimer cependant les choses vraies qu'il faut faire entendre »).

27. *Épître aux Romains*, III, 8.
28. *Job*, XIII, 7.
29. Pascal fragmente la citation de saint Hilaire (*Contre Constance*, 6) que lui fournissait la *Réponse* d'Arnauld.

Page 181.

30. Texte cité dans la *Réponse* d'Arnauld, avec la référence « ep. 48 » ; c'est la Lettre 93 des éditions actuelles.

31. Pascal pense sans doute aux controverses de la fin du XVIe siècle sur le régicide, que le jésuite espagnol Mariana, dans le *De rege et regis institutione* (1599), cherchait à justifier.

32. Port-Royal disposait sans doute d'informations sur ces « fautes

secrètes et personnelles », si l'on en croit la préface de *La Morale pratique des Jésuites* (1669) : « On ne parlera point d'un très grand nombre d'histoires dont on a entre les mains des mémoires très amples et très certains, où les noms et les surnoms des particuliers, les maisons, les provinces, et les circonstances des crimes sont spécifiées d'une manière qui ne laisse pas le moindre doute dans l'esprit sur les faits qui y sont rapportés et qui feront voir, si ces Pères nous forcent de les publier, qu'il n'y a point d'excès qui ne se commettent parmi eux : qu'ils abusent de leurs Missions dans les pays étrangers pour tendre des pièges à la chasteté ; de la conversation, de la parole de Dieu, et de la direction des Monastères pour corrompre les vierges consacrées à Dieu, les filles, et les femmes ; de la pénitence pour pervertir les consciences ; de leurs Congrégations et de leurs Collèges pour des excès qu'on n'oserait nommer. »

Page 182.

33. Lettre 5 de l'édition de Louvain, 138 des éditions actuelles ; texte cité par Arnauld dans la *Réponse*.

34. P. Binet : *Consolation et réjouissance pour les malades et les personnes affligées*, Rouen, 1616.

35. La *Dévotion aisée* du Pierre Le Moyne est une des principales cibles de la Neuvième Lettre.

36. L'intention du P. Le Moyne n'est pas aussi ridicule que la fait Pascal : il entend montrer que la rougeur causée par la pudeur n'est pas un défaut, mais une qualité. Voici les vers auxquels Pascal fait allusion :

> *Les roses ces vierges armées,*
> *Aussitôt qu'elles sont formées,*
> *Rougissent jusque dans le cœur ;*
> *Et dessous leur feuillage sombre,*
> *Cherchent du couvert et de l'ombre,*
> *Pour faire un voile à leur pudeur.*
> *Un noble et généreux orgueil*
> *Fait rougir les jeunes grenades...*
> *D'un rouge et naturel émail,*
> *Plus auguste que l'écarlate,*
> *La langue richement éclate,*
> *Dans un cabinet de corail.*

Page 183.

37. Référence erronée ; il s'agit en fait du Livre III, chap. I : « Si je dis que nos passions sont venues de ce mélange d'humeurs et de poil, que Prométhée mit dans la statue dont il fit le premier homme, je ne craindrai point qu'on m'accuse d'hérésie : la Sorbonne n'a point de juridiction sur le Parnasse : les erreurs de ce pays-là... »

38. Cf. Le Moyne, *Les Peintures morales*, l. I, Avant-propos (il s'agit

du démon de la poésie et de la Saône) : « D'ailleurs aussi ce démon n'est pas de la nature des autres, il ne hait pas la croix, ni n'est comme eux ennemi des choses saintes, il n'y a point d'exorcismes institués contre lui, et quand il pourrait être chassé avec de l'eau bénite, il ne faudrait pas la prendre en cette rivière. »

39. Il s'agit de *La Somme théologique des vérités capitales de la religion chrétienne*, Paris, 1625, in-folio. Contrairement à la citation du P. Garasse dans la Neuvième Lettre, où la *Théologie morale des Jésuites* d'Arnauld avait servi d'intermédiaire entre Saint-Cyran et Pascal, la source directe de Pascal est ici Saint-Cyran, *La Somme des fautes et faussetés capitales contenues dans la Somme théologique du Père François Garasse*, Paris, Joseph Bouillerot, 1626. Saint-Cyran, à propos de l'expression du P. Garasse, « la personnalité humaine a été comme entée ou mise à cheval sur la personnalité du Verbe », lui fait deux reproches, le premier, de parler « irréligieusement et profanement », le second, d'user de paroles « qui ne sauraient être véritables qu'en l'hérésie de Nestorius » (t. IV, p. 47). À propos de l'autre passage, « Quelques-uns ont quitté la croix pour prendre les seuls caractères en cette sorte, IHS, qui est un Jésus dévalisé », Saint-Cyran écrit : « Je sais que vous appelez ceci une belle rencontre, mais les gens de bien la nomment une injure intolérable que vous faites au Fils de Dieu, vous jouant de son véritable nom » (t. IV, p. 86).

Page 184.

40. Le jésuite Jean de Brisacier (1592-1668) avait publié en 1651 un pamphlet nettement diffamatoire à l'égard des Solitaires et des religieuses de Port-Royal, *Le Jansénisme confondu dans l'avocat du sieur Callaghan*. Pascal le connaît par l'*Extrait des principales injures, faussetés, mensonges, impostures et calomnies dont est rempli le libelle du P. Brisacier, jésuite, recteur du Collège de Blois, intitulé Le Jansénisme confondu*, publié en 1652 par Arnauld à la suite de la *Défense de la Censure que Monseigneur l'Archevêque de Paris a faite du livre du P. Brisacier.*

41. Il faut corriger : « 4ᵉ part., p. 24 et 1ʳᵉ part., p. 15. » Voici ces passages, relevés par Arnauld dans son *Extrait :* « Vous abolissez les indulgences, le culte de la Vierge, et des saints... » ; « Je sais d'original que les commissaires députés pour instruire le procès du fameux abbé de Saint-Cyran ont rapporté que dans tout le Port-Royal, qu'ils visitèrent exactement, ils n'y trouvèrent pas une image ni de la Vierge ni des saints. » Louis Cognet indique dans son édition des *Provinciales* que « cette visite de commissaires au monastère n'a jamais eu lieu ».

42. Cette Censure de Jean-François de Gondy, archevêque de Paris, contre le P. Brisacier, est du 29 décembre 1651 : « ... Naguère certain livre a été mis au jour sous ce titre, *Le Jansénisme confondu, par le Père Brisacier, avec la défense de son sermon fait à Blois le 29 mars dernier.* Où cet auteur, sous prétexte de défendre la sainte doctrine de l'Église, a tellement exercé sa passion que, non content d'user d'un style très

piquant contre ceux qu'il tient pour adversaires, il s'est tant oublié que de charger une communauté religieuse de cette ville d'infinité de calomnies et d'opprobres, jusques à l'accuser d'hérésie quant à la doctrine, et quant aux mœurs d'impureté ; disant même en la page 6 de la 3ᵉ partie *Que suivant les règles prescrites aux Filles du Saint-Sacrement* (qu'elles seront tenues d'observer ?), *l'on fera une nouvelle religion, qu'on appellera les Filles impénitentes, les Désespérées, les Asacramentaires, les Incommuniantes, les Phantastiques, etc., les Vierges folles et tout ce qu'il vous plaira. Dont l'original en sera au Port-Royal, et autre part la copie...* Nous l'avons condamné et condamnons par ces présentes, comme injurieux, calomnieux, et qui contient plusieurs mensonges et impostures. Déclaré et déclarons lesdites religieuses du Port-Royal, pures et innocentes des crimes dont l'auteur a voulu noircir la candeur de leurs bonnes mœurs et offenser leur intégrité et religion, de laquelle nous sommes assurés par une entière certitude. Et, pour obvier aux mauvaises impressions que cet auteur a voulu donner à ses lecteurs au contraire, nous avons défendu et défendons très étroitement à toutes personnes de lire, vendre, ni débiter ledit livre, sous peine d'excommunication. »

Page 185.

43. Il s'agit du « vœu de Caen », mentionné dans le fr. 741 des *Pensées*. En juin 1653, les élèves du collège des Jésuites de Caen avaient fait un vœu, dont le texte, vingt vers latins, sera souvent cité dans la polémique contre les Jésuites, et d'abord dans la seconde édition des *Enluminures* de Le Maître de Sacy, en février 1654, p. 67. Le texte du vœu se terminait ainsi : « Que celui qui, Fils de Marie, nie que tu aies versé pour tous et pour chacun des hommes le remède de ton sang généreux, suffisant pour guérir la blessure, s'il persiste à insinuer le dogme de Leerdam, deux fois exhumé de l'antique abîme, qu'il soit lui seul excepté du nombre de ceux qui, tous et chacun, ont été rachetés. » Leerdam est le lieu de naissance de Jansénius.

44. C'est le troisième des griefs de la *Première Réponse aux lettres que les jansénistes publient contre les Jésuites :* « Troisièmement, que l'on sache que ce rapiéceur et ravaudeur de calomnies ne nous apporte dans ces Lettres presque rien de nouveau ; mais qu'il nous fait relire pour la seconde fois l'ouvrage qu'un de ses confrères composa il y a tantôt douze ans, contre les Pères de la Compagnie de Jésus, auquel il donna pour titre *La Théologie morale des Jésuites* » (*Réponses aux Lettres Provinciales*, p. XIII) ; Arnauld avait publié la *Théologie morale des Jésuites* en 1643.

45. Les rééditions d'Escobar seront encore multipliées par le succès des *Provinciales*.

46. Le jésuite Jean Bagot, né à Rennes en 1591, mort à Paris en 1664, avait publié en 1650 et 1653 des livres sur la grâce où il attaquait les positions jansénistes. Sa *Défense du droit épiscopal et de la liberté des fidèles touchant les messes et les confessions d'obligation*, publiée en 1655, venait de provoquer de vives controverses.

Page 186.

47. Voir Huitième Lettre, pp. 133-134.

48. Voir Huitième Lettre, pp. 139-140.

49. Voir Huitième Lettre, pp. 138-139.

50. Voir Septième Lettre, p. 116. Il s'agit de Pierre Hurtado de Mendoza.

51. Voir Huitième Lettre, pp. 130-131.

52. Voir Sixième Lettre, p. 104.

53. Voir Neuvième Lettre, p. 150.

54. Texte de Tertullien cité plus haut, p. 176.

55. Tertullien : *Ad nationes*, II, 12, texte cité par Arnauld dans la *Réponse*.

56. Saint Augustin : *Contra Faustum*, XX, 6.

57. *Ecclésiaste*, III, 4 ; texte cité par Arnauld dans la *Réponse*.

58. *Proverbes*, XXIX, 9.

59. Ce dernier paragraphe, qui sera supprimé dans l'édition de 1659, concerne l'écrit du P. Nouet, *Réponse aux Lettres que les Jansénistes publient contre les Jésuites,* qui avait été publié vers le 20 août 1656 et qui sera réédité en 1657 dans les *Réponses aux Lettres Provinciales*, pp. 1-29 (ce sont les six premières « Impostures »), et annonce la Douzième Lettre, qui y sera une réponse. On trouve dans les *Pensées*, fr. 745, un projet de transition entre les deux lettres : « Qu'avez-vous gagné en m'accusant de railler des choses saintes ? Vous ne gagnerez pas plus en m'accusant d'imposture. » Jacques Nouet (1605-1680), jésuite, est surtout connu pour ses ouvrages de dévotion, *La Dévotion à Jésus-Christ* (1666), *L'Homme d'oraison* (1674-1675), *Méditations et entretiens pour tous les jours de l'année, sur la vie, sur la doctrine et la personne sacrée de Notre Seigneur* (1675), qui seront réimprimés jusqu'au XIXe siècle. Mais, avant de se consacrer aux écrits de spiritualité, il avait eu surtout une activité de polémiste ; ses attaques contre le livre d'Arnauld *De la fréquente communion* lui avaient valu d'être éloigné de Paris, pour occuper les fonctions de recteur du collège d'Alençon, puis du collège d'Arras, mais cela ne l'empêchait pas d'écrire contre les « disciples de saint Augustin ».

DOUZIÈME LETTRE

Page 187.

1. Pierre Du Moulin (1568-1658), célèbre controversiste protestant, ministre de Charenton. Les Jésuites venaient de publier la *Lettre écrite à une personne de condition, sur la conformité des reproches et des calomnies que les Jansénistes publient contre les Pères de la Compagnie de Jésus, avec celles que le ministre Du Moulin a publiées devant eux contre l'Église romaine, dans son livre Des traditions, imprimé à Genève en l'année 1632,* qui sera rééditée en 1657 dans les *Réponses aux Lettres Provinciales* pp. LXVII-LXXXVI ; en

fait, Du Moulin avait publié son livre en 1631, à Sedan. La *Lettre* des Jésuites, dont l'attribution au P. Nouet ne fait pas de doute, met en parallèle des citations de Du Moulin avec des passages des neuf premières *Provinciales*.

2. La *Première Réponse aux Lettres que les Jansénistes publient contre les Jésuites* commence ainsi : « Personne ne peut nier que l'auteur des Lettres qui courent aujourd'hui, et qui font tant de bruit dans le monde, ne soit un janséniste ; si toutefois c'est un seul homme, et non plutôt tout le parti ; à qui si l'on demande son nom, comme le Sauveur le demanda au démon qui tourmentait ce malheureux endiablé, qui faisait sa demeure dans les tombeaux, il répondrait comme lui : *Le nom que je porte est légion, car nous sommes plusieurs.* »

3. Cf. *Pensées*, fr. 745 : « Je suis seul contre trente mille ? Point. Gardez, vous, la Cour, vous, l'imposture, moi, la vérité. C'est toute ma force. Si je la perds, je suis perdu, je ne manquerai pas d'accusateurs et de punisseurs. Mais j'ai la vérité et nous verrons qui l'emportera. »

Page 188.

4. Cf. *Pensées*, fr. 707 : « Vous êtes mauvais politiques. »

5. La *Réponse aux Lettres que les Jansénistes publient contre les Jésuites* du P. Nouet est composée d'un préambule et de six articles intitulés « Première Imposture », « IIe Imposture », etc. Chacun de ces articles comprend une citation des *Provinciales*, puis une « Réponse », et enfin un « Avertissement aux Jansénistes ». En écrivant le mot « imposture » sans italique ni majuscule, Pascal signifie implicitement que ce sont les accusations d'imposture qui sont les vraies impostures.

6. Voici le texte de cette « Première Imposture » : « Que les Jésuites favorisent l'ambition des riches, et qu'ils ruinent la miséricorde envers les pauvres, parce que Vasquez dit en son traité de l'aumône, c. 4, *Que ce que les personnes du monde gardent pour relever leur condition, et celle de leurs parents, n'est pas appelé superflu, et qu'à peine trouvera-t-on qu'il y ait jamais de superflu dans les gens du monde, non pas même dans les rois.* Lettre 6, p. 1. Édition de Cologne p. 77.

» RÉPONSE

» À prendre les paroles de Vasquez dans le sens supposé que leur donne cet écrivain janséniste, l'on dirait qu'il veut dispenser les riches de l'obligation qu'ils ont de donner l'aumône. Mais si vous allez à la source pour y trouver le véritable sens de l'auteur, vous verrez avec étonnement qu'il enseigne tout le contraire.

» Vasquez dans cet excellent traité prend à tâches de régler le devoir des riches, et montrer pour quelle raison ils sont obligés de secourir les pauvres dans leur besoin : et pour ce sujet il fait distinction des personnes laïques qui possèdent des grands biens dans le monde, et des ecclésiastiques qui jouissent des biens de l'Eglise. Quant aux ecclésiastiques, il soutient qu'ils ne peuvent en sûreté de conscience se servir des biens et des revenus de leurs bénéfices pour relever leur condition, ni celle de leurs parents, et qu'ils sont obligés de les employer au soulagement des pauvres, et même de s'enquérir de leurs besoins, parce qu'ils leur tiennent lieu de pères.

» Pour les personnes laïques, qui ont de grandes richesses, soit qu'ils les aient acquises par leur industrie, ou qu'ils les aient trouvées dans leur maison, il assure aussi qu'ils sont obligés sous peine de damnation à donner l'aumône. Mais il demande sur quel principe est fondée cette obligation, et rejetant l'opinion de Cajetan qui l'établit sur ce qu'un homme riche est tenu de donner aux pauvres le superflu de ses biens, qui est leur partage, il dit que cette raison ne lui semble pas assez forte, et que les riches s'en pourraient facilement défendre, disant qu'ils n'ont rien de superflu ; vu que dans le sentiment même de Cajetan, les personnes du monde peuvent se servir de leurs biens pour relever leur condition par des voies légitimes, *statum quem licite possunt acquirere*, et pour acquérir des charges, pourvu qu'ils en soient dignes, *statum quem digne possunt acquirere* (ce sont les mots de Vasquez qu'il répète par deux fois en ce traité ch. I, dub. 3, n. 26, et que le janséniste a supprimés), par conséquent qu'on n'appelle point superflu ce qui leur est nécessaire pour y parvenir. D'où il conclut qu'il faut établir ce devoir sur un autre fondement qui le rende indispensable, qui est celui de la charité, qui n'oblige pas seulement les riches à faire l'aumône du superflu de leurs biens, mais encore du nécessaire dans le sens que je viens de dire. Cette doctrine n'est-elle pas toute contraire à celle qu'on lui attribue ? Se peut-il voir une imposture plus visible ? Je prie le lecteur de voir ce traité et de commencer par le premier chapitre, où il parle des obligations des riches du siècle. Je l'assure qu'il ne sera pas moins édifié de la prudente conduite de ce Père qu'étonné de la malice de son calomniateur.

» AVERTISSEMENT AUX JANSÉNISTES

» Il faut que je rende le bien pour le mal, et la vérité pour le mensonge. J'avertis donc les disciples de Jansénius que toutes les aumônes qu'ils tirent des veuves, et tous les testaments qu'ils leur font faire en faveur du jansénisme condamné par le pape, sont autant de larcins qui tiennent en quelque façon du sacrilège ; parce qu'ils abusent d'un bien donné à Dieu contre l'Église de Dieu ; et que les personnes riches qui font subsister ce parti hérétique, soit qu'ils y contribuent de leur autorité ou de leurs richesses, se rendent complices de leur rébellion, et se perdent avec eux. »

7. Thomas de Vio, dit Cajetan (1468-1534), général des dominicains, puis cardinal, est l'auteur d'un célèbre *Commentaire de la Somme de saint*

Thomas (Rome, 1507-1523). Pascal donne un peu plus loin les références à saint Thomas.

Page 191.

8. Il s'agit d'Optat, évêque du IVe siècle ; la citation vient du *Contre Parménien*, 1. I.

Page 193.

9. Saint Grégoire, *Regulae pastoralis liber*, pars tertia, adm. 22.
10. Saint Augustin, *Enarratio in Psalmum 147*, 12.
11. Le contraste avec les « Avertissement(s) aux jansénistes » mis par le P. Nouet à la fin de chaque « Imposture » mérite d'être souligné ; pour Pascal, la polémique n'exclut pas la charité. Cf. *Pensées*, 745 : « J'espère que Dieu par sa miséricorde, n'ayant pas égard au mal qui est en moi et ayant égard au bien qui est en vous, nous fera à tous la grâce que la vérité ne succombera pas entre mes mains et que le mensonge ne... »
12. Pascal répond à la deuxième « Imposture » du P. Nouet. En voici le texte : « Que les Jésuites pallient les simonies, parce que Valentia dit to. 3, p. 2042 : *Que si l'on donne un bien temporel pour un spirituel, et qu'on donne l'argent comme le prix du bénéfice, c'est une simonie visible ; mais si on le donne comme le motif qui porte la volonté du bénéficier à la résigner, ce n'est point simonie, encore que celui qui résigne considère et attende l'argent comme sa fin principale. Et que Tannerus jésuite dit la même chose dans son to. 3, p. 1519, quoiqu'il avoue que saint Thomas y est contraire.* Lettre 6, p. 4, édition de Cologne p. 84.

» RÉPONSE

» Ne diriez-vous pas que Tannerus est téméraire de contredire ainsi saint Thomas, et que Valentia s'oublie aussi bien que lui en palliant la simonie ? Mais c'est un artifice du janséniste, qui ne fait que suivre Du Moulin dans ses *Traditions*, p. 312, où cet hérétique reproche au cardinal Tolet d'avoir enseigné : *Que le pape a droit de prendre argent pour les indulgences, absolutions et dispenses, parce qu'il tire cet argent non par forme de salaire, mais pour entretenir la grandeur et la dignité de sa charge.* Laissons à part le calviniste, et découvrons l'imposture de son disciple.

» Il faut remarquer avec tous les théologiens qu'il y a deux sortes de simonie ; l'une de droit divin, l'autre de droit positif. Cette distinction présupposée, Tannerus expliquant l'opinion de Valentia dit que si l'on donne de l'argent comme le prix d'un bénéfice, c'est une simonie contre le droit divin ; mais si on le donne comme le motif qui porte la volonté du bénéficier à le résigner, ou bien comme une reconnaissance, ce n'est pas une simonie de droit divin, et en cela il ne fait que suivre l'opinion de saint Thomas, q. 100, art. 1 et 2, ad 4, et art. 3, ad 2, 3, 4. Mais il ajoute à l'instant que c'est *une simonie ou de droit positif, ou présumée, dans les cas qui sont exprimés dans le droit.*

» Il dit de plus au nombre suivant qu'encore que le bénéficier qui résigne le bénéfice considérât et attendît l'argent comme sa fin principale, préférant ainsi le bien temporel au spirituel, ce ne serait pas une simonie de droit divin, parce que cette préférence se trouve en toutes sortes de péchés. Mais il ajoute aussitôt n. 67 *Que ce serait un péché mortel, même une simonie de droit positif, selon qu'il l'avait auparavant expliqué n. 65.*

» Ne faut-il pas être extraordinairement méchant pour supprimer cette dernière partie qui justifie Tannerus, et en détacher la première, pour faire croire au peuple, qui ne sait pas les distinctions de l'École, qu'il ouvre la porte aux simonies ? Quelle infamie est-ce à cet écrivain scandaleux, et à tout le Port-Royal, d'altérer la vérité avec tant de hardiesse ? Est-ce donc là ce qu'on appelle être sincère comme un janséniste ? C'est-à-dire mentir avec assurance, déguiser avec artifice, médire sans remords, publier sans pudeur les plus insignes faussetés, et ne craindre ni le jugement des sages, ni le reproche des gens de bien, pourvu qu'on puisse tromper le peuple ? Je ne dis rien de l'ignorance de ce censeur au fonds de la doctrine, je le ferai dans la seconde partie. Il ne s'agit ici que de faire voir ses impostures.

» AVERTISSEMENT AUX JANSÉNISTES

» J'avertis le Port-Royal que c'est un abus simoniaque que d'acheter des plumes vénales avec des bénéfices, et de leur donner ces bénéfices comme le prix de leur travail, afin de publier des hérésies contre la foi de l'Église et des calomnies horribles contre les ordres religieux : tels écrivains sont pensionnaires de Satan, qui est le père du mensonge et le premier calomniateur du monde. »

Page 194.

13. Ces « thèses de Caen » semblent être un cours enseigné par le jésuite Eralde Bile. La source de Pascal est ici un écrit publié en 1645 par l'oratorien Jacques Dupré, professeur à la faculté de théologie de Caen, *Doctrine simoniaque, enseignée par le Père Eralde Bile, professeur des cas de conscience des jésuites dans leur collège du Mont en la ville de Caen l'an 1644 :* « Ce jésuite enseigne une doctrine abominable touchant la simonie, en soutenant que *c'est une opinion probable, et enseignée par beaucoup de docteurs catholiques, qu'il n'y a aucune simonie ni aucun péché de donner de l'argent ou autre chose temporelle pour un bénéfice, soit par forme de reconnaissance et de gratification, soit comme un motif sans lequel on ne donnerait point le bénéfice, pourvu qu'on ne le donne pas comme un prix égal au bénéfice.* » Ce texte, que Pascal cite ici en l'abrégeant quelque peu, sera cité intégralement quelques pages plus loin, après une référence explicite à l'écrit de Jacques Dupré.

Page 197.

14. Tout ce paragraphe n'est qu'un résumé de la *Doctrine simoniaque*

Notes sur la Douzième Lettre

de Jacques Dupré ; l'oratorien étudiait en détail les cas de Simon le
Magicien et de Giezi.

Page 198.

15. *Actes des Apôtres*, VIII, 18-21 : « Simon ayant vu que par
l'imposition des mains des apôtres le Saint-Esprit était donné, il leur
présenta de l'argent. Disant : Donnez-moi aussi cette puissance, que tous
ceux sur qui je mettrai les mains reçoivent le Saint-Esprit. Mais Pierre lui
dit : Ton argent périsse avec toi, qui as estimé le don de Dieu s'acquérir
par argent. Tu n'as point de part ni d'héritage en cette affaire ; car ton
cœur n'est point droit devant Dieu » (traduction de la Bible de Louvain).

16. *Quatrième Livre des Rois* (c'est le *Second Livre des Rois* des éditions
modernes), V. Naaman, prince de l'armée du roi de Syrie, était lépreux ;
Élisée le guérit de sa lèpre, mais refusa les cadeaux de Naaman. Giezi, le
serviteur d'Élisée, alla réclamer un talent d'argent à Naaman, qui lui en
donna deux. Élisée punit Giezi en le rendant lépreux : « La lèpre de
Naaman s'attachera à toi et à ta semence jusques à toujours. »

17. L'édition de 1659 précise les références : n. 40 et 14.

18. Pascal va maintenant répondre à la troisième « Imposture » du
P. Nouet. En voici le texte : « Que les Jésuites favorisent les banqueroutes, parce que le P. Lessius assure que celui qui fait banqueroute peut
en sûreté de conscience retenir de ses biens autant qu'il est nécessaire
pour faire subsister sa famille avec honneur, *ne indecore vivat*, encore qu'il
les eût gagnés par des injustices et des crimes connus de tout le monde.
Lettre 8, page 4. édit. de Cologne p. 122.

» RÉPONSE

» Le disciple des calvinistes a pris ce reproche dans les Traditions de
son maître, p. 234, et il n'a changé que le nom de Navarre ; mais il a
ajouté tant de déguisements et d'impostures qu'il paraît bien qu'il n'a
plus rien à perdre, et qu'il a renoncé à l'honneur par une cession
publique. Je veux vous exposer la doctrine de Lessius, qui est excellente
et digne d'être considérée, surtout dans la corruption de ce siècle.

» Cet auteur au second livre *De just.*, ch. 16, d. 1, enseigne,
premièrement, qu'une personne réduite à la dernière nécessité ne
pouvant payer ses créanciers, qu'il ne s'ôte la vie et à ses enfants, n'y est
pas obligé, présupposé qu'il ne la puisse soutenir par quelque autre
moyen légitime.

» Secondement, que celui qui est mal dans ses affaires, s'il se trouve
dans une grande nécessité qui approche de l'extrême, n'est pas obligé,
pendant qu'elle dure, de payer ses dettes, mais seulement lorsqu'il en sera
sorti.

» En troisième lieu, que celui qui a ruiné sa fortune par des dépenses
excessives, par le jeu et par les débauches, ne doit point s'excuser de

satisfaire ses créanciers, sous prétexte qu'il ne le peut faire sans déchoir de sa condition, parce que c'est sa faute, et par conséquent il ne mérite pas qu'on lui accorde aucun délai. *Ce qui est à remarquer*, dit ce Père, *à raison des nobles, qui pour paraître au-delà de ce que porte leur condition, contractent des dettes immenses qui vont à l'infini* num. 28.

» En quatrième lieu, que ceux qui se sont enrichis par des moyens injustes, et qui ont relevé leur état par des concussions et des usures, ne peuvent retenir le bien qu'ils ont mal acquis, sous couleur qu'il leur est nécessaire pour vivre avec honneur selon leur condition présente. Mais qu'ils sont obligés de le restituer sans délai, et de s'acquitter de leurs dettes, même avec la perte de leur fortune et de la splendeur de leur maison, lors principalement que leurs voleries sont connues de tout le monde. *Ce qui est grandement considérable*, dit-il, *à cause des désordres du temps, où l'on en voit plusieurs qui tout à coup deviennent riches, et qui font des fortunes prodigieuses, qui ne sont bâties que de crimes, de fraudes et d'injustices ; car ils ne doivent pas s'imaginer qu'ils en soient quittes pour restituer à l'heure de la mort, ils sont obligés en conscience de satisfaire au plus tôt, et de se réduire au premier état où ils étaient avant que de faire leur maison, et de monter aux charges éminentes par de si énormes crimes.*

» Comparez, je vous prie, la véritable doctrine de ce Père avec celle qu'on lui reproche, et dites-moi avec quel front, si ce n'est celui d'un janséniste, on peut écrire de si grandes faussetés ? Dites-moi si Du Moulin a jamais falsifié et corrompu le sens des auteurs catholiques avec plus de supercheries ? Dites-moi enfin si l'on peut lire sans indignation ces paroles pleines d'artifice et de malice : *Comment, mon Père, par quelle étrange charité voulez-vous que ces biens demeurent plutôt à celui qui les a volés par ses concussions pour le faire subsister avec honneur, qu'à ses créanciers, à qui ils appartiennent légitimement, et que vous réduisez par là dans la pauvreté ?* page 122 édition de Cologne.

» AVERTISSEMENT AUX JANSÉNISTES

» On demande par quelle étrange charité les jansénistes pratiquent en secret ce qu'ils blâment en public, appliquant les restitutions qu'ils font faire, non pas aux créanciers, qu'ils réduisent par là dans la pauvreté, ⟨mais à leur parti, pour le faire subsister, non avec honneur⟩, mais à l'opprobre de la religion, et au scandale de tous les fidèles. Qu'ils sachent donc qu'il est faux que Lessius et les jésuites enseignent que l'on puisse frustrer injustement les créanciers, mais qu'il n'est que trop public que les jansénistes le pratiquent, et qu'ils ne pourraient pas subsister comme ils font, ni faire de si prodigieuses dépenses, s'ils ne s'aidaient de ces malheureuses pratiques. »

Page 200.

19. Extrait du *De justitia et jure* de Lessius : « La même chose résulte

évidemment des textes de droit cités, surtout en ce qui concerne les biens acquis après la banqueroute, desquels celui qui est débiteur, même par suite d'un délit, peut retenir autant qu'il est nécessaire pour vivre sans déshonneur selon sa condition. On demandera si les lois le permettent pour le bien qu'il détenait au moment où la banqueroute était imminente ? C'est ce qui semble résulter d'après le Digeste. »

Page 201.

20. Ce sera la Quinzième Lettre.

21. Pascal renvoie à cette conclusion dans le fragment 78 des *Pensées*, où il donne un aperçu de sa philosophie politique, nettement marquée par l'influence de Hobbes : « Si l'on avait pu, l'on aurait mis la force entre les mains de la justice. Mais comme la force ne se laisse pas manier comme on veut parce que c'est une qualité palpable, au lieu que la justice est une qualité spirituelle dont on dispose comme on veut, on l'a mise entre les mains de la force et ainsi on appelle juste ce qu'il est force d'observer. De là vient le droit de l'épée, car l'épée donne un véritable droit. Autrement on verrait la violence d'un côté et la justice de l'autre. Fin de la 12ᵉ provinciale. » Pascal se souvient peut-être d'un passage de Saint-Cyran, *La Somme des fautes... du Père François Garasse*, t. I, « Avis au Père François Garasse, p. 28 : « Aussi bon gré mal gré que nous en ayons, il faut que la vérité demeure victorieuse. »

TREIZIÈME LETTRE

Page 202.

1. Le P. Nouet fait paraître en septembre 1656 une suite à la *Réponse aux Lettres que les Jansénistes publient contre les Jésuites*, qui va de la septième « Imposture » à la dix-neuvième, marquée « XX » par suite d'une faute d'impression.

2. Voici comment le P. Nouet indique, au début de la *Réponse aux Lettres que les Jansénistes publient*, le plan qu'il se propose de suivre : « I. Altérant le sens et les paroles des auteurs jésuites qu'il cite par de lâches impostures et des supercheries infâmes. II. Condamnant sans jugement des opinions probables que les plus savants théologiens enseignent dedans l'École. III. Attaquant avec une insolente témérité les maximes de la foi que l'Église tient pour constantes et indubitables. IV. Et enfin se moquant avec impiété des pratiques familières de la dévotion, que l'on enseigne ordinairement au peuple pour l'attirer peu à peu par la facilité de ces exercices spirituels à l'amour de la vertu et au soin de son salut. »

Page 203.

3. Voici le texte de cette quatrième « Imposture » du P. Nouet : « Que les jésuites favorisent les vengeances, parce que Lessius assure que celui

qui a reçu un soufflet ne peut pas avoir intention de s'en venger ; mais il peut avoir celle d'éviter l'infamie, et pour cela de repousser à l'instant cette injure, et même à coups d'épée, *etiam cum gladio. L. 2 De justitia, c. 9, dub. 12, n. 79.* C'est dans la 7ᵉ Lettre, page 2 vers la fin. *Impression de Cologne p. 99.*

» RÉPONSE

» Ce que le janséniste reproche à notre Compagnie, le ministre Du Moulin l'a reproché devant lui à toute l'Église ; et ce que l'un attribue à Lessius, jésuite, l'autre l'a attribué à Navarre, qui ne l'est pas ; tous deux usent de supercherie ; mais l'imposture du janséniste est beaucoup plus visible et plus infâme que celle du ministre, en ce qu'il fait dire à Lessius, comme de lui-même, ce que cet auteur ne fait que rapporter de Victoria, célèbre casuiste, qui n'est pas de cette Société, non pour l'approuver, mais pour le réfuter, et ainsi il lui impute une doctrine qu'il n'allègue que pour la combattre ; qui est l'action du monde la plus lâche et la plus honteuse à un écrivain qui fait le censeur et le réformateur des opinions d'autrui.

» Car il est si faux que Lessius suive l'opinion de Victoria, qu'au contraire après l'avoir apportée au lieu que j'ai marqué *1. 2 De justitia c. 9 dub. 12 n. 79,* il déclare ensuite *n. 82, qu'il en condamne la pratique, parce qu'elle donne lieu à beaucoup de meurtres secrets, qui causeraient de grands désordres dans les royaumes, parce que quand il s'agit du droit que chacun a de se défendre, il faut toujours prendre garde que l'usage n'en soit préjudiciable au public. Car alors il ne le faut pas permettre. De plus quand même cette opinion serait vraie dans la spéculation* (ce qu'il n'accorde pas) *toutefois à peine pourrait-elle jamais avoir lieu dans la pratique.*

» Plusieurs personnes d'honneur dans Paris ont déjà reconnu cette insigne fausseté par la lecture de Lessius, et ont appris par là quelle créance mérite ce calomniateur, et de quelle sorte l'on se doit fier à ce qu'il écrit dans la cinquième Lettre p. 1 *qu'un janséniste ne ment jamais.*

» Or afin qu'un chacun sache le sentiment des jésuites dans une matière si importante que celle-ci, je prie le lecteur de considérer ce que dit Vasquez, l'un des plus célèbres auteurs de leur Compagnie, lequel, ayant proposé cette question au traité *De restitutione c. 2 dub. 9 n. 37,* à savoir s'il est permis à un homme qui a été blessé de poursuivre celui qui l'a frappé, la résout en cette sorte : *Cette doctrine* (il parle de l'opinion de ceux qui le permettent) *ne me semble pas chrétienne, mais païenne, parce qu'il s'ensuivrait de là que celui qui a reçu un soufflet pourrait à l'heure même donner un coup de bâton à son ennemi, comme les lois du monde l'y autorisent pour sauver son honneur ; et si quelqu'un avait reçu un coup de bâton, qu'il lui serait permis de poursuivre à l'instant celui qui l'a frappé et le tuer, parce qu'il ne peut autrement défendre son honneur ; ou bien enfin qu'il pourrait au même instant en tirer raison par quelque autre semblable violence, ce qui détruit la loi de l'Évangile, et même du Décalogue.* Si le calomniateur eût eu autant de désir d'édifier le peuple par la bonne doctrine des jésuites qu'il montre de chaleur à contenter sa passion, au scandale de ceux qui lisent ses Lettres, il aurait allégué l'opinion de cet auteur, et non pas celle de Victoria que Lessius rejette, bien qu'elle soit appuyée de l'autorité de plusieurs théologiens fort célèbres qui ne sont pas de notre Compagnie.

» AVERTISSEMENT AUX JANSÉNISTES

» Avouez la vérité, n'est-ce pas la honte que vous avez reçue lorsque vos maîtres ont été condamnés d'hérésie en France et à Rome, qui vous a porté violemment à la vengeance ? N'est-ce pas pour cela que, n'osant pas attaquer ouvertement l'Église comme le font vos frères calvinistes, vous vous en prenez aux jésuites, que vous avez résolu de persécuter de toutes vos forces ?

» Croyez-moi, vous ferez beaucoup mieux de reconnaître votre faute avec humilité, et alors si vous avez quelque plainte à faire au Souverain Pasteur contre les jésuites, elles seront favorablement reçues. Mais si vous vous opiniâtrez comme les hérétiques de Charenton, et si vous suivez leur passion, assurément vous n'avez point d'honneur, de faire les singes d'un ministre railleur, pour égratigner des religieux, et faire rire des athées et des libertins. »

Page 206.

4. Il s'agit du « soufflet que le P. Borin donna à M. Guille, un des officiers de cuisine du roi, qui préparait par ordre de Sa Majesté à dîner dans leur Collège de Compiègne à la reine Christine de Suède » (note de Wendrock, traduction de Mlle de Joncoux). L'incident a dû avoir lieu vers le 10 septembre 1656. Le motif du soufflet n'est pas évident : le jésuite se croyait sans doute victime d'une violation de domicile, mais on connaît par ailleurs les sympathies jansénistes de Guille. Le fait est contesté dans la *Réponse à la Treizième Lettre des jansénistes* du P. Nouet : « Le bruit se répandit il y a peu de jours dans la ville de Compiègne qu'une personne, dont le nom est assez connu, avait reçu un soufflet d'un jésuite, que sa rare modestie a rendu aimable aux plus grands du royaume. Monseigneur de Rodez, ayant voulu s'en informer, apprit la fausseté de cette calomnie de la bouche même de celui qu'on disait être l'offensé. »

5. Le P. Nouet, dans sa *Réponse à la Treizième Lettre des jansénistes*, apporte des précisions : « Que deviendront les instructions chrétiennes de ce curé, que vous n'avez fait entrer dans votre lettre que parce qu'il n'aime pas trop les jésuites, et que l'on n'a fait sortir de Paris que parce qu'il aime encore moins la religion ? » Il s'agit d'Henri Du Hamel, ancien dirigé de Saint-Cyran et destinataire d'un certain nombre de ses lettres de spiritualité, curé de Saint-Merry depuis 1644, exilé par Mazarin en 1654 à Langres, puis à Quimper.

6. Escobar, tr. I, ex. VII, n. 47.

Page 207.

7. Il s'agit de l'enseignement des PP. Flahaut et Lecourt, déjà mentionné dans la Septième Lettre (voir n. 12 à la 7ᵉ).

8. Les « Impostures » XV à XVIII sont regroupées par le P. Nouet en un seul développement qui porte sur un seul passage de la Septième Lettre. En voici le début et la fin : « Que lorsque les jésuites assurent *qu'il n'est pas permis de tuer un homme pour de simples médisances, ce n'est pas parce que la loi de Dieu le défend, qu'ils ne le prennent pas par là, qu'ils le trouvent permis en conscience et en ne regardant que la vérité en elle-même. Et pourquoi le défendent-ils donc ? C'est parce qu'on dépeuplerait un État en moins de rien, si on en tuait tous les médisants. Apprenez-le de notre Reginaldus l. 21, n. 63, p. 260. Encore que cette opinion qu'on peut tuer pour une médisance ne soit pas sans probabilité dans la théorie, il faut suivre le contraire dans la pratique. Car il faut toujours éviter le dommage de l'État dans la manière de se défendre. Or il est visible qu'en tuant le monde de cette sorte il se ferait un trop grand nombre de meurtres. Lessius en parle de même au lieu déjà cité. Il faut prendre garde que l'usage de cette maxime ne soit nuisible à l'État. Car alors il ne faut pas le permettre :* Tunc enim non est permittendus. *Filiucius joint à cette raison-là une autre bien considérable, tra. 29, c. 3, n. 51. C'est qu'on pourrait être puni en justice en tuant le monde pour ce sujet.* Lettre 7, page 6, impression de Cologne p. 108.

» RÉPONSE

» Il semble que cet homme s'est mis en possession de tromper le monde impunément à force de mentir. Car dans ce seul reproche il a commis tout à la fois quatre impostures les plus infâmes qu'on puisse imaginer. La première, qui est plus universelle, regarde tous les auteurs jésuites qui soutiennent qu'on ne peut tuer un calomniateur en sûreté de conscience. Car ce janséniste leur impose que selon leur sentiment *il est permis de tuer pour de simples médisances,* que, *s'ils le condamnent, ce n'est pas parce que la loi de Dieu le défend, et qu'ils ne le prennent pas par là, et que ce n'est qu'une défense politique, et non pas de religion.*

» À cela il me suffit de dire pour le confondre, sans rapporter un grand nombre d'auteurs qui le démentent, que Vasquez et Suarez sont jésuites, et que tous deux enseignent qu'il n'est pas permis de tuer un calomniateur...

» AVERTISSEMENT AUX JANSÉNISTES

» Je ne sais pourquoi vous en voulez tant aux juges, et pour quelle raison vous trouvez mauvais que les Jésuites se tiennent à leurs arrêts dans les décisions de la morale : car de vérité ils ont usé jusqu'ici d'une grande indulgence en votre endroit, et souffert vos dérèglements avec beaucoup de patience.

» Quoi qu'il en soit, il faut remédier au scandale que vous avez donné au public, en disant faussement que les jésuites trouvent qu'il est permis en conscience de tuer pour de simples médisances, et qu'ils le défendent seulement par des raisons politiques, et pour avoir les juges de leur côté. J'assure donc tous les catholiques qu'il n'y a pas un théologien, ni jésuite ni autre, qui permette de tuer pour de simples médisances. Qu'il est vrai que quelques célèbres auteurs, qui ne sont point jésuites, estiment qu'il est permis de tuer un calomniateur, quand il attaque l'honneur et la vie par des ressorts si puissants et si injustes qu'on ne peut s'en défendre que par sa mort ; c'est l'opinion de Banez, de Major, de Pierre de Navarre, de Monsieur Du Val, l'ornement de la Sorbonne, et du cardinal de Richelieu, comme vous le pouvez apprendre de la réponse du père Caussin à la Théologie morale, et de celle du théologien de la Compagnie de Jésus. Mais ce cas est si rare qu'il n'arrive presque jamais. Et toutefois les plus savants auteurs parmi les jésuites, Suarez, Lessius, Reginaldus, Filiucius, etc., s'opposent tous à cette doctrine pour les dangereuses conséquences qu'elle traîne. Que s'ils la combattent avec modestie, c'est qu'elle n'a pas été condamnée par le pape ni par l'Église, qui en ont le pouvoir, et qu'encore qu'ils n'approuvent pas l'opinion de ces célèbres docteurs, ils savent néanmoins le respect qu'ils doivent à leur personne.

» Pour vous, qui condamnez injustement ce procédé, et qui voulez les rendre criminels, parce qu'ils ne sont pas si téméraires que ceux de votre parti, ni si insolents que de s'attribuer l'autorité du pape et de l'Église, vous devriez plutôt songer à corriger la mauvaise doctrine de l'abbé de Saint-Cyran, qui a bien osé enseigner qu'il faut tuer le prochain quand l'esprit intérieur nous y porte, quoique la loi extérieure le défende. Vous en verrez quand il vous plaira la preuve et la pratique en la seconde page de l'information qui fut faite contre lui par le commandement du feu roi, en l'année 1638 , l'original est au Collège de Clermont. »

Page 209.

9. Dans la Douzième Lettre, p. 199.

Page 210.

10. Voir la note 11 à la Septième Lettre. Le P. Héreau avait été condamné aux arrêts par décision royale (arrêt du Conseil d'État du Roi du 3 mai 1644).

11. La source de Pascal est ici la fin de la *Première Requête des Curés de Rouen, présentée à M. leur Archevêque,* du 28 août 1656 (cet écrit a été publié en annexe aux éditions des *Provinciales* à partir de 1657) : « Et c'est encore avec une pareille hardiesse que le même Père Des Bois a osé défendre le Père L'Amy, théologien de sa compagnie, sur le sujet du meurtre de ceux qui calomnient ou menacent de calomnier les prêtres ou religieux, jusque là même que dans une des dernières leçons qu'il a faites à ses écoliers depuis peu de jours, il a insinué clairement qu'il était permis aux prêtres et religieux de défendre *etiam cum morte invasoris* l'honneur

qu'ils ont acquis par leur vertu et leur sagesse, lorsqu'il n'y a point d'autre moyen d'empêcher le calomniateur. À raison de quoi, Monseigneur, nous demandons qu'il vous plaise ordonner à ce régent de rétracter et désavouer publiquement les propositions qu'il a avancées tant contre les bonnes mœurs que contre l'ordre et la discipline de votre diocèse et de toute l'Église, et qu'il lui soit fait défense d'enseigner à l'avenir pareilles doctrines scandaleuses sous les peines de droit. »

Page 211.

12. Pascal répond à ce passage du P. Nouet, dans les « Impostures » XV à XVIII : « La seconde imposture touche le P. Reginaldus, dont il coupe le texte, et n'en prend qu'une partie qu'il corrompt malicieusement, car il lui fait dire *qu'il faut toujours éviter le dommage de l'État dans la manière de se défendre* ; et cet auteur dit *que dans le droit que chacun a de se défendre, il faut considérer que l'usage qu'on en fait ne tende pas à la ruine de l'État.* Or pourquoi change-t-il ce mot de *droit,* sinon parce qu'il eût fait voir clairement que la pensée de Reginaldus est qu'encore qu'un particulier eût droit d'user de cette sorte de défense, la considérant simplement en elle-même, cependant elle est illégitime et criminelle même selon la loi de Dieu, à raison des meurtres et des désordres qu'elle causerait dans l'État. En quoi j'admire l'aveuglement de notre calomniateur, qui reconnaît que selon le P. Reginaldus cette manière de se défendre tend à la ruine de l'État, et néanmoins il assure qu'il ne la défend pas parce qu'elle est contre la loi de Dieu ; comme s'il était permis selon la loi de Dieu de renverser l'État ; comme si Dieu, qui défend de violer le droit d'un particulier, ne défendait pas de ruiner le bien public... »

Page 212.

13. Voici le passage du P. Nouet, dans les « Impostures » XV à XVIII : « La quatrième imposture regarde Filiucius, que cet écrivain reprend de ce qu'en soutenant la doctrine des jésuites qui défend de tuer, non seulement pour de simples médisances, comme il leur impose, mais encore pour les plus atroces calomnies et les accusations les plus injustes : il apporte pour raison *qu'on pourrait être puni en justice en tuant le monde de la sorte.* Je voudrais bien savoir quel crime aurait fait cet auteur, quand il se serait servi de cette raison ? Le janséniste croit-il que les juges ne punissent les meurtres que par des considérations politiques, et non pas par des maximes de conscience et de religion ? La loi de Dieu n'est-elle point considérée dans la Tournelle ? Les juges criminels n'ont-ils point devant les yeux les commandements de Dieu ? La religion de la Cour lui est-elle si suspecte qu'il estime les jésuites criminels pour avoir établi leur opinion sur leurs arrêts ? Je le prie encore une fois de me dire pourquoi il ajoute cette raillerie aux précédentes : *Je vous le disais bien, mon Père, que vous ne feriez jamais rien qui vaille, tant que vous n'auriez point les juges de*

votre côté ? Pense-t-il donc que ces Pères tiennent à déshonneur de régler leur conduite par la justice des lois et par les arrêts de la Cour ? »

Page 213.

14. Dans la quatrième « Imposture ».

Page 215.

15. Il s'agit du point discuté dans la première « Imposture » (voir n. 6 à la Douzième Lettre) et dans la Douzième Lettre.

16. Cf. *Pensées*, 738, fin : « Le premier esprit de la Société éteint. »

17. Le fragment 739 des *Pensées* est constitué d'une série de références, de la main d'Arnauld, signalant des passages de lettres d'Acquaviva (Général de la Compagnie de Jésus de 1581 à 1615) et de Muzio Vitelleschi (Général de 1615 à 1646), publiées dans les *Epistolae praepositorum generalium ad patres et fratres Societatis Jesu* (Anvers, 1635), et de notes de Pascal se rapportant à ces passages. La déclaration qu'évoque Pascal se trouve dans la lettre 2 de Vitelleschi, du 4 janvier 1617, lettre qui a donné matière à deux remarques de Pascal dans le fragment 739.

18. Cf. Jean, III, 19 : « La lumière est venue au monde, et les hommes ont mieux aimé les ténèbres que la lumière. »

19. Ce texte de Vasquez est cité dans la quatrième « Imposture » ; voir n. 3.

Page 216.

20. *Ecclésiastique*, II, 14.

QUATORZIÈME LETTRE

Page 217.

1. Il s'agit des « Impostures » XI, XIII et XIV.

Page 218.

2. *Genèse*, IX, 5-6.

3. *Épître aux Romains*, XIII, 4. Comme l'a signalé Philippe Sellier (*Pascal et saint Augustin*, p. 95), la source de Pascal est ici saint Augustin, *Sermo 302 — de diversis 101*, 11, n. 10 ; Pascal y a trouvé la citation de saint Paul et son interprétation.

Page 219.

4. *Épître aux Romains*, XIII, 3.

5. Les éditions récentes des *Provinciales* renvoient à la Lettre 204, § 5, où il est question du suicide des donatistes ; Philippe Sellier a montré que la source de tout le paragraphe est encore le *Sermo 302 — de diversis 101* (14, n. 13), auquel renvoie aussi une note des *Pensées* (fr. 558) : « Faut-il

tuer pour empêcher qu'il n'y ait des méchants ? C'est en faire deux au lieu d'un, *Vince in bono malum* (saint Augustin). » Saint Augustin développe dans son sermon l'idée que mettre à mort un criminel sans le strict respect des formes judiciaires, c'est commettre un homicide.

Page 220.

6. *Pro Milone*, III, 9.

Page 221.

7. Matthieu, V, 17 : « Ne pensez point que je sois venu pour abolir la Loi ou les prophètes : je ne suis point venu pour les abolir, mais pour les accomplir. »

8. Pascal résume l' « Imposture » XIV : « Pour découvrir cette imposture, il faut se souvenir *que toutes les lois permettent*, comme dit Innocent troisième, *de repousser la force par la force, non pas avec le dessein de se venger, mais avec celui de se défendre.* C'est ainsi que l'Écriture exempte de blâme celui qui tue un larron, quand il le trouve perçant les murailles ou rompant les portes de sa maison. C'est ainsi que la loi permet de tuer même en plein jour un voleur qui est armé. Et enfin c'est ainsi que les Canons disent qu'on ne doit point imputer à crime de repousser la force à l'instant qu'on est attaqué, et que le pape Étienne déclare que celui qui tue en se défendant n'est pas irrégulier. »

9. Il s'agit de la Censure de la Faculté de théologie de Louvain, du 8 octobre 1649, contre deux articles de la doctrine du P. Amico : « La Faculté, après une mûre délibération, a jugé que la doctrine contenue dans ces deux articles, entendue d'une défense meurtrière, comme toute la suite, et le titre même de la section le marquent assez, est non seulement fausse, mais aussi pernicieuse à toute la république et à tout le genre humain, et qu'ainsi on la doit entièrement abolir. »

Page 222.

10. Cette paraphrase de la treizième « Imposture » montre bien que le dialogue entre Pascal et le P. Nouet est un dialogue de sourds. Pascal, en mathématicien, fait un calcul très simple : si, pour Lessius, la permission de tuer un voleur qui s'enfuit ne vaut pas pour un vol d'une valeur de trois, quatre ou cinq ducats, c'est qu'elle vaut à partir de six ducats. Le P. Nouet est choqué de la conclusion, mais il ne réfute pas le raisonnement qui y conduit, faute de l'avoir correctement analysé. Dans sa réponse, Pascal revient à l'interprétation quantitative, sans voir pourquoi le P. Nouet ne la considère pas comme pertinente. Voici le texte de la treizième « Imposture » : « Que le P. Molina, jésuite, assure *qu'il est permis de tuer un homme, pour six ou sept ducats, encore que celui qui les emporte s'enfuie. C'est en son tome 4, traité 3, disp. 16, nombre 6.* » Let. 7, p. 7, Imp. de Col., p. 110.

» RÉPONSE

» Il ne faut que conférer les paroles de Molina avec la traduction du janséniste pour faire rire le lecteur, mais d'un ris d'indignation contre cet imposteur.

» La question est d'un voleur qui s'enfuit après avoir fait un larcin ; et on demande s'il est permis de courir après lui et de le tuer, si on ne peut autrement l'arrêter ou retirer ce qu'il emporte.

» Que répond le P. Molina au lieu que le calomniateur allègue ? *Si la chose, dit-il, n'était pas de grande valeur, par exemple si elle n'était que de la valeur de trois, ou quatre, ou cinq ducats, Sotus tombe d'accord, et il y a d'autres auteurs qui en conviennent avec lui, qu'il n'est pas permis de tuer celui qui s'enfuit. Mais si elle était de grande valeur, et qu'il y eût peu d'apparence de pouvoir après la recouvrer, Sotus assure qu'il est permis, en ce cas-là, de le tuer. Et je n'oserais pas condamner cela, pourvu qu'on avertît auparavant celui qui s'enfuit qu'on le tuera s'il ne laisse ce qu'il a pris. Toutefois il faut toujours conseiller en cette rencontre qu'on ne commette point de meurtre.*

» Comment est-ce que le janséniste traduit ce passage ? *Pour six ou sept ducats, il est permis de tuer un homme, encore que celui qui les emporte s'enfuie.* Est-il possible, me direz-vous, qu'il ait traduit en la sorte ? N'en croyez qu'à vos yeux. Lisez l'endroit que je vous marque. Quoi donc ! Est-il permis de tromper ainsi le public, et de se jouer avec tant d'impunité de l'honneur des personnes religieuses ? Les jansénistes n'en font point de conscience, dans la créance, dont ils se flattent, qu'il se trouvera peu de lecteurs qui veuillent prendre la peine de vérifier les textes qu'ils falsifient par un dessein formé pour abuser de la crédulité des simples. Mais continuons à rapporter les falsifications de ce mauvais secrétaire. »

11. Pascal rend bien compte du texte du P. Nouet : « Voici ce que dit Molina : *Si quelqu'un voulait usurper injustement une chose de la valeur d'un écu, ou de moindre prix, nonobstant la résistance de celui qui en est le possesseur ou le gardien, je n'oserais pas condamner d'aucun péché, ni même à aucune peine, celui qui en la défendant aurait tué cet injuste agresseur, pourvu qu'il garde la modération d'une juste défense.* Remarquez, s'il vous plaît, cette dernière clause, *pourvu qu'il garde la modération d'une juste défense,* qui est essentielle à la proposition de Molina, parce qu'elle présuppose que celui qui est tué est *l'agresseur,* et *agresseur injuste,* et que celui qui le tue ne peut autrement repousser la violence qu'il souffre, ni le danger où il se trouve de sa personne en voulant défendre son bien. Ce sont là les conditions d'une juste et innocente défense, que tous les casuistes établissent, et qui justifient entièrement la doctrine de cet auteur. »

Page 223.

12. Il faut comprendre : la seule de mes citations que vous contestiez est celle que je fais de votre P. Layman.

13. Pascal répond ici à la onzième « Imposture » du P. Nouet : « Layman… enseigne-t-il que si *un soldat à l'armée ou un gentilhomme à la*

Cour se trouve en état de perdre son honneur ou sa fortune, s'il n'accepte un *duel, il ne voit pas que l'on puisse condamner celui qui le reçoit pour se* *défendre ?* Imposture. Il dit seulement que Navarre est dans ce sentiment. Approuve-t-il l'opinion de Navarre ? Imposture. Il dit simplement (ce que Monsieur Du Val, docteur de Sorbonne, *tract. de charit.*, a dit depuis, pour l'estime qu'il fait de Navarre) qu'il ne l'ose pas condamner. *S'il* *arrive,* dit-il, *par une rencontre qui est très rare,* in casu rarissimo, *qu'un* *soldat à l'armée ou un cavalier dans la Cour soit assuré de perdre sa charge, sa* *dignité et la faveur de son prince, s'il ne se bat contre celui qui l'a provoqué par* *plusieurs fois, donnant par là sujet de croire qu'il n'a point de cœur, je n'ose pas* *condamner celui qui suivant la doctrine de Navarre aurait accepté le duel en ce* *rencontre, purement et simplement pour se défendre.* Où est la bonne foi du traducteur janséniste ? Layman dit qu'il n'ose pas condamner celui qui suit l'opinion de Navarre en acceptant le duel, et le janséniste lui fait dire absolument qu'il ne voit pas qu'on le puisse condamner en acceptant le duel, comme si c'était l'opinion de Layman, et non pas celle de Navarre, dont cet imposteur a supprimé le nom... »

Page 224.

14. Voir la note 11 à la Septième Lettre.

Page 225.

15. Il s'agit du tyrannicide et de l'avortement.
16. Cf. *Première Épître de saint Pierre,* I, 18-19 : « Vous avez été rachetés... non point par choses corruptibles, comme par or ou par argent. Mais par le sang précieux de Christ » ; *Première Épître aux* *Corinthiens,* III, 16 : « Ne savez-vous pas que vous êtes le temple de Dieu, et que l'Esprit de Dieu habite en vous ? » et *Seconde Épître aux* *Corinthiens,* VI, 16 : « Vous êtes le temple du Dieu vivant. »

Page 226.

17. Cf. Antoine Arnauld, *La Tradition de l'Église sur le sujet de la* *pénitence et de la communion,* Paris, 1644 : « Ces pratiques anciennes et universelles de l'Église, n'étant pas de l'invention de l'esprit humain, mais de l'Esprit de Dieu, ni même des condescendances et des relâchements de discipline, puisque c'est d'elles au contraire qu'on s'est relâché, outre leur usage qui peut changer, quoiqu'on ne puisse douter qu'il n'ait été très salutaire aux âmes, enferment encore les raisons de la foi, et les sentiments de l'Église, sur lesquels elles sont fondées, qui sont entièrement immuables, et incapables de changement, quelque changement qui arrive dans l'observation des pratiques » (p. 116 de l'éd. de 1653).
18. Tout ce passage est un centon du Nouveau Testament ; cf. *Épître* *aux Romains,* XII, 17 à XIII, 2 ; *Première Épître aux Corinthiens,* VI, 7 ; *Première Épître de saint Pierre,* II, 13-18.

Page 229.

19. « *Assister* signifie aussi Juger avec un autre juge » (Furetière, 1690) ; Furetière donne pour cette acception un exemple qui correspond à la situation mentionnée par Pascal : « Un bénéficier, quand il assiste à un jugement de mort, devient irrégulier. »

20. Allusion à l'*Operis idea* du *Liber theologiae moralis* d'Escobar.

21. Matthieu, XII, 30.

22. C'est le thème essentiel de *La Cité de Dieu*.

Page 230.

23. Jean, XII, 31 ; XIV, 30 ; XVI, 11.

24. *Seconde Épître aux Corinthiens*, IV, 4.

25. Matthieu, V, 39.

26. Luc, VI, 26.

27. *Apocalypse*, XI, 8.

28. *Épître aux Philippiens*, II, 5.

29. Jean, VIII, 44 : « Le père dont vous êtes issu, c'est le diable, et vous voulez faire les désirs de votre père. Il a été homicide dès le commencement, et n'a point persévéré en vérité, car vérité n'est point en lui » (traduction de la Bible de Louvain).

Page 231.

30. Le meurtre d'Abel par Caïn.

31. La *Réponse à la Treizième Lettre des jansénistes* du P. Nouet a donc été publiée vers le 20 octobre 1656 ; elle sera réimprimée dans les *Réponses aux Lettres provinciales*, Liège, Hovius, 1657, pp. 234-265.

32. Le P. Nouet s'en prend à Saint-Cyran, à Jansénius et à Arnauld.

QUINZIÈME LETTRE

Page 233.

1. Les six premières « Impostures » du P. Nouet ont paru vers le 20 août 1656, les « Impostures » VII à XIX vers la mi-septembre ; la *Seconde partie des impostures que les Jansénistes publient dans leurs lettres contre les Jésuites*, qui contient les « Impostures » XX à XXIX, paraît fin octobre ou début novembre.

2. À la fin de la Douzième Lettre.

Page 234.

3. Cf. *Pensées*, 745 : « Je veux vous le dire à vous-mêmes afin que cela ait plus de force. »

4. Ces thèses de Louvain sont mentionnées dans deux ouvrages d'Arnauld, les *Réflexions sur un décret de l'Inquisition de Rome portant défense de lire le Catéchisme de la grâce* (Paris, 1650) et les *Remontrances*

aux Pères jésuites touchant un libelle qu'ils ont fait courir dans Paris sous ce faux titre : *Le manifeste de la véritable doctrine des jansénistes* (Paris, 1651). Le mot *elidere* (briser, écraser) revient cinq fois, comme un refrain, dans le fragment 745 des *Pensées*, constitué de notes préparatoires à la Quinzième Lettre.

5. Diego de Quiroga (1572-1649) est en fait espagnol ; il fut confesseur des rois Philippe II, Philippe III et Philippe IV.

6. Jean de Dicastillo (1585-1653), jésuite, professeur à Tolède, Murcie et Vienne ; son *De Justitia et jure* avait paru à Anvers en 1641.

Page 237.

7. Censure de l'archevêque de Paris, Jean-François de Gondy, du 29 décembre 1651, contre *Le Jansénisme confondu* du P. Brisacier. Voir la note 42 à la Onzième Lettre.

8. Jean Danjou (1611-1683), jésuite, prédicateur connu pour son opposition à l'augustinisme et à Port-Royal. Ses excès sont signalés à plusieurs reprises dans les *Mémoires* de Godefroy Hermant.

9. Il s'agit de la grande œuvre de charité entreprise à l'initiative de saint Vincent de Paul, avec la participation des religieuses de Port-Royal et de leurs amis.

10. Le curé de Saint-Benoît était Claude Grenet (1604-1684), qui deviendra en 1658 supérieur de Port-Royal des Champs. Racine fait le récit de cet épisode dans l'*Abrégé de l'histoire de Port-Royal* : « Feu M. de Bagnols et quelques autres amis de Port-Royal ayant contribué jusqu'à une somme de près de quatre cent mille francs pour secourir les pauvres de Champagne et de Picardie pendant la famine de l'année 1652, la chose ne se put faire si secrètement qu'il n'en vînt quelque vent aux oreilles des jésuites. Aussitôt l'un d'eux, nommé le P. d'Anjou, qui prêchait dans la paroisse de Saint-Benoît, avança en pleine chaire qu'il savait de science certaine que les jansénistes, sous prétexte d'assister les pauvres, amassaient de grandes sommes qu'ils employaient à faire des cabales contre l'État. Le curé de Saint-Benoît ne put souffrir une calomnie si atroce, et monta le lendemain en chaire pour en faire voir l'impudence et la fausseté. Mais l'affaire n'en demeura pas là : Mlle Viole, fille dévote et de qualité, entre les mains de laquelle on avait remis cette somme, alla trouver le P. Vincent, supérieur de la Mission, et l'obligea de justifier par son registre comme quoi tout cet argent avait été porté chez lui, et comme quoi on l'avait aussi distribué aux pauvres des deux provinces que je viens de dire » (*Œuvres complètes*, Pléiade, t. II, pp. 73-74).

11. Le P. Jean Crasset (1618-1692), jésuite, avait prononcé le 8 septembre 1656, dans la chapelle du collège d'Orléans, le sermon incriminé ; le mandement de l'évêque d'Orléans, Alphonse d'Elbène, est daté du lendemain même.

Page 238.

12. Benoît Puys, oratorien, curé de Saint-Nizier à Lyon de 1633 à sa

mort en 1654, avait publié en 1649, à Lyon, chez Pierre Compagnon, *Le Théophile paroissial de la messe de paroisse, par le R.P.B.B.C. P.*, traduit *du latin de l'auteur par Benoît Puys, docteur en théologie, chanoine, sacristain et chef du chapitre de l'église collégiale et paroissiale de Saint-Nizier de Lyon, juge lieutenant en la Primatie de France*, traduction partielle du *Theophilus parochialis seu De quadruplici debito in propria parochia persolvendo : concionis, missae, confessionis paschalis, paschalisque communionis*, Anvers, 1635 ; on interprète habituellement les initiales du titre comme « Révérend Père Bonaventure Bassean Capucin Prédicateur ». Dans sa Préface, Benoît Puys mentionne parmi les motifs qui l'ont poussé à publier cette traduction « la liberté de quelques prédicateurs, membres d'une Compagnie régulière que j'honore beaucoup, qui se sont échappés à déclamer publiquement contre la messe de paroisse et contre la charité et sollicitude des pasteurs ».

13. Le P. Henry Albi (1590-1659), jésuite, né à Bollène, était recteur du collège de la Trinité à Lyon. La chapelle du collège étant située sur la paroisse de Saint-Nizier, de nombreux paroissiens de Saint-Nizier y assistaient sans doute à la messe dominicale ; d'autre part, les congrégations, associations pieuses de laïcs, s'y réunissaient le dimanche matin, à l'heure de la messe de la paroisse ; le P. Albi a pu penser que le collège de la Trinité était particulièrement visé.

14. Pascal formule explicitement des accusations qui restent implicites dans le livre anonyme du P. Albi, *L'Anti-Théophile paroissial ou Réponse au livre qui porte pour titre Le Théophile paroissial de la messe de paroisse, traduit en français du latin d'un auteur flamand par Messire B. P.* (Lyon, 1649). Voici comment Albi présente ses insinuations : « Il (Benoît Puys) a conçu contre eux (les jésuites) cette haine, sur l'opinion qu'il a prise, sans fondement, comme je l'ai appris d'eux, qu'ils avaient secrètement travaillé à lui faire défendre par ses supérieurs de continuer une congrégation de femmes, qu'il avait établie de son autorité dans sa paroisse, qui faisaient, à ce que l'on dit, les préludes de leurs entretiens dans sa chambre, qu'ils achevaient après dans une chapelle qu'il avait destinée à cela dans l'église ; où je me veux figurer qu'il se pratiquait des saints exercices de piété sous son instruction ; si ce n'est qu'il avait été remarqué par quelques curieux qui trouvent à redire aux choses les plus saintes, qu'il s'y était quelquefois entretenu avec goût des yeux mourants ; et qu'il était à craindre que le sens enfin ne s'y mêlât subtilement avec l'esprit » (pp. 80-81).

15. Dans sa *Réponse chrétienne à un libelle anonyme, honteux et diffamatoire* (Lyon, Pierre Compagnon, 1649), Puys introduit quelques critiques contre les maximes relâchées des casuistes jésuites, à propos du duel par exemple.

16. Albi a publié son *Apologie pour l'Antithéophile* (Lyon, 1649) sous le pseudonyme de Paul de Cabiac.

Page 239.

17. Cf. *Pensées*, 745 : « Quand vous croyiez M. Puis ennemi de la Société, il était indigne pasteur de son église, ignorant, hérétique, de mauvaises foi et mœurs ; depuis il est digne pasteur, de bonnes foi et mœurs. »

18. Ces expressions sont prises aux citations du P. Caussin et du P. Pinthereau que Pascal donne dans le paragraphe suivant.

19. La neuvième « Imposture » du P. Nouet vise la citation, dans la Cinquième Lettre, du passage de Bauny repris au début du paragraphe suivant.

20. Ce texte de Bauny et celui qui sera commenté deux pages plus loin avaient été cités par Arnauld en 1643 dans la *Théologie morale des Jésuites* et en 1644 dans la *Lettre d'un théologien à Polémarque.*

Page 241.

21. Il faut corriger en « p. 120 ».

22. Citation du livre du P. Pinthereau déjà mentionné dans la Dixième Lettre, *Les Impostures et les ignorances du libelle intitulé « La Théologie morale des Jésuites »*, publié en 1644 sous le pseudonyme de l'abbé de Boisic.

Page 243.

23. Pascal cite *Le Jansénisme confondu* du P. Brisacier, publié en 1651, d'après les extraits publiés par Arnauld en 1652 à la suite de sa *Défense de la Censure de Monseigneur l'Archevêque de Paris :* « Attendez donc, sieur Callaghan, quand vous verrez un pénitent à vos pieds, qu'il ait effacé jusques aux fantômes, que son ange gardien hypothèque tous les droits qu'il a dans le ciel pour être sa caution : *que Dieu le Père jure par son chef que David a menti* quand il a dit par le transport du Saint-Esprit que tout homme est trompeur dans ses promesses, menteur en ses paroles et frêle, c'est-à-dire sujet à se démentir dans ses résolutions, et que ce pénitent n'est plus homme ni fragile, ni menteur, ni changeant, ni pécheur comme les autres, et vous n'appliquerez jamais le sang de Jésus-Christ sur personne. » Comme il le fait souvent, Pascal récrit le texte cité en le resserrant, mais sans en modifier le contenu.

24. *Lettre d'un ministre à M. Arnauld :* du 18 juin 1644.

Page 244.

25. *Lettre circulaire des Jansénistes :* publiée en 1654 dans les *Inconvénients d'État procédant du jansénisme* de Léonard de Marandé.

26. Bernard Meynier (1604-1682), jésuite, venait de publier *Le Port-Royal et Genève d'intelligence contre le Très-Saint Sacrement de l'Autel dans leurs livres* (Poitiers, 1656) ; c'est à ce livre que renvoie Pascal.

27. Jean de Brisacier, *Le Jansénisme confondu*, 1re partie, p. 22 (passage cité dans les extraits d'Arnauld, voir n. 23) : « J'ai donc dit avec raison que j'aurais horreur de déclarer ce que je ne pouvais découvrir qu'avec

scandale touchant ces insignes apostats, qui pour s'être apprivoisé toutes les maximes infâmes du temps ont fait des crimes abominables, que ma pudeur défendait de révéler, et que je laissais dans le silence avec saint Paul... »

28. Pascal n'a pas mis lui-même la menace à exécution, mais on amassait à Port-Royal une documentation sur les conflits entre jésuites et bénédictins. Ces documents seront publiés dans *La Théologie morale des Jésuites et nouveaux casuistes* qui accompagne l'édition de 1659 des *Provinciales* (« Histoire mémorable du procédé qu'ont tenu les jésuites pour enlever aux religieux de saint Benoît, de saint Augustin, de Cîteaux, et de Prémontré, les abbayes que l'empereur Ferdinand II avait retirées des mains des protestants d'Allemagne »), et dans *La Morale pratique des Jésuites, représentée en plusieurs histoires arrivées dans toutes les parties du monde* (Cologne, 1669) de Pontchâteau.

29. Valeriano Magni (1587-1661), capucin, né à Milan, vicaire apostolique de Pologne, Bohême, Hongrie et Allemagne, avait reconstitué à Varsovie, sans en avoir été informé semble-t-il, l'expérience de Torricelli, au moment où Pascal réalisait à Rouen les « *Expériences nouvelles touchant le vide* » ; Pascal en parle dans ses lettres de 1651 à M. de Ribeyre. Ses démêlés avec les jésuites le conduiront en prison.

30. Il s'agit en fait du Landgrave de Hesse-Rheinfels ; l'erreur est corrigée dans l'édition des *Provinciales* de Cologne, Pierre de La Vallée, 1739, qui donne en note l'explication suivante : « Son Altesse le Prince Ernest Landgrave de Hesse, de la conversion duquel il s'agit ici, n'était pas de la Maison de Hesse-Darmstadt, mais il était fils du Prince Maurice Landgrave de Hesse, et n'était pas même l'aîné de ce prince, et par conséquent n'était pas chef de la Maison de Hesse-Cassel, comme il paraît qu'un auteur célèbre l'a cru. » Ernest de Hesse-Rheinfels (1623-1693) s'était converti au catholicisme en 1652.

Page 246.

31. Toutes ces expressions sont prises dans *Le Jansénisme confondu* du P. Brisacier.

Page 247.

32. Troisième « Imposture » : « On demande par quelle étrange charité les jansénistes pratiquent en secret ce qu'ils blâment en public, appliquant des restitutions qu'ils font faire, non pas aux créanciers, qu'ils réduisent par là dans la pauvreté, ⟨mais à leur parti, pour le faire subsister, non avec honneur⟩, mais à l'opprobre de la religion, et au scandale de tous les fidèles. »

33. Cinquième « Imposture » : « On sait de bonne part que les jansénistes ont voulu corrompre par argent de savants religieux docteurs de Sorbonne, pour enseigner leurs erreurs dans l'École. Ces religieux ont eu l'horreur d'une si noire méchanceté ; mais, s'ils eussent pris le sac

qu'on leur présentait par avance, et qu'ils l'eussent donné aux pauvres, eussent-ils été obligés à le restituer ? »

34. Deuxième « Imposture » : « J'avertis le Port-Royal que c'est un abus simoniaque que d'acheter des plumes vénales avec des bénéfices, et de leur donner ces bénéfices comme le prix de leur travail, afin de publier des hérésies contre la foi de l'Église... »

35. Sixième « Imposture » : « Au reste, il n'appartient qu'aux jansénistes d'apprendre aux calomniateurs comme vous à se rendre habiles en leur art, non par de simples décisions, mais par de grosses pensions. »

36. Septième « Imposture » : « Son excuse est son ignorance : il n'y a pas longtemps qu'il faisait des romans, à ce que l'on dit... »

37. C'est inexact pour Pascal, si l'on en croit les propos rapportés par le *Recueil de choses diverses* : « M. Pascal... aimait les livres plaisants, comme Scarron, son roman. Mais il les quitta ensuite et se donna tout à Dieu » (Pascal, *Œuvres complètes*, éd. Mesnard, t. I, p. 892). D'autre part, le fragment 542 des *Pensées* parle de Cléobuline, un personnage d'*Artamène ou le grand Cyrus* de Mlle de Scudéry. Mais « moi » renvoie à Montalte, et non à Pascal.

38. Pascal pense à Jean Desmarets de Saint-Sorlin (1595-1676), l'auteur des *Visionnaires* et de plusieurs autres pièces de théâtre, qui avait aussi publié deux romans, *Ariane* en 1632, et *Rosane* en 1639. Cette information est donnée par Racine dans la *Lettre à l'auteur des Hérésies imaginaires* : « Mais, Monsieur, si je m'en souviens, on a loué même Desmarets dans ces lettres. D'abord l'auteur en avait parlé avec mépris, sur le bruit qui courait qu'il travaillait aux apologies des jésuites. Il vous fit savoir qu'il n'y avait point de part. Aussitôt il fut loué comme un homme d'honneur, et comme un homme d'esprit » (Racine, *Œuvres complètes*, Pléiade, t. II, p. 21). Par la suite, Desmarets publia de violents pamphlets antijansénistes.

SEIZIÈME LETTRE

Page 249.

1. Le P. Nouet termine la plupart de ses « Impostures » par un « Avertissement aux jansénistes ».

2. Il s'agit de Jansénius, évêque d'Ypres. Ses lettres à Saint-Cyran étaient entre les mains des jésuites du Collège de Clermont, à Paris ; elles avaient été saisies par Martin de Laubardemont avec les papiers de Saint-Cyran, lors de son arrestation en 1638. Jean Orcibal en a donné une excellente édition, *Correspondance de Jansénius*, Paris et Louvain, 1947.

3. Voici comment le P. Nouet avait cité ce texte dans la *Réponse à la Treizième Lettre des jansénistes* : « Jansénius... avait trouvé la méthode de prendre en cachette de l'argent du Collège de sainte Pulchérie autant qu'il en fallait pour entretenir *Barcos*, *sans qu'aux comptes qu'il en devait rendre*

tous les ans personne du monde en sût rien » (*Réponses aux Lettres provinciales*, Liège, 1657, p. 251).

4. Des extraits des lettres de Jansénius avaient été publiés par le P. Pinthereau dans *La Naissance du jansénisme découverte à Mgr le Chancelier, par le Sieur de Préville*, Louvain, 1654.

Page 250.

5. C'est la lettre du 3 juillet 1619.

6. C'est la lettre du 26 janvier 1620.

7. Pascal répond à l' « Avertissement » de la septième « Imposture » : « Le calomniateur janséniste nous dira, quand il lui plaira, les autres méthodes qu'il assure que nous avons inventées pour apprendre aux personnes du monde à s'enrichir sans usure. Mais je l'avertis par avance que nous n'approuverons jamais celle du prêtre janséniste qui inventa l'an passé la méthode d'ouvrir le tronc des églises, et qui en fit l'essai dans la cave de Saint-Médéric ; ni celle de ce fameux directeur, qui trouva longtemps auparavant l'art d'enlever des cassettes et se faire riche en un moment de neuf cent mille livres d'effets. »

8. Il s'agit de Jacques-Emmanuel Ariste (1620-1694), chapelain de Saint-Merry et ami de Port-Royal.

9. Quelques jours avant sa mort, survenue le 11 octobre 1652, Léon Le Bouthillier, comte de Chavigny, ministre d'État, avait fait remettre à Du Gué de Bagnols et Singlin des promesses et obligations d'un montant de neuf cent soixante treize mille sept cent trente-quatre livres, qui devaient être employées en aumônes. Peut-être avait-il quelques scrupules à propos de l'origine de ces biens. La veuve s'y opposa, prétextant que le bien de son mari avait été très légitimement acquis, que ses enfants n'auraient pas de pain si on ne lui rendait pas cette somme, et que son mari n'avait plus toute sa lucidité au moment du dépôt. Elle finit par récupérer le tout, à charge de distribuer cent mille livres en aumônes. On trouvera un récit très détaillé de toute cette affaire dans les *Mémoires* de Godefroy Hermant, t. I, pp. 670-697 ; l'honnêteté de Singlin, mise en doute par les jésuites, est inattaquable.

Page 251.

10. À strictement parler, Pascal n'est pas de Port-Royal ; il ne fait pas partie des Solitaires.

11. Une partie importante de Port-Royal n'était pas favorable à la polémique ; c'est le cas des religieuses, et de Martin de Barcos, le neveu de Saint-Cyran, par exemple.

12. *Psaume* LXXXII, 17 : « Couvre-leur la face de honte, et ils chercheront ton nom, Seigneur. »

Page 252.

13. Fondé en 1633, avec la Mère Angélique Arnauld comme supérieure, l'Institut du Saint-Sacrement avait été transféré en 1647 à Port-

Royal ; les religieuses gardaient la règle de saint Bernard, avec quelques modifications : l'office du Saint Sacrement le jeudi, l'adoration perpétuelle du Saint Sacrement ; les religieuses commencent leurs lettres par « Gloire à Dieu, au Très Saint Sacrement ».

14. Le 24 octobre 1647, les religieuses de Port-Royal avaient remplacé le scapulaire noir des bernardines par le scapulaire du Saint-Sacrement, blanc avec une croix rouge.

Page 254.

15. Référence erronée. Il s'agit de la page 239 de la *Seconde Lettre à un duc et pair*.

16. Antoine Arnauld, *De la fréquente communion.*

17. Jean Du Vergier de Hauranne, abbé de Saint-Cyran, *Théologie familière* (1642).

18. Saint-Cyran, *Raisons de la cérémonie et de la coutume ancienne de suspendre le Saint Sacrement,* opuscule publié à la suite de la *Théologie familière.*

19. Traduction du *Lauda Sion* dans les *Heures de Port-Royal* (1650).

20. *Lettres chrétiennes et spirituelles,* t. I, 1645, t. II, 1647.

21. Il faut lire « Lettre 75 ».

Page 256.

22. Jean Mestrezat (1592-1657), pasteur à Charenton, auteur d'une œuvre abondante ; Pascal pense sans doute à son livre *De la communion à Jésus-Christ au sacrement de l'eucharistie,* Sedan, 1624.

23. Richelieu, *Traité qui contient la méthode la plus facile et la plus assurée pour convertir ceux qui se sont séparés de l'Église* (1647).

Page 257.

24. *La Fréquente Communion* se présente comme la réfutation d'un écrit du P. de Sesmaisons, jésuite, intitulé *Question s'il est meilleur de communier souvent que rarement,* mais sans que l'auteur en soit nommé.

25. Résumé, et non citation littérale.

26. P. Brisacier : voir la note 23 à la Quinzième Lettre.

27. C'est justement ce à quoi s'opposait toute la Seconde Partie de *La Fréquente Communion* d'Arnauld, « où est traitée cette question, s'il est meilleur et plus utile aux âmes qui se sentent coupables de péchés mortels, de communier aussitôt qu'elles se sont confessées, ou de prendre quelque temps pour se purifier par les exercices de la pénitence, avant que de se présenter au saint autel ». L'édition de 1659 donne la référence précise du texte de Mascarenhas : « Mascar. tr. 4, disp. 5, n. 284. » Le *De sacramentis* du jésuite portugais Emmanuel Mascarenhas venait d'être publié à Paris, en octobre 1656.

Page 258.

28. *Ecclésiastique,* X, 10.

29. Réminiscence du *Psaume* L, 19 : « L'esprit troublé est sacrifice à Dieu ; ô Dieu, tu ne mépriseras pas le cœur contrit et humilié. »

Page 259.

30. Il faut lire « p. 35 ».

31. En fait, les livres signés du pseudonyme de Petrus Aurelius sont bien de Saint-Cyran.

32. Il s'agit des jésuites anglais Édouard Knott et Jean Floyd, dont les propositions sur l'autorité épiscopale avaient été censurées par la Faculté de théologie de Paris le 15 février 1631, avant le livre de Saint-Cyran.

Page 260.

33. *De la fréquente communion.*

Page 261.

34. *Épître aux Hébreux*, XI, 1.

35. *De la fréquente communion*, III, 7 : « D'où nous apprenons que comme l'eucharistie est la même viande que celle qui se mange dans le ciel, il faut nécessairement que la pureté du cœur des fidèles qui la mangent ici-bas ait de la convenance et de la proportion avec celle des bienheureux, et qu'il n'y ait autre différence qu'autant qu'il y en a entre la foi et la claire vision de Dieu, de laquelle seule dépend la différente manière dont on la mange dans la terre et dans le ciel. »

Page 262.

36. « En aucune façon le corps du Christ ne se trouve dans ce sacrement localement. »

Page 263.

37. *Ecclésiastique*, IV, 30.

38. Pierre Jarrige (1604-1670), jésuite, s'était converti au calvinisme en 1647 ; en 1650, il était revenu au catholicisme, choisissant d'être prêtre séculier.

Page 265.

39. Jean Filleau (1600-1682), professeur de droit et avocat du roi à Poitiers, avait publié en 1654 à Poitiers une *Relation juridique de ce qui s'est passé à Poitiers touchant la nouvelle doctrine des jansénistes*, où il fait le récit d'une conférence qui se serait tenue en 1621 à la Chartreuse de Bourgfontaine, où Jansénius, Saint-Cyran, Arnauld d'Andilly, Cospéan, Camus et Simon Vigor auraient formé le projet de renverser les dogmes principaux de la religion.

Page 266.

40. Il s'agit de Robert Arnauld d'Andilly (1588-1674), le frère aîné d'Antoine Arnauld.

41. Il s'agit de la Mère Agnès (Jeanne-Catherine Arnauld). Le *Chapelet secret du très saint Sacrement*, composé en 1627, a été condamné par la Sorbonne en 1633. La plus ancienne version imprimée qu'on en connaisse date de 1634 ; elle vient d'être publiée au Japon par Koji Kawamata, qui insiste sur l'influence de Bérulle. C'est un texte d'une très haute spiritualité, mais on comprend que son caractère nettement antihumaniste ait pu irriter les jésuites. En voici le début : « Sainteté. Afin que Jésus-Christ soit au très saint Sacrement en sorte qu'il ne sorte point de soi-même, c'est-à-dire que la société qu'il veut avoir avec les hommes soit d'une manière séparée d'eux, et résidente en lui-même, n'étant pas raisonnable qu'il s'approche de nous qui ne sommes que péché, et même en l'état de grâce il n'y a rien en nous digne de la sainteté de Dieu ; de façon que nous devrions dire au très saint Sacrement ce que Pierre disait à Jésus-Christ : Retirez-vous de nous, Seigneur, car nous sommes pécheurs. »

Page 267.

42. Pascal fait ici allusion au miracle de la Sainte-Épine : le 24 mars 1656, sa nièce, Marguerite Périer, âgée de dix ans, avait été instantanément guérie d'une fistule lacrymale, à Port-Royal, après avoir touché un reliquaire contenant une épine de la couronne du Christ. Le miracle avait été reconnu officiellement par les grands vicaires de Paris le 22 octobre.

Page 268.

43. *Première Épître aux Corinthiens*, VI, 10.
44. Jean, VIII, 32 : « La vérité vous affranchira. »
45. Isaïe, XXVIII, 15.

Page 269.

46. Isaïe, XXX, 12-14.
47. Ézéchiel, XIII, 22-23.
48. L'évêque de Genève dont il s'agit ici est saint François de Sales ; *Introduction à la vie dévote*, III, 29 : « Comme disait saint Bernard, et celui qui médit et celui qui écoute le médisant, tous deux ont le diable sur eux, mais l'un l'a en la langue et l'autre en l'oreille. » La référence à saint Bernard, *Sur le cantique*, sermon XXIV, § 3, a fourni à Pascal la citation suivante.
49. Il y a à peine plus d'une semaine entre les dates de la Quinzième Lettre et de la Seizième ; celle-ci est nettement plus longue, puisque le texte original en a 12 pages, au lieu des 8 pages de chacune des lettres précédentes.

Page 270.

50. Cf. Jean-Louis Guez de Balzac, *Socrate chrétien*, Discours dixième : « Cet homme, disait-on à Paris lorsque j'y étais, a fait un grand

livre parce qu'il n'a pas eu le loisir d'en faire un petit » (*Œuvres*, 1665, t. II, p. 245).

51. Pascal fait allusion aux démarches que font les jésuites pour obtenir l'interdiction de publier des écrits dirigés contre eux.

52. Il s'agit de Desmarets de Saint-Sorlin, dont Pascal laissait entendre, à la fin de la Onzième Lettre, qu'il rédigeait les réponses des jésuites.

DIX-SEPTIÈME LETTRE

Page 271.

1. Les jésuites avaient obtenu une ordonnance du Châtelet, signée du lieutenant civil et datée du 23 décembre 1656, qui interdisait de publier sans nom d'auteur ni privilège.

2. Venaient de paraître coup sur coup *La Bonne Foi des jansénistes en la citation des auteurs reconnue dans les lettres que le secrétaire du Port-Royal a fait courir depuis Pâques*, par le P. François Annat, la *Réponse à la quinzième lettre des jansénistes* publiée sans nom d'auteur par le P. Nouet, et la *Défense de la vérité catholique touchant les miracles, contre les déguisements et artifices de la réponse faite par MM. de Port-Royal, par le sieur de Sainte-Foy*, pseudonyme qui cache le P. Annat ou le P. Morel.

Page 272.

3. Cf. *Pensées*, 741 : « Quelle raison en avez-vous ? Vous dites que je suis janséniste, que le Port-Royal soutient les cinq propositions, et qu'ainsi je les soutiens. Trois mensonges. » Le fragment 741 des *Pensées* est un brouillon préparatoire à la Dix-septième Lettre.

4. Au début de la Douzième Lettre : « étant seul, comme je suis, sans force et sans aucun appui humain, contre un si grand corps ». Voici ce qu'en dit le P. Nouet dans la *Réponse à la douzième lettre des jansénistes* : « *Vous êtes seul*, Monsieur ! Par quelle disgrâce ce bon ami, ce fidèle compagnon de vos travaux, *ce janséniste qui ne ment jamais*, s'est-il éloigné de vous ? *Vous êtes seul !* Est-il possible que vous ne soyez plus janséniste, ou qu'il n'y ait plus au monde de jansénistes que vous ? Cet heureux changement est à souhaiter, mais je doute s'il est si tôt à espérer. *Vous êtes seul !* Je crois fermement que vous voulez faire pitié aux gens, et pour moi j'ai de la compassion de voir trente ou quarante solitaires fort empêchés, l'un à chercher des passages, l'autre à les couper ou allonger, l'autre à revoir vos lettres, l'autre à corriger des épreuves, l'autre à débiter des feuilles, l'autre à les lire à la ruelle des lits et les faire valoir, pendant que vous criez en vous cachant : *Je suis seul, sans force, et sans aucun appui humain, donc je ne suis pas un imposteur*. Ce raisonnement est persuasif et fort puissant. »

5. Il s'agit de la bulle d'Innocent X, *Cum occasione*, du 31 mai 1653, qui condamnait les cinq propositions extraites de l'*Augustinus* de Jansénius.

Page 273.

6. La cinquième proposition condamnée était : « C'est semi-pélagianisme de dire que Jésus-Christ est mort ou qu'il a répandu son sang généralement pour tous les hommes. »

7. Le 30 mars 1656, le lieutenant civil fit une perquisition à Port-Royal des Champs, à la recherche d'une imprimerie qui aurait pu servir aux *Provinciales* ; ayant rencontré M. Charles, le Solitaire chargé du labourage, il lui demanda où était l'imprimerie, « le bonhomme répondit qu'il ne connaissait point de sœur de ce nom-là dans la maison ; le lieutenant civil lui ayant dit *Où sont les presses*, il le mena tout doucement au pressoir » (*Recueil d'Utrecht*, 1740, p. 233).

8. Le 24 mars 1656, les docteurs qui avaient refusé de souscrire la censure contre Arnauld furent privés de leurs droits et privilèges, y compris leur logement en Sorbonne.

9. L'Assemblée du Clergé s'apprêtait à imposer aux ecclésiastiques la signature du Formulaire contre Jansénius.

Page 274.

10. Cf. *Pensées*, 745 : « Vous sentirez la force de la vérité et vous lui céderez. »

11. Étienne Meyster, lazariste, sombra dans la folie et se tua d'un coup de couteau en 1644 ; les adversaires du jansénisme voulurent rendre Saint-Cyran responsable de cette mort.

12. Dans la septième « Imposture » ; voir la note 7 à la Seizième Lettre.

13. Claude Séguenot (1596-1676), oratorien, ami de Saint-Cyran, avait publié en 1638 une traduction commentée de *La Sainte Virginité* de saint Augustin, qui avait été censurée par la Sorbonne ; en raison de ses liens avec Saint-Cyran, il avait été enfermé à la Bastille de 1638 à 1642. Il est pris à partie dans la 29e « Imposture », où il est désigné comme « le traducteur du livre de la sainte virginité disciple de Saint-Cyran ». Dans la dixième « Imposture », la responsabilité du livre est attribuée implicitement à Saint-Cyran : « le livre de la sainte virginité, qui est originairement l'ouvrage d'un de vos chefs ».

14. Cf. *Pensées*, 741 : « Un corps de réprouvés. »

15. Cf. *Pensées*, 741 : « On ouvrirait tous les troncs de Saint-Merry, sans que vous en fussiez moins innocents. »

Page 275.

16. Voici le texte des cinq propositions, tel qu'il est donné dans la bulle *Cum occasione* d'Innocent X : « 1. Quelques commandements de Dieu sont impossibles aux hommes justes, lors même qu'ils veulent et s'efforcent de les accomplir selon les forces qu'ils ont présentes, et la grâce leur manque par laquelle ils soient rendus possibles. 2. Dans l'état de la nature corrompue on ne résiste jamais à la grâce intérieure. 3. Pour mériter et démériter dans l'état de la nature corrompue, la liberté qui

exclut la nécessité n'est pas requise en l'homme, mais suffit la liberté qui exclut la contrainte. 4. Les semi-pélagiens admettaient la nécessité de la grâce intérieure prévenante pour chaque acte en particulier, même pour le commencement de la foi, et ils étaient hérétiques en ce qu'ils voulaient que cette grâce fût telle que la volonté humaine pût lui résister ou lui obéir. 5. C'est semi-pélagianisme de dire que Jésus-Christ est mort ou qu'il a répandu son sang généralement pour tous les hommes. »

17. Sur le P. Crasset, voir la note 11 de la Quinzième Lettre.

Page 276.

18. Jacques de Sainte-Beuve (1613-1677) venait d'être exclu de la Sorbonne pour avoir refusé de souscrire à la censure d'Arnauld ; il ne s'agit pas ici d'un ouvrage publié, mais d'un cours en Sorbonne.

19. Noël de Lalane (1619-1673), docteur de Sorbonne, avait publié en 1651 *De la grâce victorieuse de Jésus-Christ, ou Molina et ses disciples convaincus de l'erreur des pélagiens et des semi-pélagiens, par le sieur de Bonlieu*, puis, en collaboration avec Toussaint Desmares et peut-être Arnauld lui-même, la *Défense de la Constitution du pape Innocent X et de la foi de l'Église, contre deux livres, dont l'un a pour titre Cavilli jansenianorum, etc., et l'autre Réponses à quelques demandes, etc.* (1655), qui est une source importante de Pascal pour la Première Lettre et pour les *Écrits sur la grâce*.

20. Pascal prend cette citation des *Responsiones ad capitula objectionum Vicentianorum* dans la préface de Noël de Lalane, *De la grâce victorieuse.*

Page 277.

21. Ces citations des *Lettres* de saint Grégoire (VI, 15 et 16) sont empruntées à Arnauld, *Seconde Lettre à un duc et pair.*

22. Il faut lire « ch. 39 ». La citation et l'erreur de référence viennent d'Arnauld, *Seconde Lettre*. Le P. Annat avait publié les *Cavilli jansenianorum* (« les balivernes des jansénistes ») en 1654.

Page 278.

23. Cf. *Pensées*, 741 : « Le pape n'a pas condamné deux choses ; il n'a condamné que le sens des propositions. Direz-vous qu'il ne l'a pas condamné ? " Mais le sens de Jansénius y est enfermé ", dit le pape. Je vois bien que le pape l'a pensé à cause de vos *totidem*, mais il ne l'a pas dit sur peine d'excommunication. Comment ne l'eût-il pas cru, et les évêques de France aussi ? Vous les disiez *totidem* et ils ne savaient pas que vous êtes en pouvoir de le dire encore que cela ne fût pas. Imposteurs, on n'avait pas vu ma quinzième lettre. »

24. Sur la seconde moitié de la Dix-septième Lettre, voir Roger Duchêne, « D'Arnauld à Pascal ou l'art de faire plus court : l'exemple de la dix-septième *Provinciale* », *Méthodes chez Pascal*, pp. 253-263 (article repris dans Roger Duchêne, *L'Imposture littéraire dans les Provinciales de Pascal*, pp. 160-169).

25. C'est le Formulaire, dont l'Assemblée du clergé de 1657 allait imposer la signature à tous les ecclésiastiques. Cf. *Pensées*, 741 : « Il y a deux ans que leur hérésie était la bulle. L'année passée, c'était intérieur. Il y a six mois que c'était *totidem*, à présent c'est le sens. »

Page 279.

26. Saint Denys, patriarche d'Alexandrie de 248 à 264, ayant eu à réfuter l'erreur de Sabellius, qui confondait les trois personnes de la Trinité, s'était servi de termes qui semblaient favoriser l'erreur inverse, l'arianisme. Saint Basile le lui reprocha, dans la *Lettre 220*, mais saint Athanase prit sa défense.

Page 280.

27. François Bosquet (1605-1676), évêque de Lodève, puis de Montpellier, avait été envoyé à Rome comme représentant du clergé de France lors de l'affaire des cinq propositions. Il en avait rapporté les textes des avis des consulteurs ; Pascal citera celui du Commissaire du Saint-Office dans la Dix-huitième Lettre, p. 302.

Page 281.

28. Cf. *Pensées*, 741 : « Ou cela est dans Jansénius ou non. Si cela y est, le voilà condamné en cela. Sinon, pourquoi le voulez-vous faire condamner ? »

29. Ce thème avait été développé par Pascal dans la *Préface sur le traité du vide* (1651), où il oppose les connaissances qui relèvent de la seule autorité aux « sujets qui tombent sous les sens ou sous le raisonnement ».

Page 282.

30. Les citations et les exemples des pages suivantes sont empruntés à la *Seconde Lettre* d'Arnauld.

31. Il s'agit de saint Robert Bellarmin (1542-1621), jésuite et Docteur de l'Église.

32. Pierre de Marca (1594-1662), connu comme gallican et antijanséniste.

33. Cf. Arnauld, *Seconde Lettre* : « Ne voyons-nous pas encore, Monseigneur, que les jugements du quatrième concile général, qui est celui de Chalcédoine, et du cinquième qui fut tenu à Constantinople cent ans depuis, semblent être différents touchant les écrits de quelques personnes particulières, qui furent lus dans l'un et dans l'autre de ces conciles ? Car, pour ne parler que du seul Ibas évêque d'Édesse, la lettre qu'il avait écrite à un Persan nommé Maris ayant été lue dans le concile de Chalcédoine, où elle est rapportée, les Pères de ce concile ne la censurèrent point, et ne condamnèrent point Ibas qui l'avait écrite, mais se contentèrent qu'il eût anathématisé Nestorius. Et cependant cette même lettre ayant été lue et examinée de nouveau dans le cinquième concile général, elle y fut condamnée d'hérésie et jugée digne d'anathème... » Le quatrième concile est de 451, le cinquième de 513.

34. Cette affaire, qui dura de 520 à 535, porte sur la question de savoir si la Passion a été subie par la Trinité entière.

Page 283.

35. Pascal, à la suite d'Arnauld, présente des exemples de savants jésuites dont la probité intellectuelle est incontestable.

36. Pierre Halloix (1572-1656), jésuite, auteur d'*Origenes defensus*, Liège, 1648.

37. Pour les nestoriens, il y avait deux personnes en Jésus-Christ; Marie n'était pas mère de Dieu, mais seulement mère de Jésus-Christ comme homme.

38. Jacques Sirmond (1559-1651), célèbre érudit, éditeur des œuvres de Théodoret (Paris, 1642). C'est l'oncle du P. Antoine Sirmond, dont il est question dans la Dixième Lettre.

Page 284.

39. Les monothélites ne reconnaissaient qu'une seule volonté en Jésus-Christ; le sixième concile général (Constantinople, 680) déclara qu'il y avait en Jésus-Christ deux volontés, ni séparées ni confondues, la volonté humaine étant sujette et obéissante à la divine.

Page 285.

40. La Constitution d'Innocent X, du 31 mai 1653, avait été confirmée par un bref adressé à l'Assemblée du clergé de France et daté du 20 septembre 1654.

Page 287.

41. « En faisant abstraction de tout sens »; allusion à la Première Lettre.

Page 290.

42. L'édition originale, en 8 pages in-4°, est imprimée en très petits caractères.

43. Allusion à la *Défense de la vérité catholique touchant les miracles*; voir note 2.

44. Il semble que l'indication d'Osnabrück, ville de Westphalie, comme lieu d'impression, ait pour objet de dérouter les recherches de la police; il était interdit d'imprimer sans privilège depuis le 23 décembre 1656. Le P. Annat commence sa *Réponse à la XVIIe Lettre* en se moquant d' « Osnabrück » : « La dix-septième lettre du secrétaire de Port-Royal vient d'arriver. Elle est datée du 23 janvier, et publiée le 19 de février. Il a fallu tout ce temps-là pour la faire venir d'Osnabrück, où il indique qu'elle a été imprimée, les jansénistes ne l'ayant pas voulu faire imprimer à Paris, tant ils sont obéissants à la police et aux ordonnances des magistrats. »

DIX-HUITIÈME LETTRE

Page 292.

1. C'est vers le 15 mars qu'a été publiée la *Réponse à la XVIIe lettre des jansénistes*, signée du P. Annat, alors que toutes les réponses parues auparavant sont anonymes.

Page 293.

2. Pascal résume la *Réponse* du P. Annat : « Il faut que le secrétaire apprenne qu'il y a deux manières de défendre la grâce efficace par elle-même, l'une qui est hérétique, et appuyée sur des principes hérétiques, l'autre qui est orthodoxe, soutenue par des principes établis dans les conciles. Calvin suit la première, et en cela il est hérétique ; les docteurs catholiques thomistes, scotistes, sorbonnistes, jésuites, sont d'accord de la seconde ; et pour cela, nonobstant leurs disputes particulières, ils demeurent tous dans l'unité de la foi et dans la communion de l'Église. Pour savoir donc si la doctrine de Jansénius est à couvert par la profession qu'il fait de défendre la grâce efficace par elle-même, il faut savoir de quelle manière il la défend, si c'est la manière de Calvin, ou celle des docteurs catholiques. Calvin défend tellement la grâce efficace par elle-même qu'il croit qu'elle ne nous laisse aucune liberté que la *liberté de contrainte*, nous assujettissant au reste à la *nécessité d'agir*, qui nous ôte le pouvoir d'y résister tandis que la grâce persévère. Les docteurs catholiques sont d'accord que la grâce efficace par elle-même gouverne tellement notre volonté qu'elle nous laisse le pouvoir d'y résister ; en sorte que ces deux choses se trouvent ensemble, la grâce dans la volonté, et dans la même volonté sous la grâce un pouvoir suffisant pour s'empêcher d'y consentir ; et ils ne doutent point que ce ne soit le véritable sens des paroles du concile de Trente, *potest dissentire.* »

3. Pascal résume le texte du P. Annat : « Je demande donc au secrétaire si Jansénius est de ce sentiment lorsqu'il enseigne qu'il ne faut pas craindre *que la nécessité, de quelque nom qu'on l'appelle*, nous ôte la liberté, pourvu que ce ne soit point une *nécessité de contrainte* ; lorsqu'il dispute contre l'indifférence de la liberté, et ne nous en laisse aucune que Calvin ait refusée, ni n'en reconnaît aucune que Calvin n'ait aussi bien reconnue ; lorsque la grâce suffisante lui semble un *monstre dans la théologie*, et qu'il nie qu'il y ait jamais aucune grâce médicinale qui n'ait son effet ; lorsqu'il impute à erreur aux semi-pélagiens ce qu'ils disaient, *que notre volonté peut obéir ou résister à la grâce.* Et puisqu'il est évident que cette doctrine est contraire à la manière dont les docteurs catholiques expliquent la *grâce efficace par elle-même*, et qu'elle est plutôt conforme à celle qui a été suivie par Calvin, il faut conclure que, réduisant le sens des cinq propositions condamnées au sens de la *grâce efficace par elle-même*, comme elle a été expliquée par Jansénius, c'est le réduire à un sens

hérétique ; et que tous ceux qui suivent cette explication ne sont pas
seulement disciples de Jansénius, mais qu'ils le sont encore de Calvin. »

Page 295.

4. On retrouve ce thème dans d'autres écrits de Pascal, *Sur la
conversion du pécheur* et les *Écrits sur la grâce*. Il est admirablement analysé
par Henri Gouhier, *Blaise Pascal, conversion et apologétique*, chap. IV,
« De la délectation ».

5. Saint Augustin, *Exposition sur l'Épître aux Galates*, 5, n. 49 : « Car il
est nécessaire que nous agissions selon ce qui nous plaît le plus. »

6. Cet écrit de Clément VIII est du 9 juillet 1603 ; il a été publié pour la
première fois en 1645, par Arnauld, qui en possédait l'original, à la suite
de sa *Seconde Apologie pour M. Jansénius*. Voir la note 4 de la Seconde
Lettre.

7. *Épître aux Hébreux*, XIII, 21.

8. Session VI, ch. XVI.

Page 296.

9. Session IX, can. 4.

10. *Épître aux Philippiens*, II, 13.

11. Comme l'a signalé Philippe Sellier (*Pascal et saint Augustin*, p. 340,
n. 17), ce regroupement de citations bibliques s'inspire de saint
Augustin, *De gratia et libero arbitrio*, 15, n. 31.

12. Osée, XIV, 2 et Ézéchiel, XVIII, 30.

13. *Psaume LXXXIV*, 5.

14. Ézéchiel, XVIII, 31.

15. *Psaume CXXIX*, 8.

16. Matthieu, III, 8.

17. Isaïe, XXVI, 12.

18. Ézéchiel, XVIII, 31.

19. Ézéchiel, XXXVI, 26.

20. Saint Augustin, *Retractationes*, I, 23.

21. « Dieu a fait qu'ils veuillent ce qu'ils ne pourraient pas ne pas
vouloir » (*Contra Juliani responsionem opus imperfectum*, II, 154).

22. Diego Alvarez (vers 1550-1635), dominicain ; la citation de Pascal
est prise dans son livre *De auxiliis divinae gratiae*, Rome, 1610.

Page 297.

23. D. Pétau, *Theologica dogmata*, Paris, 1644, l. IX, c. VII, § 6.

24. Pascal résume le texte du P. Annat cité ci-dessus, n. 2.

Page 299.

25. Voir ci-dessus n. 2.

26. « Ce qu'ils ont dit eux-mêmes, pensez que je l'ai dit » ; la citation
de Jansénius est approximative.

Page 301.

27. « Ou bien niez qu'il ait dit ce dont il s'agit ; ou bien, s'il a dit de telles choses, condamnez-le de l'avoir dit » (saint Jérôme, *Livre contre Jean, évêque de Jérusalem*, § 8, cité par Arnauld dans la *Seconde Lettre à un duc et pair*, Seconde Partie, chap. VII).

28. À la fin de la Douzième Lettre.

29. Dans l'*Avis des Curés de Paris aux Curés des autres diocèses de France, sur le sujet des mauvaises maximes de quelques nouveaux casuistes*, du 13 septembre 1656 ; la proposition d'Amico y porte le n° VII. Pascal l'avait citée dans la Septième Lettre, p. 124.

Page 302.

30. Pascal n'introduit que de manière très oblique la mention du fait qui constitue le véritable sujet de la Dix-huitième Lettre : le 11 mars 1657, le nonce Piccolomini avait remis officiellement au roi la bulle *Ad sacram beati Petri sedem*, signée le 16 octobre 1656 par le pape Alexandre VII ; la condamnation des cinq propositions par Innocent X y était confirmée et précisée : « Nous, par le devoir de notre charge pastorale et après une mûre délibération, confirmons, approuvons et renouvelons par ces présentes la constitution, déclaration et définition du pape Innocent notre prédécesseur ci-dessus rapportée, et définissons et déclarons que ces cinq propositions ont été tirées du livre du même Cornelius Jansénius évêque d'Ypres, intitulé *Augustinus*, et qu'elles ont été condamnées dans le sens auquel cet auteur les a soutenues, et comme telles nous les condamnons derechef, leur appliquant la même censure, dont chacune d'elles en particulier a été notée ou frappée dans cette même déclaration et définition. » C'est cette bulle que désigne le mot de « décrets » employé au début de la Lettre, de manière volontairement floue : la cible de la polémique n'est pas le pape, mais bien les Jésuites.

31. Le P. Annat avait publié les *Cavilli jansenianorum* (« les balivernes des jansénistes ») en 1654.

32. Dans la *Réponse à la plainte que font les jansénistes de ce qu'on les appelle hérétiques*, publiée en même temps que la *Réponse à la XVIIᵉ lettre*, le P. Annat mettait en regard, dans un tableau à deux colonnes, les cinq propositions condamnées et des passages de Jansénius analogues.

33. Fabio Chigi, après avoir été secrétaire d'Innocent X, était devenu pape le 7 avril 1655, sous le nom d'Alexandre VII ; dans la bulle *Ad sacram beati Petri sedem*, il précise : « Nous... avons suffisamment et sérieusement considéré ce qui s'est passé dans cette affaire (comme ayant par le commandement du même pape Innocent X, notre prédécesseur, lorsque nous n'étions encore que dans la dignité du cardinalat, assisté à toutes les conférences dans lesquelles, par autorité apostolique, la même cause a été en vérité examinée avec une telle exactitude et diligence qu'on ne peut pas en souhaiter une plus grande). » Il y avait encore plus longtemps qu'il s'intéressait à cette affaire, puisque, dès 1641, étant alors

nonce à Cologne, il était intervenu auprès du pape Urbain VIII pour faire
condamner l'*Augustinus*.

34. Il s'agit de Vincenzo de Pretis, dominicain. Les suffrages des
consulteurs de la commission nommée par Innocent X venaient d'être
publiés par Nicole (la préface est datée du 10 février 1657).

Page 303.

35. Il s'agit des soixante et onze docteurs qui avaient pris parti pour
Arnauld sur la question de fait. Voir la Première Lettre, p. 42.

36. Texte cité par Arnauld, *Seconde Lettre à un duc et pair*, Seconde
Partie, chap. III.

37. Il faut corriger en « c. 2, § 3 ».

Page 304.

38. Paule Jansen (« La bibliothèque de Pascal », *Revue historique*,
octobre-décembre 1952, pp. 228-235) a trouvé la source de ce passage ;
c'est la *Réponse d'un ecclésiastique de Louvain à l'avis qui lui a été donné sur
le sujet de la bulle prétendue du pape Urbain VIII contre le livre de
M. Jansénius*, du P. Hugues Quarré, un oratorien de Malines. L'exemplaire dont s'est servi Pascal, 3ᵉ éd., Louvain, 1650, est conservé à la
Bibliothèque Mazarine, sous la cote 61298, et porte, de la main de Pascal,
cette annotation : « Signature. Ainsi les jésuites ou font embrasser les
erreurs ou font jurer qu'on les a embrassées, et font tomber ou dans
l'erreur ou dans le parjure, et pourrissent ou l'esprit ou le cœur »
(*Pensées*, 754).

Page 305.

39. Il s'agit de la *Réponse à la plainte que font les jansénistes de ce qu'on
les appelle hérétiques*.

40. Voici comment ces exemples sont présentés par le P. Annat : « On
sait assez que les hérétiques anciens ont quelquefois dissimulé leurs
erreurs, et fait tout ce que font aujourd'hui les jansénistes, quand ils
disent qu'ils condamnent les cinq propositions, en quelque auteur
qu'elles se trouvent. Toute l'histoire est pleine de semblables fictions ; et
il a fallu toujours user d'étude pour découvrir la queue du scorpion qui
était cachée sous le masque de leurs confessions apparentes. Saint Jérôme
nous apprend que l'hérésiarque Arius fit semblant de se rétracter, et signa
la règle de la foi qui avait été dressée au concile de Nicée. Saint Grégoire
de Nazianze nous apprend qu'Apollinaris en fit autant, et que par des
propositions à double entente il surprit même le pape Damase, auquel il
témoignait être soumis, comme sont aujourd'hui les jansénistes aux
décisions du pape Innocent... L'histoire ecclésiastique remarque les
mêmes tromperies des chefs des monothélites. Athanase, le patriarche
des jacobites, fit accroire à l'empereur Héraclie qu'il était soumis au
concile de Calcédoine et, l'ayant adressé à Cyrus et Sergius, qui étaient
dans la même intelligence, sous couleur de ramener tous les hérétiques de

l'Orient à la foi catholique, il engagea insensiblement cet empereur dans l'erreur, et le fit protecteur des monothélites. Sergius fit le bon valet à l'endroit du pape Honorius et, par des apparences de soumission, d'une bonne intention de défendre la foi catholique, tira de lui l'approbation qui a donné sujet, quoique non assez raisonnable, au soupçon qu'on a eu depuis qu'il avait été favorable à ces hérétiques » (*Réponses aux Lettres provinciales*, Liège, 1657, pp. 369-371).

Page 306.

41. *Première Épître de saint Pierre*, V, 3 : « Et non point comme ayant seigneurie sur le clergé et peuple de Dieu, mais tellement que soyez exemple de troupeau par bonne affection » (traduction de la Bible de Louvain).

42. « La foi naît de l'audition » (*Épître aux Romains*, X, 17).

43. « Pour que les sens soient mis à l'abri de l'erreur. » Ce texte, extrait de l'opuscule 57 de saint Thomas d'Aquin, se trouve dans les matines de l'office du Saint-Sacrement (2ᵉ leçon du 2ᵉ nocturne).

Page 307.

44. Pascal paraphrase le texte de saint Thomas : « Je réponds qu'il faut dire que, comme l'enseigne Augustin (*Sup. Genes. ad litt.* l. I, ch. 18 ; *Conf.* l. XII, ch. 23 et 24), dans les questions de cette nature il faut observer deux choses. Premièrement, de s'en tenir invariablement à la vérité de l'Écriture. Deuxièmement, comme l'Écriture peut être expliquée de différentes manières, on ne doit pas s'attacher trop exclusivement à une explication, au point que si l'on a découvert la fausseté d'une interprétation donnée, on ait la présomption néanmoins de la soutenir, de peur que l'on n'expose par là l'Écriture aux railleries des infidèles, et qu'on ne leur ferme le chemin de la foi. »

Page 308.

45. Cf. saint Thomas, *Somme théologique*, Première Partie, q. 70, art. 1 : « Comme le dit Chrysostome, si l'on appelle le soleil eᵗ la lune les deux grands luminaires, ce n'est pas à cause de leur volume, mais c'est en raison de leur efficacité et de leur vertu ; car bien que les autres étoiles soient d'un volume plus considérable que la lune, cependant les effets de la lune sont plus sensibles sur la terre ; et même elle paraît plus grande selon les sens. »

46. *De Genesi ad litteram*, I, 19, n. 39. Pascal s'est reporté au texte de saint Augustin dont la référence lui était donnée par saint Thomas. L'influence de saint Augustin sur tout ce développement a été bien montrée par Philippe Sellier (*Pascal et saint Augustin*, p. 45, n. 27), qui cite ces passages du *De Genesi ad litteram*, I, 19, n. 39 : « Il arrive en effet bien souvent qu'un homme même non chrétien possède sur la terre, le ciel, les autres éléments de ce monde, le mouvement, la révolution, ou même la grandeur et les intervalles des astres, les éclipses... du soleil et de

la lune, le mouvement des années et des époques, la nature des animaux, des plantes, des pierres, et les autres choses de ce genre, des connaissances telles qu'il les tienne pour très certainement démontrées par la raison et l'expérience. Il serait très honteux, funeste, et il faut éviter par-dessus tout qu'un incroyant, entendant un chrétien parler avec extravagance de ces sujets comme s'il en parlait d'après les Écritures... puisse à peine contenir son envie de rire... »

47. Léon IX, pape de 1048 à 1054.

48. On commençait pourtant à reconnaître qu'il ne fallait pas confondre Denys l'Aréopagite, le converti de saint Paul, avec Denys, le premier évêque de Paris.

Page 309.

49. Le décret condamnant Galilée est du 22 juin 1633.

50. Il s'agit de saint Virgile de Salzbourg, mort en 780.

51. C'est ce qu'Arnauld avait demandé en 1649, dans les *Considérations sur l'entreprise de M*e *Nicolas Cornet*, XLIII.

Page 310.

52. Cf. *Pensées*, 741 : « Vous êtes bien ridicules de tant faire de bruit pour les propositions. Ce n'est rien, il faut qu'on l'entende. »

FRAGMENTS D'UNE DIX-NEUVIÈME LETTRE

Page 312.

1. Ces fragments, qui resteront inédits jusqu'à l'édition des *Œuvres* de Pascal par l'abbé Bossut en 1779, peuvent être datés de la fin du mois de mai 1657 : l'Assemblée générale du Clergé s'était séparée le 23 mai 1657, et on savait que la signature du Formulaire marquant la soumission à la bulle d'Alexandre VII allait être obligatoire pour les prêtres et les religieux.

Page 313.

2. Ces fragments sont accompagnés dans les manuscrits (la Seconde Copie des *Pensées* et le manuscrit Périer) de notes qui constituent le fragment 715 des *Pensées*.

INDEX DES NOTES

Le numéro de la Lettre est indiqué en chiffres romains et le numéro de la note en chiffres arabes.

Alba (Jean d') : VI, 29.
Albi (Henry) : XV, 13, 14 et 16.
Annat (François) : IV, 5.

Bagot (Jean) : XI, 46.
Barry (Paul Beurrier de) : IX, 1.
Bauny (Étienne) : IV, 1 et 2.
Bellarmin (Robert) : XVII, 31.
Bile (Éralde) : XII, 13.
Binet (Étienne) : IX, 4.
Bosquet (François) : XVII, 27.
Brisacier (Jean de) : XI, 40 et 42.

Cajetan (Thomas de Vio, dit) : XII, 7.
Caramuel de Lobkowicz (Jean) : VI, 13.
Caussin (Nicolas) : X, 6 et 10.
Cellot (Louis) : V, 37.
Comitolo (Paul) : X, 11.
Cornet (Nicolas) : I, 4.
Crasset (Jean) : XV, 11.

Danjou (Jean) : XV, 8.
Desmares (Toussaint) : I, 17 et 18 ; IX, 9 et 17.
Desmarets de Saint-Sorlin (Jean) : XV, 38.

Diana (Antonino) : V, 34.
Dicastillo (Jean de) : XV, 6.
Du Moulin (Pierre) : XII, 1.
Dupré (Jacques) : XII, 13.

Escobar y Mendoza (Antoine de) : V, 16.

Filiutius (Vincent Filliucci, dit) : V, 25.
Filleau (Jean) : XVI, 39.
Flahaut : VII, 12.

Garasse (François) : IX, 11 ; XI, 39.
Gravina (Dominique) : V, 8.
Guyart (Claude-Denis) : II, 5.

Hallier (François) : IV, 3.
Halloix (Pierre) : XVII, 36.
Henriquez (Henrique) : V, 40.
Héreau (N.) : VII, 11 ; XIII, 10.
Hurtado (Gaspard) : VII, 7.
Hurtado (Thomas) : V, 9.
Hurtado de Mendoza (Pierre) : VII, 6.

Imago primi saeculi : V, 1.

Jansénius (Cornelius) : II, 7; XVI, 2.
Jarrige (Pierre) : XVI, 38.

Lalane (Noël de) : I, 17 et 18; XVII, 19.
L'Amy : VII, 18.
Laymann (Paul) : V, 35.
Lecourt : VII, 12.
Le Moyne (Alphonse) : I, 13; IV, 7.
Le Moyne (Pierre) : IX, 8-10; XI, 35-38.
Lessius (Léonard Leys, dit) : VII, 4.

Magni (Valeriano) : XV, 29.
Marca (Pierre de) : XII, 32.
Mestrezat (Jean) : XVI, 22.
Meynier (Bernard) : XV, 26.
Molina (Louis) : I, 9; II, 4; V, 18.
Molinistes : I, 9 et 11.
Monothélites : XVII, 39.

Navarre (Martin Azpilcueta, dit) : V, 32.
Nestoriens : XVII, 37.
Nicolaï (Jean) : I, 14.
Nouet (Jacques) : XI, 59; XII, 5.

Pétau (Denys) : V, 3.
Pinthereau (François) : X, 9; XVI, 4.
Ponce de Léon (Basile) : V, 27.
Puys (Benoît) : XV, 12, 15 et 17.

Quiroga (Diego de) : XV, 5.

Reginaldus (Valère Regnauld, dit) : V, 38.

Sa (Emmanuel) : V, 33.
Sainte-Beuve (Jacques de) : XVII, 18.
Sanchez (Jean) : IX, 14.
Sanchez (Thomas) : V, 31.
Séguenot (Claude) : XVII, 13.
Semi-pélagiens : III, 11.
Sirmond (Antoine) : X, 13.
Sirmond (Jacques) : XVII, 38.
Suarez (François) : V, 18.

Tanner (Adam) : VI, 19.
Thomistes : I, 7.
Turrianus (Luis de Torrès, dit) : IX, 19.

Valentia (Grégoire de) : V, 18.
Vasquez (Gabriel) : V, 18.

Les sommaires sont ceux de l'édition latine des *Provinciales* par Pierre Nicole (Wendrock), dans la traduction de Mlle de Joncoux.

Préface de Michel Le Guern   7
Notice   19

LES PROVINCIALES

Avertissement sur les XVII Lettres   29
Rondeau   39
Lettre écrite à un provincial par un de ses amis, sur le sujet des disputes présentes de la Sorbonne   41

Des disputes de Sorbonne, et de l'expédient du *pouvoir prochain*, dont les molinistes se servirent pour faire conclure la censure de M. Arnauld.

Seconde Lettre écrite à un provincial par un de ses amis   51

De la grâce suffisante.

Réponse du provincial aux deux premières Lettres de son ami   61

Troisième Lettre écrite à un provincial pour servir de réponse à la précédente   63

Injustice, absurdité et nullité de la censure de M. Arnauld.

Quatrième Lettre écrite à un provincial par un de ses amis   71

De la grâce actuelle toujours présente, et des péchés d'ignorance.

Cinquième Lettre écrite à un provincial par un de ses amis   84

Dessein des jésuites en établissant une nouvelle morale. Deux sortes de casuistes parmi eux : beaucoup de relâchés, et quelques-uns de sévères. Raisons de cette différence. Explication de la doctrine de la probabilité. Foule d'auteurs modernes et inconnus mis à la place des saints Pères.

Sixième Lettre écrite à un provincial par un de ses amis   98

Différents artifices des jésuites pour éluder l'autorité de l'Évangile, des conciles et des papes. Quelques conséquences qui suivent de leur doctrine sur la probabilité. Leurs relâchements en faveur des bénéficiers, des prêtres, des religieux et des domestiques. Histoire de Jean d'Alba.

Septième Lettre écrite à un provincial par un de ses amis   112

De la méthode de diriger l'intention selon les casuistes. De la permission qu'ils donnent de tuer pour la défense de l'honneur et des biens, et qu'ils étendent jusqu'aux prêtres et aux religieux. Question curieuse proposée par Caramuel, savoir s'il est permis aux jésuites de tuer les jansénistes.

Huitième Lettre écrite à un provincial par un de ses amis   127

Maximes corrompues des casuistes touchant les juges, les usuriers, le contrat Mohatra, les banqueroutiers, les restitutions, etc. Diverses extravagances des mêmes casuistes.

Neuvième Lettre écrite à un provincial par un de ses amis   142

De la fausse dévotion à la Sainte Vierge que les jésuites ont introduite. Diverses facilités qu'ils ont inventées pour se sauver sans peine, et parmi les douceurs et les commodités de la vie. Leurs maximes sur l'ambition, l'envie, la gourmandise, les équivoques, les restrictions mentales, les libertés qui sont permises aux filles, les habits des femmes, le jeu, le précepte d'entendre la messe.

Dixième Lettre écrite à un provincial par un de ses amis   156

Adoucissements que les jésuites ont apportés au sacrement de pénitence par leurs maximes touchant la confession, la satisfaction, l'absolution, les occasions prochaines de pécher, la contrition et l'amour de Dieu.

Onzième Lettre écrite par l'auteur des Lettres au provincial aux Révérends Pères Jésuites   172

Qu'on peut réfuter par des railleries les erreurs ridicules.

Table 409

Précautions avec lesquelles on le doit faire ; qu'elles ont été observées par Montalte, et qu'elles ne l'ont point été par les jésuites. Bouffonneries impies du P. Le Moyne et du P. Garasse.

Douzième Lettre écrite par l'auteur des Lettres au provincial aux Révérends Pères Jésuites   187

Réfutation des chicanes des jésuites sur l'aumône et sur la simonie.

Treizième Lettre écrite par l'auteur des Lettres au provincial aux Révérends Pères Jésuites   202

Que la doctrine de Lessius sur l'homicide est la même que celle de Victoria. Combien il est facile de passer de la spéculation à la pratique. Pourquoi les jésuites se sont servis de cette vaine distinction, et combien elle est inutile pour les justifier.

Quatorzième Lettre écrite par l'auteur des Lettres au provincial aux Révérends Pères Jésuites   217

On réfute par les saints Pères les maximes des jésuites sur l'homicide. On répond en passant à quelques-unes de leurs calomnies, et on compare leur doctrine avec la forme qui s'observe dans les jugements criminels.

Quinzième Lettre écrite par l'auteur des Lettres au provincial aux Révérends Pères Jésuites   233

Que les jésuites ôtent la calomnie du nombre des crimes, et qu'ils ne font point de scrupule de s'en servir pour décrier leurs ennemis.

Seizième Lettre écrite par l'auteur des Lettres au provincial aux Révérends Pères Jésuites   249

Calomnies horribles des jésuites contre de pieux ecclésiastiques et de saintes religieuses.

Dix-septième Lettre écrite par l'auteur des Lettres au provincial au Révérend P. Annat Jésuite   271

On fait voir, en levant l'équivoque du sens de Jansénius, qu'il n'y a aucune hérésie dans l'Église. On montre par le consentement unanime de tous les théologiens, et principalement des jésuites, que l'autorité des papes et des conciles œcuméniques n'est point infaillible dans les questions de fait.

Dix-huitième Lettre écrite par l'auteur des Lettres au provincial au Révérend P. Annat Jésuite   291

> On fait voir encore plus invinciblement, par la réponse même du P. Annat, qu'il n'y a aucune hérésie dans l'Église : que tout le monde condamne la doctrine que les jésuites renferment dans le sens de Jansénius, et qu'ainsi tous les fidèles sont dans les mêmes sentiments sur la matière des cinq propositions. On marque la différence qu'il y a entre les disputes de droit et celles de fait, et on montre que dans les questions de fait on doit plus s'en rapporter à ce qu'on voit qu'à aucune autorité humaine.

Fragments d'une dix-neuvième Lettre adressée au P. Annat   312

DOSSIER

Chronologie des Provinciales   317
Indications bibliographiques   321
Notes   323
Index des notes   405

Impression S.E.P.C. à Saint-Amand (Cher),
le 4 juillet 1994.
Dépôt légal : juillet 1994.
1er dépôt légal dans la collection : septembre 1987.
Numéro d'imprimeur : 1643.
ISBN 2-07-037860-8./Imprimé en France.

Imprimé en S.E.P.C. à Saint-Amand (Cher),
le 6 juillet 1998.
Dépôt légal : juillet 1998.
1er dépôt légal dans la collection : septembre 1997.
Numéro d'imprimeur : 4642.
ISBN 2-07-037860-5./Imprimé en France.